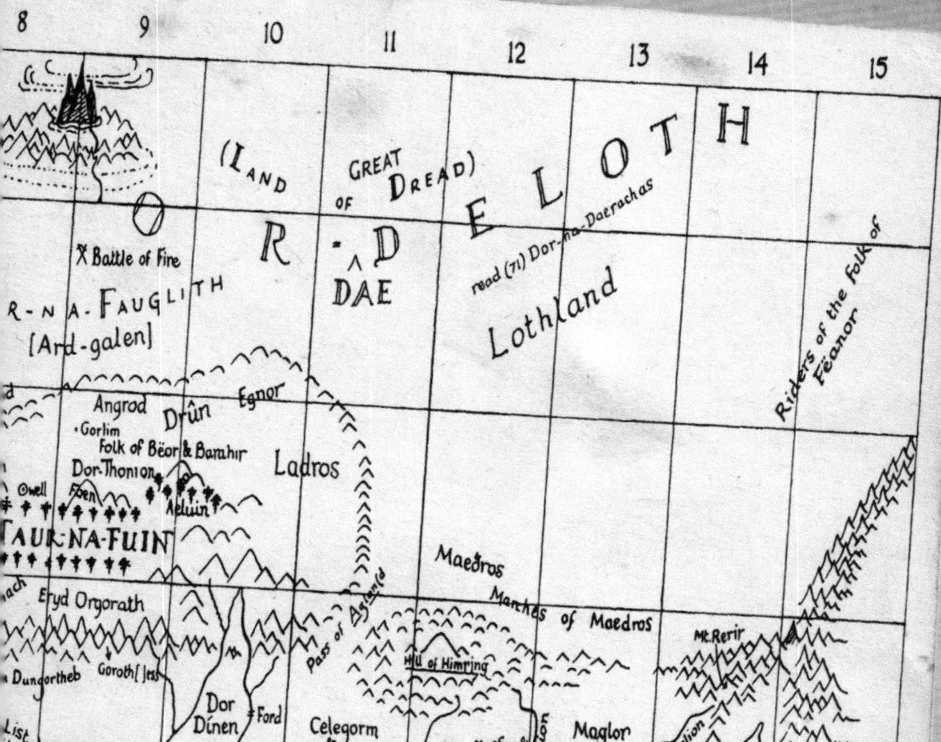

8
9
10
11
12
13
14
15
DOR-DAEDELOTH
(LAND OF GREAT DREAD)
read (71) Dor-na-Daerachas
X Battle of Fire
R-NA-FAUGLITH
[Ard-galen]
Lothland
Riders of the Folk of Fëanor
Angrod
Drûn
Egnor
Gorlim
Folk of Bëor & Barahir
Dor-Thonion
Ladros
Aeluin
TAUR-NA-FUIN
Maedros
Eryd Orgorath
Marches of Maedros
Pass of Aglond
Hill of Himring
Mt. Rerir
Dungortheb
Goroth[ ]ess
Dor Dínen
Ford
Celegorm & Curufin
Maedros
Little Gelion
Maglor
Greater Gelion
L. Helevorn
List Melian
Himlad
Dor Caranthir
R. Celon
Man Elmoth
Gladuial
R. Aros
north road of Dwarves
Caranthir
later
Folk of Uldor
MENEGROTH
Radrim
Egladôr
FOREST OF REGION
Estoland
R. GELION
Thargelion
Eredlindon
Garthurian
Diriel
Belegost
Mt. Dolmed

Dangweth Pengoloð

: the :
Answer
of
: Pengolod :

to Aelfwine who asked him how came it that the tongues of the Elves changed and were sundered

Now you question me, Ælfwine, concerning the tongues of the Elves, saying that you wonder much to discover that they are many, akin indeed and yet unalike; for seeing that they die not and their memories reach back into ages long past, you understand not why all the race of the Quendi have not maintained the language that they had of old in common still one and the same in all their kindreds. But behold! Ælfwine, within Eä all things change, even the Valar; for in Eä we perceive the unfolding of a History in the unfolding: as a man may read a great book, and when it is full-read it is rounded and complete in his mind, according to his measure. Then at last he perceives that some fair thing that long endured: as some mountain or river of renown, some realm, or some great city; or else some mighty being, as a king, or maker, or a woman of beauty and majesty, or even one, maybe of the Lords of the West: that each of these is, if at all, all that is said of them from the beginning even to the end. From the spring in the mountains to the mouths of the sea, all is Sirion; and from its first upwelling even to its passing away when the land was broken in the great battle, that also is Sirion, and nothing less. Though we, who are set to behold the great History, reading line by line, may speak of the river changing as it flows and grows broad, or dying as it is spilled or devoured by the sea. Yea, even from his f[illegible] coming into Eä from the side of Ilúvatar, and from

A HISTÓRIA
DA TERRA-MÉDIA
XII

OS POVOS DA TERRA-MÉDIA

J.R.R. TOLKIEN

A HISTÓRIA DA TERRA-MÉDIA

XII

OS POVOS DA TERRA-MÉDIA

Editado por CHRISTOPHER TOLKIEN

Tradução de
EDUARDO BOHEME

Harper Collins
Rio de Janeiro, 2025

Título original: *The People of Middle-earth*

Copidesque	Leonardo Dantas do Carmo
Revisão	Gabriel Oliva Brum, Pedro Maikher e Renata Litz
Design de capa	Alexandre Azevedo
Diagramação	Sonia Peticov

Dados Internacionais de Catalogação na Publicação (CIP)
(Câmara Brasileira do Livro, SP, Brasil)

T649p
1. ed. Os povos da Terra-média / J.R.R. Tolkien; tradução Eduardo Boheme. – 1.ed. – Rio de Janeiro: HarperCollins, 2025.
544 p.; 13,5 × 20,8 cm. – (História da terra-média, box 4; 12)

Título original: The people of Middle-earth.
ISBN 978-65-5511-718-9 (capa dura)

1. Ficção de fantasia. I. Kumamoto, Eduardo. II. Título. III. Série.

05-2025/16 CDD 823

Índice para catálogo sistemático: 1. Ficção de fantasia: Literatura inglesa 823
Bibliotecária responsável: Aline Graziele Benitez – Bibliotecária – CRB-1/3129

HarperCollins Brasil é uma marca licenciada à Casa dos Livros Editora Ltda.

Rua da Quitanda, 86, sala 601A - Centro
Rio de Janeiro/RJ - CEP 20091-005
Tel.: (21) 3175-1030
www.harpercollins.com.br

Para Baillie Tolkien.

Sumário

Prefácio

No prefácio a *Sauron Derrotado*, escrevi que não tentaria fazer um estudo dos Apêndices de *O Senhor dos Anéis* "neste momento". Foi um comentário ambíguo, pois duvidava muito de que sequer faria essa tentativa, mas justifiquei o adiamento pelo menos em virtude do fato de que "meu pai logo se voltou mais um vez, quando *O Senhor dos Anéis* foi completado, , para os mitos e as lendas dos Dias Antigos" e, por isso, dediquei os volumes seguintes à história tardia de "O Silmarillion". Minhas intenções quanto ao décimo segundo volume eram incertas, mas, após a publicação de *A Guerra das Joias*, comecei a pensar que, se eu incluíra (contrariamente à minha ideia original) em *A História da Terra-média* um longo relato da escrita de *O Senhor dos Anéis*, seria uma omissão estranha não falar nada sobre os Apêndices, nos quais de fato emergiu a estrutura histórica da Segunda e Terceira Eras, baseada numa cronologia sólida.

Assim, lancei-me ao estudo da história desses trabalhos, da qual eu tinha pouco conhecimento preciso. Da mesma forma que os textos narrativos de *O Senhor dos Anéis*, os textos dos Apêndices (e do Prólogo) foram separados, em alguns casos de maneira desordenada, quando da venda dos papéis à Universidade Marquette. Mas recebi a ajuda generosíssima, pronta e meticulosa, de Charles Elston, arquivista da Biblioteca Memorial de Marquette, o que me possibilitou determinar as relações textuais. Foi somente então que passei a compreender que os textos de ensaios suplementares a *O Senhor dos Anéis* haviam chegado a uma forma extraordinariamente completa — embora muito diferentes, em vários pontos, dos Apêndices publicados — muito antes do que eu tinha imaginado: no período, assim eu julgo, imediatamente após meu pai escrever o último capítulo de *O Senhor dos Anéis*, em 1948. De fato, indicações externas de data estão totalmente ausentes nesses textos, mas é possível observar em diversos pontos que, quando foram escritos, a narrativa ainda não chegara à sua forma final e é igualmente claro que eles, na verdade, precederam o retorno de meu pai à Primeira Era, no início dos anos de 1950, conforme descrito no Prefácio de *A Guerra das Joias*. Uma reviravolta de grandes proporções na estrutura linguístico-histórica ainda estava por vir: a renúncia dos Noldor à sua própria língua quando voltaram do Oeste e a adoção do sindarin da Terra-média.

Em meu relato, concentrei-me, é claro, nessas formas primitivas que, quanto ao modo e aspecto, tão evidentemente pertencem à própria narrativa. Tenho poucas dúvidas de que meu pai há muito cogitara tal suplementação e acompanhamento para *O Senhor dos Anéis*, considerando-os um elemento essencial para o todo. Foi impossível para mim demonstrar de maneira satisfatória como ele os concebera naquela época sem ter completado os textos iniciais, ainda que isso naturalmente implique o detalhamento, especialmente no caso da história de Arnor e Gondor, de muito que se sabe daquilo que sobrevive nas versões publicadas dos Apêndices. Eu excluí o Apêndice E ("Escrita e Grafia"), mas incluí o Prólogo e introduzi, nessa parte do livro, um relato da origem e desenvolvimento do *Akallabêth*, já que a evolução da estrutura cronológica da Segunda Era estava intimamente relacionada à contagem definitiva das datas dos reis númenóreanos.

Após essa parte, incluí três ensaios escritos durante seus últimos anos e também alguns breves escritos que parecem derivar dos anos finais de sua vida, primariamente concentrados ou mesmo originados da questão sobre se o Glorfindel de Valfenda e o Glorfindel de Gondolin eram uma só pessoa. Esses escritos tardios são notáveis pelos muitos elementos inteiramente novos que entraram no "legendário" e pelo número de desvios em relação a escritos anteriores sobre a Matéria dos Dias Antigos. Pode-se sugerir que, ainda que meu pai desse grande importância à consistência em todos os pontos de *O Senhor dos Anéis* e dos Apêndices, tão pouco a respeito da Primeira Era havia sido publicado que ele estava muito menos restrito. Inclino-me a pensar, contudo, que a explicação principal para essas diferenças reside no fato de que ele estava escrevendo principalmente de cabeça. As histórias da Primeira Era permaneciam sempre em um estado algo fluido, contanto que não estivessem fixadas em um texto publicado, e ele certamente não tinha todos os manuscritos relevantes organizados e dispostos de maneira clara à sua frente. De toda forma, continua sendo uma questão em aberto se (para dar um único exemplo) no ensaio *De Anãos e Homens* ele havia definitivamente rejeitado o relato muito elaborado das casas dos Edain que entrara no *Quenta Silmarillion* por volta de 1958 ou se havia se esquecido dele.

O livro se encerra com dois textos que fornecem uma ilustração adicional da instrução que Ælfwine da Inglaterra recebeu de Pengoloð, o Sábio, em Tol Eressëa e os inícios abandonados de duas histórias notáveis, *A Nova Sombra* e *Tal-elmar*.

Com a pintura tão clara, no conto de Tal-elmar, das grandes naus dos númenóreanos chegando à costa e o temor, entre os homens da Terra-média, dos terríveis "Go-hilleg", essa "História" chega ao seu fim. Passou-se muito tempo desde que comecei o trabalho de ordenar e elucidar o vasto conjunto de papéis em que está contida a concepção de meu pai acerca de Arda, Aman e da Terra-média, fazendo algumas transcrições iniciais, pouco tempo após seu falecimento, de *O Livro dos Contos Perdidos*, dos quais eu não sabia praticamente nada, como um passo para compreender as origens de "O Silmarillion". Àquela época, eu tinha pouca noção do que estava à minha frente, de todos os trabalhos desconhecidos amontoados em desordem naquele formidável acervo de arquivos surrados. Quase um quarto de século depois, a história, da maneira como pude contá-la, está afinal concluída.

Isso não quer dizer que forneci um relato de tudo o que meu pai escreveu, mesmo descontando o grande volume de trabalhos sobre as línguas dos Elfos. Os escritos mais tardios de meu pai foram apresentados de maneira seletiva e muitos detalhes adicionais, especialmente no que diz respeito aos nomes e etimologia dos nomes, podem ser encontrados em textos tais como os que expus nos *Contos Inacabados*, notavelmente na parte do livro intitulada "A História de Galadriel e Celeborn". Pode-se dizer que outras omissões aconteceram inadvertidamente conforme o trabalho e sua publicação prosseguiam.

Tudo começou como um estudo inteiramente "particular", sem intenção ou propósito de publicação: uma investigação e análise exaustiva de todos os materiais relacionados ao que passou a ser chamado de Dias Antigos, desde o início, sem omitir qualquer detalhe acerca de formas onomásticas ou variação textual. Daquele trabalho original deriva o respeito pelo fraseado preciso dos textos e a insistência em garantir que todas as pedras (especialmente aquelas contendo nomes) fossem revolvidas: isso caracteriza, talvez excessivamente, *A História da Terra-média*. Por outro lado, os *Contos Inacabados* foram concebidos de modo inteiramente independente e, na sua essência, distinto, numa época em que eu não fazia ideia da publicação de uma história contínua e colossal, e isso constitui uma limitação evidente na minha apresentação do corpus completo que não pôde ser remediada. Quando Rayner Unwin, a quem devo muito, aceitou o incerto projeto de publicar meu trabalho sobre a história de "O Silmarillion" (em formato necessariamente muito alterado) eu não tinha a intenção de entrar na história das Eras Posteriores: a inclusão de *A Estrada Perdida*, *A Submersão de Anadûnê*, *Os Documentos do Clube Notion* e, principalmente, de toda a história da escrita de *O Senhor dos Anéis*, ampliando o trabalho muito além do meu projeto original, foi completamente imprevista.

Assim, aconteceu de os últimos volumes terem sido escritos e publicados sob uma pressão muito maior quanto ao prazo e com uma ideia menor em relação à estrutura geral, se comparados aos anteriores. Ao tentar fazer de cada livro uma entidade independente em alguma medida, dentro das limitações de espaço, eu me vi constantemente na incerteza sobre o que eles iriam ou poderiam conter até que estivessem feitos e essa falta de previdência levou a alguns equívocos de "escala", isto é, o grau de completude ou concisão que, em última instância, se mostraria apropriado ao todo. Dessa maneira, por exemplo, eu deveria ter voltado ao final de meu relato sobre a escrita de *O Senhor dos Anéis* e fornecido alguma descrição, pelo menos, do desenvolvimento posterior nos capítulos *A Sombra do Passado* e *O Conselho de Elrond* e, em relação a eles, a evolução de *Dos Anéis de Poder e da Terceira Era*. Contudo, todas as estórias e todas as histórias estão agora contadas e o "legendário" dos Dias Antigos foi amplamente perscrutado.

Uma vez que a "feitura" incessante de seu mundo estendeu-se da mocidade à velhice de meu pai, *A História da Terra-média* é, de alguma forma, também um registro de sua vida, uma espécie de biografia, ainda que de um tipo muito incomum. Ele percorreu uma longa estrada. Deixou-me um legado colossal de escritos que possibilitaram traçar essa estrada em sua verdadeira sequência (assim espero) e desenterrar as profundas bases que afinal levaram à verdadeira conclusão de sua grande história, quando o navio branco partiu dos Portos Cinzentos.

> No crepúsculo de outono, saiu a navegar de Mithlond, até que os mares do Mundo Curvado desapareceram debaixo dele, e os ventos do céu arredondado não mais o perturbaram, e, carregado sobre os altos ares acima das brumas do mundo, passou-se para o Antigo Oeste, e um fim chegou para os Eldar em história e em canção.

Foi uma tarefa cativante e inspiradora, desde os esplendores do *Ainulindalë* ou a tragédia dos Filhos de Húrin, até os mínimos detalhes nas mudanças de expressão e alterações de nomes. Também foi, por natureza, muito laboriosa e com momentos de dúvida, quando minha confiança esmorecia. Devo muito àqueles que apoiaram o trabalho com seu generoso incentivo em cartas e resenhas. Devo, acima de tudo, à minha esposa Baillie, a quem dedico este último volume, embora a dedicatória possa ser estendida ao todo. Sem sua compreensão e incentivo ao longo dos anos, dividindo o peso de um trabalho tão longo e exigente, ele nunca teria sido finalizado.

Nota ao texto

Como regra geral, preservei o uso frequentemente cambiante de meu pai na grafia dos nomes (por exemplo *Baraddur* e *Barad-dûr*), mas, em determinados casos mantive uma forma padrão (como *adûnaico* onde às vezes se lê *adunaico* e *Gil-galad* em vez de *Gilgalad*). Em seus textos tardios, ele raramente usava o trema (como em *Finwë*), mas, ao menos em intenção, sempre empregava o *Ñ* para representar o som inicial *ng*, como no inglês *sing* (dessa forma, *Ñoldor*). Neste livro, eu ampliei o uso do trema (exceto em nomes anglo-saxônicos, como *Ælfwine*), mas restringi o uso do *Ñ* aos textos onde ele ocorre.

Assim como anteriormente, referências aos volumes de *A História da Terra-média* são feitas com numerais romanos (por exemplo VI. 314). Para as necessariamente abundantes referências aos Apêndices publicados, usei as letras RR (*O Retorno do Rei*), e os números de página são aqueles da edição de três volumes em capa dura. Ocasionalmente, empreguei SA e DT para *A Sociedade do Anel* e *As Duas Torres*.

Na correção dos erros (especialmente em citações de textos) de *Os Povos da Terra-média*, que foi finalizado com prazo bastante apertado, o Sr. Charles Noad talvez tenha contribuído mais do que em todos os volumes anteriores, cujas provas ele leu de maneira independente. Com a conclusão da obra, eu devo novamente expressar minha gratidão por seu trabalho meticuloso, erudito e extraordinariamente generoso. Quero deixar registrado meu apreço pela grande habilidade e cuidado que o Sr. Norman Tilley da Nene Phototypesetters novamente empregou nesse texto particularmente difícil — incluindo a "correção invisível" de erros em minhas tabelas manuscritas.

O Sr. Noad também fez diversas sugestões para o aprimoramento do texto, com clarificações e referências adicionais que adotei sempre que possível. Permanecem alguns pontos que, caso fossem introduzidos, exigiriam demasiado retrabalho, ou muito deslocamento de texto. Dois deles podem ser mencionados aqui.

Um deles diz respeito à tradução da imprecação do Orque da Torre Sombria, na p. 111. Quando estava escrevendo essa passagem, esqueci-me de que o Sr. Carl Hostetter, editor do periódico *Vinyar Tengwar*, havia apontado no número 26, de novembro de 1992, que há uma tradução dessas palavras em uma nota a um dos textos datilografados do Apêndice E (ele não sabia da existência da versão certamente mais antiga publicada aqui). Também negligenciei o fato de que uma terceira versão pode ser encontrada entre as notas sobre palavras e expressões "em língua estranha" em *O Senhor dos Anéis*. Todas as três diferem significativamente entre si (*bagronk*, por exemplo, aparece tanto como "fossa" quanto "(câmara de) tortura"), o que parece deixar claro que meu pai estava, na época, criando interpretações para as palavras, seja lá qual era sua intenção quanto ao significado delas quando ele primeiro as escreveu.

Eu deveria também ter notado que a afirmação em textos iniciais do Apêndice D (Calendários), pp. 157 e 164, de que o Livro Vermelho "termina antes do Lite de 1436", refere-se ao Epílogo de *O Senhor dos Anéis*, no qual Samwise, após ler o Livro em voz alta ao longo de muitos meses, finalmente termina numa noite ao fim de março daquele ano (IX. 155–6).

Finalmente, depois de as provas deste livro terem sido revisadas, recebi uma carta do Sr. Christopher Gilson, na qual ele faz referência a um breve, mas notável, texto associado ao Apêndice A, que ele vira em Marquette. Esse foi um acaso curioso, pois ele não tinha qualquer conhecimento do livro além do fato de que continha um relato dos Apêndices, ao passo que eu, embora tivesse recebido de Marquette uma cópia do texto, passara por ele sem notar sua importância. Mantido junto a outras notas difíceis e desconjuntadas, foi escrito muito rapidamente num pedaço de papel rasgado de um manuscrito rejeitado. Esse manuscrito pode ser identificado como um antecedente próximo do texto do Apêndice A que diz respeito à escolha dos Meio-Elfos, o qual se encontra na página 312–3. O texto no verso diz o seguinte:

> e seu pai lhe deu o nome de Aragorn, um nome usado na Casa dos Chefes. Mas Ivorwen, à sua nomeação, levantou-se e disse "Bravura Real" (pois assim esse nome é interpretado): "isso ele terá, mas eu vejo em seu peito uma pedra verde e é dela que seu verdadeiro nome há de vir e seu grande renome: pois ele há de ser um curador e um renovador."

Acima disso está escrito: "e eles não souberam o que ela quis dizer, pois não havia qualquer pedra verde a ser vista por outros olhos" (seguido de palavras ilegíveis). Abaixo, lê-se: "pois a verde Pedra-Élfica lhe foi dada por Galadriel". Um grande X também está escrito, mas não está claro se isso se relaciona à página toda ou somente a uma parte.

O Sr. Gilson observa que esse texto, claramente associado à escrita do Conto de Aragorn e Arwen (ver p. 320), parece ser o único lugar em que o nome *Aragorn* é traduzido. Ele menciona a carta de meu pai, datada de 17 de dezembro de 1972, ao Sr. Richard Jeffery (*Cartas* n. 347), que perguntara se *Aragorn* poderia significar "rei das árvores". Em sua resposta, meu pai disse que o nome "não pode conter uma palavra para 'árvore'", e que "'Rei das Árvores' não teria aptidão especial para ele". Ele continua:

> Os nomes na linhagem de Arthedain são peculiares de várias maneiras; e vários, apesar de sindarin em forma, não são facilmente interpretáveis. Mas seriam necessários mais registros históricos e registros linguísticos do sindarin do que existe (isto é, do que encontrei tempo ou vi a necessidade de inventar!) para explicá-los.

PARTE UM

O PRÓLOGO E OS APÊNDICES DE O SENHOR DOS ANÉIS

1

O Prólogo

É digno de nota que esse célebre relato sobre Hobbits remonta a um estágio tão antigo na história da escrita de *O Senhor dos Anéis*: a sua forma inicial, intitulada *Prefácio: A Respeito dos Hobbits*, data do período de 1938–9 e foi incluída em *O Retorno da Sombra* (IV. 382–8). Era uma cópia manuscrita "limpa" de boa qualidade, para a qual não sobrevive qualquer trabalho preliminar, mas eu notei em meu brevíssimo relato que meu pai usou uma passagem a respeito da arquitetura dos Hobbits retirada do capítulo *Um Atalho para Cogumelos* (ver VI. 118, 363–5).

O cotejo com o *Prólogo* publicado de *O Senhor dos Anéis* mostra que, enquanto muito da versão original sobreviveu, muito ainda estava por vir: o relato completo da história dos Hobbits (SA, pp. 39–44) na seção 1 do *Prólogo*, a seção 2 inteira, *A Respeito da Erva-de-fumo*, e toda a seção 3, *Do Ordenamento do Condado*, além do parágrafo de abertura, ao passo que, correspondendo à seção 4, *Do Achado do Anel*, não havia mais do que uma breve referência à história de Bilbo e Gollum (VI. 387).

Para evitar confusão com outro, e completamente distinto, "Prefácio", incluído no capítulo seguinte, usarei a letra P para me referir aos textos que, afinal, levaram ao *Prólogo* publicado, ainda que o título *Prefácio: A Respeito dos Hobbits* tenha sido utilizado em versões iniciais. O texto original incluído em *O Retorno da Sombra* será chamado, portanto, de **P 1**.

Desse texto meu pai fez uma versão datilografada, **P 2**, e, a julgar pela máquina de escrever utilizada, acredito que provavelmente seja contemporâneo do P 1 — de todo modo, pertence a um estágio muito inicial da escrita de *O Senhor dos Anéis*. Em meu texto do P 1, em *O Retorno da Sombra*, ignorei as alterações feitas no manuscrito a não ser que parecessem certamente contemporâneas à escrita (VI. 382), mas todas essas alterações foram adotadas no P 2, de modo que provavelmente não era necessário fazer a distinção. As alterações não eram numerosas e, em sua maioria, eram pequenas,[1] mas toda a conclusão do P 1, depois das palavras "seu tesouro mais misterioso: um anel mágico" (VI. 387), foi excluída e substituída por uma passagem muito mais longa, na qual meu pai recontou a história verdadeira de Bilbo e Gollum e alterou levemente o parágrafo final. Essa nova conclusão está incluída aqui. Uma parte da história conforme contada aqui permaneceu no *Prólogo* publicado, mas nesse estágio não havia indicação de qualquer outra versão além daquela em *O Hobbit,* até que o capítulo *Adivinhas no Escuro* foi alterado na edição de 1951. Com todas essas alterações incorporadas, o texto datilografado P 2 é uma cópia precisa da versão original (ver nota 7).

O anel foi trazido de volta por Bilbo de sua jornada memorável. Ele o encontrou por sorte, aparentemente. Perdeu-se por um tempo nos túneis dos gobelins sob as Montanhas Nevoentas e lá, no escuro, pôs a mão nele.

Tentando encontrar o caminho da saída, ele prosseguiu rumo às raízes das montanhas até não poder avançar. No fundo do túnel havia um lago frio, distante da luz. Numa ilha rochosa na água vivia Gollum. Era uma criaturinha repugnante: remava um pequeno barco com os grandes pés chatos, espiando com pálidos olhos luminosos, apanhando peixes cegos com os dedos compridos e comendo-os crus. Comia qualquer coisa viva, até gobelins, se conseguisse apanhá-los e os estrangular sem luta, e teria devorado Bilbo, se Bilbo não tivesse na mão um punhal-élfico que lhe servia de espada. Gollum desafiou o hobbit para um Jogo de Adivinhas: se ele propusesse uma adivinha que Bilbo não acertasse, então iria devorá-lo; mas, caso Bilbo o derrotasse, ele prometeu dar-lhe um presente esplêndido. Visto que estava perdido no escuro e não podia avançar ou retroceder, Bilbo foi obrigado a aceitar o desafio e, ao final, venceu o jogo (tanto por sorte quanto por esperteza). Ficou claro que Gollum pretendia dar a Bilbo um anel mágico que fazia invisível quem o usasse. Disse que o ganhara de presente de aniversário muito tempo atrás; mas, quando procurou por ele no esconderijo na ilha, o anel havia desaparecido. Nem mesmo Gollum (uma criatura malvada e mesquinha) ousava trapacear no Jogo das Adivinhas após um desafio justo, então, como recompensa pelo anel desaparecido, relutantemente concordou com a exigência de Bilbo de que deveria mostrar-lhe a saída do labirinto de túneis. Desse modo, o hobbit escapou e se reuniu aos companheiros: treze anãos e o mago Gandalf. Ele logo adivinhara, é claro, que o anel de Gollum tinha, de alguma maneira, caído nos túneis e que ele mesmo o encontrara, mas tivera o bom senso de não dizer nada a Gollum. Usou o anel muitas vezes depois em suas aventuras, mas quase sempre em auxílio de outras pessoas. O anel tinha outros poderes além de tornar invisível quem o usasse, mas eles não foram descobertos, nem sequer suspeitados, até muito tempo depois de Bilbo ter voltado ao lar e se restabelecido. Consequentemente, não são mencionados na história de sua jornada. Já este conto é majoritariamente centrado no anel, seus poderes e sua história.

Conta-se que Bilbo, seguindo seu próprio relato e o final que ele mesmo inventara para suas memórias (antes de ter escrito a maior parte delas), "viveu feliz para sempre até o fim de seus dias, e eles foram extraordinariamente longos". Foram mesmo. Quão longos, e por que tão longos, é o que se descobrirá aqui. Bilbo retornou ao seu lar em Bolsão em 22 de junho do seu quinquagésimo segundo ano de vida, tendo estado fora desde 30 de abril[2] do ano anterior, e nada muito notável ocorreu no Condado por outros sessenta anos, quando o Sr. Bolseiro começou a fazer os preparativos para a celebração de seu centésimo décimo primeiro aniversário. Nesse ponto começa o conto do Anel.

Anos mais tarde, meu pai retornou ao texto P 2. Fez diversas pequenas alterações no fraseado, substituiu o parágrafo de abertura e reescreveu uma parte da história de Bilbo e Gollum (aperfeiçoando a apresentação dos eventos e elaborando um pouco a fuga de Bilbo dos túneis); nada disso precisa ser registrado. Mas ele também introduziu uma nova passagem longa, depois das palavras (VI. 387) "mas isso não era verdade em relação a muitas outras famílias, como os Bolseiros e os Boffins" (SA, p. 48). Essa passagem começa com "Os Hobbits do Condado mal tinham um 'governo'..." e é a origem da maior parte da seção 3 (*Do Ordenamento do Condado*) no *Prólogo* publicado, estendendo-se até "o primeiro sinal de que nem tudo estava exatamente como deveria e como sempre estivera" (cf. SA, p. 50).

Muito dessa nova passagem sobreviveu na versão final, mas há algumas diferenças interessantes. No terceiro parágrafo da seção (conforme está em SA), lê-se, no novo texto em P 2:

Havia, é claro, a antiga tradição naquela parte do mundo de que certa vez existiu um Rei em Fornost, longe ao norte do Condado (os hobbits chamavam-na de Norvila),[3] que havia demarcado os limites do Condado e o outorgado aos Hobbits; e eles, em troca, reconheceram sua autoridade. Mas não houvera rei por muitos anos e as próprias ruínas de Norvila estavam cobertas de capim...

O nome *Norvila* (posteriormente *Norteforte*) não se encontra nos papéis de *O Senhor dos Anéis*, em que os nomes "vernáculos" eram inicialmente *Norfortaleza, Norteforte*. Ver p. 225, anais c.1600.

O quarto parágrafo da seção está assim no texto P 2:

É verdade que a família Tûk teve outrora certa proeminência, além do fato de que haviam sido (e permaneceram) numerosos, abastados, peculiares e de grande importância social. O chefe da família anteriormente usara o título de O Reidado. Mas o título não era mais corrente na época de Bilbo: fora aniquilado pelas intermináveis e inevitáveis piadas feitas com ele, em desafio à sua óbvia etimologia. Permaneceu, contudo, o costume de se referir ao chefe da família como O Tûk, acrescentando-lhe (se necessário) um número: tal como Isengrim Primeiro.

Reidado é evidentemente uma redução de *Rei-do-Condado* com truncamento (e, nesse caso, uma alteração subsequente) da sílaba, da mesma forma que *Condestável* é derivado de *Conde* (e *Condado*, por extensão) e *Estábulo*; mas essa é uma piada que meu pai decidiu eliminar — talvez porque a escolha da palavra "Rei" pelos Hobbits parecia improvável (cf. p. 286 e nota 25, e o Apêndice A (I, iii), RR, p. 1481).[4]

A nova passagem no P 2 não dá a época do ano da Feira Livre das Colinas Brancas ("em Lite, isto é, no Meio-do-Verão", SA, p. 49), e nada se diz da inclinação dos Hobbits por escrever cartas. À menção do nome "Fronteiros", meu pai acrescentou "(como eram chamados não oficialmente)"; ele em seguida eliminou a expressão "não oficialmente", mantendo nesse caso, portanto, a piada, sem chamar a atenção para ela.

Parece-me quase certo que esse novo elemento no texto deve ser associado à aparição dos Condestáveis no capítulo *O Expurgo do Condado* — em que se demonstra que o cargo fora estabelecido havia muito tempo, "antes de começar tudo isto", como disse o Condestável Robin Covamiúda a Sam (RR, p. 1426). O fato de que o termo "Thain" ainda não havia surgido não contradiz essa informação, já que ele apareceu muito mais tarde (ver IX. 130, 132, 135). Eu concluí (IX. 27–9) que o Livro VI de *O Senhor dos Anéis* foi escrito em 1948.

Ao fim dessa passagem sobre o ordenamento do Condado que, como já foi notado (p. 21), termina com as palavras "o primeiro sinal de que nem tudo estava exatamente como deveria e como sempre estivera", o adendo ao P 2 continua (com um título posterior a lápis, "Tabaco"):[5]

> Há outro fato sobre esses hobbits de antigamente que precisa ser mencionado: eles fumavam tabaco através de tubos de barro ou madeira. Um grande mistério cerca a origem desse peculiar costume...

A partir desse ponto, o restante da seção 2 na versão final do *Prólogo* foi alcançado em P 2 com pouquíssimas e pequenas diferenças: o "Velho Toby" do Vale Comprido era Tobias (e não Tobold) Corneteiro (sobre o qual, ver p. 95), e a data do primeiro cultivo da erva-de-fumo era 1050 (e não 1070), nos dias de Isengrim Primeiro (e não Segundo); a terceira das variedades do Vale Comprido era "Rolo da Corneta" (e não "Estrela do Sul"); e não se diz, acerca da *doce Galenas*, que os Homens de Gondor a "estimam somente pela fragrância de suas flores". Há também uma nota de rodapé às palavras "por volta do ano 1050 no Registro do Condado":

> Isto é cerca de 400 anos antes dos eventos registrados neste livro. As datas do Condado eram todas contadas a partir da lendária travessia do Rio Brandevin feita pelos irmãos Marco e Cavallo.

Posteriormente alterados para Marcho e Blanco, esses nomes não aparecem na narrativa de *O Senhor dos Anéis*: encontram-se apenas num longo acréscimo posterior ao *Prólogo* a respeito da história dos Hobbits (SA, p. 42) e na nota introdutória ao Apêndice C, *Árvores Genealógicas* (RR, p. 1562).

Para a história do texto sobre a erva-de-fumo, que começou como uma preleção de Merry sobre o assunto para Théoden, junto aos portões arruinados de Isengard, ver VIII. 52–5. Após muita elaboração, meu pai anotou "Colocar na Introdução" (VIII. 54 e nota 36).[6] Quanto a Isengrim Tûk Primeiro e a data 1050, ver VIII. 62, nota 37. Quando esse acréscimo ao P 2 foi escrito, a antiga árvore genealógica dos Tûks (incluída e discutida em VI. 389–92), encontrada no verso de uma página do manuscrito da "Terceira Fase" de *Uma Festa Muito Esperada*, ainda vigorava.[7]

Conforme foi visto (p. 20), na versão revisada do P 2, a história de Bilbo e Gollum ainda era aquela da edição original de *O Hobbit*, na qual Gollum pretendia realmente entregar o Anel a Bilbo caso perdesse o Jogo das Adivinhas (ver VI. 110–11). A curiosa história de como a narrativa reescrita no capítulo *Adivinhas no Escuro* foi publicada na edição de 1951 está suficientemente exposta nas *Cartas* n. 111, 128–9. Em setembro de 1947, meu pai enviou a Sir Stanley Unwin o que ele chamou de "amostra" de tal reescritura, sem o propósito de publicá-la, mas apenas de saber os comentários de Sir Stanley acerca da ideia. Acreditando que tinha sido rejeitada, ele ficou muito chocado e surpreso quando, quase três anos depois, em julho de 1950, recebeu as provas de uma nova edição que incorporava a parte reescrita. Mas ele aceitou o fato consumado. Não há necessidade de falar nada mais sobre isso aqui, a não ser notar que a correspondência na íntegra deixa muito claro como, e quão naturalmente, surgiram os mal-entendidos de ambos os lados que levaram a esse resultado. Para o presente propósito, sua importância está na conclusão de que a revisão do P 2 não pode ter sido feita após julho de 1950. De fato, acredito que foi feita em 1948 (ver pp. 33–4).

A partir do texto P 2 revisado e expandido, e agora necessitando de um sucessor, meu pai datilografou um novo texto (**P 3**), outra vez uma cópia atipicamente exata. Ela foi bastante corrigida, apenas na parte inicial, mas essas correções se restringem a pequenas alterações de fraseado e outros poucos detalhes, tal como a mudança de "Norvila" para "Norforte" e da data da partida de Bilbo com Gandalf e os Anãos para 28 de abril (nota 2). Por sua vez, uma cópia datilografada (**P 4**) foi feita por um amanuense, mas essa cópia meu pai mal tocou. Esses textos traziam o título original, *Prefácio: A Respeito dos Hobbits*.

O estágio seguinte foi um manuscrito muito irregular, **P 5**, sem título (mas posteriormente acrescido de *A Respeito dos Hobbits*) e sem as seções acerca da erva-de-fumo e da história de Bilbo e Gollum. Embora encaminhasse os detalhes de expressão rumo à versão final, ainda se agarrava à estrutura original e preservava características como o Reidado.[8] Para mostrar a maneira como o texto foi desenvolvido (com atenção minuciosa ao tom, precisão do sentido e a supressão de frases) em estágios sucessivos, apresento o breve exemplo a seguir:

P 1 (VI. 383)

> E, contudo, claramente devem ser parentes nossos: mais próximos de nós do que os elfos, ou mesmo os anãos. Para começo de conversa, falavam uma língua (ou línguas) muito parecida, e gostavam e desgostavam basicamente das mesmas coisas que nós. Qual exatamente era a relação entre nós e eles seria difícil dizer. Para responder a essa pergunta, seria preciso redescobrir boa parte da história e das lendas, hoje totalmente perdidas, dos Mais Antigos dos Dias; e não é provável que isso aconteça, pois apenas os Elfos preservam algumas tradições sobre essa época, e suas tradições falam principalmente deles mesmos — o que não deixa de ser natural: os Elfos eram, de longe, o povo mais importante daqueles tempos.

P 2 (conforme revisado)

> E, contudo, claramente devem ser parentes nossos: mais próximos de nós do que os Elfos, ou mesmo os Anãos. Pra começo de conversa, falavam uma língua (ou línguas) muito parecida, e gostavam e desgostavam basicamente das mesmas coisas que nós. Qual exatamente era a relação entre nós e eles seria difícil dizer. Para responder a essa pergunta, seria preciso redescobrir muito que agora está perdido e esquecido para sempre. Apenas os Elfos agora preservam as tradições dos Dias Antigos e mesmo suas tradições são incompletas, ocupando-se principalmente com Elfos.

P 5

> Contudo, claramente são parentes nossos: muito mais próximos de nós do que os Elfos, ou mesmo os Anãos. Eles falavam as

línguas dos Homens e gostavam e desgostavam praticamente das mesmas coisas que nós, certa vez. No entanto, qual exatamente era a nossa relação no começo não pode mais ser contado. A resposta para essa questão está nos Dias Antigos que agora estão perdidos e esquecidos para sempre. Apenas os Elfos preservam ainda quaisquer tradições daquele tempo desaparecido, mas elas se ocupam principalmente com seus próprios assuntos.

Ao manuscrito P 5, contudo, meu pai acrescentou, enquanto escrevia, muito material novo. Uma dessas passagens é a que fala das qualidades marciais dos Hobbits — ou a falta delas —, da existência de armamento no Condado (e, aqui, a palavra *mathom* aparece pela primeira vez nos textos do *Prólogo*) e da "firmeza curiosa" do caráter dos Hobbits. Isso tudo já estava bastante próximo da versão publicada (SA, pp. 43–44) e a omissão mais notável é a ausência da referência à Batalha dos Verdescampos. Nesse ponto, o texto diz:

Os Hobbits não eram belicosos, embora algumas vezes tenham sido obrigados a lutar para se manterem em um mundo cruel e selvagem. Mas nesse período não havia memória vivente de qualquer ataque sério às fronteiras do Condado. O próprio clima estava mais ameno...

O texto original do capítulo *O Expurgo do Condado* não fazia qualquer referência à Batalha dos Verdescampos: "Assim terminou a feroz batalha de Beirágua, a única batalha que chegou a acontecer no Condado" (IX. 122). No segundo texto (IX. 133), meu pai repetiu isso, mas, conforme ia escrevendo, alterou para "a última batalha travada no Condado, e a única desde os Verdescampos, 1137, lá longe na Quarta Norte". Parece um bom palpite (assim como em relação à passagem acerca dos Condestáveis, p. 22) que o surgimento da Batalha dos Verdescampos no *Prólogo* logo após isso (ver abaixo) deve ser associada à escrita do *Expurgo do Condado*.

Antes de nos voltarmos para o novo material introduzido com o manuscrito P 5, convém notar aqui um texto escrito em dois pequenos papéis anexados à cópia amanuense datilografada, P 4. É a origem do trecho a respeito da fundação do Condado no *Prólogo* publicado (SA, pp. 42–43), mas vale a pena incluí-lo integralmente.

No Ano 1 (de acordo com o registro do povo do Condado) e no mês do luyde[9] (como costumavam chamar), os irmãos Marco e Cavallo, tendo obtido permissão formal do rei Argeleb II na decadente cidade de Fornost, cruzaram o largo rio pardo Baranduin. Eles o atravessaram pela grande ponte de pedra que fora construída nos dias de poderio do reino de Arthedain, pois não tinham barcos. Conforme seu próprio costume e língua, posteriormente alteraram o nome para Brandevin. Tudo o que se exigiu do "Povo Pequeno" foi (1) respeitar as leis de Arthedain; (2) manter a Ponte (e todas as outras pontes) em bom estado; (3) permitir que o rei ainda caçasse nos bosques e charnecas três vezes ao ano. Pois o país fora certa vez um parque real e área de caça.

Após a travessia, o P[ovo] P[equeno] se estabeleceu e praticamente desapareceu da história. Eles tiveram alguma parte como aliados do rei nas guerras de Angmar (enviando arqueiros para batalha), mas, após o desaparecimento do reino e de Angmar, viveram essencialmente em paz. Sua última batalha foi contra Orques (Verdescampos R.C. 1347?). Pois a terra à qual chegaram, embora há muito deserta, fora ricamente cultivada em dias passados e lá os reis outrora tiveram muitas fazendas, trigais, vinhedos e bosques. Essa terra eles chamaram de Condado [*riscado:* (em oposição ao Antigo Lar em Bri)], que em sua língua significava um distrito ordenado de governo e negócio — o negócio de produzir comida e comê-la e viver em relativa paz e contentamento. Esse nome, Condado, servia para distingui-lo das terras mais ermas ao leste, que ficavam cada vez mais desoladas até chegarem às terríveis Montanhas, pelas quais seu povo (segundo suas próprias histórias) há muito tempo vagara rumo ao oeste; e também do país menor, o Antigo-Lar em Bri, onde primeiro se estabeleceram — mas não sozinhos, pois compartilhavam Bri com os Homens de Bri. Ora, essa gente (da qual os irmãos Marco e Cavallo eram, naqueles dias, os maiores e mais valentes) era de um tipo a respeito da qual os registros dos dias antigos têm pouco a dizer — exceto, é claro, seus próprios registros e lendas. Chamavam-se a si mesmos de *Hobbits*. A maior parte dos outros povos os chamavam de *Pequenos* (ou palavras com significados parecidos nas várias línguas), isso quando sabiam deles ou ouviam rumores sobre eles. Pois existiam agora somente no Condado, Bri e [?solitariamente] aqui e ali, e havia alguns Hobbits selvagens em Eriador. E conta-se que ainda havia uns poucos "hobbits selvagens" nas fronteiras de Trevamata, a oeste e leste da Floresta. *Hobbit* aparenta ser uma "corruptela" ou truncamento da palavra mais antiga *holbytla*, "habitante de toca".[10] Esse era o nome pelo qual eram conhecidos (em lenda) em Rohan, cujo povo ainda falava um idioma muito parecido à forma mais antiga da língua dos Hobbits. Ambos os povos originalmente vieram das terras do Anduin superior.[11]

A data "1347?" da Batalha dos Verdescampos[12] sugere que foi aqui que esse acontecimento foi novamente inserido a partir de *O Hobbit* (ver IX. 154); mais tarde, meu pai alterou para 1147, enquanto em *O Expurgo do Condado* a data foi posta, inicialmente, como 1137 (IX. 133 e nota 31).

Retornando brevemente ao manuscrito P 5, ainda não mencionei que, nesse texto, conforme foi escrito originalmente, a antiga passagem no P 1 acerca dos Hobbits do Pântano ("a estirpe dos hobbit não era exatamente pura", "nenhum hobbit puro-sangue tinha barba", VI. 385), preservada na revisão do P 2, foi agora alterada:

Os Hobbits dessa região, a Quarta Leste, eram bem grandes, de pernas pesadas e usavam botas de anãos no tempo lamacento. Mas eram Grados na maior parte de seu sangue, como era demonstrado pela penugem que crescia no queixo de alguns deles. Contudo, devemos deixar de lado essas estirpes e a tradição do Condado acerca delas, por enquanto.

No *Prólogo* publicado, essa passagem (com exceção, é claro da última frase) vem após o relato sobre as "três estirpes" (SA p. 40), na qual os Grados são apresentados. Mas uma nova passagem foi acrescentada em uma página separada do manuscrito P 5, correspondendo àquela em SA, pp. 39–41, que vai de "Do seu lar original os Hobbits não guardavam conhecimento na época de Bilbo" até "... como os Tûks e os Senhores da Terra-dos-Buques"; e o relato, aqui, dos Pés-Peludos, Grados e Cascalvas derivou, com pouca alteração, da versão inicial do Apêndice F, no qual (p. 78, nota 10) a ideia das "três estirpes" é vista em sua real incipiência. O texto no P 5 é praticamente idêntico ao da versão final, carecendo apenas da frase que muitos dos Grados "habitaram por longo tempo entre Tharbad e as beiras da Terra Parda antes de se moverem outra vez para o norte", e ainda colocando os Grados antes dos Pés-Peludos (ver *ibid.*).

Nos textos do *Prólogo*, a palavra *smial(s)* aparece pela primeira vez no P 5. Sua primeira ocorrência em textos de *O Senhor dos Anéis* é em *O Expurgo do Condado*: ver IX. 116 e nota 16 (na qual deixei de mencionar que, na referência de Pippin à "Grande Casa dos Tûks, lá longe nos Smials em Tuqueburgo" no capítulo *Barbárvore* (DT, p. 686) as palavras "nos Smials em" são um acréscimo tardio ao texto datilografado do capítulo).

Ainda outro manuscrito, **P 6**, trouxe o *Prólogo* muito próximo à forma que tinha na Primeira Edição de *O Senhor dos Anéis.*[13] É um texto claro e escrito de maneira fluida, intitulado *Prólogo: A Respeito dos Hobbits*, e aqui foi introduzida a última "passagem faltante", SA, pp. 41–43, que vai de "Nas terras ocidentais de Eriador..." até "Na verdade, estavam abrigados, mas tinham deixado de se lembrar disso."

O texto de P 6 ainda difere da versão publicada em vários pontos, a maioria muito pequenos (ver nota 14). O texto ainda não havia sido dividido em quatro seções numeradas, embora a ordenação e sucessão finais tivessem sido, nesse momento, alcançadas e a seção conclusiva, sobre o achado do Anel, fosse ainda a história original (ver p. 24): isso derivou, com algum retrabalho, do texto do P 2, mas com um acréscimo notável. Após Gollum dizer que havia ganhado o Anel de presente de aniversário muito tempo atrás, segue-se:

> Realmente, Bilbo talvez teria se perguntado como isso se deu e mais ainda por que Gollum estaria disposto a dar tamanho tesouro, caso sua situação fosse menos desesperadora e se Gollum de fato tivesse dado o presente. Ele não deu, pois quando retornou a sua ilha para buscá-lo, não encontrou o Anel.

A conclusão dessa parte é muito parecida com P 2, com o acréscimo de uma passagem sobre o sigilo de Bilbo acerca do Anel e sobre como dispôs Ferroada e a cota de malha, terminando com "E os anos se passaram, enquanto ele escrevia, em seu modo despreocupado, a história de sua jornada".

No P 6, o "Reidado" desapareceu e, em seu lugar, surgiu primeiro o título "Ancião", embora tenha sido substituído por "Thane" antes de o manuscrito ser finalizado, e depois a grafia "Thain" tomou seu lugar (ver p. 23). Nesse texto aparece a Batalha dos Verdescampos com a data R.C. 1147.[14]

O manuscrito termina com uma passagem, subsequentemente eliminada, que foi preservada com poucas alterações materiais na conclusão do Prefácio à Primeira Edição de 1954, a qual começa com algumas observações acerca do mapa do Condado (nesse manuscrito, com o acréscimo de "além de outros mapas de países maiores e mais distantes") e sobre as "árvores genealógicas resumidas" que remontam ao P 1 (VI. 386–7), mas então continua:

Há também um índice de nomes [*riscado:* com explicações] e palavras estranhas, e uma tabela de dias e datas. Para aqueles que têm curiosidade e gostam de tal conhecimento, alguma coisa é dita, em um apêndice, sobre os idiomas, os alfabetos e os calendários que eram usados nas Terras Ocidentais na Terceira Era da Terra-média. Mas esse conhecimento não é imprescindível e aqueles que não precisarem dele ou não o desejarem podem deixá-lo de lado e até mesmo os nomes, eles podem pronunciá-los como preferirem. Certo cuidado foi dispensado à tradução de sua grafia a partir dos alfabetos originais e algumas notas acerca dos sons pretendidos estão incluídas. Mas nem todos se interessam por tais assuntos e muitos que não se interessam talvez ainda achem válida a leitura do relato desses grandes e valorosos feitos. Com essa esperança este longo trabalho foi empreendido; pois foram exigidos muitos anos para traduzir, selecionar e organizar a matéria do Livro Vermelho do Marco Ocidental na forma em que agora se apresenta aos Homens de uma Era posterior, não menos sombria e funesta do que foram os grandes anos de 1418 e 1419 do Condado, há muito tempo.[15]

A esse texto seguiu-se uma cópia datilografada (**P** 7). Nela, meu pai fez correções e acréscimos que trouxeram o *Prólogo* à sua forma final (tendo muitas correções sido feitas também ao exemplar P 6); e foi nessa cópia datilografada que ele rejeitou a história original do encontro de Bilbo com Gollum e introduziu a "verdadeira história" (SA, pp. 51–3). A história é contada em páginas anexas exatamente da forma que permaneceu no *Prólogo* publicado, terminando com o grito de Gollum "*Ladrão, ladrão! Bolseiro! Nós odeia ele para sempre!*".

Desse ponto em diante, contudo, há dois textos. Em um deles, a história original, que se tornara a versão falseada de Bilbo, não é nem sequer mencionada e o texto vai prontamente do grito de ódio de Gollum para "Sobre as aventuras posteriores de Bilbo, pouco mais precisa ser dito aqui". Mas meu pai estava em dúvida se deveria ou não dizer algo no *Prólogo* acerca dos relatos dos eventos adulterados por Bilbo, pois no ponto em que a verdadeira história termina ("*Nós odeia ele para sempre!*"), ele acrescentou em seguida um direcionamento a uma "Nota", em uma folha separada, a qual aparentemente foi escrita de maneira bastante independente. Nessa "Nota" (que originou a passagem acerca das duas versões em SA, p. 53), provavelmente vemos o surgimento da satisfatória explicação sobre da diferença no relato conforme contado em ambas as edições de *O Hobbit*. Ela começa: "Essa não é a história que Bilbo contou inicialmente a seus companheiros e a Gandalf e nem, de fato, a que ele escreveu *inicialmente* em seu livro" (itálico meus), mas excluiu as palavras depois de "Gandalf"; após isso, continuou dizendo que, embora Bilbo tenha registrado a história falsa em suas memórias e, portanto, "ela provavelmente constava no Livro Vermelho original", "muitas cópias contêm o relato verdadeiro (por si só ou como alternativa), derivado, sem dúvida, de notas feitas por Frodo ou Samwise, ambos os quais sabiam da verdade".

Nessa página, ele posteriormente anotou: "Alternativa, caso a única referência a isso seja feita no Capítulo II (segunda cópia limpa)". Isso é uma referência à cópia final datilografada do capítulo *A Sombra do Passado* que seguiu para impressão. A explicação para esse comentário aparentemente muito obscuro é a seguinte. No texto que precede esse a que ele faz menção, isto é, na penúltima cópia datilografada, ele introduziu um longo adendo[16] após as palavras de Gandalf (SA, p. 111) "Pus nele o temor do fogo e espremi dele a história verdadeira, pedaço a pedaço, junto com muita lamúria e grunhido". No adendo, Gandalf continua:

"... já suspeitava muito disso. De fato, eu já suspeitava de algo que tenho certeza de que jamais lhe ocorreu: a história de Bilbo não era verdade."

"O que você quer dizer?", exclamou Frodo. "Não posso acreditar."

"Bom, este é o relato de Gollum. O prêmio de Bilbo por vencer era simplesmente mostrar-lhe a saída dos túneis. Nenhum presente estava em questão, menos ainda dar seu 'precioso'. Gollum confessou que voltou à sua ilha para buscá-lo, apenas para matar Bilbo em segurança, pois estava faminto e furioso. Mas, como Bilbo já havia pegado o anel, ele escapou e a última vez que Gollum o percebeu foi quando se esgueirou por trás e saltou sobre ele no escuro. Isso combina bem mais com Gollum!"

"Mas não combina nada com Bilbo não contar a história real," disse Frodo. "E com que finalidade?"

"Não combina com Bilbo, é verdade. Mas será que não combina com Bilbo estando com o anel? Não, receio que não. Sabe, meio que sem perceber, ele estava tentando reforçar sua história para tornar-se dono do anel por direito: foi um presente, um prêmio que ganhou. Muito parecido com Gollum e seu 'presente de aniversário'. Os dois eram mais parecidos do que você gostaria de admitir. E ambas as suas histórias eram improváveis e bem à maneira dos hobbits. Meu querido Frodo, Anéis-élficos nunca são dados de presente, ou como prêmios: *nunca*. Você mesmo é um hobbit, do contrário teria duvidado da história, como eu logo duvidei.

"Mas, como lhe disse, foi impossível para mim questionar Bilbo sobre o assunto sem deixá-lo muito irritado. Então deixei estar, pelo bem de nossa amizade. Mas sua irritabilidade era prova o suficiente para mim. Adivinhei, então, que o anel tinha sobre seu guardião um poder nocivo que começava a agir rapidamente. Sim, mesmo em Bilbo o desejo de posse o enredou imediatamente e continuou crescendo. Mas, felizmente, parou por aí e ele sofreu poucos outros danos. Pois ele tomou o anel de maneira inocente. Ele não o roubou, mas o encontrou, e era praticamente impossível devolvê-lo: Gollum o teria matado na hora. Ele pagou pelo anel, pode-se dizer, com misericórdia, e deu a Gollum sua vida sob grande risco. Assim, no final, livrou-se da coisa, bem a tempo.

"Mas, quanto a Gollum, receio que jamais estará livre de seu desejo por ele. Quando o vi pela última vez, ainda estava desejoso, resmungando que o haviam enganado e se aproveitado dele. [Mas, quando havia me contado sua história, afinal...

No texto datilografado do capítulo que se seguiu (o final), o adendo não está presente, mas meu pai acrescentou uma nota nesse ponto: "Colocar o adendo" — e então a excluiu. Foi claramente nesse momento que escreveu a nota mencionada anteriormente,

"Alternativa, caso a única referência a isso seja feita no Capítulo II": ou seja, no caso de nada mais ser dito sobre o assunto no Capítulo II além das palavras de Gandalf, "Pus nele o temor do fogo e espremi dele a história verdadeira, pedaço a pedaço, junto com muita lamúria e grunhido" — isto é, *sem* o adendo acima. Se o adendo fosse rejeitado, então um trecho acerca do assunto precisaria ser dado no *Prólogo*. Ao final, foi essa sua decisão; e o segundo dos dois textos anexados ao P 6 é exatamente igual ao que está publicado no *Prólogo*, pp. 75–6: "Ora, é um fato curioso que esta não é a história como Bilbo a contou inicialmente aos companheiros..."[17]

A *NOTA SOBRE OS REGISTROS DO CONDADO* veio com a Segunda Edição. Em em de seus exemplares da Primeira Edição, meu pai anotou: "Aqui deveria ser inserida uma Nota sobre os Registros do Condado", mas, posteriormente, escreveu contra isso: "Decidi que não. Ela pertence ao Prefácio de *O Silmarillion*". Em relação a isso, compare com minhas observações no Prefácio a *O Livro dos Contos Perdidos Parte I*, pp. 13–4

Forneci esse relato bastante longo da história do *Prólogo* porque é um dos escritos mais conhecidos de meu pai, a fonte primária de conhecimento sobre os Hobbits, para o qual ele despendeu muita reflexão e cuidado, e também porque parece de especial interesse ver como evoluiu em relação à narrativa de *O Senhor dos Anéis*. Agora, vou brevemente recapitular alguns elementos que me parecem emergir dessa história.

Embora não seja rigorosamente demonstrável, acredito ser extremamente provável que meu pai voltou, após muitos anos, à forma original do *Prólogo* (ou *Prefácio*, como ele ainda a chamava), mais ou menos à época, ou logo depois, em que estava escrevendo o primeiro longo rascunho que ia de *Muitas Despedidas*, passando por *Rumo ao Lar* e *O Expurgo do Condado*, até *Os Portos Cinzentos*; isto é, no verão de 1948 (IX. 28–9). Dei várias indicações de que esse é o caso. Por um lado, vemos o surgimento, em estágios sucessivos na escrita do *Prólogo*, dos Condestáveis, na revisão do antigo texto P 2 (p. 22); da palavra *smial* no P 5 (p. 29); da Batalha dos Verdescampos no P 6 (ver pp. 26–30); do título de Thane (Thain) no mesmo texto (pp. 29, 30). Por outro lado, tudo isso aparece inicialmente em *O Expurgo do Condado* — e, em dois casos, a Batalha dos Verdescampos e o título de Thain, estavam ausentes no rascunho original desse capítulo. Acredito que o retorno de meu pai ao Condado, no fim de *O Senhor dos Anéis*, deu o impulso para seu renovado trabalho no *Prólogo* e sua subsequente ampliação por etapas. Além disso, vê-se pela história desse texto quanto do relato sobre Hobbits e suas origens na verdade surgiu *depois* que a narrativa de *O Senhor dos Anéis* estava completa — mais notavelmente, talvez, a ideia de sua divisão em Pés-Peludos, Grados e Cascalvas, que apareceram na versão inicial do apêndice sobre idiomas (p. 28). Alguns desses novos elementos foram, então, inseridos na narrativa existente, tais como *smials* no capítulo *Barbárvore* (p. 29), ou Grados no capítulo *A Sombra do Passado* (p. 90, §20).

Estágios sucessivos no desenvolvimento do *Prólogo* foram acompanhados, é claro, pela elaboração dos Apêndices, conforme visto na referência aos idiomas e datas, e de pontos como a menção a Argeleb II como o rei que outorgou o Condado aos Hobbits (p. 9, e ver p. 258). Mas o estágio mais avançado do *Prólogo* discutido aqui, o manuscrito P 6 e sua cópia datilografada, P 7, que em todos os outros pontos se aproximavam da versão final, ainda traziam a história antiga sobre o achado do Anel, e podem, portanto, datar no máximo de antes de julho de 1950.

NOTAS

1 Dizia agora que *O Hobbit* fora "baseado nas próprias memórias [de Bilbo], muito mais longas"; "Mais Antigos dos Dias" foi alterado para "Dias Antigos" e "Folco Tûk" (via 'Faramond Tûk" e "Peregrin Boffin", ver VII. 41–2) tornou-se "Peregrin Tûk"; "a única aldeia realmente populosa de seu Condado, Grá-Cava" tornou-se "a única aldeia de seu Condado, a principal, Grá-Cava"; e as botas dos hobbits do Pântano tornaram-se "botas de anãos". A aversão dos Hobbits a embarcações e água, e a nadar nela, foi o único acréscimo real.

Em carta a Sir Stanley Unwin datada de 21 de setembro de 1947 (*Cartas* n. 111), meu pai disse que estava enviando "o capítulo preliminar do Prefácio para o todo: 'A Respeito de Hobbits', que funciona como um elo com o livro anterior e, ao mesmo tempo, responde a perguntas que foram feitas". Pela data, deve ter sido uma cópia da versão original, corrigida.

2 A data 30 de abril foi corrigida para 28 de abril no texto P 3 (p. 24)

3 *Norvila* [*Norworthy*]: as palavras em inglês antigo *worð*, *worðig* eram elementos comuns em topônimos, com o mesmo sentido geral de *tūn* (*-ton*), uma habitação cercada.

4 A "tradução" fictícia do idioma "verdadeiro" dos Hobbits (a fala comum) era, de todo modo, avessa a trocadilhos, por melhor que esse fosse.

5 A expansão no P 2 acerca da ordenação do Condado era um texto datilografado, mas aquela sobre a erva-de-fumo era um manuscrito feito em pedaços de papel. Meu pai os inseriu no P 2 como se fossem uma unidade, mas eles claramente tiveram origens separadas: ver nota 6.

6 Em sua carta de 6 de maio de 1944 para mim (citada em VIII. 62, nota 36), meu pai disse que "se [Faramir] continuar falando muito mais, boa parte dele terá de ser removida para os apêndices — para onde alguns fascinantes materiais sobre a indústria do Tabaco hobbit e os Idiomas do Oeste já foram". Observei (VIII. 198) que a preleção de Faramir sobre história linguística "sobreviveu em textos datilografados subsequentes e só foi removida posteriormente; assim, o material excluído sobre 'os Idiomas do Oeste' não correspondia ao relato dado por Faramir". De fato, é difícil dizer do que se tratava. Por outro lado, a passagem sobre a "erva-de-fumo" foi removida do capítulo *A Estrada para Isengard* antes que o primeiro manuscrito completo fosse escrito (VIII. 55). Realmente, é bem possível que o relato sobre a "erva-de-fumo" no longo acréscimo ao P 2 seja mesmo muito antigo, visto que foi certamente escrito de maneira bem independente da primeira parte do acréscimo, sobre o ordenamento do Condado (ver nota 5).

7 De maneira semelhante, a afirmação no P 1 (VI. 384) de que Bandobras Tûk, o Berratouro, era filho de Isengrim Primeiro foi mantida após a revisão do P 2: na árvore genealógica publicada ele se tornou neto de Isengrim II — uma curiosa exceção à minha afirmação (p. 20) de que o P 2, como foi datilografado, era uma cópia precisa da versão original está no nome *Bandobras*, que no P 2 se tornou *Barnabas*; mas isso foi provavelmente um mero lapso. Na revisão, foi revertido para *Bandobras*.

8 No P 5, o nome *Lite* surgiu conforme meu pai escrevia, alterando "no Meio-do-Verão" para "no Lite (isto é, o Meio-do-Verão)".

9 O nome *luyde* para o mês de março é encontrado uma vez em outro lugar, em um calendário comparativo das datas dos Hobbits e as modernas, escrito no verso de uma página do texto inicial do Apêndice sobre Calendários (ver p. 171, nota 3). Acima de *luyde*, nesse ponto, meu pai escreveu um nome começando com *re* que, da forma como está, certamente não é *rethe* [glorial], o nome posterior dos Hobbits para março, mas deve ser entendido como uma forma incorretamente grafada desse nome.

10 Quanto a *holbytla*, traduzido como "habitante de toca", ver p. 71, §48 e o comentário correspondente (p. 94–5).

11 Isso deve ser associado à versão inicial do Apêndice F, §§22–3 (p. 91): "... antes de sua travessia pelas Montanhas, os Hobbits falavam a mesma língua que os Homens nos vales superiores do Anduin... Ora, aquela língua era praticamente a mesma dos ancestrais dos Rohirrim".

12 O segundo dígito da data 1347 é ligeiramente incerto, mas se parece muito mais com "3" do que com "1".

13 Foram poucas as significativas alterações feitas na Segunda Edição (1966). Em SA, pp. 42–3, onde o texto mais recente traz "Ali, durante mil anos pouco foram perturbados pelas guerras..." até "... os Hobbits outra vez haviam se acostumado à fartura", a Primeira Edição trazia, simplesmente, "E, desde então, por mil anos eles viveram em uma paz quase ininterrupta" (portanto, sem menção à Peste Negra, ao Inverno Longo e aos Dias de Privação). No início do parágrafo seguinte, o texto da Segunda Edição, "Quarenta léguas era sua extensão desde as Colinas Distantes até a Ponte do Brandevin, e cinquenta das charnecas do norte até os pântanos do sul", substituiu "Cinquenta léguas era sua extensão desde o Marco Ocidental sob as Colinas das Torres até a Ponte do Brandevin, e quase cinquenta das charnecas do norte...". Meu pai observou que a palavra "quase" fora (erroneamente) omitida no texto da Segunda Edição, "então devemos aceitar isso".

Em SA, p. 45, em "Três Torres-élficas de idade imemorial ainda podiam ser vistas nas Colinas das Torres", as palavras "nas Colinas das Torres" foram um acréscimo e, em uma frase mais adiante, "sobre um outeiro verde", foi alterada de "sobre uma colina verde". Ao final dessa primeira seção do *Prólogo* (SA, p. 46), a frase "Os Hobbits se deleitavam com tais coisas..." foi, na Primeira Edição, inteiramente escrita no tempo presente.

Por fim, no primeiro parágrafo da terceira seção, SA, p. 48, a frase "Fora das Quartas ficavam os Marcos do Leste e do Oeste: a Terra-dos-Buques; e o Marco Ocidental acrescentado ao Condado em R.C. 1452" foi um acréscimo.

14 Algumas outras diferenças entre o P 6 e o texto publicado podem ser notadas. No parágrafo a respeito da escrita e da língua dos Hobbits (SA, pp. 41–42), o P 6 trazia: "E se os Hobbits algum dia tiveram seu próprio idioma (o que é discutível), então naqueles dias eles o esqueceram e passaram a falar sempre na fala comum, o westron, como foi chamado", o que foi alterado para o texto em SA, "E naqueles dias esqueceram-se também dos idiomas que antes usavam e falavam sempre na fala comum...". E, ao final do parágrafo, falta a frase "Porém mantinham algumas de suas próprias palavras, bem como seus próprios nomes dos meses e dos dias, e grande número de nomes pessoais oriundos do passado". Cf. a versão original do Apêndice F, p. 91, §§21–3.

Os fundadores do Condado ainda eram Marco e Cavallo (pp. 26-7; posteriormente alterados para Marcho e Blanco); e a segunda condição imposta aos Hobbits do Condado (cf. o texto na pp. 26–7) era "cuidar da terra" (alterado depois para "auxiliar os arautos do rei"). O primeiro a cultivar a erva-de-fumo no Condado ainda era Tobias Corneteiro, ainda no tempo de Isengrim Primeiro (p. 23); ao que parece, a data inicialmente escrita era 1050, como antes, mas alterada para 1020. Depois, Isengrim Segundo e a data 1070 tomaram o lugar, mas Tobias permaneceu. A nota de rodapé a essa passagem (p. 23) foi mantida, mas "cerca de 400 anos" foi posteriormente alterado para "quase 350". A terceira variedade do Vale Comprido tornou-se "Crosta da Corneta", mas foi revertida para "Rolo da Corneta".

[15] No Prefácio, conforme publicado, esse parágrafo conclusivo começava assim:

> Muita informação, necessária e desnecessária, se encontra no Prólogo. Para complementá-lo, alguns mapas são fornecidos, inclusive um do Condado que foi aprovado como razoavelmente correto por aqueles Hobbits que ainda se ocupam com história antiga. Ao final do terceiro volume se encontram algumas árvores genealógicas resumidas…

Quando o P 6 foi escrito, é claro, a ideia de que *O Senhor dos Anéis* seria lançado como uma obra em três volumes não era nem remotamente imaginada. O Prefácio publicado manteve a referência a um "índice de nomes e palavras estranhas com algumas explicações", ainda que, na época, ele não tenha sido incluído.

[16] Meu relato sobre a história de *A Sombra do Passado* não chegou tão longe: ver VII. 38–9.

[17] A esse respeito, é interessante ver o que meu pai disse em sua carta de 10 de setembro de 1950 a Sir Stanley Unwin (*Cartas* n. 129):

> Tenho agora em minhas mãos duas versões impressas de um incidente crucial. Ou a primeira deve ser considerada como rejeitada, um mero erro que nunca deveria ter se tornado público, ou a história como um todo deve levar em conta a existência de duas versões e usar tal fato. A primeira era minha simplória intenção original, embora ela pareça um pouco canhestra (uma vez que o Hobbit é razoavelmente bem conhecido em sua forma mais antiga) se o pretexto literário de historicidade e de dependência do que foi registrado for mantido. A segunda pode ser feita de maneira convincente (creio eu), mas não explicada brevemente em uma nota.

As últimas palavras se referem à nota exigida para a nova edição de *O Hobbit*, explicando a diferença na narrativa em *Adivinhas no Escuro*. Quatro dias depois, ele escreveu novamente (*Cartas* n. 130):

> Decidi aceitar a existência de ambas as versões do Capítulo Cinco, no que diz respeito à continuação — embora eu não disponha de tempo no momento para reescrevê-la nos pontos necessários.

2

O Apêndice sobre idiomas

Além da *Introdução: A Respeito dos Hobbits*, cujo desenvolvimento claro e coerente em direção ao *Prólogo* foi descrito no capítulo anterior, existe outro texto de natureza prefacial ou introdutória e não é fácil de ver como meu pai pretendia que ele fosse relacionado à *Prefácio: A Respeito dos Hobbits*. De fato, com exceção de um ponto, eles não têm nada em comum, pois esse documento posterior (que não tem título) mal se ocupa de Hobbits. Eu o incluo aqui na íntegra por uma razão que logo se verá.

Ele foi datilografado em pequenos papéis de rascunho e é bastante óbvio que foi feito por meu pai muito rapidamente *ab initio* sem qualquer esboço preliminar, seguindo as ideias conforme lhe chegavam: as frases eram interrompidas antes de estarem completas e substituídas por novos arranjos, e assim por diante. Ele corrigiu aqui e ali a lápis, tanto naquele momento quanto posteriormente, e essas correções são, na grande maioria das vezes, pequenos ajustes ou clarificações "editoriais" necessárias ao texto muito irregular; na maior parte dos casos as incorporei (nem todas são legíveis). Acrescentei número nos parágrafos para referências subsequentes. As notas a esta seção se encontram na página 26.

§1 Este conto foi retirado das memórias de Bilbo e Frodo Bolseiro, preservadas majoritariamente no Grande Livro Vermelho de Samwise. Foi escrito ao longo de muitos anos para aqueles interessados no relato da grande Aventura de Bilbo, e especialmente para meus amigos, os Inklings (em cujas veias, desconfio, uma boa parte de sangue hobbit ainda corre) e para meus filhos e filha.

§2 Mas, uma vez que meus filhos e outros de sua idade, que ouviram falar primeiro sobre o achado do Anel, ficaram mais velhos com o passar dos anos, este conto fala mais claramente daquelas coisas sombrias que espreitavam apenas nas bordas do outro conto, mas que abalaram o mundo em toda sua história.

§3 Aos Inklings eu dedico este livro, pois eles já o suportaram com paciência — minha única razão para supor que eles têm um vestígio hobbit em sua venerável linhagem: do contrário, seria difícil justificar o interesse deles na história e na geografia desses dias há muito passados, entre o final do Domínio dos Elfos e o início do Domínio dos Homens quando, por um curto período, os Hobbits desempenharam um papel supremo nos cursos do mundo.

§4 Acrescento essa nota aos Inklings, já que são homens de saber e curiosos acerca desses assuntos. É dito que os Hobbits falavam uma língua, ou línguas, muito semelhante à nossa. Mas isso não deve gerar um mal-entendido. Sua língua era como a nossa em modo e em espírito; mas, se a face do mundo mudou muito desde aqueles dias, também mudou cada detalhe da fala, e mesmo as letras e escritas usadas naquela época foram há muito esquecidas e novas foram inventadas.[1]

§5 Sem dúvida, para os historiadores e filólogos teria sido desejável preservar os idiomas originais; e, certamente, algo do idiomatismo e do humor dos hobbits se perdeu na tradução, mesmo para uma língua de disposição tão semelhante, como é a nossa. Mas o estudo das línguas daqueles dias requer tempo e labor, os quais ninguém além de mim, penso, estaria disposto a despender. Portanto, com a exceção de poucas expressões e inscrições, transferi todo o ambiente linguístico para os idiomas de nossa própria época.

§6 A fala comum do Oeste naqueles dias eu representei pelo inglês. Essa nobre língua se espalhara com o passar do tempo desde os reinos de Fornost e Gondor, e os hobbits não conservaram a memória de qualquer outra fala; mas usavam-na à sua própria maneira, em seus assuntos cotidianos, tal como usamos o inglês; embora eles sempre tivessem à disposição uma língua mais rica e formal quando a ocasião o exigia, ou quando tratavam com outros povos. Esse estilo mais formal e arcaico seguia sendo o usual no reino de Gondor (como eles descobriram) e entre os grandes no mundo fora do Condado.

§7 Mas havia outras línguas naquelas terras. Havia as línguas dos Elfos. Três são aqui encontradas. A mais antiga de todas era o alto-élfico, que eles usavam em segredo como sua própria fala comum e como idioma do saber e das canções. O noldorin, que pode ser chamado de gnômico, era a língua dos Exilados de

Casadelfos no Extremo Oeste e a essa língua pertence a maioria dos nomes nesta história que foram mantidos sem tradução. E a língua dos Elfos da floresta, os Elfos da Terra-média. Todas essas línguas eram aparentadas, mas aquelas faladas na Terra-média, seja pelos Exilados ou por Elfos que permaneceram aqui desde o início, mudaram muito.[2] Somente em Gondor o falar élfico era usualmente conhecido pelos Homens.

§8 Havia também as línguas dos Homens, quando eles não falavam a língua comum. Ora, essas línguas dos Homens que aqui se encontram eram aparentadas da fala comum; pois os Homens do Norte e do Oeste eram, no princípio, aparentados dos Homens de Ociente que voltaram através do Mar; e, de fato, a fala comum era um amálgama do falar dos Homens da Terra-média e das línguas dos reis que atravessaram o Mar.[3] Mas, no Norte, formas arcaicas sobreviveram. Portanto, para demonstrar essa relação, o falar dos Homens de Valle foi plasmado em uma forma setentrional distantemente aparentada do inglês usado para representar a fala comum. Por outro lado, a fala dos Homens de Rohan, que vieram do Norte e ainda usavam entre si a sua língua ancestral (embora toda sua gente superna empregasse também a fala comum à maneira de seus aliados em Gondor), essa eu representei pelo antigo inglês, como ele era há mil anos, ou quase tão distante de nós quanto os dias que separavam Eorl, o Jovem de Théoden de Rohan.[4]

§9 Os orques e gobelins tinham suas próprias línguas, tão repulsivas quanto todas as coisas que eles faziam ou utilizavam; e, uma vez que algum vestígio de boa vontade e de pensamentos sinceros e percepção seria necessário para manter até mesmo uma língua rasteira viva e útil até para propósitos chãos, seus idiomas eram tão infinitamente diversos em forma quanto terrivelmente uniformes em propósito, espontâneos apenas ao expressar vilipêndio, ódio e medo. Por essa razão, eles e sua gente usavam (e ainda usam) as línguas de criaturas mais nobres no intercâmbio necessário entre as tribos.[5]

§10 Os anãos são um caso diferente. São um povo rijo e obstinado na maior parte, secreto, ávido, laborioso, que guarda a lembrança das injúrias (e dos benefícios), apreciadores da pedra, dos metais, das gemas, das coisas que crescem e assumem forma sob as mãos do artífice, mais do que das coisas que vivem por sua vida própria. Porém não estão e nunca estiveram entre os obradores de maldades deliberadas no mundo, nem entre os serviçais do Inimigo, não importa o que as histórias dos Homens tenham dito posteriormente sobre eles; pois os Homens cobiçaram os trabalhos de suas mãos, e houve inimizade entre as raças. Mas está em acordo com a natureza dos Anãos que, viajando e labutando e comerciando pelo mundo, sempre usam abertamente as línguas dos Homens entre os quais habitam; porém em segredo (um segredo que, ao contrário dos Elfos, não revelam de bom grado, nem mesmo àqueles que sabem ser amigos e que desejam conhecimento, não poder) usam um idioma estranho e de lenta mutação.[6] Pouco se sabe dele. Desse modo, os Anãos que aqui aparecem têm nomes do mesmo tipo setentrional que os Homens de Valle que habitavam nas cercanias e empregam a fala comum, ora de um jeito, ora de outro; e apenas em poucos nomes conseguimos capturar um vislumbre de sua língua oculta.

§11 E, quanto às escritas, algo precisa ser dito sobre elas, já que nesta história há tanto inscrições quanto livros antigos, tais como os remanescentes despedaçados do Livro de Mazarbul,[7] que precisam ser lidos. O suficiente aparecerá delas neste livro para talvez permitir que os habilidosos nesses assuntos decifrem tanto as runas quanto as letras cursivas. Mas outros talvez desejem um guia mais claro. Para estes, a escrita-élfica (em sua configuração mais formal, conforme utilizada em Gondor para a fala comum) está integralmente exposta, embora suas várias modificações, empregadas na escrita de outras línguas, especialmente o alto-élfico ou o noldorin, precisaram ser aqui desconsideradas. Outra escrita que desempenha uma função tanto no relato anterior quanto neste: as runas. Elas também eram, como a maior parte das outras coisas do tipo, uma invenção élfica. Mas, enquanto as escritas fluentes (de dois tipos, o alfabeto de Rúmil e o alfabeto de Fëanor, dos quais apenas o segundo ocupa este conto) foram desenvolvidas em Casadelfos, longe da Terra-média, as runas, ou *cirth*, foram criadas pelos Elfos da floresta; e dessa origem deriva seu caráter peculiar, semelhante às runas setentrionais em nossos dias, embora seja diferente no detalhe e também muito incerto se há qualquer conexão linear entre os dois alfabetos. As *cirth* élficas são, de toda forma, mais elaboradas, numerosas e sistemáticas. Os Anãos não criaram quaisquer letras e, embora empregassem as escritas que julgavam predominantes para propósitos necessários, escreviam poucos livros, à exceção de crônicas breves (as quais mantinham em segredo). No Norte, nessas regiões das quais se originaram os Anãos deste conto, eles usavam as *cirth*, ou runas. Seguindo as linhas gerais de tradução às quais esses registros foram submetidos, do mesmo modo que os nomes do Norte receberam as formas de línguas setentrionais em nossa própria época, assim as runas foram representadas pelas runas da Inglaterra antiga. Mas, uma vez que as escritas e runas daquele relato interessaram muitos de seus leitores, mais velhos e mais jovens, e muitas questões a respeito delas foram feitas, neste livro julgou-se mais adequado fornecer quaisquer ocorrências de inscrições ou escritos rúnicos em sua forma mais genuína, acrescentando-se ao final uma tabela das *cirth*, com seus nomes, de acordo com o uso em Valle, tanto entre Anãos quanto Homens. Uma lista dos nomes que ocorrem também foi incluída e, nos casos em que tenham sido retirados dos registros antigos, a língua à qual pertencem é informada e o significado, ou o significado de suas partes, é acrescentado.

§12 A palavra "gnômico" é empregada acima e seria um nome apropriado, uma vez que, seja lá o que Paracelso tenha pensado (se é que ele realmente inventou a palavra), para os entendidos ela sugere conhecimento. E seu próprio nome verdadeiro, em alto-élfico, é Noldor, Aqueles que Sabem; pois dentre os Três Clãs dos Elfos no princípio, sempre se distinguiram os Noldor tanto por seu conhecimento das coisas que são e foram neste mundo, quanto por seu desejo de conhecer ainda mais. Entretanto, eles não eram, com efeito, nada semelhantes aos gnomos da nossa teoria erudita, e menos ainda com os gnomos da imaginação popular, na qual foram confundidos com os anãos e gobelins e outras criaturinhas da terra. Pertenciam a uma raça elevada e bela, os Filhos Mais Velhos do Mundo, que agora se foram. Eram altos, de pele clara e olhos cinzentos, apesar de terem as madeixas escuras, e suas vozes tinham mais melodias que qualquer fala mortal que se ouça agora. Valorosos eram e sua história foi lamentável e, embora um pouco dela tenha se enlaçado à sina dos Pais de Homens nos Dias Antigos, sua sina não é a nossa sina e as suas vidas e as vidas dos Homens raramente se cruzam.[8]

§13 Notar-se-á, ademais, que neste livro, como antes, fala-se de Anãos, apesar de os dicionários nos dizerem que o plural de *anão* é *anões*.* Deveria, é claro, ser *dwarrows* [ananos]; o que quer dizer que, se cada um deles, singular e plural, tivesse percorrido seu próprio caminho natural ao longo dos anos, imunes ao esquecimento, como *Man* [homem] e *Men* [homens], então falaríamos *dwarf* [anão] e *dwarrows* [ananos] com a mesma segurança com que falamos *goose* [ganso] e *geese* [gansos]. Mas não falamos mais de *anãos* com a mesma frequência que de *homens*, ou mesmo *gansos*, e as lembranças entre os homens não são boas o bastante para guardarmos um plural especial para uma raça ora relegada (tal é seu destino e a derrocada de seu grande orgulho) aos contos populares, onde pelo menos se conserva uma sombra da verdade, ou finalmente a histórias absurdas em que eles se tornaram meras figuras divertidas que não lavam as mãos. Mas aqui ainda se vislumbra algo de seu antigo caráter e poder (mesmo que já diminuído); esses são os Nauglir[9] do passado, em cujos corações ainda estavam latentes os antigos fogos e as brasas de seu rancor contra os Elfos; e, para assinalar isso, *anãos* é usado, desafiando a correção e os dicionários — embora, na verdade, derive de uma fonte não mais erudita do que o hábito da infância. Sempre amei os plurais que não se comportavam de acordo com a regra mais simples: *loaves* [filões] e *elves* [elfos] e *wolves* [lobos] e *leaves* [folhas]; e *wreaths* [grinaldas] e *houses* [casas] (que eu preferiria se fossem grafadas *wreathes* e *houzes*); mas eu insisto em *hooves* [cascos] e *rooves* [telhados], conforme a antiga autoridade. Portanto, usei *anãos*, seja lá como o tenha visto grafado, sentindo que essa boa gente foi, assim, um tanto dignificada; pois nunca acreditei nas coisas bobas sobre eles que me apresentaram. Naqueles dias, queria ter ouvido falar de *ananos*. Teria gostado ainda mais. Eu a consagrei agora, de toda forma, em minha tradução do nome de Moria na fala comum, que significava A Cova-dos-Anãos e que verti como A Covanana. Mas Moria em si é um nome élfico do tipo gnômico, e dado sem apreço, pois os verdadeiros Gnomos, muito embora fossem capazes, aqui e ali, nas amargas guerras contra o Inimigo e seus serviçais-orques, de construir grandes fortalezas debaixo da terra, não eram por opção habitantes de cavernas ou túneis, mas amantes da terra verde e das luzes do firmamento; e Moria, em seu

*Em inglês o plural de *dwarf* é *dwarfs*, não o *dwarves* usado pelo autor. [N.T.]

idioma, significa Abismo Negro. Mas os próprios Anãos, e pelo menos este nome nunca foi secreto, a chamavam simplesmente de *Khazad-dûm*, a Mansão dos Khazad, pois esse é seu próprio nome para sua própria raça e tem sido desde seu nascimento nas profundas do tempo.[10]

As observações na abertura desse texto sugerem, certamente, que a narrativa de *O Senhor dos Anéis* estava completa; e isso, por sua vez, sugere que ele não estava muito distante temporalmente do trabalho renovado no *Prefácio: A Respeito dos Hobbits* (isto é, o *Prólogo*). Embora não seja muito mais que um palpite, inclino-me a pensar que, quando meu pai o iniciou, pretendia que fosse um "prefácio" pessoal e dedicatório, completamente distinto, em sua natureza, do relato acerca dos Hobbits, que era um prólogo expressamente relacionado à narrativa. Contudo, involuntariamente, ele logo se envolveu na elaboração desses assuntos sobre idiomas e escritas que sentia precisarem de alguma introdução ou explicação, ao menos tanto quanto os Hobbits precisavam. O resultado foi, claramente, uma combinação completamente inadequada ao propósito e ele o deixou de lado. Eu também conjecturaria que foi a escrita desse texto que deu origem à ideia de um Apêndice especial sobre idiomas e escritas (que, em última instância, foi dividido em dois); e é por isso que eu o coloco no início desse relato da evolução do que veio a se tornar o "Apêndice F", *Os Idiomas e Povos da Terceira Era*. Uma vez que vou numerar os textos desse Apêndice começando em "F 1", é conveniente chamar esse "Prefácio" anômalo de **F***.

Meu pai não perdeu esse texto de vista, contudo, e mais tarde usou elementos dele tanto no Apêndice F[11] como no *Prefácio* que acompanhava a Primeira Edição de *A Sociedade do Anel*, publicada em 1954. Uma vez que pode não ser fácil encontrar exemplares da Primeira Edição, incluo aqui a maior parte do prefácio (para a conclusão, ver p. 30 com a nota 15).

> Este conto, que cresceu a ponto de ser quase uma história da grande Guerra do Anel, foi retirado, na maior parte, das memórias dos renomados Hobbits, Bilbo e Frodo, conforme estão preservadas no Livro Vermelho do Marco Ocidental. Esse grande monumento do saber dos Hobbits é assim chamado pois foi compilado, repetidas vezes copiado e ampliado, e passado adiante

na família dos Lindofilhos do Marco Ocidental, os descendentes do Mestre Samwise de quem este conto tem muito a dizer.

Suplementei o relato do Livro Vermelho, em alguns lugares, com informações derivadas dos registros de Gondor que sobreviveram, notavelmente o Livro dos Reis; mas, no geral, embora tenha omitido muita coisa, neste conto aderi mais de perto às palavras e à narrativa reais do meu exemplar do que na seleção anterior do Livro Vermelho, *O Hobbit*. Aquele foi retirado dos capítulos iniciais, originalmente compostos pelo próprio Bilbo, se é que "compostos" é uma palavra justa. Bilbo não era constante, nem um narrador metódico, e seu relato é intrincado e digressivo e, às vezes, confuso: falhas que ainda aparecem no Livro Vermelho, já que os copistas foram melindrosos e cuidadosos, e alteraram muito pouco.

O conto foi arranjado no presente formato em resposta aos muitos pedidos que recebi por informações adicionais acerca da história da Terceira Era e sobre os Hobbits em particular. Mas, uma vez que meus filhos e outros de sua idade, que ouviram falar primeiro sobre o achado do Anel, ficaram mais velhos com o passar dos anos, este livro fala mais claramente daquelas coisas sombrias que espreitavam apenas nas bordas do conto anterior, mas que abalaram a Terra-média em toda sua história. De fato, este não é de forma alguma um livro escrito para crianças, ainda que, é claro muitas crianças se interessarão por ele, ou por partes dele, como ainda se interessam pelas histórias e lendas de outros dias (em particular as que não foram escritas especialmente para elas).

Dedico este livro a todos os admiradores de Bilbo, mas especialmente aos meus filhos e minha filha e aos meus amigos, os Inklings. Aos Inklings porque eles já o ouviram com tamanha paciência — e, de fato, com tamanho interesse — que quase me leva a suspeitar que têm sangue hobbit em sua venerável linhagem. Aos meus filhos e minha filha, pelo mesmo motivo e também porque todos me ajudaram nos labores da composição. Se "composição" for uma palavra justa e estas páginas não merecerem tudo o que disse sobre o trabalho de Bilbo.

Porque se o labor foi longo (mais de catorze anos), ele não foi nem metódico, nem constante. Mas eu não tive o ócio de Bilbo. De fato, muito daquele tempo não teve ócio algum para mim e mais de uma vez no curso de um ano inteiro a poeira se acumulou em minhas páginas inacabadas. Digo isso apenas para explicar àqueles que esperaram por este livro por que tiveram que esperar tanto. Não tenho motivos para reclamar. Fico surpreso e encantado ao constatar, pelas numerosas cartas, que tantas pessoas, na Inglaterra e cruzando o oceano, partilham do meu interesse nesta quase esquecida história; mas ela não é ainda universalmente reconhecida como um ramo importante de estudo. Na verdade, não tem qualquer uso prático óbvio, e aqueles que se aventurarem nele dificilmente podem esperar auxílio.

Muita informação, necessária e desnecessária, se encontra no Prólogo. ...

Na Segunda Edição de 1966, esse Prefácio foi inteiramente rejeitado. Em um de seus exemplares da Primeira Edição, meu pai escreveu, ao lado: "De todo modo, gostaria muito de cancelar este Prefácio. Confundir (como ele confunde) assuntos pessoais reais com o 'maquinário' do Conto é um erro sério."[12]

NOTAS

1 Quanto a essa passagem, ver a nota 11.

2 Quanto à concepção de meu pai nessa época acerca do uso, na Terceira Era da Terra-média, de noldorin, por um lado, e da "língua dos Elfos da floresta", por outro, ver p. 56–7, §18 e o comentário (p. 90).

3 Quanto à essa passagem a respeito da origem da fala comum, ver p. 87, §9.

4 No Apêndice A (RR, pp. 1518–20) o lapso entre o nascimento de Eorl, o Jovem e o de Théoden é de 463 anos.

5 Meu pai estava afirmando, imagino, que um idioma tão rasteiro e limitado em pensamento e expressão não consegue sobreviver como língua comum de uso generalizado, pois, devido à sua própria inadequação, ela não resiste à mudança na forma e está fadada a se tornar um aglomerado de jargões fechados, incompreensíveis até mesmo para outros da mesma espécie.

6 Essa passagem a respeito dos Anãos, ausente na versão original do Apêndice F, reapareceu subsequentemente (p. 102) e foi mantida, de maneira bastante alterada, na versão final desse mesmo Apêndice (RR, p. 1613).

7 Meu pai lamentou profundamente que, à ocasião, seus "fac-símiles" das páginas despedaçadas e queimadas do Livro de Mazarbul não foram reproduzidos em *O Senhor dos Anéis* (ver *Cartas* n. 137, 139–40; e também pp. 361–2 neste livro). Eles foram finalmente publicados em *Pictures by J.R.R. Tolkien*, em 1979.*

* As edições brasileiras em capa dura de *O Senhor dos Anéis* apresentam os "fac-símiles" das páginas do Livro de Mazarbul, conforme desejo de Tolkien. [N. E.]

8 É aqui que se originou o trecho que conclui o Apêndice F conforme publicado. Ver adiante nas pp. 103–4.

9 *Nauglir*: curiosamente, meu pai aqui retornou à forma encontrada no *Quenta* de 1930 em vez de usar *Naugrim*, visto do *Quenta Silmarillion* em diante (ver V. 325, 330–1; XI. 258). Assim como aquelas mencionadas nas notas 6 e 8, a passagem em questão, ausente na versão original do Apêndice F, foi reintegrada e aparece com poucas mudanças na forma publicada (em que o nome é *Naugrim*).

10 Anos mais tarde, meu pai chamou esse texto de "fragmento" (ver nota 12). Ele termina ao pé de uma página, sendo que as últimas palavras datilografadas são "desde seu nascimento", e "nas profundas do tempo" foi acrescentado a lápis.

11 Para trechos do F* que reapareceram ao curso do desenvolvimento, ver notas 6, 8 e 9. A esse respeito, há um ponto curioso e intrigante que surge do F*. Nesse texto, meu pai demonstrou sua intenção de dizer algo, no trabalho publicado, acerca da tradução fictícia: que ele havia convertido os idiomas "reais" de Homens (e Hobbits) na Terceira Era da Terra-média, completamente estranhas a nós, para uma estrutura análoga composta pelo inglês nas formas moderna e arcaica, e pelo nórdico (§§5–6, 8). Ao introduzir esse assunto, ele escreveu (§4): "É dito que os Hobbits falavam uma língua, ou línguas, muito semelhante à nossa. Mas isso não deve gerar um mal-entendido. Sua língua era como a nossa em modo e em espírito; mas, se a face do mundo mudou muito desde aqueles dias, também mudou cada detalhe da fala..."

Pode-se imaginar, por um momento, quem teria dito isso sobre os Hobbits, e por que meu pai colocaria isso apenas para advertir contra uma leitura literal; mas foi, é claro, ele mesmo quem o dissera, na versão original do P 1 de *Prefácio: A Respeito dos Hobbits* (VI. 383, citado na p. 25): "E, contudo, claramente devem ser parentes nossos... Para começo de conversa, falavam uma língua (ou línguas) muito parecida, e gostavam e desgostavam basicamente das mesmas coisas que nós". Esse trecho foi repetido anos mais tarde na revisão do segundo texto P 2 (ver a comparação na p. 25), mas aqui a afirmação explicativa, advertindo contra o mal-entendido, não está presente.

Não consigo explicar porque meu pai teria feito essa referência cruzada a *Prefácio: A Respeito de Hobbits* para indicar que ela é enganosa, nem por que ele a teria mantido — sem essa admoestação — em sua revisão do P 2. O que torna tudo ainda mais estranho é que, enquanto nas primeiras versões do Apêndice F (nas quais a "teoria e prática" de tradução dos idiomas verdadeiros foram muito elaboradas) a observação está ausente, ela reaparece na terceira versão (F 3, p. 73), aqui em uma forma praticamente idêntica à do F*. É dada como citação: "É dito que 'os Hobbits falavam uma língua, ou línguas, muito semelhante à nossa'", seguida pela mesma explicação: "Mas isso não deve gerar um mal-entendido. Sua língua era como nossa em modo e tom...". Como curiosidade final, à época em que a terceira versão do Apêndice F foi escrita, a observação havia sido removida do *Prólogo* (ver a citação do texto P 5 na p. 25), e substituída por "Eles falavam as línguas dos Homens e gostavam e desgostavam praticamente das mesmas coisas que nós, certa vez", embora, assim como no *Prólogo* publicado, o contexto ainda sinalize a íntima relação original entre Hobbits e Homens.

12 Muitos anos após escrever o F*, meu pai anotou no texto datilografado: "Fragmento de um Prefácio original, posteriormente dividido em Prefácio e Prólogo". Isso é enganoso, porque o F* não desempenhou qualquer papel no *Prólogo*, mas contribuiu, de fato, ao Prefácio da Primeira Edição e ao Apêndice F.

A história do Apêndice F, cujo título final foi *Os Idiomas e Povos da Terceira Era* (enquanto a discussão dos alfabetos e escritas, originalmente unida à dos idiomas, tornou-se o Apêndice E, *Escrita e Grafia*), sem dúvida começou com o malogrado, mas não improdutivo, texto F*, mas é melhor considerar a primeira versão desse Apêndice como sendo constituída por dois manuscritos intimamente relacionados, já que foram escritos na forma de elaborados ensaios com o intuito de se manterem independentes de qualquer "Prefácio".

Muito tempo depois, meu pai escreveu (p. 361) que "a verdadeira fala comum foi rascunhada na estrutura e nos elementos fonéticos e várias palavras foram cunhadas"; e nesse trabalho é possível vê-lo elaborando as reais formas no idioma westron que subjazem aos nomes traduzidos (ou substituídos), particularmente dos Hobbits. Muito desse material subsequentemente desapareceu do Apêndice. Essa versão original também é de grande interesse na medida em que documenta sua concepção sobre as línguas da Terra-média e suas interrelações à época em que tinha recém acabado a narrativa de *O Senhor dos Anéis*; e também na medida em que demonstra quão substancialmente essa concepção ainda seria desenvolvida antes da publicação de *O Senhor dos Anéis* em 1954–5.

Datar precisamente essa versão parece ser quase impossível, mas, ao menos, ela pode certamente ser alocada para antes do verão de 1950 e penso que pode muito bem ser anterior a isso.[1]

O mais antigo dos dois textos, ao qual me referirei como **F 1**, é um manuscrito bastante irregular e muito emendado, mas inteiramente legível, intitulado *Notas sobre os Idiomas ao final da Terceira Era*. Um segundo manuscrito, **F 2**, o sucedeu, penso eu que logo, se não imediatamente, com o título *Os Idiomas ao final da Terceira Era*. Escrevendo com grande cuidado e clareza, meu pai seguiu o F 1 muito de perto: frequentemente alterou o fraseado ou fez acréscimos, mas de maneira muito pontual, na maioria das vezes, e raramente fugindo do texto anterior, nem mesmo na sucessão de frases. Os dois textos são parecidos demais para justificar a inclusão de ambos e, portanto, apresento aqui o F 2, registrando, nas notas primariamente textuais da p. 77 em diante, os relativamente poucos casos em que lições diferentes no F 1 parecem ter alguma relevância ou interesse (contudo, na seção sobre os nomes dos Hobbits, onde houve muita elaboração no texto F 2, todas as diferenças entre os dois textos são detalhadas).

O F 2 foi substancialmente corrigido e ampliado (especialmente no início do ensaio) e algumas páginas foram reescritas. Essas alterações não são todas de um só tipo, algumas tendo sido feitas com cuidado, outras com mais pressa, e achei extremamente difícil determinar, em termos relativos, quando algumas delas foram feitas, mais importante ainda porque o desenvolvimento após o F 2 não foi uma progressão uniforme e meu pai evidentemente sentia que o assunto requeria um tratamento diferente. Algumas correções sem dúvida pertencem a uma época em que o texto fora suplantado inteiramente. Portanto, incluí no texto que se segue todas as alterações feitas ao manuscrito e, na maioria dos casos, explicitamente as marquei como tal. Contudo, de modo a reduzir a desordem, em alguns momentos eu as incluí silenciosamente, nos pontos em que elas não fazem nada além de aprimorar o texto (principalmente aumentando a clareza), sem de maneira alguma alterar o seu propósito.

Em geral, trato o F 2 como sendo o texto representativo da versão original e só diferencio o F 1 quando necessário. Os números de parágrafos são, claro, acréscimos editoriais. Um comentário segue as notas da p. 84 em diante.

Os Idiomas ao final da Terceira Era

§1 Escrevi essa nota sobre os idiomas dos quais se ocupa este livro não apenas porque essa parte do saber daqueles dias me é de especial interesse, mas também porque penso que muitos aceitariam alguma informação desse tipo. Recebi muitas perguntas a respeito desses assuntos vindas de leitores das seleções anteriores do Livro Vermelho.*

**O Hobbit*, retirado dos capítulos iniciais do Livro Vermelho, aqueles compostos principalmente por Bilbo e que tratam unicamente da descoberta do Anel.

§2 Nestas histórias, temos de lidar bastante com as línguas tanto de Elfos quanto de Homens.[2] Da longa história da fala élfica não vou tratar, mas, uma vez que três [> duas] de suas variedades são vislumbradas neste livro, algo pode ser dito sobre ela.

§3 De acordo com historiadores élficos, a Gente-élfica, chamada por si mesma de *Quendi* — assim como a fala-élfica — era uma só, originariamente. A primeira divisão foi em *Eldar* e *Avari*. Os Avari eram os Elfos que permaneceram contentes com a Terra-média [*riscado:*] e recusaram a convocação dos Poderes, mas eles e seus muitos idiomas secretos não são a preocupação deste livro. Os Eldar eram os que partiram em marcha para as costas ocidentais do Velho Mundo. A maior parte deles passou então sobre o Mar e chegou àquela terra no Antigo Oeste a que chamaram Valinor, um nome que significa Terra dos Poderes ou Regentes do Mundo. Mas alguns dos Eldar [*acrescentado:* da gente dos Teleri] ficaram para trás, no noroeste da Terra-média, e esses foram chamados de *Lembi* ou "Os Que Se Demoram". É dos idiomas eldarin, valinóreano ou lemberin [> teleriano], que estes contos se ocupam.

§4 Em Valinor, a partir do idioma daquela Gente-élfica conhecida como Lindar, fez-se uma fala alto-élfica que, após os Elfos terem criado letras, foi usada não apenas para o saber e para a escrita formal, mas também para conversas elevadas e para o intercâmbio entre Elfos de clãs diversos. Essa que era de fato um "latim dos Elfos", por assim dizer, imutável no tempo e lugar, os próprios Elfos a chamavam de *quenya*: isto é simplesmente "élfico".

§5 Ora, após longas eras de paz, veio a acontecer, como está relatado no *Quenta Noldorion*, que os Noldor, aqueles que, dentre todos os clãs dos Eldar, eram os mais habilidosos nos ofícios e no saber, partiram como exilados de Valinor e retornaram à Terra-média em busca das Grandes Joias, as *Silmarilli*, as quais Fëanor, chefe de todos os seus artífices, fizera. Seu idioma, noldorin, que a princípio diferia pouco do lindarin ou quenya, quando de seu retorno à Terra-média sujeitou-se à mudança que mesmo as coisas criadas pelos Elfos sofrem aqui e, à passagem do tempo, tornou-se completamente distinta do quenya de Valinor, língua que os exilados conservaram para sempre na memória como um idioma de saber, e canção, e cortesia.*

*Por outro lado, os idiomas noldorin e lemberin, que há muito haviam se separado, sendo falados agora por povos que viviam adjacentes, aproximaram-se e, apesar de permanecerem completamente distintos, tornaram-se parecidos em som e estilo.

§6 De acordo com os Elfos, os Homens partilhavam, embora em menor grau, de muitos dos poderes dos Elfos e eram capazes de criar idiomas de determinado tipo para si mesmos, como de fato o fizeram, ao que parece, em muitas terras remotas. Mas, na verdade, os Homens não passaram em todas as regiões pelo moroso e doloroso processo de invenção. No Norte e Oeste do Velho Mundo, eles aprenderam o idioma direta e integralmente dos Elfos que se amigaram deles na sua infância e primeiras andanças; e as línguas de Homens que são, conquanto remotamente, dessa origem, os Quendi sempre as acharam mais agradáveis aos seus próprios ouvidos. Contudo, até mesmo esses idiomas ocidentais de Homens logo se estranharam da fala dos Elfos, alterando-se por causa do tempo, ou pelas próprias invenções e acréscimos dos Homens, ou por outras influências, notavelmente a dos Anãos, de quem muito tempo atrás alguns Homens aprenderam bastante, em particular acerca de escavações, construções e forjadura.

§7 Ora, os Homens que primeiro chegaram ao oeste desde o coração da Terra-média para terras próximas às costas do Mar eram chamados de Atani[3] pelos Elfos, [*acrescentado:* ou, em noldorin, de Edain,] os Pais de Homens, e houve grande amizade entre as duas raças. Pois quando os Pais de Homens passaram sobre as montanhas, encontraram pela primeira vez os Eldar, ou Altos-Elfos; e os Eldar travavam, àquela época, uma incessante guerra contra o Senhor Sombrio daquela Era, de longe muito maior do que Sauron, o qual não era senão um de seus serviçais. Naquela guerra, três casas dos Pais de Homens auxiliaram os Elfos, especialmente os Noldor, e viveram entre eles e lutaram ao lado deles; e as pessoas [> os senhores] dessas casas aprenderam a fala noldorin [*riscado:*] e abandonaram o seu próprio idioma.[4]

§8 Quando, afinal, aquela guerra estava terminada, a maior parte dos Noldor exilados retornou por sobre o Mar até Valinor ou para a terra de Eressëa que fica / às vistas de lá [> próximo]. Então, permitiram, como recompensa, que o povo das Três Casas dos Homens passasse também por sobre o Mar, se o desejassem, e habitassem uma ilha separada para eles. O nome dessa grande ilha era Númenor, que significa Ociente em quenya. A maioria dos Pais de Homens partiu e fez morada em Númenor, e lá tornaram-se grandes e poderosos; e eram belos de rosto e altos, e mestres de ofício e saber, menos apenas que os Elfos, e seu tempo de vida era três vezes o dos homens na Terra-média, ainda que permanecessem mortais, e a eles não era permitido colocar os pés sobre as praias da terra imortal de Valinor. Eram chamados Reis de Homens, os Númenóreanos, ou, em noldorin, os Dúnedein [> Dúnedain].[5]

§9 O idioma dos Dúnedain era, portanto, o élfico noldorin, embora os altos senhores e homens de saber também conhecessem o quenya, [> Assim, em Númenor, dois idiomas eram empregados: o númenóreano (ou adûnaico) e o élfico noldorin, o qual todos os senhores daquele povo conheciam e falavam, pois tratavam muito com os Elfos nos dias anteriores à sua queda. Mas os homens de erudição aprenderam também o quenya e conseguiam ler os livros do saber élfico;] e naquele elevado idioma deram nomes para muitos lugares de fama ou reverência e para homens de realeza e grande renome.* Após a Queda de Númenor (que foi tramada por Sauron), Elendil e os fugitivos do Oeste zarparam rumo ao leste. Contudo, nas terras ocidentais da Terra-média, onde estabeleceram seus reinos exilados, encontraram uma língua comum, empregada ao longo das terras costeiras desde as Fozes do Anduin até a congelante Baía de Forochel, ao Norte. Em noldorin, essa língua era chamada de *falathren* ou "língua-costeira", mas por seus falantes era chamada *yandūnë* [> *andūnar* > *adúnar*] (isto é, westron) ou *sōval phārë* (isto é, fala comum).[6]

§10 Essa fala comum era [*riscado:*] no princípio / uma língua de Homens e, de fato, era apenas uma forma tardia da língua nativa dos próprios Pais de Homens antes que aqueles das Três Casas passassem por sobre o Mar. Era, portanto, parente próxima de outras línguas de Homens que [> Outras línguas de Homens, também derivadas de idiomas dos Edain ou parentes próximas deles] ainda eram faladas terra adentro, especialmente nas regiões ao norte das terras ocidentais ou nas cercanias das águas superiores do Anduin. Sua disseminação [> A disseminação do westron] se devera em grande parte, a princípio, aos próprios Dúnedain; pois, durante os Anos Sombrios, eles frequentemente visitaram de novo as praias

*Em quenya estão, por exemplo, os nomes *Elendil*, *Anárion*, *Isildur* e todos os nomes reais de Gondor, incluindo *Elessar*. Também os nomes dos reis da Linhagem Setentrional até o décimo, *Eärendil*. [*Acrescentado:* Os nomes de outros senhores dos Dúnedain, tais como *Arathorn*, *Aragorn*, *Boromir* e *Denethor* são majoritariamente noldorin; mas *Imrahil* e *Adrahil* são nomes númenóreanos (adûnaicos).

da Terra-média e, nos dias de suas grandes viagens antes da Queda, construíram muitas fortalezas e portos para auxílio às suas naus. Um dos maiores dentre esses ficava em Pelargir, acima das Fozes do Anduin, e diz-se que foi o idioma dessa região (posteriormente chamada de Gondor) que serviu de fundação para a fala comum. Mas Sauron, que era capaz de reverter todas as coisas feitas por Elfos ou Homens para seus próprios objetivos malignos, também promovera a disseminação dessa fala comum, pois era útil para ele no governo de seu vasto senhorio durante os Anos Sombrios.

§11 Além da fala comum, ou westron, e outras línguas aparentadas de Homens, permaneciam também, nos dias de Elendil, os idiomas dos Eldar. Por mais estranho que possa parecer, visto que os Dúnedain habitaram por longos anos separados em Númenor, o povo de Elendil ainda conseguia se comunicar sem esforço com os Eldar que falavam noldorin. As razões para isso são variadas. Primeiro, os Númenóreanos nunca se haviam separado completamente dos Noldor; pois, enquanto aqueles que haviam retornado para o Oeste frequentemente iam até Númenor em amizade, os Númenóreanos, como foi dito, com frequência visitavam a Terra-média e tinham às vezes auxiliado os Elfos que lá permaneceram em sua contenda com Sauron.[7] Novamente, a mudança e decadência das coisas, embora não de todo eliminada, era ainda muito lenta na terra dos Dúnedain nos dias de sua bem-aventurança e o mesmo pode ser dito dos Eldar.[8]

[*Esse parágrafo foi reescrito dessa maneira:* Além da fala comum, ou westron, e outras línguas aparentadas de Homens, permanecia também, nos dias de Elendil, os idiomas dos Eldar, pois muitos habitavam ainda em Eriador. Com aqueles que falavam noldorin, o povo de Elendil ainda conseguia se comunicar sem esforço. Pois a amizade entre os Númenóreanos e os Noldor se mantivera por longo tempo e a gente de Eressëa com frequência visitara Númenor, ao passo que os Númenóreanos haviam navegado frequentemente à Terra-média e tinham às vezes auxiliado os Elfos em sua contenda com Sauron.]

§12 Ademais, aqueles eram os dias dos Três Anéis. Ora, como está contado em outro lugar, esses anéis foram escondidos e os Eldar não os usavam para criar qualquer coisa nova enquanto Sauron ainda reinava e usava o Anel Regente; ainda assim, a grande virtude deles estava sempre agindo secretamente e essa virtude era proteger os Eldar que habitavam a Terra-média [*acrescentado:* e todas as coisas relacionadas a eles] da mudança, e do declínio, e do cansaço. Assim aconteceu que, no longo lapso entre a forjadura dos Anéis até o seu fim, quando a Terceira Era terminou, mesmo na Terra-média os Eldar não mudaram em mil anos mais do que os Homens em dez; e seu idioma, idem.

§13 Ora, a gente de Elendil não era numerosa, pois apenas poucas grandes naus escaparam à Queda ou sobreviveram ao tumulto dos Mares. Eles encontraram, é verdade, muitos habitantes nas costas ocidentais que eram de seu próprio sangue, total ou em parte, sendo descendentes de marinheiros e guardiões de fortalezas e portos que haviam sido erguidos ali em dias passados; ainda assim, todos diziam que os Dúnedain eram agora apenas um pequeno povo em meio a estranhos. Eles empregavam, portanto, o westron em todos os seus negócios com outros homens e no comando dos reinos dos quais se tornaram governantes; e essa fala comum tornou-se então maior e foi muito enriquecida com palavras tomadas do idioma dos Dúnedain, que era, como já foi dito, uma forma do élfico noldorin [> e foi muito enriquecida com palavras tomadas do idioma adûnaico dos Dúnedain e do noldorin]. Mas entre os reis e grandes senhores e, de fato, entre todos aqueles de sangue númenóreano em qualquer grau, por muito tempo usou-se a fala noldorin e nesse idioma deram nomes aos homens e lugares por todos os reinos dos herdeiros de Elendil.

§14 Dessa maneira, aconteceu que, à época em que os eventos registrados neste livro começaram, pode-se dizer que quase todos os falantes de qualquer raça a oeste das bordas orientais de Trevamata usavam alguma forma dessa fala comum; enquanto os Homens que habitavam em Eriador, a vasta terra entre as Montanhas Nevoentas e as Ered Lindon, ou nas terras costeiras ao sul das Montanhas Brancas, usavam apenas o westron e há muito tempo se haviam esquecido de seus próprios idiomas. Isso aconteceu com o povo de Gondor (à exceção dos senhores) e de Anfalas e mais além; e com o povo de Bri / e os Terrapardenses [> no Norte]. A leste das Montanhas Nevoentas, até mesmo bem ao norte, a fala comum era conhecida, embora ali, assim como em Esgaroth [> assim como próximo ao Lago Longo] ou em Valle, ou entre os Beornings e os Homens-da-floresta nas bordas ocidentais de Trevamata, os Homens também conservavam seus próprios idiomas no uso cotidiano. Os Eorlings, ou Rohirrim, como eram chamados em Gondor, ainda empregavam sua própria língua setentrional, ainda que todos, exceto os mais humildes, falassem também a fala comum à maneira de Gondor; pois os Cavaleiros de Rohan vieram de Éothéod, próximo às fontes do Anduin, apenas uns quinhentos anos antes dos dias de que se fala aqui.

[*A conclusão desse parágrafo foi reescrita dessa maneira:* Os Eorlings, ou Rohirrim, como eram chamados em Gondor, ainda empregavam sua própria língua setentrional; pois os Cavaleiros de Rohan vieram de Éothéod, próximo às fontes do Anduin, apenas uns quinhentos anos antes dos dias de que se fala aqui. Ainda assim, todos, exceto os mais humildes, falavam também a fala comum à maneira de Gondor. Na Terra Parda, também os Terrapardenses, um povo minguante, remanescentes daqueles que haviam habitado o oeste de Rohan antes da chegada dos Rohirrim, ainda se agarravam à sua própria fala. Ela era completamente distinta do westron e descendia, ao que parece, de alguma outra língua dos Homens, não aparentada daquela dos Atani, Pais de Homens. Uma língua similar e relacionada foi provavelmente falada certa vez em Bri: ver (a nota de rodapé ao §25).]

§15 Talvez se ache mais digno de nota o fato de que a fala comum também fora aprendida por outras raças, Anãos, Orques e até mesmo Trols. O caso dos Anãos pode, contudo, ser facilmente compreendido. À essa época, eles não mais tinham, nas terras ocidentais, quaisquer grandes cidades ou covas onde muitos viviam juntos. Na maior parte, estavam espalhados, vivendo em pequenos grupos em meio a outras gentes, frequentemente vagando, raramente permanecendo muito tempo em um lugar, até que, como se conta no começo do Livro Vermelho, seus antigos salões sob a Montanha Solitária foram reavidos e o Dragão foi morto. Portanto, durante muito tempo eles usaram, por necessidade, a fala comum em seus tratos com outros povos, até mesmo com os Elfos.* Não que os Anãos jamais tenham sido ávidos por ensinar sua própria língua a outros. Eram um povo secreto e mantinham sua própria fala entre si mesmos, usando-a apenas quando não havia estranhos

*Pois havia uma antiga inimizade entre Anão e Elfo, e nenhum deles se dispunha a aprender a língua do outro.

por perto. De fato, eles até mesmo se davam nomes "externos", seja em westron ou nos idiomas de Homens entre os quais habitavam, mas também possuíam nomes "internos" e secretos em sua própria língua, os quais não revelavam. Assim aconteceu que os Anãos setentrionais, o povo de Thorin e Dáin, tomaram nomes da língua setentrional dos Homens de Valle e seus nomes secretos nos são desconhecidos. Por essa razão, pouco se sabe da fala anânica nesse período, exceto por alguns nomes de minas, e lagos, e montanhas.

§16 Os Orques tinham uma língua própria, criada para eles pelo Senhor Sombrio de outrora, mas era tão cheia de sons ásperos e repulsivos e palavras vis que outras bocas a achavam difícil de reproduzir e poucos, na verdade, se dispunham a tentar. E essas criaturas, repletas de toda malícia e ódio a ponto de não amarem nem mesmo sua própria gente, logo diversificaram sua fala rude e ágrafa em tantos jargões quanto havia grupos ou assentamentos de Orques. Assim, eles foram levados a usar a língua de seus inimigos mesmo ao se comunicar com outros Orques de estirpes diferentes ou de habitações distantes. Nas Montanhas Nevoentas e em outros fortes órquicos remanescentes no longínquo Noroeste, eles haviam, de fato, abandonado sua língua nativa e usavam a fala comum, porém de modo a torná-la pouco menos detestável que o órquico.

§17 Os Trols, em seus começos criaturas de natureza obtusa e brutal, não tinham nada que pudesse ser chamado de uma verdadeira língua própria, mas o Poder maligno muitas vezes fizera uso deles, ensinando-lhes o pouco que podiam aprender e até cruzando sua estirpe com a de Orques mais robustos. Os Trols, assim, tomaram tanta linguagem quanto conseguiram dos Orques e, nas terras ocidentais, os Trols das colinas e das montanhas falavam uma forma degradada do westron, a fala comum.

§18 Os Elfos, pode-se pensar, não tinham necessidade de outros idiomas senão o seu próprio. De fato, eles não haviam escondido seu idioma como os Anãos, e se dispunham a ensinar as línguas-élficas a todos os que desejavam ou que eram capazes de aprendê-las. Mas esses eram poucos além dos senhores de ascendência númenóreana. Assim, os Elfos que permaneceram nas terras ocidentais usavam a fala comum em seus tratos com Homens ou outros povos falantes; mas eles a empregavam em uma forma mais arcaica e graciosa, aquela dos senhores dos Dúnedain e não a do Condado. Entre eles, falavam e cantavam nas línguas-élficas, e por toda Eriador, desde Lindon até Imladrist [> Imladris], empregavam a fala noldorin; pois nessas terras, especialmente em Valfenda e nos Portos Cinzentos, mas também em outros lugares secretos, havia ainda muitos dos Noldor exilados habitando ou vagando no ermo. Para além das Montanhas Nevoentas ainda havia Eldar que usavam o idioma lemberin [> teleriano]. Esse era o povo do reino-élfico de Trevamata do Norte, de onde veio Legolas. Lemberin [> teleriano] era também o idioma nativo de Celeborn e dos Elfos da terra oculta de Lórien. Ali, a fala comum era conhecida apenas por poucos, pois aquela gente de raro perambulava pelas fronteiras.*

§19 Os nomes élficos que aparecem neste livro são, principalmente, de forma noldorin, mas alguns são lemberin [> teleriano], dos quais os mais importantes são [*acrescentado: Thranduil,*] *Legolas*, *Lórien*, *Caras Galadon*, *Nimrodel*, *Amroth*; e também os nomes da Casa de Dol Amroth: *Finduilas*, [*acrescentado: Adrahil*] e *Imrahil*. Os Eldar exilados ainda conservavam na memória, como foi dito, o quenya alto-élfico e foi de visitantes noldorin ao Condado que Bilbo (e, a partir dele, Frodo) aprendeu um pouco daquela fala antiga. Em quenya está o educado cumprimento que Frodo dirigiu a Gildor (no Capítulo III). A canção de Adeus de Galadriel em Lórien (no Capítulo) [*sic*] também está em quenya. Barbárvore conhecia essa língua como sendo o mais nobre dos idiomas "apressados" e o empregava frequentemente. Seu cumprimento a Galadriel e Celeborn está em quenya, assim como a maior parte das palavras e nomes que ele usa que não estão na fala comum.[9]

§20 Falando por último de Hobbits. De acordo com relatos compilados no Condado, os Hobbits, embora na origem uma só raça, em tempos remotos se dividiram em três estirpes algo diferentes: Grados, Pés-Peludos e Cascalvas, que já foram descritas. [*Riscado:*] Nenhuma tradição, contudo, permanece acerca de qualquer diferença no falar desses três tipos.[10]

§21 Uma vez que os Hobbits eram parentes mais próximos dos Homens do que qualquer outro povo falante do mundo antigo, poder-se-ia supor que tivessem uma língua própria, diferente das outras línguas de Homens, embora não dessemelhante a elas.

*Mas a senhora daquela terra, Galadriel, era da raça noldorin e na sua casa essa língua também era falada.

Contudo, não há evidência disso em qualquer registro ou tradição. Deve-se admitir que nenhuma das lendas dos Hobbits faz qualquer referência a uma época anterior a alguns séculos desde o início da Terceira Era, ao passo que os registros de fato não começam até depois de os Hobbits ocidentais terem se estabelecido, por volta do ano 1300 da Terceira Era. Mas permanece digno de nota que todas essas tradições presumem que a única língua falada por Hobbits de qualquer tipo era o westron, a fala comum. Eles tinham, é claro, muitas palavras e usos peculiares, mas o mesmo pode ser dito de qualquer outra gente que empregasse a fala comum como língua nativa.

[*A última parte desse parágrafo, depois de* "qualquer registro ou tradição", *foi reescrita da seguinte maneira:* Eles tinham, é claro, muitas palavras e usos peculiares, mas o mesmo pode ser dito de qualquer outra gente que empregasse a fala comum como língua nativa. É verdade que nenhuma das lendas dos Hobbits faz qualquer referência a uma época anterior a alguns séculos desde o início da Terceira Era, ao passo que os registros de fato não começam até depois de os Hobbits ocidentais terem se estabelecido, por volta do ano 1300 da Terceira Era, quando já há muito haviam adotado a fala comum. Mas permanece digno de nota que em todas essas tradições, se qualquer língua além da fala comum é mencionada, presume-se que os Hobbits falavam a língua dos Homens junto aos quais ou entre os quais viviam.]

§22 Entre os Hobbits [*acrescentado:* agora] há duas opiniões. Uns afirmam que, originalmente, eles tinham uma língua peculiar. Outros afiançam que, desde o início, falavam um idioma de Homens [> idiomas de Homens], sendo, de fato, um ramo da raça dos Homens. Mas, de todo modo, concorda-se que, após a migração para Eriador, eles logo adotaram o westron sob influência dos Dúnedain do Reino do Norte. A primeira opinião é agora defendida pelos Hobbits [> é defendida por muitos Hobbits], devido à sua crescente aversão aos Homens;* mas não há, na verdade, vestígio algum a ser descoberto de qualquer língua especial dos Hobbits na antiguidade. A segunda opinião é, claramente, a

*Corroborada, conforme lhes parece, pelo fato de que, entre eles, falam agora uma língua privada, embora ela provavelmente seja apenas uma descendente, a última a sobreviver, da antiga fala comum.

correta e é defendida por aqueles de maior saber linguístico. Ela é corroborada pelo exame não apenas do saber dos Hobbits que sobreviveu, mas também dos muito mais vultosos registros de Gondor. Todas essas investigações demonstram que, antes de sua travessia pelas Montanhas, os Hobbits falavam a mesma língua que os Homens nos vales superiores do Anduin, mais ou menos entre a Carrocha e os Campos de Lis.*[11]

§23 Ora, aquela língua era praticamente a mesma dos ancestrais dos Rohirrim; e também era relacionada, como foi dito acima, às línguas tanto de Homens mais ao norte quanto ao leste (como em Valle e Esgaroth), e daqueles mais ao sul, das quais o próprio westron derivou. Portanto, é possível compreender a rapidez com que os Hobbits evidentemente adotaram a fala comum, assim que passaram para Eriador, onde ela era corrente havia muito tempo. Desse modo também se explica a ocorrência, entre os Hobbits ocidentais e assentados, de muitas palavras peculiares não encontradas na fala comum, mas verificadas nas línguas de Rohan e de Valle.† [12]

§24 Um exemplo disso é visto no próprio nome *Grado*. Parece que, originalmente, ele significava "grande" e, ainda que essa palavra não seja encontrada na fala comum, é usual na linguagem de Valle. A curiosa palavra hobbit, *mathom*, que já foi mencionada, é claramente a mesma que *máthum*, usada em Rohan para um "tesouro" ou um "rico presente". A trompa dada pela senhora Éowyn a Meriadoc na sua despedida era justamente um *máthum*.

*[*A seguinte nota de rodapé foi acrescentada:* Contudo, os Grados, especialmente o ramo meridional que por muito tempo habitou o vale do Ruidoságua, junto a Tharbad e nas fronteiras da Terra Parda, parecem ter adquirido um idioma aparentado do terrapardês antes de chegarem ao norte e adotarem, por sua vez, a fala comum.]

†Na visão de Gandalf, o povo de "Gollum", ou Smeagol, era da gente dos Hobbits. Se assim for, seus hábitos e moradas os caracterizam como Grados. Ainda assim, é claro que falavam [> como Grados, embora pareçam ter empregado] a fala comum. Mais provavelmente eram uma família ou pequeno clã que, devido a alguma querela ou súbita "saudade de casa", voltaram ao leste e desceram novamente para as Terras-selváticas, junto ao Rio de Lis. Há muitas referências, nas lendas dos Hobbits, a famílias ou pequenos grupos partindo sozinhos "para o ermo", ou voltando ao "lar". Pois Eriador oriental era menos benévola e fértil do que as Terras-selváticas e muitos dos contos falam de tempos difíceis enfrentados pelos emigrantes. Pode-se notar, contudo, que os nomes *Deagol* e *Smeagol* [> *Déagol* e *Sméagol*] pertencem ambos aos idiomas dos Homens do Anduin superior.

Ademais, *smile* ou *smial* — na língua hobbit uma palavra para uma toca habitada, especialmente se cavada a fundo, com uma entrada longa, estreita e frequentemente oculta — parece relacionada com a palavra *smygel*, que em Rohan significa "uma escavação" e, mais remotamente, com o nome *Smeagol* [> *Sméagol*] (citado [na nota de rodapé ao §23]) e com *Smaug*, o nome no [> entre homens do] Norte para o Dragão da Montanha Solitária.[13] Contudo, os mais notáveis de todos são os nomes dos Hobbits para os meses, a respeito dos quais veja a nota sobre Calendários e Datas.[14]

§25 Os Hobbits nas terras ocidentais de Eriador misturaram-se muito e, afinal, começaram a se estabelecer. À época de Bilbo, alguns de seus menores e mais antigos assentamentos já haviam desaparecido e sido esquecidos há muito tempo, mas um dos primeiros a ganhar importância persistia, ainda que muito reduzido em tamanho. Ficava em Bri e nas terras ao redor. Muito antes do assentamento em Bri, os Hobbits haviam adotado a fala comum e todos os topônimos que atribuíram eram naquela língua, ao passo que os nomes mais antigos, de origem élfica ou humana já esquecida,* eles frequentemente traduziam (como *Fornost* para *Norforte*), ou alteravam para uma forma familiar (como o élfico *Baranduin*, "rio pardo", para *Brandevin*).

[*O final desse parágrafo foi reescrito da seguinte maneira:* ... (como *Fornost* para *Norforte*). Os nomes élficos para colinas e rios frequentemente resistiam, alterados apenas para se acomodar melhor à fala hobbit. Mas o Brandevin é uma exceção. Seu nome anterior era *Malvern*, derivado do noldorin *Malevarn*, mas o novo nome aparece nos registros mais antigos. Ambos os nomes se referem à cor do rio que, na cheia, era frequentemente de um castanho dourado, que é de fato o significado do nome élfico. *Isso foi alterado depois para:* ... O Brandevin é um exemplo disso. O seu nome élfico era *Baranduin*, "rio pardo". Mas ambos os nomes se

*Os Homens de Bri — que afirmavam, sem dúvida com razão, ter habitado naquelas regiões desde tempos imemoriais, muito antes da vinda de Elendil — também tinham, é claro, adotado a fala comum, mas havia nomes nessas partes que apontavam para uma língua humana mais antiga, / apenas remotamente, ou nada, relacionada [> sem relação] com o idioma dos Pais de Homens, ou westron. Diz-se que *Bri*, naquela língua, significava "colina" e *Chet* (como em *Floresta Chet* e *Archet*), significava "mata".

referem à cor do rio que, na cheia, era frequentemente de um castanho dourado, mas o nome hobbit é, historicamente, apenas uma alteração pitoresca do nome noldorin.]

§26 Assim que haviam se estabelecido, os Hobbits se voltaram às letras. Eles as aprenderam, junto com muitas outras coisas, dos Dúnedain; pois o Reino do Norte ainda não chegara ao fim em Eriador, naquela época. As letras usadas pelos Dúnedain e aprendidas e adotadas pelos Hobbits, eram as do alfabeto noldorin ou fëanoriano (ver abaixo).[15] Foi logo após aprenderem as letras, por volta do ano 1300 da Terceira Era, que os Hobbits começaram a escrever e coligir o considerável repertório que já possuíam de contos e lendas, e anais e genealogias passadas oralmente. Os Cascalvas, amantes do saber, tiveram papel importante nisso. À época de Bilbo, os documentos originais tinham, é claro, se deteriorado ou se perdido, mas muitos deles haviam sido bastante copiados. Quando o Condado foi colonizado, por volta do ano 1600 da Terceira era, conta-se que as principais famílias dentre os migrantes levaram consigo a maior parte dos escritos que existiam na época.

§27 No Condado, que se mostrou um país rico e confortável, o saber antigo foi sobremaneira negligenciado, mas sempre houve alguns Hobbits que o estudavam e guardavam na memória, e o processo de cópia e compilação, mesmo em trabalhos ficcionais, continuou. Na época de Bilbo, havia nos repositórios de livros muitos manuscritos de saber com mais de 500 anos. O livro mais antigo de que se tinha notícia, o Grande Códex de Tuqueburgo, popularmente chamado de Pele Amarela, supostamente tinha quase mil anos. Tratava, à maneira dos anais, dos feitos de Tûks notáveis desde a fundação do Condado, ainda que a letra mais antiga nele datasse de mais de quatro séculos depois.

§28 Desse modo, aconteceu que os Hobbits do Condado, especialmente nas grandes famílias, como Tûk, Velhobuque (posteriormente Brandebuque) e Bolger, criou-se o hábito — estranho, mas não inaudito em nossos tempos — de dar aos seus filhos nomes derivados não de sua língua cotidiana ou recém-cunhados, mas de livros e lendas. Esses nomes, considerados altissonantes pelos Hobbits, com frequência contrastavam comicamente com os sobrenomes mais singelos. Os Hobbits, é claro, tinham plena consciência desse contraste e se divertiam com isso.

[*A passagem seguinte é um acréscimo:* As seções que se seguem foram escritas principalmente para os curiosos acerca de linguística. Os outros podem deixá-las de lado. Pois essas histórias são inteligíveis uma vez que se pressuponha que a fala comum da época era o inglês e que, caso apareça qualquer língua de Homens relacionada, mas não idêntica, à fala comum, ela está representada por línguas de nosso mundo relacionadas ao inglês: por exemplo, a língua arcaica de Rohan está representada pelo antigo inglês e os idiomas aparentados do longínquo Norte (como em Valle), estão representados por nomes de caráter nórdico.

Contudo, é evidente que esse não era, historicamente, o caso. Nenhuma das línguas do período se relacionava de maneira discernível com qualquer língua atualmente conhecida ou falada. A substituição da fala comum (e línguas relacionadas) corrente pelo inglês (ou formas relacionadas ao inglês moderno) envolveu um processo de tradução não apenas da narrativa e diálogos, mas também da nomenclatura, o qual está descrito abaixo, para o benefício daqueles que se interessam por tais assuntos.]

Da Tradução[16]

§29 A situação linguística esboçada acima, apesar de simples* se comparada à observada em muitos países europeus em nossos dias, coloca vários problemas a um tradutor que deseje apresentar um retrato da vida e do saber dos Hobbits naqueles dias longínquos, especialmente se estiver preocupado em representar, tão de perto quanto possível e em termos atualmente inteligíveis, as impressões e associações reais das palavras e nomes, mais do que preservar a mera precisão fonética.

§30 As línguas élficas eu deixei intocadas. Em minha seleção e organização da matéria desse outrora famoso e muito copiado Livro Vermelho, reduzi ao mínimo as citações nesses idiomas, com exceção dos inevitáveis nomes de lugares e pessoas, deixando apenas o suficiente para dar alguma indicação de seu som e estilo.

*Na verdade, neste livro ocupamo-nos primariamente com o élfico noldorin e com a “fala comum” dos Homens (com alguma variação local), enquanto o quenya, ou “latim dos Elfos”, e a língua antiga dos Rohirrim e o élfico lemberin aparecem ocasionalmente.

Isso não foi nada fácil, já que fui obrigado a transliterar as palavras e nomes do rico e elegante alfabeto fëanoriano, especialmente criado para elas, para nossas próprias letras, menos adequadas e, ainda assim, apresentar formas que, enquanto razoavelmente próximas às intenções fonéticas dos originais, não fossem (espero) demasiado estranhas ou canhestras a olhos modernos.* [17]

§31 O tratamento que dei à fala comum (e às línguas relacionadas a ela) foi, contudo, muito diferente. Foi drástico, mas defensável, espero. Verti a fala comum e todas as coisas relacionadas para os equivalentes mais próximos do inglês. Em primeiro lugar, fui naturalmente obrigado a traduzir a narrativa e os diálogos tão de perto quanto possível. As diferenças entre o uso dessa fala em lugares diversos e entre pessoas de nível mais alto ou mais baixo — por exemplo, Frodo e Sam; no Condado ou em Gondor, ou entre os Elfos — tentei representar por variações aproximadamente do mesmo tipo em inglês. Ao final, essas diferenças foram, receio, de certa maneira obscurecidas. A divergência do vocabulário, expressões idiomáticas e pronúncia entre o falar livre e despreocupado do Condado e a linguagem cotidiana de Gondor era, na verdade, maior do que mostrada aqui, ou do que poderia ser representado sem empregar uma ortografia fonética para o Condado e uma dicção arcaica para Gondor, o que teria confundido ou enfurecido os leitores modernos. A fala dos Orques era de fato mais imunda e degradada do que a mostrei. Se tivesse tentado usar um "inglês" mais próximo dessa realidade, ele teria sido intoleravelmente repulsivo e, para muitos leitores, mal seria inteligível.

§32 Notar-se-á que Hobbits como Frodo e outras pessoas como Aragorn e Gandalf nem sempre usam exatamente o mesmo estilo o tempo todo. Isso é proposital. Hobbits bem-nascidos e letrados frequentemente conheciam muito das formas mais elevadas e antigas da língua comum do que as de uso coloquial no Condado e, de todo modo, prontamente observavam e adotavam um modo mais arcaico ao se comunicar com Elfos, ou Homens de alta linhagem. Era natural que pessoas bastante viajadas, especialmente aqueles que, como Aragorn, muitas vezes se esforçavam

*Uma nota acerca de minha grafia e os seus valores pretendidos pode ser encontrada abaixo.

para ocultar sua origem e seus afazeres, falassem mais ou menos à maneira das pessoas entre as quais se encontravam.

Nota

§33 Vou aqui chamar a atenção para uma característica dos idiomas em questão que apresentou certa dificuldade. Nenhum desses idiomas, humanos ou élficos, fazia, ao menos na origem, qualquer distinção entre o singular e o plural dos pronomes de segunda pessoa, mas distinguiam marcadamente entre as formas *familiares* e as *corteses*.

§34 Tal distinção era mantida integralmente em todas as línguas élficas e também nas mais antigas e mais elevadas formas da fala comum, notavelmente no uso cotidiano de Gondor. Em Gondor, as formas corteses eram usadas pelos homens ao se dirigirem a todas as mulheres, sem qualquer distinção de nível, que não fossem suas amadas, esposas, irmãs e filhas. Com seus pais, as crianças usavam as formas corteses por toda a vida, assim que aprendiam a falar corretamente. Entre os homens crescidos, a forma cortês era usada com mais parcimônia, principalmente com os de patente ou cargo superiores e, mesmo assim, mormente em ocasiões oficiais ou formais, a menos que o superior também fosse mais velho. Frequentemente, homens e mulheres muito mais jovens se dirigiam às pessoas idosas usando a forma cortês, independentemente de todas as considerações anteriores.

§35 Era uma das características mais notáveis da fala do Condado que o modo cortês, à época de Bilbo, havia desaparecido do uso cotidiano, ainda que suas formas não tivessem sido completamente esquecidas: um caso invertido de *thou** e *you* no inglês. Ele persistia ainda entre os Hobbits mais rústicos, mas, curiosamente, apenas como forma afetuosa. Era, portanto, usado tanto pelos pais, e com os pais, e entre amigos próximos.

§36 A maior parte desses pontos não pode ser representada em inglês, mas os leitores talvez se lembrem de que essa é uma das características mencionadas quando o povo de Gondor comenta a estranheza da língua hobbit. Pippin, por exemplo, usou a forma familiar durante toda a sua primeira entrevista com o Senhor

*O antigo pronome familiar inglês da 2ª pessoa do singular. [N.T.]

Denethor. Isso pode ter divertido o idoso Regente, mas deve ter admirado os servidores que o entreouviram. Sem dúvida esse uso livre da forma familiar foi uma das coisas que ajudaram a disseminar o rumor popular na Cidade de que Peregrin era uma pessoa de altíssimo nível em seu país de origem.

§37 Apenas em alguns lugares, onde pareceu de especial importância, tentei representar tais distinções na tradução, ainda que isso não possa ser feito sistematicamente. Assim, *thou*, *thee* e *thy*[*†] foram empregados ocasionalmente (sendo incomuns e arcaicos em inglês) para representar um uso cerimonioso do modo cortês, como nas palavras formais ditas durante a coroação de Aragorn. Por outro lado, o uso repentino de *thou* e *thee* no diálogo entre Faramir e Éowyn pretende representar (uma vez que não existe outra maneira de se fazer isso em inglês) uma mudança significativa da forma cortês para a familiar. O uso que Sam Gamgi faz de *thee*, dirigindo-se a Rosa no final do livro, é proposital, mas corresponde, ali, ao real emprego da antiquada forma cortês como sinal de afeto.

§38 Ao passar da tradução da narrativa e dos diálogos para os *nomes*, encontrei dificuldades ainda maiores. Isso porque me pareceu que preservar todos os nomes, tanto élficos como em westron, em suas formas originais obscureceria uma característica essencial da época, conforme percebida pelos ouvidos e olhos dos Hobbits, por meio de quem nós mesmos essencialmente a percebemos: o contraste entre uma língua generalizada, tão comum e cotidiana para as pessoas daquela época quanto o inglês é agora para os seus falantes, e os remanescentes de idiomas muito mais antigos, mais respeitáveis e mais secretos. Todos os nomes, se fossem meramente transcritos, pareceriam aos leitores modernos igualmente estranhos e remotos.

§39 Por exemplo, se eu mantivesse inalterado não apenas o nome élfico *Imladrist* [> *Imladris*], mas também o nome em westron *Carbandur*, ambos pareceriam estranhos. Mas o contraste entre *Imladrist* [> *Imladris*] e *Valfenda* — uma tradução de *Carbandur*[18] que, como ele, tem um significado claro na língua

[*]Os antigos pronomes de 2ª pessoa nas formas subjetiva, objetiva e possessiva. [N.T.]

cotidiana — representa de maneira muito mais autêntica o sentimento real da época, especialmente em meio aos Hobbits. Referir-se a Valfenda como Imladrist [> Imladris] era, para Homens e Hobbits, como se agora falássemos de Winchester como Camelot. Apesar de que a identidade era certa, enquanto em Valfenda ainda residia um senhor de renome mais antigo do que seria Arthur, caso ainda vivesse em Winchester hoje em dia.

§40 Traduzir os nomes da fala comum para o inglês dessa maneira também tem a vantagem de que, como no caso de Valfenda, frequentemente se revela a chave para o significado do nome élfico, pois não raro um era a tradução direta do outro. Esse, contudo, não é sempre o caso. Alguns topônimos não têm agora qualquer significado discernível e derivam, sem dúvida, de dias ainda mais antigos e esquecidos. Em alguns casos, os nomes tinham significados distintos em línguas distintas. Assim, na F.C. [fala comum], *Covanana**[19] era uma tradução do nome anânico *Khazad-dûm*, ao passo que o nome élfico *Moria* (anteriormente *Mornyā*) significava "fosso negro".

§41 A nomenclatura dos próprios Hobbits e dos lugares em que viviam apresentou, contudo, alguns obstáculos à satisfatória execução desse processo de tradução. Seus topônimos, sendo quase todos (especialmente no Condado) originários da F.C., mostraram-se os menos difíceis. Eu os converti tanto quanto pude em termos ingleses bastante similares, usando elementos encontrados em topônimos ingleses que pareciam adequados tanto em relação ao sentido quanto ao período, isto é, que fossem ainda correntes (como *hill* [colina]); levemente alterados ou reduzidos de palavras correntes (como *ton*, em paralelo a *town* [vila]), ou que não existissem mais senão em topônimos (como *wich, bold*, *bottle* [todas significando "habitação"]). *O Condado* me parece uma tradução muito adequada para a palavra hobbit *Sūza-t*, uma vez que ela era então usada por eles apenas para se referir a seu país, apesar de,

*Isto é, "mina dos Anãos". Traduzi a palavra real na F.C., *Phūru-nargian* como *Dwarrowdelf* [Covanana] porque, à época de Bilbo, a palavra *phūru* (ligada a *phur-*, "cavar") era obsoleta no falar cotidiano e *nargian* continha uma forma derivada de *narac*, "dwarf" [anão], que caíra em desuso havia muito tempo. *Dwarrow* [anano] é o que o genitivo plural do antigo inglês *dwerga*, "de anãos", teria se tornado, caso a palavra tivesse sobrevivido na fala ou em um topônimo.

originalmente, ter significado "uma esfera de ocupação (no sentido de "terra reivindicada por uma família ou clã"), de ofício, ou de negócio". Em Gondor, a palavra *sūza* ainda era empregada para as divisões do reino — tais como Anórien, Ithilien e Lebennin —, para as quais, em noldorin, a palavra *lhann* era usada. De modo parecido, *farthing* [quarta] foi empregada para as quatro divisões do Condado, pois a palavra hobbit *tharni* era um antigo termo para "um quarto", raramente usada na linguagem comum, em que a palavra para "um quarto" era *tharantīn*, "quarta parte". Em Gondor, *tharni* era usada para uma moeda de prata, a quarta parte do *castar* (em noldorin, *canath*, ou a quarta parte do *mirian*).[20]

§42 Os nomes pessoais dos Hobbits foram, contudo, muito mais difíceis de lidar nesse sistema. Acertadamente ou não, tentei traduzi-los também com termos ingleses ou substituir por equivalentes, sempre que possível. Muitos dos sobrenomes têm significados mais ou menos óbvios na fala comum — tais como *Bembom*, *Justa-Correia*, *Pé-Soberbo*, *Covas* e afins — e esses podem ser mormente tratados da mesma forma que os topônimos.* Nesses casos, penso que a tradução não será discutida e talvez até seja considerada necessária. Pois se o nome claramente significava "corneteiro" para os contemporâneos, é mais factual chamar um personagem de Corneteiro do que de *Raspūta*,[21] que, apesar de ser a real encarnação sonora hobbitesca, atualmente não tem sentido. Mas, é claro, se uma grande parte dos nomes é assim anglicizada, o resto precisa ser adequado à força, pois uma mistura de nomes ingleses e outros estranhos daria uma impressão completamente falsa. Portanto, é dos nomes menos claramente interpretáveis que surgem as dificuldades. Alguns são casos limítrofes, tais como o próprio *Bolseiro*, do qual, por sua importância, tratei mais a fundo adiante. Alguns desafiam a tradução, já que eram, para os próprios Hobbits, apenas "nomes", de origem e significado esquecidos. *Tūc*,[22] por exemplo, o nome da mais proeminente das "grandes famílias" do Condado. De acordo com sua própria tradição, *tūca* era uma antiga palavra que significava "ousado",[23] mas isso parece

*Alguns sobrenomes — mas menos do que na Inglaterra, pois o uso desses nomes fora de umas poucas "grandes famílias" era mais recente — eram, na verdade, topônimos ou derivados deles. *Gamgi* é um exemplo (ver abaixo).

ser um palpite completamente infundado e, nesse caso, contentei-me em anglicizar a forma para *Took* [Tûk].

§43 Mais discutível, talvez, foi meu procedimento com os diversos nomes curiosos que os Hobbits do Condado, como observado acima, davam a seus filhos. Aqui, hesitei longamente entre deixá-los como estavam e encontrar-lhes equivalentes. Ao final, contemporizei a situação. Deixei alguns inalterados. Esses não são nomes incomuns, os quais até mesmo para os Hobbits não tinham "significado", ou derivação, ou conexão com livros e lendas: nomes como *Bilbo*, *Bungo*, *Bingo*, *Polo*, *Porro*, *Ponto*. Os Hobbits cunhavam tais nomes com facilidade e não acho que a impressão que causavam em seus dias diferia muito de seu efeito hoje.[*24] Mas teria dado uma impressão muito falsa sobre a natureza dos Hobbits aos leitores modernos se esses nomes tivessem, no geral, sido apenas transcritos. Tudo teria, hoje, soado igualmente exótico, enquanto para os Hobbits os nomes pessoais tinham muitos graus de associações e sugestões. Alguns derivaram da história primitiva e das lendas antigas dos Hobbits; outros, de histórias sobre Elfos e Homens e mesmo sobre Anãos e gigantes. Alguns eram raros, outros, familiares; uns eram cômicos no tom e outros, românticos ou altissonantes; alguns eram de alta e outros de baixa posição social.

§44 Pareceu-me que, uma vez encetada a tradução, mesmo dos diálogos, nomes desse tipo seriam melhor representados se eu tomasse da semelhante abundância de nomes que encontramos ou poderíamos encontrar em nossas próprias tradições, em fontes celtas, francas, latinas e gregas, entre outras.

§45 Esse método acarreta, é claro, alterações extensas nas reais formas fonéticas de tais nomes, mas não acho que sejam mais ilegítimas do que alterar *Raspūta* para *Corneteiro*, ou mesmo do que traduzir o diálogo do Livro Vermelho para o inglês, o que faz, naturalmente, com que o verdadeiro som seja mudado e muitos de seus elementos verbais sejam obscurecidos. De todo modo, fiz a "tradução" com algum cuidado. O apreço de algumas famílias por sucessões de nomes parecidos, ou o de alguns pais por dar a seus filhos nomes que aliterassem com os seus próprios ou que

[*]Na verdade, eles geralmente terminavam em *a* (*Bunga*) e não *o*, já que a terminação em *a* era masculina, via de regra. Eu alterei *a* para *o*.

tivessem uma terminação parecida, isso tudo foi devidamente representado.* A escolha de equivalentes foi orientada parcialmente pelo significado (nos casos em que ele é discernível nos nomes originais), parcialmente pelo tom geral e parcialmente pelo comprimento e estilo fonético. Os nomes heroicos e românticos, de acordo com os Hobbits vindos das lendas cascalvas, afetados especialmente, mas não somente, por Tûks, foram representados por nomes de matriz germânica ou franca. Nomes "clássicos" ou aqueles de forma parecida, por outro lado, em geral representam nomes que os Hobbits derivaram de contos de tempos antigos e reinos longínquos dos Homens.[†25]

§46 Os Hobbits com muita frequência davam às suas filhas nomes de flores. Mesmo esses, contudo, não são tão fáceis de se lidar como se poderia esperar. Nos casos em que a flor pode ser identificada com segurança, naturalmente traduzi o nome em inglês (ou em latim botânico). Mas nem todas as flores silvestres do Condado e certamente nem todas as flores cultivadas nos seus jardins podem ser identificadas com flores que hoje em dia são familiares. Em casos de dúvida, fiz o melhor que pude. Por exemplo, traduzi *Hamanullas*[26] como *Lobélia* porque, embora não saiba exatamente a qual flor se refere, *hamanullas* parece ter sido, no geral, pequena, azul e cultivada em jardins, e a palavra aparentemente era um nome dado por jardineiros, mais do que um nome popular.

§47 Pelo bem dos curiosos em tais assuntos, acrescento aqui algumas notas para suplementar o que foi dito acima e ilustrar meu procedimento.

Sobrenomes

Tûk Hobbit *Tūc*, como observado acima.[27]

Bolseiro H. *Labingi*. Não é de maneira alguma certeza que esse nome tenha, de fato, qualquer relação com a F.C. *labin* "uma bolsa", mas acreditava-se que sim, e pode-se comparar com

*A curiosa alternância entre H inicial e I inicial nos nomes dos muitos filhos do Velho Tûk representa uma alternância, na verdade, entre S e E.

† Assim, esses que talvez sejam para nós ridículos subnomes ou títulos dos Brandebuques, adotados pelos chefes da família — *Astyanax*, *Aureus*, *Magnificus* —, eram originalmente pequenos gracejos e foram, de fato, retirados de tradições sobre os Reis em Norforte. [Essa nota foi posteriormente excluída.]

Labin-nec "Bolsão", o nome da residência de Bungo Bolseiro *(Bunga Labingi)*. Verti, de acordo, o nome *Labingi* para *Bolseiro*, o que dá, penso, um equivalente muito próximo em termos modernos facilmente perceptíveis.

Brandebuque Anteriormente *Velhobuque*. Essas são traduções diretas do H. *Assargamba* [> *Brandugamba*] e *Zaragamba*.[28] [*Acrescentado: Zaragamba* foi traduzido pelo sentido, mas já que *Zaragamba* (Velho-buque) foi alterado para *Brandugamba* pela adoção da primeira metade do nome do rio *(Branduhim)*, utilizei *Brandebuque*. Para o tratamento dado ao nome do rio *Branduhim* ver (a nota ao final do texto, §58).]

Bolger Meramente uma forma anglicizada do H. *Bolgra*. Por acaso, na F.C. *bolg-* tem o significado bastante parecido com o nosso "bulge" [bojo], de modo que, se *Bolger* sugerir a um leitor moderno um certo sobrepeso ou rotundidade, o mesmo acontecia com *Bolgra* em sua própria época e lugar.

Boffin Anglicizado do H. *Bophan*. Dizia-se (pelos membros da família) que significava "aquele que ri alto". Portanto, pensei primeiro em vertê-lo para *Loffin* [semelhante ao inglês "laugh", rir], mas uma vez que, como no caso de *Tûk*, a tradição familiar é um mero palpite, ao passo que na F.C. *Bophan* não continha, na verdade, qualquer sugestão de riso, contentei-me com uma leve anglicização.[29]

Gamgi H. *Galbassi*. Um nome difícil. De acordo com a tradição familiar (nesse caso, confiável), devidamente relatada por Sam Gamgi ao final do Livro Vemelho, esse nome era derivado na verdade de um topônimo: *Galb(b)as*. Traduzi de perto por Gamwich (pronunciado *Gammidge*), equalizando *galb-* = *Gam* com a F.C. *galap, galab-* = "caça" [em inglês, *game*] e o sufixo *bas* com topônimos como os nossos *-wick*, *-wich* [habitação ou vila]. *Galbassi* pode, portanto, ser bem representado por *Gammidgee*. Ao adotar a grafia *Gamgi*, devido à ligação entre Sam Gamgi e a família Villa, descambei para um chiste que, por mais hobbitesco que seja, não se encontra verdadeiramente nas noções que os nomes *Galbassi* e *Lothran* despertavam no povo do Condado[30] [cf. RR, p. 1622, nota 15].

Cotton [Villa] H. *Lothran*. Um nome de aldeia não incomum no Condado, correspondendo de perto ao nosso *Cotton (cot-tūn)* [vila dos chalés], derivado da F.C. *hlotho*, "uma habitação de dois cômodos", e *rān* "uma vila, um pequeno grupo de habitações numa encosta de colina". Neste caso, contudo, o nome pode ser uma alteração de *hloth-ram(a)*, "morador de chalé". *Lothram*, que traduzi por *Cotman*, era o nome do avô do Fazendeiro Villa. É de se notar que, embora a semelhança não seja tão completa quanto a que temos entre o sobrenome *Cotton* e o substantivo *cotton* [algodão], na F.C. as palavras *luthur*, *luthran* significavam "penugem, felpa". Infelizmente, contudo, nenhuma dessas associações é sugerida por *Galbas* e a vila com esse nome era conhecida apenas localmente pela cordoaria, não se produzindo ali lenços de quaisquer fibras mais macias do que cânhamo.

§48 *Hobbit*

Hobbit Essa, admito, é uma invenção minha, mas não criada aleatoriamente. Esta é sua origem. Em primeiro lugar, ela não é de todo dessemelhante da palavra real no Condado, que era *cūbuc* (plural *cūbugin*).* Mas *cūbuc* não era uma palavra de uso generalizado na fala comum e exigiu um equivalente que soasse natural o bastante num contexto inglês, mas que não ocorresse de fato no inglês padrão. Alguns historiadores Hobbits afirmaram que *cūbuc* era uma antiga palavra nativa, talvez a última sobrevivente de seu próprio idioma esquecido. Eu acredito, contudo, que esse não é o caso. Penso que a palavra seja um truncamento local de um antigo nome na F.C. dado aos Hobbits, ou adotado por eles para se autodescreverem quando passaram a ter contato com Homens. Parece derivar de uma palavra obsoleta, *cūbug*, "habitante-de-toca", que em outros lugares caiu em desuso. Como evidência, eu apontaria o fato de que o próprio Meriadoc na verdade registra que o Rei de Rohan usava a palavra *cūgbago*, "habitante-de-toca", para *cūbuc*, ou "Hobbit". Ora, os Rohirrim falavam um idioma que era, com efeito,

*Em segundo lugar, devo admitir que a sua fraca reminiscência a *rabbit* [coelho] me atraiu. Não que os Hobbits lembrassem coelhos de qualquer maneira, a não ser por se entocarem. Ainda assim, como todos os *cūbugin* hão de concordar, um chiste é um chiste e, afinal, é fato que o coelho-europeu (bem conhecido no Condado, se não na Inglaterra antiga) era chamado de *tapuc*, um nome que lembra *cūbuc*, ainda que não tão claramente quanto *hobbit* lembra *rabbit*. [Essa nota foi posteriormente excluída.]

uma forma arcaica da fala comum.* A forma primitiva representada, em Rohan, por *cūg-bagu* teria se tornado *cūbug(u)* na F.C. tardia e, portanto, para os Hobbits seria *cūbuc.*[31] Uma vez que, como está explicado abaixo, eu representei a F.C. pelo inglês moderno e, consequentemente, verti a língua de Rohan em termos do antigo inglês, converti o arcaico *cūgbagu* de Rohan para o inglês antigo *hol-bytla*, "habitante-de-toca". Originada de *hol-bytla* (com a síncope comum, em inglês, do *l* entre *a*, *o*, *u*, e *b*, *m*, *v*), minha palavra fictícia *hobbit* não seria uma "corrupção" local impossível.

§49 *Nomes pessoais*

Bilbo O nome H. verdadeiro era *Bilba*, conforme explicado acima.[32]

Frodo Por outro lado, o nome H. era *Maura.*[33] Não era um nome comum no Condado, mas penso ser provável que, certa vez, tenha tido um significado, mesmo que já tivesse sido esquecido há muito tempo. Nenhuma palavra *maur-* é encontrada na F.C. da época, mas recorrer novamente à comparação com a língua de Rohan é esclarecedor. Nessa língua, havia um adjetivo *maur-* que não era mais corrente à época, mas familiar na poesia ou estilos elevados de falar; significava "sábio, experiente". Portanto, traduzi *Maura* como *Frodo*, um antigo nome germânico que parece conter a palavra *frōd*, cujo significado em inglês antigo correspondia bem de perto à palavra *maur* de Rohan.

Meriadoc (Merry) O nome verdadeiro era *Chilimanzar* [> *Cilimanzar*], um nome altissonante e lendário. Escolhi Meriadoc pelas razões seguintes. De muitas maneiras, a Terra-dos-Buques ocupava uma posição em relação ao Condado semelhante à que o País de Gales ocupa em relação à Inglaterra e não é de todo inapropriado, portanto, representar seus vários nomes muito peculiares por nomes de caráter celta, ou especificamente galês.

*Mais precisamente, o idioma da Marca de Rohan derivava de uma fala setentrional que se encontrava, a princípio, no médio Anduin e depois moveu-se ao norte, para as águas superiores desse rio, antes de chegar ao sul nos dias de Eorl. Era, portanto, muito próxima da língua do baixo Anduin, a base da F.C., mas, isolada no Norte, ela mudara muito menos e permanecera pouco misturada com palavras estranhas.

Entre esses nomes, escolhi *Meriadoc*, em particular porque ele resulta naturalmente no hipocorístico "Merry", já que a abreviação de *Chilimanzar* [> *Cilimanzar*] pela qual esse personagem costumava ser conhecido era *Chilic* [> *Cilic*], uma palavra na F.C. que significava exatamente "alegre ou jovial" [como *merry* em inglês].[34]

Peregrin (Pippin) O nome H. era *Razanul* [> *Razanur*]. Era o nome de um viajante lendário e provavelmente contém os elementos da F.C. *raza*, "estranho", *razan* "estrangeiro". Portanto, escolhi *Peregrin* para representá-lo, embora ele não se encaixe tão bem. Partindo de *Peregrin*, suponho que *Pippin* não seja uma "forma carinhosa" impossível; mas não é tão próxima ao original como é *Razal* [> *Razar*] (uma espécie de maçãzinha vermelha), abreviação pela qual *Razanul Tūca* [> *Razanur Tūc*] era quase que inevitavelmente conhecido por seus contemporâneos.[35]

Sam Seu nome real era *Ban*, apelido de *Banzīr*. Na F.C., *ba-*, *ban-* ocorria em muitas palavras com o significado de "semi-, quase", enquanto *zīr(a)* significava "sábio". Portanto, traduzi o seu nome pelo antigo inglês *samwīs*, de sentido semelhante. Isso foi conveniente, já que *Samwise* resulta na abreviatura *Sam*. Ora, *Ban* era um apelido comum no Condado, mas costumeiramente derivava, na época, do nome mais elevado *Bannātha*, assim como *Sam*, para nós, é geralmente reduzido de *Samuel*.[36]

A passagem seguinte (§§50–1) é uma nota (uma parte do manuscrito conforme escrito originalmente) ao nome *Samuel*, mas, pela aparência, faz parte do texto principal e é mais conveniente apresentá-lo dessa forma.

§50 Notar-se-á que eu não [> raramente] usei nomes das Escrituras ou de origem hebraica para representar os nomes hobbits. Não há nada no saber ou na história dos Hobbits que corresponda [*acrescentado:* rigorosamente] a esse elemento em nossos nomes. *Bildad*, um nome que ocorre entre os Bolgers, tem uma semelhança acidental; é um nome genuinamente hobbit que mantive inalterado. Outras abreviações, como *Tom* e *Mat*, também com frequência deixei inalterados. Muitos monossílabos assim eram correntes no Condado, mas eram reduções de nomes genuínos de Hobbits. Por exemplo, *Tom* de *Tomacca* ou *Tomburān*; *Mat* de

Mattalic; *Bill (Bil)* de *Bildad (Bildat)*, *Bilcuzal* ou de qualquer um nos numerosos nomes terminados em *-bil*, *-mil*, como *Arambil*. O nome completo do Fazendeiro Villa era, na verdade, *Tomacca Lothran*.[37] [*Acrescentado: Tobias* (Corneteiro) é uma exceção. Usei esse nome porque a semelhança com o nome hobbit real *Tōbi* era tão grande e pareceu-me inevitável traduzir *Zāra-tōbi* como "Velho Toby"; não encontrei qualquer outro nome que se adequasse tão bem. *Isso foi alterado para: Tobias* (Corneteiro) não é uma exceção. *Tobias* era o seu nome de verdade, embora com a tônica em *Tóbias*. Mantive esse nome porque a semelhança com o nome hobbit real era tão grande etc.]

§51 *Barnabas* [*acrescentado:* não] é uma exceção. Barnabas Butterbur [Barnabas Carrapicho] era um Homem de Bri, não um hobbit. Dei-lhe esse nome por várias razões. Primeiro de tudo, uma razão pessoal. Em uma velha lápide cinzenta num adro silencioso no sul da Inglaterra, vi certa vez, em letras garrafais, o nome *Barnabas Butter*. Isso foi há muito tempo, antes de eu ter visto o Livro Vermelho, mas o nome me voltou quando o personagem do robusto taverneiro de Bri me foi apresentado no registro de Frodo. Ainda mais porque o seu nome, em concordância com o tipo geralmente botânico preferido em Bri, era, na verdade, *Butterburr* ou, na F.C., *Zilbarāpha* [> *Zilbirāpha*]. Infelizmente, *Barnabas* tem apenas uma semelhança fonética muito pequena com o verdadeiro prenome do taverneiro: *Barabatta* (ou *Batti*). Esse era o apelido do senhorio do "Pônei" e ele o ostentara por tanto tempo que, se alguma vez teve outro nome, já fora esquecido: significa "fala-rápido" ou "tagarela". Ainda assim, ao converter *Batti Zilbarāpha* [> *Zilbirāpha*] em *Barney Butterbur*, não acho que tenha sido injusto.[38]

§52 Uma consequência final da conversão da fala comum e de todos os nomes cunhados nessa língua para termos em inglês já foi mencionada acima. Ela acarretou a tradução das línguas relacionadas de Rohan e do Norte em termos que corresponderiam linguisticamente, tão próximo quanto possível, à situação de antigamente.

§53 Nos registros do Livro Vermelho, em vários lugares há alusões ao fato de que os Hobbits, ouvindo o idioma dos Cavaleiros de Rohan, sentiam que ele era aparentado de seu próprio idioma e reconheciam algumas das palavras empregadas, ainda que não pudessem entender a língua como um todo. Como eu convertera, por necessidade, a F.C. dos Hobbits em inglês, pareceu-me que seria absurdo, portanto, deixar a língua aparentada de Rohan em sua forma completamente estranha. Ora, o idioma dos Rohirrim não era apenas relacionado à F.C., mas também tinha permanecido em um estado muito mais arcaico e era, até mesmo em seu mais recente lar meridional, bem menos misturado com palavras estrangeiras (noldorin e quenya). Portanto, eu a substituí por uma forma de linguagem parecida com o inglês antigo, já que esse idioma, retirado de seu lar ancestral para outro, corresponde de perto, em sua relação com o inglês moderno (especialmente por estar livre de acréscimos de origem francesa e latina), com as afinidades entre os idiomas do Condado e da Marca.

§54 Essa tradução não foi difícil, já que os Rohirrim de fato usavam um tipo de nomenclatura muito semelhante ao de nossos próprios ancestrais. Em geral, considerei mais o sentido do que a forma dos seus nomes, apesar de que escolhi nomes em inglês antigo de igual comprimento, quando possível, e somente usei nomes compostos — tais como *Fréawine*, *Éomer*, *Éowyn*, *Hasufel*, *Halifirien* — quando os originais também eram compostos. O elemento *éo-*, que aparece tão frequentemente (nada anormal para um povo dedicado aos cavalos, já que é uma antiga palavra para "cavalo"), representa o elemento *loho-*, *lō-*, de sentido idêntico. Assim, *Éothéod*, "Povo-do--cavalo" ou "Terra-dos-cavalos", é a tradução de *Lohtūr*. *Théoden*, assim como muitos outros nomes da realeza, é uma antiga palavra para "rei", correspondendo a *tūrac-* em Rohan.[39]

§55 *Nota*. Em poucos casos e de maneira não muito consistente modifiquei as palavras e nomes da Marca, deixando-os mais próximos ao inglês moderno, especialmente na grafia. Exemplos desse processo em graus variados são: *Dunharrow* [Fano-da--Colina] (= *Dūn-harug*, "santuário-da-colina"), *Starkhorn* [Picorrijo], *Entwash* [Entágua], *Helm's Deep* [Abismo de Helm], *Combe* [Valão] (= *Cumb*); *Halifirien* (= *Hálig-firgen*, "montanha-sagrada"); *Fenmarch* [*Fenmark*] no lugar de *Fenmerce*. De modo semelhante, em "O Hobbit", *Oakenshield* [Escudo-de-carvalho] foi anglicizado a partir de *Eikinskialdi*. O próprio nome *Rohan* é de origem noldorin, uma tradução da palavra nativa *Lōgrad* (isto é, *Éo-marc* "a Marca-dos-cavalos" ou "Terra fronteiriça dos Cavaleiros"). A rigor, a sua forma correta era *Rochann*, mas a forma *Rohan* representa a pronúncia verdadeira de Gondor, em que o *ch* medial era coloquialmente reduzido para *h*.

§56 Essa tradução teve uma desvantagem que eu não previ. As "notas linguísticas" sobre a origem de palavras peculiares aos Hobbits também precisaram ser "traduzidas". Já aludi à tradução da verdadeira relação entre a palavra de Rohan *cūgbagu* e *cūbuc*, do Condado, para uma afinidade fictícia entre *holbytla* e *hobbit*. Outros exemplos são os seguintes (cf. [§24]): *Stoor* [Grado], em relação a uma palavra setentrional que significava "grande" (cf. a palavra escandinava *stór-*, "grande"), é uma tradução da real palavra hobbit *tung*[40] análoga a uma palavra similar de Valle. A suposta palavra hobbit *mathom* em relação à palavra de Rohan (isto é, inglês antigo) *māthum* é uma tradução da real palavra hobbit *cast* (antigamente *castu*) em comparação à palavra de Rohan *castu*.

§57 De maneira semelhante, a palavra de Rohan *smygel* — que é, na verdade, uma palavra em inglês antigo para uma escavação, relacionada a um tema setentrional *smug* / *sméag (smaug)*[41] — representa aqui a palavra genuína de Rohan *trahan*, relacionada a *trān* dos Hobbits. A partir de *smygel*, derivei uma palavra moderna imaginária, *smile* (ou *smial*), com relação semelhante à forma mais antiga. *Sméagol* e *Déagol* são, portanto, equivalentes em inglês antigo para as palavras verdadeiras *Trahand* e *Nahand*, que significam, respectivamente, "capaz de se rastejar para um buraco" e "capaz de se esconder, secreto". (*Smaug*, o nome do Dragão, é uma representação em termos semelhantes, neste caso de caráter mais escandinavo, do nome de Valle *Trāgu*, provavelmente relacionado ao tema *trah-* na Marca e no Condado.)

§58 *Nota*. Nos casos em que a "etimologia popular" agiu para deixar nomes mais antigos (élficos) com a aparência de nomes na F.C., uma dificuldade especial pode ser encontrada, já que é improvável que se encontrem palavras adequadas em inglês moderno que a um só tempo traduzam o nome na F.C. e também tenham alguma semelhança com o som do nome élfico. O exemplo principal é o do Rio *Baranduin*, a antiga fronteira a leste do Condado. É um nome élfico composto por *baran* "pardo-dourado" e *duin* "(grande) rio". Mas os Hobbits pitorescamente o perverteram em "*Branduhim*", que em seu idioma significa "cerveja espumante" (*brand(u)*, "espuma"; *hīm(a)*, "cerveja"). Imitei isso chamando o rio de *Brandywine* [Brandevin], semelhante no som e uma "corrupção" muito plausível de *Baranduin*, ainda que o sentido não seja tão semelhante. (De fato, não há qualquer evidência de que no Condado se destilava conhaque [*brandy*, em inglês].)

§59Pelas mesmas razões, os nomes "externos" setentrionais, ou, mais precisamente, norte-orientais, dos Anãos, retirados das línguas humanas daquela região, receberam todos um estilo escandinavo: de fato, são todos nomes anânicos genuinamente nórdicos.[42]

NOTAS

1 A ideia de três estirpes de Hobbits — Pés-Peludos, Grados e Cascalvas — surgiu no primeiro dos dois textos (F 1) e foi então transferida (antes de o segundo texto, F 2, ser escrito) para o *Prólogo* (ver nota 10 abaixo e pp. 25–6). Contudo, o texto P 5 do *Prólogo* no qual aparece trazia apenas a antiga história de Bilbo e Gollum e, portanto, deve ter sido anterior a julho de 1950: ver p. 24.

2 O F 1, da maneira que estava escrito, trazia "Human" [Humanas], subsequentemente alterado para "Mannish" [de Homens]; essa expressão aparece mais à frente no F 1 conforme escrito primeiro. Ver o comentário a §2.

3 *Atani*: no F 1, conforme escrito, nenhum nome élfico aparece aqui, mas *Atanatári* foi acrescentado na margem e, então, alterado para *Atanni* (assim grafado).

4 Conforme originalmente escrito, o F 1 trazia: "Naquela guerra, os Pais de Homens auxiliaram os Elfos e viveram entre eles e lutaram ao lado deles; e os seus chefes aprenderam a fala noldorin e alguns, de fato, abandonaram o seu próprio idioma, até mesmo no uso cotidiano das suas próprias casas". Isso foi alterado para: "Naquela guerra, três casas dos Pais de Homens auxiliaram os Elfos e viveram entre eles e lutaram ao lado deles; e as pessoas dessas casas aprenderam a fala noldorin e abandonaram o seu próprio idioma". Quanto a isso, ver o comentário a §7.

O texto final no F 2, "os senhores dessas casas aprenderam a fala noldorin", é contemporâneo às mudanças feitas a §9 e §13 que introduzem o adûnaico, as quais foram feitas depois de a terceira versão do texto ter sido escrita, ou pelo menos quando estava sendo escrita (ver pp. 100–1).

5 Ao longo do F 2, o nome estava escrito *Dúnedein*, subsequentemente corrigido, em todas as ocorrências, para *Dúnedain* (a grafia no F 1). Além daqui, isso não está indicado no texto impresso, no qual grafei o nome da forma usual.

6 No início, o F 1 trazia nesse ponto: "Em noldorin, essa língua era chamada de *falathren*, 'língua-costeira', mas, por seus falantes, westnês ou fala comum". O nome *westnês* foi usado ao longo do F 1 e alterado em todos os lugares para *westron* (ver o comentário a §9). A frase em questão foi alterada para: "… mas, por seus falantes, *undūna* (isto é, westron) ou *sōval phārë*, a fala comum."

7 O F 1 diz: "Primeiro: os Númenóreanos não se haviam separado completamente dos Eldar que permaneceram na Terra-média e havia muitas idas e vindas entre Númenor e as terras ocidentais".

8 Depois de "nos dias de sua bem-aventurança", o F 1 diz: "e ali o idioma dos Reis de Homens mudara pouco e vagarosamente. E o mesmo pode ser dito dos Eldar."

9 Quanto à passagem, no F 2, a respeito de Barbárvore, o F 1 diz: "Como era natural para alguém tão antigo, Barbárvore também conhecia esse idioma, e as palavras e nomes aqui registrados usados por ele, com exceção daqueles na fala comum, estão em quenya".

10 O texto F 1 é aqui completamente distinto. Depois das palavras "Falando por último de Hobbits", ele continua:

> Eles eram um povo que, como foi dito, era parente mais próximo dos Homens do que qualquer outro dentre os povos falantes do mundo antigo. Seria de se supor, assim, que a sua língua deve ter sido de tipo e origem semelhante à língua dos Homens. Mas, devido à ausência, entre os Hobbits, de todos os registros anteriores ao seu estabelecimento no Oeste, a história mais remota da língua hobbit é complicada e obscura. [*Essa passagem foi riscada.*]
>
> Entre os Hobbits do Condado, embora o amor pelo aprendizado estivesse longe de ser generalizado (a menos que fosse o saber genealógico), sempre houve alguns poucos, especialmente nas maiores famílias, que eram mestres do saber e reuniam informação a respeito de tempos mais antigos e terras mais distantes, seja de suas próprias tradições, ou das de Elfos, e Homens, e Anãos. De acordo com relatos assim compilados no Condado, os Hobbits, embora originalmente uma só raça, em tempos remotos se dividiram em três tipos algo diferentes: Grados, Pés-Peludos e Cascalvas.

Aqui se segue, no F 1, um relato dos três tipos que já é bem próximo àquele no *Prólogo* (SA, pp. 40–41) e fica claro que foi aqui que primeiro entrou a concepção dos três tipos de hobbits (ver o comentário a §20). É digno de nota que, enquanto o fraseado em si do F 1 foi pouco alterado depois, os Grados estavam alocados, inicialmente, antes dos Pés-Peludos e uma parte da descrição dos Pés-Peludos foi primeiramente aplicada aos Grados e vice-versa.

> Os Grados eram mais largos, de compleição mais pesada e tinham menos pelos nos pés e mais nos queixos, e preferiam planícies e margens de rios. [*Acrescentado:* Seus pés e mãos eram grandes.] Os Pés-Peludos eram mais morenos de pele, mais miúdos e mais baixos, eram imberbes e não calçavam botas; preferiam os planaltos e as encostas

dos morros. [*Acrescentado:* Suas mãos e pés eram asseados e ligeiros.] Os Cascalvas eram mais claros de pele e frequentemente de cabelos e eram mais altos que os demais; apreciavam as árvores e os bosques. [*Acrescentado:* Todos os Hobbits eram "bons atiradores" com pedra, estilingue ou arco, mas os Cascalvas eram os mais certeiros.]

Os Grados [> Pés-Peludos] tinham muitos contatos com os Anãos em tempos passados e por muito tempo viveram nos sopés das Montanhas Nevoentas. Mudaram-se cedo rumo ao oeste e atravessaram as Montanhas e perambularam pela terra de Eriador afora, até o Topo-do-Vento ou mais além, enquanto os demais ainda estavam nas Terras-selváticas. [*Riscado:* Os Pés-Peludos demoraram-se muito junto ao Grande Rio e eram amigáveis com os Homens. Vieram para o oeste após os Grados.] Eram provavelmente a variedade mais normal e representativa dos Hobbits e certamente a mais numerosa. Eram os mais inclinados a se estabelecer e os mais afeitos a viver em tocas e túneis. [*Acrescentado:* Os Grados demoraram-se junto às margens do Grande Rio e eram amigáveis com os Homens. Vieram para o oeste após os Pés-Peludos, devido ao grande aumento de Homens no Vale do Anduin, conforme s[uas] histórias, e seguiram o curso do Bruinen (ou Ruidoságua) para o sul.] Os Cascalvas eram os menos numerosos, um ramo setentrional. ...

O texto F 1 então prossegue com quase as mesmas palavras do *Prólogo*, até "muitas vezes acabavam como líderes ou chefes entre clãs de Pés-Peludos ou Grados" (SA, p. 41). Nesse ponto, há uma nota de rodapé:

> Assim, diz-se que foram clãs de sangue ainda marcadamente grado que primeiro se mudaram para o oeste novamente a partir de Bri e colonizaram o Condado, atraídos originalmente para as margens do rio Baranduin. Na época de Bilbo, os habitantes do Pântano na Quarta Leste, e também da Terra-dos-Buques, ainda mostravam atributos grados. Mas, mesmo ali, as principais famílias, notavelmente os Brandebuques, tinham um forte traço cascalvo em sua constituição.

(Quanto a isso, ver o comentário a §20.)

Antes do F 2 ser escrito, o relato dos Pés-Peludos, Grados e Cascalvas foi realocado para o *Prólogo* onde, à sua primeira aparição, tinha a forma da obra publicada quase palavra por palavra (ver p. 28).

Depois desse ponto, o F 1 continua sendo a base para a versão F 2, de §21 em diante.

11 Nesse parágrafo, o F 1 diz o seguinte:

Investigações mais recentes não conseguiram, é verdade, encontrar qualquer vestígio de uma língua especialmente hobbit, mas elas sugerem mesmo que o westnês [> westron] não era, de fato, a língua mais antiga falada por esse povo. Os vislumbres mais antigos capturados dos Hobbits, seja nas suas próprias lendas ou nas de seus avizinhados, demonstram que, àquela época, eles na verdade falavam a língua dos Homens no vale superior do Anduin, mais ou menos entre a Carrocha e os Campos de Lis.

A nota de rodapé nesse ponto do F 1 corresponde, na matéria, à do F 2 no final de §23 e diz:

Se a teoria de Gandalf estiver correta, o povo de Gollum deve ter sido um grupo de Grados que se demorou muito nos arredores do Lis. E pode ser que as memórias de Smeagol forneçam um dos mais antigos vislumbres que temos dos Hobbits. Pode-se observar, portanto, que *Deagol* e *Smeagol* são ambas palavras das línguas do Vale-do-Anduin.

[12] .A nota de rodapé no F 1 (ver nota 11) diz aqui:

Evidentemente, já que a fala comum era ela mesma derivada de uma fala aparentada, pode ter acontecido, às vezes, de os Hobbits conservarem o uso de uma palavra que havia sido outrora mais amplamente empregada em westnês [> westron].

[13] Nesse ponto, o F 1 diz: "e com o nome do Dragão *Smaug* (se é que esse nome lhe foi dado pelos homens setentrionais de Valle, como parece provável)."

[14] O F 1 não faz a referência aos nomes hobbits para os meses, mas introduz um parágrafo que não foi aproveitado aqui no F 2 (cf. §28, que aparece também no F 1).

Os Hobbits, portanto, a julgar por sua história linguística, parecem ter tido em tempos antigos uma aptidão especial para adotar as línguas de seus avizinhados e em nenhum outro ponto se ilustra isso melhor do que na atribuição de nomes. Eles tinham, é claro, muitos nomes de sua própria lavra — geralmente pequenos e muitas vezes de sonoridade cômica (para nós e para os Hobbits) — mas, desde tempos muito antigos, também mantinham no uso tradicional uma abundância de outros nomes retirados não da linguagem cotidiana, mas de suas lendas, e histórias, e contos fictícios que não tratavam de maneira alguma somente de seus próprios heróis e aventuras, mas de Elfos, e Homens, e Anãos, e até gigantes.

15 Essa é uma referência à conclusão do texto, que foi omitida neste livro (ver nota 42).

16 O título *Da Tradução* está ausente no F 1.

17 A respeito da referência da nota de rodapé, nesse ponto, ver nota 15. No F 1, a nota de rodapé diz: "Uma nota acerca da grafia e da pronúncia pretendida das palavras e nomes élficos pode ser encontrada no início do Índice".

18 Em um rascunho dessa passagem no F 1, o nome em westron de Imladris era *Karbandul*.

19 A nota de rodapé sobre o nome *Dwarrowdelf* [Covanana] difere um pouco no F 1. O nome de Moria na fala comum era *Kubalnarga* (alterado para *Kubalnargia*), traduzido como *Dwarrowdelf* [Covanana] "porque, à época de Bilbo, a palavra *kubal* (ligada a *kubu*, 'cavar') era obsoleta no falar cotidiano e *narga* [> *nargia*] continha uma forma plural [> derivada] de *narag*, 'dwarf' [anão], que caíra em desuso havia muito tempo. *Dwarrow* [anano] é o que o nosso antigo *dwergas* teria se tornado, caso o singular *dwarf*, do antigo *dwerh*, não o tivesse substituído há muito tempo". Subsequentemente, o nome na F.C. foi alterado no F 1 para *Satun-nargia* e, finalmente, para *Phurun-nargia* (com alterações correspondentes de *kubal*, *kubu* para *phurūn*, *phur-*).

20 Toda a discussão em §41 acerca do nome *Sūza* do Condado e a razão para o emprego de "Farthing" [Quarta] está ausente no F 1. Contudo, após a referência aos termos em inglês *wich*, *bold*, *bottle*, há uma nota de rodapé que não foi aproveitada no F 2:

> Em um caso eu cunhei uma palavra: *smial* (ou *smile*, se assim preferir). Os Hobbits usavam uma palavra que lhes era peculiar, *gluva* [*escrito posteriormente nas proximidades:* Rohan *glōba*], para "uma toca habitada". Eu a teria deixado inalterada, mas ela pareceria estranha em um contexto inglês. Portanto, usei *smial*, uma vez que a palavra no antigo inglês *smygel* — "um buraco para se rastejar" — teria tido agora uma forma mais ou menos assim, caso tivesse sobrevivido ou sido adotada por Hobbits de dias mais recentes.

21 No F 1, o nome hobbit para "Corneteiro" era *Rhaspûtal*, alterado para *Raspûta* como no F 2.

22 No F 1, meu pai primeiro escreveu *Tûk*, mas emendou para *Tûca*; no F 2, ele escreveu *Tūca*, mas depois apagou o *-a* final.

23 No F 1, o adjetivo *tûca* era descrito como "uma palavra cascalva que significava 'grande'" e foi corrigida para a frase no F 2.

24 A nota de rodapé nesse ponto, a respeito da terminação masculina em *-a*, está ausente no F 1.

25 A nota de rodapé a respeito desses "que talvez sejam para nós ridículos subnomes ou títulos" dos chefes do clã Brandebuque está ausente no F 1. Ver o comentário ao §45.

26 *Hamanullas:* no F 1, o nome era *Amanullith*, alterado subsequentemente para *Hamanulli*.

27 No F 1, o nome era *Tûk*, posteriormente corrigido para *Tūca*, como antes (ver nota 22).

28 Os nomes no F 1 eram *Shûran-kaphir* e *Zarkaphir*, alterados para *Assargamba* e *Zaragamba*, como no F 2.

29 O F 1 possui a mesma observação, mas acrescenta que *Bophan* era "de origem pé-peluda" e também que "para os Hobbits no geral, *Bophan* era tão esvaziada de significado quanto *Boffin* é atualmente".

30 No F 1, a discussão sobre *Gamgi* é a mesma, mas os nomes subjacentes eram distintos: o nome hobbit era *Charbushi*, derivado do topônimo *Charb(b)ash*; a palavra na fala comum que significa "caça" era *charab* e o sufixo toponímico era *-bash*, *-bas*. Essas formas foram então corrigidas para aquelas encontradas no F 2. *Charbash* reaparece na nota acerca de *Villa* no F 1.

31 No F 1, a palavra do Condado para "Hobbit" era *kubud* e a palavra obsoleta na fala comum da qual foi derivada era *kubud(u)r*, "habitante-de-toca"; a palavra de Théoden era *kugbadru*. Essas formas foram, então, alteradas: a palavra do Condado tornou-se *cubut* (plural *cubudil*), derivada de uma obsoleta palavra na F.C., *cubadul*, e a palavra de Théoden era *cugbadul*.

No F 2, *cūbuc* e os vocábulos e formas associados foram todos escritos inicialmente *cu-*, alterados para *cū-*. As formas na F.C. e na língua de Rohan foram bastante alteradas no texto e eu só incluí aquelas que foram, afinal, adotadas: dessa forma, o plural de *cūbuc* era, inicialmente, *cūbuga*, e depois *cūbugen*; a palavra obsoleta na F.C. era *cūbugl(a)* e a palavra de Rohan era *cūgbagul* (e novamente em §56).

32 No F 1 está dito que "*Bilbo* é o verdadeiro nome hobbit": ver nota 24.

33 No F 1, o nome estava escrito *Maurō* antes de ser alterado para *Maura*.

34 A nota, no F 1, acerca do real nome de Meriadoc, é a mesma, mas com as grafias *Khilimanzar*, *Khilik*.

35 A nota acerca de *Peregrin (Pippin)*, no F 1, era a seguinte, antes da revisão:

> O nome hobbit é *Rabanul*. Não é um nome na F.C.; diz-se que era um nome [cascalvo >] pé-peludo mas, uma vez que também se afirma significar "viajante" e era, de todo modo, o nome de um lendário andarilho e viandante, escolhi *Peregrin* para representá-lo. A partir de *Peregrin*, suponho que *Pippin* não seja uma forma carinhosa impossível, apesar de não ser tão próxima de *Peregrin* quanto *Rubul* é de *Rubanul*. Mas *rubul* é, na F.C., o nome de uma espécie de maçãzinha.

36 A discussão original do nome *Sam* no F 2 foi rejeitada e substituída. Eu incluí a segunda versão, já que ela pouco difere da primeira, exceto em clareza. No F 1, a mesma afirmação foi feita, mas os elementos linguísticos eram diferentes.

Seu nome verdadeiro era *Bolnōth*; o nome comum no Condado (*Ban* no F 2) era *Bol*, tido como uma abreviação de *Bolagar*; o prefixo que significava "semi-, quase" era *bol-* e a palavra na fala comum que significava "sábio" (*zīr(a)* no F 2) era *nōth*. Esses foram alterados para as formas no F 2, mas com *Bannātho* no lugar de *Bannātha* (ver nota 24).

37 Em vez de *Tomacca*, o F 1 possui *Tōmak* (e *k* em vez de *c* em outros nomes dessa passagem inteira); e *Shambil* no lugar de *Arambil*; o nome completo do Fazendeiro Villa é *Tomakli Lothron*, alterado subsequentemente para *Tomacci*.

38 No F 1, o nome real de Butterbur [Carrapicho] era *Barabush Zilibraph*, sendo que o primeiro nome significava (assim como *Barabatta* no F 2) "fala-rápido, tagarela", abreviado para *Barabli*. O segundo nome era um composto de *zilib*, "butter", e *raph(a)*, "burr".* O último nome foi alterado para *Zilbarāpha*, a primeira que foi escrita no F 2. Ao final da nota, o F 1 traz: "o apelido que o senhorio do 'Pônei' ostentara por tanto tempo que Frodo jamais ouvira seu verdadeiro nome".

O texto F 1 termina com a discussão acerca do nome *Butterbur* [Carrapicho], mas meu pai posteriormente acrescentou o seguinte, a lápis:

> Uma observação final acerca das outras línguas. Ora, uma vez que os idiomas de Rohann e de Valle eram aparentados, o de Rohann bem próximo, na origem, à fala comum, pareceu natural que, tendo convertido toda a F.C. para o inglês, os idiomas mais setentrionais (arcaicos e menos miscigenados) deveriam ser representados do mesmo modo. Ao idioma dos Homens em Valle foi, portanto, dado um aspecto nórdico (até onde se demonstra pelos *nomes*) e, já que foi dito que os Anãos adaptam os seus nomes e a sua fala à dos Homens entre os quais vivem, todos os Anãos do Norte têm nomes desse tipo setentrional (de fato, são os verdadeiros nomes nórdicos dos Anãos). Os Rohirrim são apropriadamente representados, portanto, falando uma língua reminiscente do antigo inglês. Notar-se-á, assim, que para a palavra arcaica de Rohan *cugbadul* em relação à palavra hobbit *cubut* [ver nota 31] eu ..... [?antigo] inglês *holbytla* em relação a *hobbit*.

Desse ponto ao fim do texto (até onde foi incluído aqui, ver a nota 42), o F 2 existe em duas formas, ambas consistindo em dois lados de uma única página

***Butterburr* é uma planta da família das asteráceas, assim como aquela cujas sementes conhecemos por "carrapicho". O seu nome, de acordo com o *Oxford English Dictionary*, deriva do fato de que as folhas largas eram usadas para embrulhar manteiga [*butter*]. A palavra "burr" é usada para designar qualquer semente com uma casca áspera ou espinhosa. [N. T.]

manuscrita: a segunda versão é uma cópia limpa da primeira, seguindo-a muito de perto, na maior parte das vezes somente com alterações muito pequenas no fraseado. Eu incluí aqui a segunda versão, com algumas das diferenças entre as versões registradas nas notas seguintes.

39 Na primeira versão do texto F 2, a palavra real em Rohan correspondente a Théoden é *tūran*, no lugar em que a segunda versão tem *tūrac-*.

40 A primeira versão tinha *tunga* onde a segunda tem *tung*.

41 Essas são formas do mesmo tema pré-histórico, com vogais diferentes (*sméag* é a forma em inglês antigo, *smaug* é a escandinava, enquanto *smygel* é um desenvolvimento inglês do tema *smug*).

42 As oito páginas remanescentes do manuscrito F 2 são tomadas por uma discussão de pronúncia, com seções sobre consoantes, vogais e sotaques, que foi subsequentemente removida para se transformar (de maneira muito mais elaborada) na primeira parte do Apêndice E. Incluo aqui apenas o breve prefácio dessa discussão.

> Ao transliterar palavras e nomes das línguas antigas que aparecem no Livro Vermelho, tentei usar letras modernas de maneira tão adequada aos olhos ingleses modernos quanto elas puderam ser combinadas com razoável precisão. Ademais, eu as usei tanto quanto possível com os mesmos valores em todas as línguas em questão. Felizmente, as línguas das Terras Ocidentais do período eram bastante eufônicas (para os padrões europeus) e de estrutura fonética simples, e nenhum som muito raro ou difícil parece ter ocorrido nelas.
>
> Os nomes hobbits, como foi explicado, foram todos convertidos para formas e equivalentes em inglês e podem ser pronunciadas de acordo. Assim, *Celador Bolger* tem o *c* como em *cellar** e o *g* como em *bulge*†. Mas nas línguas estranhas, os seguintes pontos podem ser observados por aqueles que se interessam por tais assuntos.

Noldorin aparece, evidentemente, no lugar de *sindarin* ao longo do texto (ver os comentários a §§5, 18). A respeito de Celador Bolger, que não aparece em *O Senhor dos Anéis*, ver pp. 123–4, 96.

COMENTÁRIO

§2 Até onde pude descobrir, meu pai nunca usou o adjetivo "Mannish" [de Homens], seja quanto a línguas ou tradições,

*Como *cela* em português. [N.T.]

†Semelhante ao *dj* em palavras como *adjetivo* em português. [N.T.]

antes da ocorrência nesta obra. A mudança de "Human" [Humana] para "Mannish" [de Homens] no F 1 (ver a nota 2 acima), portanto, marca a entrada dessa expressão.

§3 O uso do termo *Lembi*, "Os Que Se Demoram", para os que, dentre os Eldar, "ficaram para trás, no noroeste da Terra-média", é uma clara indicação de data, corroborando a conclusão à qual já havia chegado de que a versão inicial do Apêndice F fora escrita pelo menos antes de meados de 1950 (ver p. 48 e nota 1). Na longa e extremamente complexa história da classificação das divisões dos povos élficos e seus nomes, isso representa o estágio alcançado em *Quenta Silmarillion* §29 (V. 254), no qual, por meio de uma alteração que pode ser datada de novembro de 1937, o antigo termo *Lembi*, "Os Que Se Demoram", tornou-se o nome para aqueles dentre os Eldar que "se perderam na longa estrada" e nunca atravessaram o Grande Mar (V. 254, 260). Assim, enquanto essa versão inicial do Apêndice F certamente pertence à época em que o final da narrativa em si de *O Senhor dos Anéis* fora alcançado, ela também claramente precedeu o novo trabalho nas lendas da Primeira Era, que incluiu — além dos *Anais de Aman*, dos *Anais Cinzentos* e muitos outros trabalhos — a revisão do *Quenta Silmarillion*: pois nessa revisão o termo *Lembi* foi primeiro alterado para *Lemberi* e depois removido, e o nome *Sindar* emergiu (para um relato detalhado, ver X.203-4, 211-3). Como observado em X. 120, o nome *Sindar* não ocorre em *O Senhor dos Anéis*, a não ser nos Apêndices.

§4 O nome *Lindar* havia sido substituído por *Vanyar* quando os *Anais de Aman* e os *Anais Cinzentos* foram escritos.

Aqui, a afirmação sobre o quenya, o "latim dos Elfos", ter originalmente derivado do idioma dos Lindar ecoa aquela no *Lhammas*, ou "Relato de Línguas", dos anos de 1930 (ver V. 203, 228, 231). Pode-se observar que a expressão "latim dos Elfos" sobreviveu na versão publicada do Apêndice F (RR, p. 1606): "[O quenya] não era mais uma língua de nascença, mas tornara-se por assim dizer um 'latim dos Elfos' ...".

§5 O nome *Quenta Noldorion*, em vez de *Quenta Silmarillion*, parece ser único neste lugar (onde ocorre em ambos os textos). — Nada é dito nesse trabalho sobre a adoção do sindarin (ou, como é chamado aqui, lemberin) pelos Noldor Exilados: esse desenvolvimento fundamental (que aparece na versão inicial do "excurso linguístico" nos *Anais Cinzentos*, XI. 33–5) não emergira ainda (ver o comentário a §18 abaixo). Mas a ideia encontrada nas formas mais antigas daquele "excurso" (XI. 34–5, 39–40, 41–2), de que as duas línguas, noldorin e sindarin, mudaram de maneiras parecidas e "se aproximaram" aparece na nota de rodapé a §5.

§7 Na lista de *Alterações na última revisão 1951* (ver X. 20), à qual frequentemente se faz referência, ocorre '*Atani*em n[oldorin] *Edain* = Homens Ocidentais ou Pais de Homens". É possível que a forma no F 1, *Atanni*, substituindo *Atanatári* (nota 3 acima), tenha sido a primeira ocorrência do nome.

Na frase "Naquela guerra, três casas dos Pais de Homens auxiliaram os Elfos...", a ausência da palavra "as" antes de "três casas" não é fortuita: cf. §10, "da língua nativa dos próprios Pais de Homens antes que aqueles das Três Casas passassem por sobre o Mar".

A afirmação acerca da perda do idioma original dos Atani demonstra uma curiosa incerteza (ver nota 4 acima): da versão original no F 1, "os seus chefes aprenderam a fala noldorin e alguns, de fato, abandonaram o seu próprio idioma", revisada para a forma no F 2, "as pessoas dessas casas aprenderam a fala noldorin e abandonaram o seu próprio idioma", que foi então alterada para "os senhores dessas casas aprenderam a fala noldorin". É notável que meu pai tenha sequer cogitado, nesse momento, a ideia de que a língua original dos Atani (das Três Casas) estava completamente perdida. A esse respeito, é interessante comparar o que ele escreveu no rascunho do capítulo *Faramir* (posteriormente *A Janela para o Oeste*), que pode ser datado precisamente de maio de 1944 (VIII. 176). Aqui, em uma passagem sobre a fala comum que somente foi removida do capítulo em uma etapa tardia (ver VIII. 198), Faramir tinha dito: "Há alguns de Gondor que negociam com os Elfos ... Uma grande vantagem nós temos: falamos uma fala élfica, ou uma tão próxima que podemos entendê-los em parte e eles a nós." Ao que Sam exclama: "Mas tu falas na linguagem comum! A mesma que nós, mas de um jeito um pouco antiquado, se me perdoas dizer." Faramir então respondeu (VIII. 195):

"Claro que falamos. Pois esse é o nosso próprio idioma, o qual talvez preservamos melhor do que vós no longínquo Norte. O idioma comum, como alguns o chamam, é derivado dos Númenóreanos, não sendo senão uma forma alterada pelo tempo daquela fala que os Pais das Três Casas [*riscado:* Hador, e Haleth, e Beor] usavam outrora. Essa língua é a que se espalhou pelo mundo ocidental por entre todos os povos e criaturas que usam palavras; para alguns, apenas uma segunda língua para uso no intercâmbio com estranhos, para outros, a única língua que conhecem. Mas não é isso que quero dizer com fala élfica. Toda fala dos homens neste mundo é de ascendência élfica, mas somente se voltarmos aos começos. O que quis dizer foi: [os senhores >] muitos homens das Três Casas há muito renunciaram à fala-humana e falavam o idioma de seus amigos, os Noldor, ou Gnomos: um idioma alto-élfico [*riscado:* aparentado, mas alterado do élfico antigo de Casadelfos]. E os senhores de Númenor sempre conheceram aquele idioma e o usaram entre si. E ainda o fazemos entre nós ..."

Ver mais no comentário a §9 abaixo.

§9 É uma característica extraordinária desse relato que não há qualquer sugestão de que os Númenóreanos preservaram sua própria língua de Homens e, de fato, é expressamente afirmado aqui que "O idioma dos Dúnedain era, portanto, o élfico noldorin". Essa é a explicação para a afirmação discutida no comentário a §7, que os Homens das Três Casas aprenderam noldorin e abandonaram seu idioma ancestral (como já foi mencionado na nota 4 acima, a correção ao F 2, pela qual reduziu-se a "os *senhores* dessas casas aprenderam a fala noldorin", foi feita ao mesmo tempo que alterações apressadas no texto, aqui e em §13, pelas quais o adûnaico foi apresentado como a língua de Númenor).

Não tenho ideia de como justificar isso, tendo em vista a preleção de Faramir a Sam citada no comentário a §7. Ademais, no anômalo "Prefácio" que chamei de F*, meu pai havia dito (p. 40, §8): "Ora, essas línguas dos Homens que aqui se encontram eram aparentadas da fala comum; pois os Homens do Norte e do Oeste eram, no princípio, aparentados dos Homens de Ociente que voltaram através do Mar; e, de fato, a fala comum era um amálgama do falar dos Homens da Terra-média e das línguas dos reis que atravessaram o Mar". Isso não está expresso de maneira muito cristalina, mas parece clara a implicação de que o idioma númenóreano que entrou na fala comum era uma língua de Homens e não de Elfos. Poder-se-ia aventar a explicação de que meu pai, ao escrever o presente relato, na realidade se afastara da sua visão de que a língua dos Homens das Três Casas era a fala comum de Númenor, mas, de todo modo, o que isso deixa implícito em relação a todo o trabalho com o adûnaico e *A Submersão de Anadûnê*, em 1946?

Na nota de rodapé a §9, o décimo rei da Linhagem Setentrional é chamado *Eärendil* e não *Eärendur*, como no Apêndice A (RR, pp. 1474, 1477); ver p. 206.

Foi sem dúvida aqui que o nome *westron* surgiu (aparentemente cunhado por meu pai por analogia com a antiga forma *southron* [meridional], ela mesma uma alteração de *southern*); o texto F 1 inteiro, conforme escrito originalmente, trazia *Westnish* [westnês] (nota 6 acima). A palavra *westron* só ocorre uma vez ao longo da narrativa em si de *O Senhor dos Anéis*, no capítulo *Lothlórien*, no qual Legolas diz "é assim que soa na fala westron" (SA, p. 481) e isso é uma alteração tardia de "a fala comum" feita ao texto datilografado que se seguiu à cópia manuscrita limpa: ver VII. 266 e 279 com a nota 48.

§10 No relato de Faramir (ver comentário a §7), afirma-se explicitamente que a fala comum "é derivada dos Númenóreanos": alterada pelo tempo, ainda assim ela descendia diretamente "daquela fala que os Pais das Três Casas usavam outrora". Na verdade, em correções feitas ao manuscrito completo daquele capítulo, a concepção foi alterada ao ponto de Faramir dizer, então: "O idioma comum, como alguns o chamam, é derivado dos Númenóreanos; pois os Númenóreanos, ao chegarem às praias destas terras, tomaram o rude idioma dos homens que aqui encontraram, e os quais governaram, e o enriqueceram, e ele se espalhou daí pelo mundo Ocidental"; e ele também diz que "no intercâmbio com outra gente, usamos a fala comum, que fizemos para esse propósito" (VIII. 198). Quanto a isso, eu afirmei o seguinte (*ibid.*): "Aqui, a ideia de que a fala comum era derivada 'daquela fala que os Pais das Três Casas usavam outrora' é negada"; mas com "o rude idioma dos homens que aqui encontraram", Faramir talvez estivesse se referindo a uma língua que, ao longo de milênios, tivesse sido muito alterada e empobrecida e não que ela fosse desprovida de qualquer parentesco ancestral com a língua dos Númenóreanos.

No Apêndice F publicado, a seção *Dos Homens* (RR, p. 1607) começa assim: "O *westron* era uma fala dos Homens, apesar de enriquecida e suavizada sob influência élfica. Era originalmente a língua dos que os Eldar chamavam de *Atani*, ou *Edain*, 'Pais de Homens' ...". Mais adiante, nessa seção, meu pai escreveu sobre o grande porto númenóreano de Pelargir: "Ali falava-se adûnaico e, misturado a muitas palavras dos idiomas dos homens menores, ele se transformou na fala comum, que dali se espalhou ao longo das costas ..."

Todas essas concepções diferem entre si em alguma medida, mas, como é frequentemente o caso ao se comparar textos variantes de meu pai, é possível sentir-se indeciso sobre se as diferenças não estão mais no âmbito da alteração de ênfase do que na contradição propriamente dita. No presente texto, contudo, é perfeitamente claro que a fala comum era, na origem, uma única forma da porção de falares dos Homens que se estendia desde o Norte (Valle, Esgaroth e as antigas terras dos Rohirrim) para o sul, aos vales do Anduin (ver §23); que essa forma em particular tinha como centro o porto númenóreano de Pelargir (§10); e que por essa razão foi muito influenciada pela língua númenóreana — *mas essa língua era o élfico noldorin* conforme evoluíra em Númenor.

§14 A afirmação (antes da revisão) de que os Terrapardenses haviam esquecido sua própria língua e usavam apenas o westron está em contradição com o trecho no capítulo *O Abismo de Helm* no qual os Homens da Terra Parda gritavam contra os Rohirrim na sua fala antiga, interpretada por Gamling, o Velho, para Aragorn e Éomer (ver VIII. 35). Na versão revisada do parágrafo, diz-se que a língua da Terra Parda "era completamente distinta do westron e descendia, ao que parece, de alguma outra língua dos Homens, não aparentada daquela dos Atani, Pais de Homens"; cf. Apêndice F (RR, p. 1609): "Era totalmente diversa a fala dos Homens Selvagens da Floresta Drúadan. Também diversa, ou só remotamente aparentada, era a língua dos Terrapardenses". Em uma versão mais antiga da exposição de Faramir, citada no comentário ao §7, ele diz que havia um "parentesco remoto" entre a fala comum e "os idiomas de Rohan, e de Valle, e do Westfolde, e da Terra Parda e de outros lugares", VIII. 194.

§16 "Os Orques tinham uma língua própria, criada para eles pelo Senhor Sombrio de outrora": tendo em vista o que é dito no §7, "os Eldar travavam, àquela época, uma incessante guerra contra o Senhor Sombrio daquela Era, de longe muito maior do que Sauron", talvez pareça uma referência a Morgoth, mas cf. Apêndice F (RR, p. 1612): "Diz-se que a língua negra foi inventada por Sauron nos Anos Sombrios".

§18 Toda a concepção das relações entre as línguas élficas faladas na Terra-média ao fim da Terceira Era, conforme apresentada aqui, foi, é claro, fundamentalmente alterada pelo surgimento da ideia de que os Noldor Exilados da Primeira Era adotaram o sindarin, a língua (teleriana) dos Eldar que permaneceram na Terra-média. Assim, a língua dos Elfos que viviam a oeste das Montanhas Nevoentas é, aqui, noldorin (ver o comentário a §5 acima), enquanto o lemberin (isto é, sindarin) da Terra-média, é encontrado entre os Elfos de Trevamata Setentrional e Lórien. No início de §19, nomes como *Lórien*, *Caras Galadon*, *Amroth* e *Nimrodel* são citados como exemplos de lemberin, ao passo que, no Apêndice F (RR, p. 1606, rodapé), eles são mencionados como "provavelmente de origem silvestre", em oposição ao sindarin, idioma falado em Lórien ao final da Terceira Era. — Com a presente passagem, compare aquela no texto F*, pp. 39–40, §7.

§20 Viu-se (na nota 10 acima) que foi no texto F 1 que a divisão tripartite dos Hobbits em Pés-Peludos, Grados e Cascalvas foi introduzida e daí removida, antes que o F 2 fosse escrito, para figurar no *Prólogo*. Na narrativa em si de *O Senhor dos Anéis*, não há qualquer referência a Pés-Peludos ou Cascalvas, mas os Grados são nomeados uma vez, no capítulo *A Sombra do Passado*, no qual Gandalf fala sobre a família de Gollum. A menção ao nome foi incluída em um estágio muito tardio na evolução do capítulo, quando o trecho ainda dizia (cf. a versão mais antiga do texto em VI. 102): "Imagino que fossem da espécie dos hobbits; ou parentes dos pais dos pais dos Hobbits, mas amavam o Rio e muitas vezes nadavam nele, ou faziam barquinhos de juncos". Isso foi alterado para o texto final (SA, p. 105) com a omissão da palavra "ou" em "ou parentes", além da alteração de "Hobbits" para "Grados" e de "mas amavam" para "pois amavam".

§22 Meu pai estava escrevendo sobre os Hobbits como se eles ainda estivessem por ser descobertos, como fez no *Prólogo* publicado ("Os Hobbits são um povo discreto, mas muito antigo, mais numeroso antigamente do que hoje em dia" etc., ainda que alterando o tempo presente para o pretérito em um trecho da Segunda Edição, p. 17, nota 13). Aqui ele de fato atribuiu a pelo menos alguns deles um vivo interesse em história linguística.

§§22–3 Nas notas de rodapé a esses parágrafos, pode-se ver a história mais complexa dos Grados evoluindo. Na nota de rodapé no F 1 (nota 11 acima), que corresponde àquela em §23 no F 2, a respeito da opinião de Gandalf sobre a origem de Gollum, diz-se que seu povo "deve ter sido um grupo de Grados que se demorou muito nos arredores do Lis" (isto é, depois de os Grados como um todo terem cruzado as Montanhas Nevoentas, adentrando Eriador). Na nota de rodapé no F 2 (contemporânea à escrita do manuscrito), meu pai sugeriu, contudo, que eles eram "uma família ou pequeno clã" de Grados que tinha voltado para o leste pelas Montanhas, um retorno às Terras-selváticas que (disse ele) era evidenciado nas lendas hobbits, devido à vida dura e terras inférteis que encontraram na Eriador oriental.

Posteriormente, introduziu-se a história de que muitos Grados permaneceram nas terras entre Tharbad e as beiras da Terra Parda: isso foi um acréscimo ao *Prólogo* (SA, p. 40), feito quando o texto estava próximo à sua forma final (cf. p. 11) e, sem dúvida, a nota de rodapé a §22 foi acrescentada ao mesmo tempo.

No Apêndice A (RR, p. 1478), o retorno de alguns dos Grados às Terras-selváticas é associado diretamente com a invasão de Arnor por Angmar no ano 1409 da Terceira Era:

> Foi nessa época que os Grados que haviam morado no Ângulo (entre o Fontegris e o Ruidoságua) fugiram rumo ao oeste e ao sul por causa das guerras, do temor de Angmar e porque a terra e o clima de Eriador, especialmente no leste, se deterioraram e tornaram-se hostis. Alguns retornaram às Terras-selváticas e habitaram junto do Lis, transformando-se em um povo de pescadores ribeirinhos.

Esses Grados do Ângulo que retornaram às Terras-selváticas são distintos daqueles que viveram mais para o sul e adquiriram uma fala semelhante à das pessoas da Terra Parda: ver a seção *Dos Hobbits* no Apêndice F, RR, pp. 1610–11 e a nota de rodapé.

§25 O nome Brandywine [Brandevin] surgiu muito cedo na escrita de *O Senhor dos Anéis* (VI. 42–3 e nota 5), mas o nome em élfico apareceu pela primeira vez na narrativa durante o trabalho no capítulo *Fuga para o Vau* (VII. 77; SA, p. 308), no qual Glorfindel, em um rascunho rejeitado, falava sobre "o Branduin (que vós mudastes para Brandevin)". No F 1 e de novo, inicialmente, no F 2, meu pai repetiu essa parte: "os nomes mais antigos, de origem élfica ou humana já esquecida, eles frequentemente traduziam ... ou alteravam para uma forma familiar (como o élfico *Baranduin*, 'rio pardo', para *Brandevin*)". Contudo, ao revisar o F 2, ele rejeitou essa explicação, dizendo que o nome élfico do rio era, na verdade, *Malevarn* ("pardo-dourado"), transformado na fala dos Hobbits para *Malvern*, mas que fora então substituído por *Brandevin* — algo excepcional, já que não tinha relação nenhuma, na forma, com o nome élfico. Essa ideia ele também rejeitou e, na versão final de §25, voltou à explicação original sobre *Brandevin*, que seria uma alteração caracteristicamente hobbit do élfico *Baranduin*.

No trecho de *Fuga para o Vau* mencionado acima, o nome do rio aparece no manuscrito como *Branduin*, alterado para *Baranduin* e, então, para *Malevarn* (VII. 82, nota 36). À primeira vista, é surpreendente ver que *Malevarn* sobreviveu no texto final do capítulo, aquele que foi enviado à editora, no qual meu pai corrigiu para *Baranduin*; mas a explicação é, evidentemente, que esse texto datilografado fora feito muito tempo antes. O uso que Glorfindel faz de *Baranduin* ou *Malevarn* é, de fato, a única ocorrência do nome élfico do rio na narrativa de *O Senhor dos Anéis*.

§27 No Apêndice D (RR, p. 1582), a Pele Amarela é chamada de "o Anuário de Tuqueburgo".

§37 Frequentemente, é impossível ter certeza sobre a intenção de meu pai ao usar as formas de tratamento "thou, thee" e "you": quando escrevia rapidamente, ele era muito inconsistente e, nos manuscritos mais cuidadosos, com frequência hesitava ao decidir sobre essa questão insolúvel (isso quando a distinção precisava de fato ser representada). No caso do capítulo *O Regente e o Rei*, mencionado aqui, o primeiro manuscrito (ver IX. 77) é um rascunho muito apressado e do qual não se consegue chegar a qualquer conclusão, ao passo que no segundo manuscrito, um texto claro, ele decidiu durante a escrita do diálogo entre Faramir e Éowyn que não mostraria a distinção de maneira alguma. É possível que a "mudança repentina" à qual se refere aqui (mas, no F 1, ele escreveu apenas sobre "a intrusão de *thou* e *thee* no diálogo") seja vista no primeiro encontro deles no jardim das Casas de Cura, em que Faramir diz (RR, p. 1373): "Então, Éowyn de Rohan, digo-vos que sois linda", mas, ao final de sua fala, muda para a forma "familiar", "Pois tu e eu passamos sob as asas da Sombra" (enquanto Éowyn continua a usar o "vós"). Nos encontros seguintes, nesse texto, Faramir emprega as formas "familiares", mas Éowyn não o faz até o último ("Não sabes?", RR, p. 1378). Logo após esse ponto, meu pai voltou ao que tinha escrito e alterou todos os "thou" e "thee" [tu e ti] para "you" [vós/vos]. No terceiro manuscrito (que precede o texto final), não há qualquer vestígio da forma "familiar".

Registro esses detalhes porque são importantes para a datação (relativa) do presente texto, demonstrando muito claramente que, quando escreveu essa versão inicial do que se tornaria o Apêndice F, ele ainda não tinha completado o segundo manuscrito desse capítulo.

"O uso que Sam Gamgi faz de *thee*, dirigindo-se a Rosa no final do livro" se refere ao final do *Epílogo* (IX. 153): "Achei que jamais ver-te-ia de novo". Nesse estágio, apenas a primeira versão do *Epílogo* existia (embora essas palavras sejam usadas em ambas as versões): ver IX. 166–7.

Em uma folha solta, associada ao trabalho posterior de meu pai nesse Apêndice, ele escreveu muito rapidamente:

> Onde *thou*, *thee*, *thy* aparecerem, são empregados principalmente para marcar um uso da forma familiar nas situações em que não era comum. Por exemplo, o uso dessa forma por Denethor ao se dirigir a Gandalf em sua última loucura e pelo Mensageiro de Sauron em ambos os casos tem a intenção de ser desdenhoso. Mas, em outros lugares, é ocasionalmente usado para indicar uma mudança deliberada para uma forma de afeição ou carinho.

Os trechos mencionados estão em RR, pp. 1230–33 e p. 1278; nas falas de Denethor a Gandalf [na versão em inglês], há algumas ocorrências de "you" [vós] que não foram corrigidas.

§39 No lugar do westron *Carbandur* (inicialmente *Karbandul* no F 1, nota 18), o Apêndice F traz *Karningul* (RR, p. 1616).

§41 Para a palavra noldorin *lhann*, que se afirma aqui ser equivalente do westron *sūza*, usada em Gondor para as divisões do reino, cf. as *Etimologias*, V. 444, radical LAD, em que o noldorin *lhand*, *lhann*, "vasto, amplo", é mencionado e também a região *Lhothland*, *Lhotlann*, a leste de Dorthonion (ver XI. 77, 156).

§42 O nome em westron *Raspūta*, "Corneteiro", só consta aqui (F 1 *Rhaspûtal*, nota 21 acima). Uma vez que é dito (§13) que a fala comum "foi muito enriquecida com palavras tomadas do idioma dos Dúnedain, que era … uma forma do élfico noldorin", talvez valha a pena observar que o radical RAS nas *Etimologias* (V. 465) dá origem ao quenya *rassë*, noldorin *rhaes*, "chifre", com menção a *Caradras*. — No Apêndice F (RR, p. 1617), diz-se que *Tûk* é um nome antigo de significado esquecido.

§43 A respeito do nome *Porro*, que não se encontra em *O Senhor dos Anéis*, ver pp. 114–5, 122.

§45 Os títulos "clássicos" dos chefes da família Brandebuque apresentados na segunda nota de rodapé a esse parágrafo não aparecem em *O Senhor dos Anéis*, mas ver pp. 129–30. Cf. Apêndice F (RR, p. 1618): "Nomes de origem clássica foram usados raramente; pois os equivalentes mais próximos do latim e do grego no saber do Condado eram as línguas élficas, e estas eram pouco usadas pelos Hobbits na nomenclatura. Poucos deles, em qualquer época, conheciam as 'línguas dos reis', como as chamavam".

§46 Com exceção da frase inicial, nada desse parágrafo permaneceu no Apêndice F e o nome verdadeiro de Lobélia Sacola-Bolseiro, *Hamanullas*, se perdeu.

§47 Muita informação é fornecida aqui acerca dos sobrenomes hobbits que depois se perdeu, notavelmente o verdadeiro nome em westron dos *Bolseiros* e sua suposta etimologia; outros nomes (*Brandebuque*, *Villa*, *Gamgi*), discutidos nas notas que concluem o Apêndice F, diferem em alguns detalhes das formas. Quanto ao nome *Gamgi*, ver as referências no índice das *Cartas* e especialmente a carta a Naomi Mitchison datada de 25 de abril de 1954 (n. 144, próximo ao final), intimamente relacionada ao que está dito aqui e no Apêndice F.

§48 Na nota ao final do Apêndice F, está dito que a palavra para "Hobbit" em uso no Condado era *kuduk* e que Théoden usou a forma *kûd-dûkan*, "habitante-de-toca", quando encontrou Merry e Pippin em Isengard, o que é "traduzido", na narrativa (DT, p. 812), por *Holbytla(n)*, embora nenhuma interpretação para ela seja fornecida. No presente trecho, tanto no F 1 (ver nota 31) quanto no F 2, o significado "habitante-de-toca" é dado para *holbytla* e para as verdadeiras palavras em westron e no idioma de Rohan (cf. também p. 28). Tendo em vista a etimologia de *bytla (bylta)* — para a qual ver VII. 499, VIII. 61 —, seria de se esperar "escavador-de-tocas", mas isso só ocorre de fato em um ponto inicial do Apêndice F (RR, p. 1610): a palavra *hobbit* parece ser "uma forma degradada de uma palavra mais plenamente preservada em Rohan: *holbytla*, 'escavador-de--tocas'" (ver adiante a pp. 111–2, nota 7).

As observações de meu pai na nota de rodapé a esse parágrafo, com suas associações entre as palavras "hobbit" e "rabbit" [coelho], são notáveis.

§49 No Apêndice F (RR, p. 1618), o nome verdadeiro de Meriadoc era *Kalimac*, abreviado para *Kali*, mas nada se diz acerca dos nomes verdadeiros de Frodo ou Peregrin.

§50 No capítulo *A Estrada para Isengard*, o originador da erva-de--fumo no Condado foi inicialmente chamado de Elias Tobiasson e depois de Tobias Smygrave [Tobias Smicova], antes de Tobias Corneteiro emergir (VIII. 52–3). Tobias permaneceu até um estágio avançado no desenvolvimento do capítulo, até ser renomeado Tobold, embora se perceba pelo presente texto que meu pai por um tempo reteve Tobias ao mesmo tempo em que afirmou que o nome (pronunciado *Tóbias*) não era de maneira alguma uma "tradução" de origem hebraica.

Bildad (Bolger) não é encontrado em *O Senhor dos Anéis* (mas ver pp. 194, 196), ao passo que os nomes abreviados *Tom* e *Mat* são explicados de maneira diversa no Apêndice F.

§51 Assim como Tobias Corneteiro, meu pai manteve Barnabas Butterbur [Barnabas Carrapicho], apesar do que escrevera em §50, mas justificou isso pelo fato de que Butterbur não era um Hobbit, mas um Homem de Bri. No Apêndice F, toda a discussão acerca do nome do senhorio de *O Pônei Empinado* se perdeu. A alteração de *Barnabas* para *Barliman* [Cevado] foi feita em revisões muito tardias ao texto de *O Senhor dos Anéis* (cf. IX. 105).

§58 Essas observações sobre a história do nome dos Hobbits para o *Baranduin* (ver também §§25, 47) foram posteriormente alteradas na nota final ao cabo do Apêndice F.

Esse é o texto mais detalhado que meu pai escreveu acerca de sua elaborada e distintiva ficção de tradução, transposição e substituição. Pode-se perguntar quando ou por quais estágios ela surgiu, mas penso que seja impossível de saber: as evidências são demasiado precárias e para esses assuntos ele não deixou nenhuma daquelas discussões, registros de debates interiores, que ocasionalmente foram de grande ajuda na compreensão do desenvolvimento da narrativa. Parece-me mais provável, em todo caso, que a ideia tenha evoluído gradualmente, à medida em que a história, linguística ou de outro tipo, era consolidada e se tornava cada vez mais coerente.

Essencial para a "ficção de autenticidade" é, evidentemente, a fala comum. Eu concluí que ela foi nomeada pela primeira vez nos papéis de *O Senhor dos Anéis* no capítulo *Lothlórien* (que data do início dos anos 1940): ver VII. 266, 285. No segundo desses trechos, meu pai escreveu que a fala dos Elfos-da-floresta de Lórien não era a "dos elfos ocidentais que, naqueles dias, era [usada] como fala comum entre muitos povos". Em uma observação do mesmo período (VII. 327), ele disse que "Visto que Aragorn é um *homem*, e a fala comum (especialmente dos mortais) é representada pelo inglês, então ele não pode ter um nome élfico". Em outra nota (VII. 498), uma dentre um conjunto de apontamentos em uma página datada de 9 de fevereiro de 1942 (quando estava trabalhando nos capítulos iniciais do que se tornou *As Duas Torres*), ele escreveu:

> Língua do Condado = inglês moderno
> Língua de Valle = nórdico (usado pelos Anãos daquela região)
> Língua de Rohan = inglês antigo
> O "inglês moderno" é a *língua franca* falada por todos os povos (exceto algumas gentes reclusas como Lórien) — mas pouco e mal pelos orques.

Nessa nota, "Língua de Valle = nórdico (usado pelos Anãos daquela região)", demonstra claramente que um grande obstáculo — talvez o principal obstáculo — para uma "autenticação" coerente havia sido resolvido à essa época. Quando meu pai escreveu *O Hobbit*, ele não tinha, é claro, qualquer ideia de que os nomes em nórdico antigo dos Anãos exigiriam qualquer explicação, dentro dos termos da história: esses eram os seus nomes e pronto. Como disse em uma carta de dezembro de 1937, citada no Prefácio a *O Retorno da Sombra* (p. 37): "Eu mesmo não aprovo muito *O Hobbit*, e prefiro minha própria mitologia (que é apenas tangenciada), com sua nomenclatura consistente ... e sua história organizada, a essa turba de anãos com nomes édicos tirados da Völuspá ...". Mas agora esse incontornável elemento nórdico precisava ser justificado e dessa "turba de anãos com nomes édicos tirados da Völuspá" surgiu a concepção de que os Anãos tinham "nomes externos" derivados das línguas de Homens com os quais tratavam, ocultando seus verdadeiros nomes que mantinham em absoluto segredo. E isso foi, evidentemente, um importante elemento na teoria da "transposição de idiomas": os Anãos tinham nomes *nórdicos* porque eles viviam entre Homens que *estavam representados*, em *O Senhor dos Anéis*, como sendo falantes de nórdico. Penso não ser muito forçado supor que (juntamente com a ideia da fala comum), esses nomes anânicos em *O Hobbit* foram o ponto de partida para a estrutura inteira das línguas dos Homens na Terra-média, conforme exposta no presente texto.

Meu pai afirmou (§53) que havia representado o idioma dos Rohirrim como inglês antigo porque sua língua verdadeira mantinha com a fala comum uma relação mais ou menos análoga àquela entre o inglês antigo e o moderno. Isso pode ser difícil de aceitar: talvez se sinta que o impulso que originou os Cavaleiros de Rohan e o Paço Dourado foi mais profundo e que a afirmação de meu pai deva ser vista como um aspecto da "ficção de autenticidade"; pois a ideia da "tradução" teve ainda outra dimensão ficcional ao ser apresentada como algo estabelecido desde o começo — o que, no caso dos nomes anânicos (e hobbits), com toda a certeza não foi.

Por outro lado, ele soube bem cedo que os Rohirrim eram, originalmente, Homens do Norte: em uma nota feita quando o trabalho no capítulo *Os Cavaleiros de Rohan* mal tinha começado (VII. 457), ele escreveu:

> Rohiroth são aparentados dos Homens-da-floresta e dos Beornings, antigos Homens do Norte. Mas falam gnômico — língua de Númenor e Ondor, assim como a língua [?comum]

Juntamente com "Língua de Rohan = inglês antigo" entre as equações no apontamento mais ou menos contemporâneo citado acima, talvez seja melhor não forçar a distinção, mas dizer, sim, que a incipiente ideia de "transposição" (inglês moderno – inglês antigo – nórdico antigo) pode muito bem ter desempenhado um papel na visão de meu pai acerca de Rohan.

No presente texto, é possível ver que, à medida em que ele explorava mais fundo a lógica da teoria, deparava-se com complexidades que eram penosas de administrar. Por exemplo, parece claro que, quando ele escreveu em §25 que os Hobbits haviam alterado o nome élfico *Baranduin* "para uma forma familiar", tornando-a *Brandywine* [Brandevin], ele não levara em conta o fato de que os Hobbits não teriam tido qualquer palavra como "Brandywine" (quer eles conhecessem conhaque ou não, §58). Perceber isso o levou a confessar em §56: "Essa tradução teve uma desvantagem que eu não previ. As 'notas linguísticas' sobre a origem de palavras peculiares aos Hobbits também precisaram ser 'traduzidas'"; e, em §58, vemos como ele engenhosamente introduz o necessário "terceiro termo" na história do *Brandywine*: a "pitoresca perversão" do nome do rio *Baranduin* pelos Hobbits originou sua própria palavra real *Branduhim*, que significava, no westron falado por eles, "cerveja espumante". Ele ainda poderia dizer que *Brandywine* era "uma 'corrupção' muito plausível de *Baranduin*" porque, sendo um nome élfico, *Baranduin* não foi traduzido; dessa forma, *Brandywine* precisava "imitar" a palavra hobbit *Branduhim* e, simultaneamente, firmar-se em inglês moderno como uma corruptela de *Baranduin*.

Logo se verá, no texto seguinte desse Apêndice, que meu pai se afastou bruscamente do F 2 e removeu quase toda a exemplificação dos nomes verdadeiros em westron. Pode ser que, naquele estágio, ele passou a imaginar que as sutilezas exigidas por um exame tão detalhado da "teoria" eram inadequadas ao propósito. Por outro lado, parece possível que simples considerações sobre o comprimento do texto tenham sido a causa.

Observação acerca de uma carta não publicada

Uma longa carta de meu pai foi enviada para leilão em 4 de maio de 1995 na Sotheby's de Londres. Ele a escrevera em 3 de agosto de 1943, durante uma longa pausa na escrita de *O Senhor dos Anéis* (entre o final do Livro III e o início do Livro IV) que durou aproximadamente do final de 1942 ao começo de abril de 1944 (VIII. 98–9). Foi endereçada a duas meninas chamadas Leila Keene e Pat Kirke, e se ocupava principalmente de responder às suas questões sobre as runas em *O Hobbit*, mas, em relação ao que está sendo tratado aqui, ela contém um trecho interessante sobre a fala comum. Meu pai fez algumas breves observações sobre o problema na representação dos idiomas que eram de fato falados naqueles dias, e prosseguiu:

> Em partes não foi tão difícil. Na época de Bilbo, *havia* um idioma muito amplamente usado por todo o Oeste (as partes ocidentais das Grandes Terras daqueles dias). Era uma espécie de língua franca, constituída de toda sorte de idiomas, mas do idioma élfico (do noroeste) principalmente. Era chamada de língua ocidental ou fala comum; e, na época de Bilbo, já passara para o leste pelas Montanhas Nevoentas e havia alcançado a Cidade do Lago, e Beorn, e até Smaug (os dragões eram linguistas hábeis em todas as eras). ...
>
> Se os Hobbits alguma vez tiveram qualquer língua própria especial, eles a haviam abandonado. Empregavam a fala comum exclusivamente e todos os dias (a menos que aprendessem outras línguas, o que era muito raro).

O ponto mais digno de nota nessa carta é a descrição da constituição da fala comum: "uma espécie de língua franca, constituída de toda sorte de idiomas, mas do idioma élfico (do noroeste) principalmente". Talvez seja necessário relevar a natureza da carta (meu pai não estava, obviamente, escrevendo uma declaração precisa); mas certamente parece que, em 1943, quando metade de *O Senhor dos Anéis* já fora escrita, ele ainda não tinha qualquer concepção sobre a origem da fala comum a partir de uma forma da língua dos Homens do oeste da Terra-média, e que a explicação de Faramir sobre o assunto (ver p. 87), escrita nove meses depois, ainda não havia surgido. Pode ser que o que ele disse nessa carta ("do idioma élfico (do noroeste) principalmente") deva ser associado ao que ele tinha escrito no capítulo *Lothlórien*, no qual disse (VII. 285) que a língua dos "elfos ocidentais" "naqueles dias, era usada como fala comum entre muitos povos."

Ele também faz referência, nessa carta, à adoção, pelos Anãos da Montanha Solitária, do idioma dos Homens de Valle, no qual eles se deram nomes, mantendo inteiramente secretos os seus verdadeiros nomes na sua própria língua (ver p. 97).

Para as notas a esta seção conclusiva do capítulo, ver p. 111 em diante.

O terceiro texto ("**F 3**") é um documento datilografado com o título *Os Idiomas da Terceira Era*, acima do qual meu pai escreveu "Apêndice I". Nenhum outro dos muitos textos que se seguiram faz qualquer menção ao fato de ele ser um "Apêndice".

Este texto F 3 representa, em alguma medida, um novo desvio. A primeira parte do trabalho (que precede a discussão sobre "Tradução") foi reduzida a não muito mais do que um terço de seu comprimento no F 2 e, apesar de meu pai ter o F 2 à sua frente, ele também se voltou ao curioso "Prefácio" F* que incluí a partir da p. 38 e fez bom uso dele, como já foi mencionado.

Neste estágio, ele não mudara sua visão de que os Noldor Exilados conservaram o seu próprio idioma em Beleriand (ver pp. 85–6, §5) e a fala "teleriana" (que era, no F 2, chamada originalmente de "lemberin") se restringe a alguns nomes. Assim, a concepção em F 2, §18, foi preservada na essência, embora aqui tenha entrado o relato mais complexo sobre os povos élficos de Trevamata e Lórien:

Havia também Elfos de outro tipo. Os Elfos-do-leste que, estando contentes com a Terra-média, permaneceram ali e permanecem até hoje; e os Teleri, da gente dos Altos Elfos que nunca foram para o oeste, mas se demoraram nas praias da Terra-média até o retorno dos Noldor.[1] Na Terceira Era, restavam poucos dos Teleri e, na maior parte, viviam como senhores em meio aos Elfos-do-leste em reinos silvestres longe do Mar, pelo qual, ainda assim, ansiavam nos seus corações. Desse tipo eram os Elfos de Trevamata e os de Lórien; mas Galadriel era uma senhora dos Noldor. Neste livro há muitos nomes de forma teleriana,[2] mas pouco mais aparece do seu idioma.

O elemento extremamente enigmático da versão original — que a língua dos Númenóreanos era noldorin (pois os Edain em

Beleriand aprenderam aquele idioma e abandonaram o seu próprio) — foi inicialmente mantido no F 3 e, assim, a explicação sobre a fala comum permaneceu inalterada, tornando-se, se tanto, mais explícita (cf. F 2, §§9–10, 13):

O idioma dos Dúnedain era, portanto, a fala élfica ou gnômica … Após a Queda de Númenor, que foi ocasionada por Sauron, e o final da Segunda Era, Elendil e os sobreviventes de Ociente zarparam de volta rumo ao leste para a Terra-média. Nas praias ocidentais, nos dias de seu poderio, os Númenóreanos haviam mantido muitas fortalezas e portos para auxílio às suas naus nas grandes viagens; e o principal deles era em Pelargir, junto às fozes do Anduin, na terra que foi posteriormente chamada de Gondor. *Ali era falado o idioma dos Edain que não haviam passado por sobre o Mar*, que de lá se espalhou pelas terras costeiras, como uma fala comum de todos os que tinham negócios com Ociente e se contrapunham ao poder de Sauron. Ora, a gente de Elendil não era numerosa, pois apenas poucas grandes naus escaparam à Queda. Havia, é verdade, muitos habitantes nas costas ocidentais que tinham em parte o sangue de Ociente, sendo descendentes de marinheiros e guardiões de fortalezas erguidas ali nos Anos Sombrios; ainda assim, todos diziam que os Dúnedain eram apenas um pequeno povo em meio a Homens menores. Portanto, usavam a fala comum em todos os seus negócios com outros povos e no comando dos amplos reinos dos quais se tornaram governantes, e ela foi muito enriquecida com muitas palavras tomadas dos idiomas dos Elfos e dos senhores númenóreanos. Assim aconteceu que a fala comum se disseminou por toda parte nos dias dos Reis, mesmo entre os seus inimigos, e passou a ser cada vez mais usada pelos próprios Númenóreanos, de modo que na época em que se passa esta história, a fala élfica era empregada apenas por uma [*acrescentado:* pequena] parte das pessoas de Minas Tirith, a cidade de Gondor, e, fora daquela cidade, apenas pelos senhores e príncipes de feudos.

A explicação sobre a origem e disseminação da fala comum, da forma como aparece no Apêndice F (RR, p. 1608), já tinha sido amplamente alcançada do ponto de vista da redação em si — mas, ainda assim, com a diferença fundamental de que os próprios Númenóreanos falavam um idioma élfico e de que o adûnaico não existia.

Provavelmente enquanto esse texto ainda estava sendo escrito, meu pai datilografou novamente uma porção dele e só então o adûnaico apareceu, ou reapareceu, na história linguística. Fazendo alterações semelhantes ao mesmo tempo no texto anterior F 2 (ver p. 77, nota 4), ele escreveu nesse momento que foram os senhores dos Edain que aprenderam o idioma noldorin e que "em Númenor duas falas eram empregadas: o númenóreano (ou adûnaico) e o idioma élfico ou gnômico dos Noldor, o qual todos os senhores daquele povo conheciam e falavam". Na passagem recém exposta, ele alterou as palavras que italicizei para: "Ali [em Pelargir] o adûnaico, a língua humana dos Edain, era falado e de lá se espalhou pelas terras costeiras..."; o restante do trecho foi mantido. Nenhuma outra luz é jogada nesse assunto nos textos do "Apêndice F" e ele permanece, para mim, inexplicável.

Não há muito mais que precise ser dito sobre a parte do texto F 3 que se ocupa dos idiomas. Para a língua dos Orques e Trols, meu pai seguiu F 2, §§16–17, mas, para a dos Anãos, ele consultou o F* (p. 40, §10), repetindo rigorosamente o que dissera ali. Mas, nesse ponto, ainda seguindo esse texto (§11), ele se voltou para o assunto dos alfabetos ("Dos alfabetos da Terceira Era algo também precisa ser dito, já que nesta história há tanto inscrições quanto escritos antigos ...") e repetiu o que dissera no F* até "as runas, ou *cirth*, foram criadas pelos Elfos da floresta". Nesse ponto, ele deixou o texto anterior e continuou da seguinte maneira (o precursor do trecho no Apêndice E, RR, pp. 1592–93):

... as runas, ou *cirth*, como eram chamadas, foram primeiramente criadas pelos Danianos (parentes distantes dos Noldor) nas florestas de Beleriand e, no começo, foram principalmente usadas para inscrever nomes e breves memoriais em madeira, pedra ou metal. Devem a esse começo o seu caráter peculiar, muito semelhantes em vários de seus símbolos às runas do Norte de nossos próprios tempos. Mas os seus detalhes, arranjo e usos eram diferentes e não há, ao que parece, qualquer conexão de origem entre as runas e as cirth. Muitas coisas foram esquecidas e redescobertas nas eras da Terra-média e será assim, sem dúvida, no futuro.

As cirth, em sua forma mais antiga e mais simples, espalharam-se por toda parte, até mesmo pelo Leste, e tornaram-se conhecidas por muitas raças de Homens e muitas variedades e usos foram desenvolvidos. Uma forma das antigas cirth foi usada entre Homens dos quais já falamos, os Rohirrim e sua gente mais setentrional no vale do Anduin e em Valle. Mas o alfabeto mais rico e mais bem ordenado das cirth era chamado de Alfabeto de Dairon, visto que a tradição élfica dizia que fora arranjado e ampliado das antigas cirth por Dairon, o menestrel do Rei Thingol em Doriath. Este permaneceu em uso em Azevim e Moria, lá principalmente pelos Anãos. Pois após a vinda dos Noldor, a escrita fëanoriana substituiu as cirth entre os Elfos e os Edain.

Neste livro, vemos apenas as cirth curtas de Valle e da Marca e as cirth longas de Moria, como eram chamadas na época; pois apesar de os Anãos, assim como na fala, usarem nos negócios com outros povos as escritas que eram correntes entre eles, em seu próprio meio e nos seus memoriais secretos ainda utilizavam o antigo Alfabeto de Dairon. Uma tabela está incluída contendo as cirth curtas de Valle e da Marca e as cirth longas de Moria, na forma e arranjo aplicados para a fala comum. [*O trecho seguinte foi subsequentemente riscado:* Uma lista de todas as palavras estranhas e nomes estranhos de pessoas e lugares que aparecem neste conto foi também incluída, na qual se mostra de qual língua derivaram e qual é o seu significado (onde for conhecido);] e também as runas inglesas nas formas que foram utilizadas para a tradução das cirth em *O Hobbit*.

A criação das runas pelos "Danianos (parentes distantes dos Noldor) nas florestas de Beleriand" (onde F* possui "pelos Elfos da floresta") também é encontrada nos dois textos incluídos em VII. 533–6, nos quais a origem é atribuída aos "elfos danianos de Ossiriand (que, em última análise, eram de raça noldorin)". A antiga noção de que os Danas, ou Danianos (Nandor) vieram da hoste dos Noldor na Grande Marcha foi alterada no curso da revisão do *Quenta Silmarillion*, quando eles se tornaram Teleri da hoste de Olwë (X. 211-2; cf. o uso do antigo termo *Lembi* no F 2, p. 85, §3).

A seção final do F 3, *Da Tradução*, apresenta uma versão muito reduzida da original, perdendo praticamente toda a exemplificação e discussão dos nomes "verdadeiros" a partir dos quais a "tradução" foi feita: os únicos nomes em westron que sobreviveram foram *Carbandur* (Valfenda) e *Phuru-nargian* (Moria). O novo texto tinha, de fato, a estrutura e muito da redação do Apêndice F, mas era bem mais curta e o texto publicado representa uma re-expansão na qual algo do material antigo foi reintegrado, ainda que de maneira alterada.[3] Contudo, já que nenhum material novo foi introduzido no F 3, não há necessidade de dar mais explicações sobre essa parte dele.

O texto termina com um retorno à conclusão do F*, pp. 42–3, §§12–13:

Para concluir, acrescento uma observação sobre duas importantes palavras modernas usadas na tradução. O nome *Gnomos* é, às vezes, usado para os Noldor e *gnômico*, para noldorin. Isso foi feito porque, seja lá o que Paracelso tenha pensado (se é que ele realmente inventou o nome), para alguns *Gnomo* ainda sugere Conhecimento. Ora, o nome alto-élfico desse povo, Noldor, significa Aqueles que Sabem; pois dentre os Três Clãs dos Elfos no seu princípio, os Noldor sempre se distinguiram tanto por seu conhecimento das coisas que são e foram neste mundo, quanto por seu desejo de conhecer mais. Entretanto, eles não eram nada semelhantes aos gnomos da teoria erudita, ou da imaginação literária e popular. Pertenciam a uma raça elevada e bela, os Filhos Mais Velhos do mundo, que agora se foram. Eram altos, de pele clara e olhos cinzentos, apesar de terem as madeixas escuras, exceto na casa dourada de Finrod; e suas vozes tinham mais melodias que qualquer fala mortal que se ouça agora. Valorosos eram, mas sua história foi penosa e apesar de ter-se enlaçado um pouco à sina dos Pais, em tempos remotos, a sina deles não é a dos Homens. Seu domínio passou há muito tempo, e habitam agora além dos círculos do mundo e não retornam.

A denominação "casa dourada de Finrod" (posteriormente Finarfin) parece ter sido a primeira menção a esse personagem que assinalou o terceiro filho de Finwë e seus descendentes.

Em um texto posterior (de fato, o penúltimo) da seção *Da Tradução*, meu pai ainda preservou esse trecho, ainda que, àquela altura, já tivesse se decidido contra a utilização de *Gnomo, gnômico* em *O Senhor dos Anéis* (por ser "demasiado enganosa"), abrindo-o com as palavras: "Às vezes (não neste livro) tenho usado Gnomos por *Noldor* e gnômico por *noldorin*". Talvez porque o trecho agora parecesse supérfluo, no texto final ele manteve uma parte, mas alterou sua aplicação: a palavra a ser justificada agora era *Elfos*, usada para traduzir *Quendi* e *Eldar*. Na minha discussão acerca disso em I. 60–1, indiquei que as palavras "Eram altos, de pele clara e olhos cinzentos, apesar de terem as madeixas escuras, exceto na casa dourada de Finrod [Finarfin]" foram escritas originalmente apenas para os Noldor e não para todos os Eldar, e objetei que "os Vanyar tinham cabelos dourados, e foi da mãe vanyarin de Finarfin, Indis, que ele e seus filhos Finrod Felagund e Galadriel herdaram os cabelos dourados", percebendo, no uso final desse trecho, uma "extraordinária corrupção do sentido". Mas meu pai cuidadosamente remodelou o trecho de modo a estendê-lo para todos os Eldar e, de fato, parece "extraordinário" que ele tenha deixado de observar esse ponto. É possível que, quando ele reutilizou a passagem dessa maneira, a noção dos cabelos dourados dos Vanyar não tivesse surgido ainda.[4]

Apesar da grande redução no F 3 da versão original, meu pai repetiu o longo parágrafo final do F* a respeito de *dwarves* [anãos] e *dwarrows* [ananos] (pp. 42–3, §13) quase integralmente, omitindo apenas as observações acerca de seu gosto por plurais irregulares e introduzindo o nome westron *Phurunargian* de Moria. Com as palavras "e tem sido desde seu nascimento nas profundas do tempo", esse texto se encerra.

O texto datilografado seguinte, **F 4**, ainda intitulado *Os Idiomas da Terceira Era*, mas alterado para *Os Idiomas e Povos da Terceira Era*, seguiu-se à grande revisão de 1951. A longa experimentação de meu pai com a estrutura e expressão desse Apêndice desaguou no seu mais lúcido relato sobre as línguas élficas, na qual os termos *Sindar* e *sindarin* finalmente apareceram, assim como a aquisição da língua élfico-cinzenta pelos Noldor exilados.

Além dessa fala comum havia, contudo, muitas outras línguas ainda faladas nas terras ocidentais. As mais nobres delas eram as línguas dos Elfos Ocidentais (Eldar), das quais duas são vistas: o alto-élfico (quenya) e o élfico-cinzento (sindarin).

O quenya não era mais uma fala cotidiana, mas um idioma erudito, herdado de eras passadas, embora ainda fosse usado em situações corteses ou para assuntos elevados de saber e canção pelos Altos Elfos, os Noldor, que falavam esse idioma em Eldamar além do Mar. Mas quando os Noldor se exilaram e retornaram à Terra-média, buscando as Grandes Joias que o Poder Sombrio do Norte havia tomado, eles adotaram, para uso diário, a língua das terras em que viviam. Elas ficavam no noroeste, no país de Beleriand, onde Thingol Capa-gris era rei dos Sindar, ou Elfos-cinzentos.

Os Sindar também eram Eldar na origem e aparentados dos Noldor; contudo, eles nunca haviam passado pelo Mar, mas permaneceram nas costas da Terra-média. Ali, sua língua mudara com a mutabilidade das terras mortais no longo Crepúsculo e se afastara muito do elevado e antigo quenya. Mas era ainda uma bela língua, bem ao feitio das florestas, e colinas, e das praias onde se formara.

Quando da queda do Poder Sombrio e do fim da Primeira Era, a maior parte de Beleriand foi soçobrada pelas águas ou abrasada com fogo. Então, grande parte do seu povo passou para o oeste pelo Mar para nunca mais voltar. Contudo, muitos ainda permaneceram na Terra-média e o idioma élfico-cinzento naqueles dias se espalhou para o leste; pois alguns dos povos-élficos de Beleriand atravessaram as montanhas de Lûn (Ered Luin) e, onde quer que chegassem, eram recebidos como reis e senhores devido à sua maior sabedoria e majestade. A maior parte era de Sindar, pois os Exilados (os poucos que restaram), o mais elevado e belo de todos os povos falantes, permaneceram ainda em Lindon, a porção remanescente de Beleriand a oeste das Ered Luin. Ali, Gil-galad foi seu senhor até que a Segunda Era se arrastou para o fim.

Contudo, para Valfenda (Imladris) foram muitos senhores noldorin com Mestre Elrond; e em Azevim (Eregion) outros Noldor estabeleceram um reino próximo ao Portão-oeste de Moria e lá forjaram os Anéis de Poder. Galadriel também era da casa real de Finrod dos Noldor, embora Celeborn, seu marido em Lórien, fosse um Elfo-cinzento e a maior parte de seu povo fosse de uma raça silvestre.

Pois havia outros Elfos de tipos variados no mundo e muitos eram Elfos Orientais que não haviam dado ouvidos a quaisquer convocações para se dirigirem ao Mar e, contentes com a Terra-média, ali ficaram e permaneceram até muito tempo depois, desvanecendo-se em refúgios nas matas e colinas à medida em que os Homens usurpavam as terras. Desse tipo eram os Elfos de Verdemata, a Grande; e entre eles, contudo, também havia muitos senhores da raça Sindarin. Tal eram Thranduil e Legolas, seu filho.

No seu reino e em Lórien, tanto o sindarin quanto os idiomas silvestres eram ouvidos, mas do último nada aparece neste livro e, dos muitos nomes élficos de pessoas ou de lugares que são utilizados, a maioria está na forma élfico-cinzenta.

Considerando somente a escrita segura e perspícua, pode-se pensar que o texto é contemporâneo dos *Anais Cinzentos* e dos *Anais de Aman*. Mas ele não foi de forma alguma o último na série de textos que finalmente desaguou na versão publicada do Apêndice F.

Há apenas alguns outros pontos do F 4 para mencionar. A origem da fala comum é aqui formulada nessas palavras:

Ali [em Pelargir] o adûnaico era falado, língua da qual os idiomas de Homens que viviam no entorno eram parentes próximos, de modo que uma fala comum já se desenvolvera naquela região e de lá se espalhara ao longo das costas entre todos os que tinham negócios com Ociente.

Após datilografar o texto, meu pai acrescentou a seguinte frase:

Da fala dos Homens do Leste e aliados de Sauron, tudo o que aparece é *mûmak*, um nome do grande elefante de Harad.

Há uma cópia restante do F 4 em carbono e meu pai aqui, num acréscimo semelhante, nomeou também *Variag* e *Khand* ao lado de *múmak* (RR, pp. 1221, 1223, 1490).

Por fim, foi no F 4 que entrou o trecho a respeito da nova raça de Trols que apareceu ao final da Terceira Era. Aqui, o nome era inicialmente *Horg-hai*, alterado para *Olg-hai* enquanto meu pai datilografava (*Olog-hai* em RR, p. 1612). A explicação sobre eles não difere da versão final exceto na afirmação acerca da sua origem:

Ninguém duvidava de que Sauron os tivesse gerado, mas não se sabia de qual origem. Alguns afirmavam que eram um cruzamento entre Trols e os Orques maiores; outros, que não eram realmente Trols, e sim Orques gigantescos. E ainda assim, desde o começo não havia qualquer parentesco entre os trols-de-pedra e os Orques para que pudessem procriar juntos;[5] ao passo que os Olg-hai eram, na mente e no corpo, bem diferentes até mesmo dos maiores dentre os Orques …

Com esse texto e seus sucessores, a seção *Da Tradução* foi datilografada e mantida em separado, e não é possível conectá-los precisamente aos textos da primeira seção. Desses últimos, há quatro depois do F 4, textualmente complexos e nem todos completos e, para o propósito deste relato, não é necessário descrevê-los.[6] Ainda que meu pai não tivesse ele mesmo dito tão claramente nas suas cartas, ficaria muito evidente a partir desses rascunhos que a escrita de um relato que o satisfizesse foi excessivamente árdua e frustrante, principalmente (eu acredito) porque ele achava a limitação de espaço profundamente desagradável. Em março de 1955 (*Cartas* n. 160), ele escreveu para Rayner Unwin: "Agora gostaria que nenhum apêndice tivesse sido prometido! Pois acredito que o aparecimento deles em uma forma truncada e condensada não satisfará a ninguém"; e, na mesma carta, afirmou:

> De qualquer forma, a questão do "pano de fundo" é muito intrincada, inútil a não ser que seja exato, e a condensação dentro dos limites disponíveis deixa-o insatisfatório. É necessária uma grande concentração (e tempo livre) e, estando completamente interligado, não pode ser tratado em fragmentos. Descobri isso, já que enviei parte dele.

Até mesmo o texto final datilografado do Apêndice F não era uma cópia limpa, tendo muitas correções.

Restaram dois textos da segunda seção do Apêndice F, *Da Tradução*, seguindo a versão reduzida no F 3 (p. 100) e precedendo o texto final datilografado. Eles foram evidentemente feitos em um estágio avançado na evolução desse apêndice e foi ao primeiro deles, que pode ser convenientemente chamado de "**A**", que meu pai reintegrou uma parte da discussão detalhada dos nomes na versão original que fora descartada no F 3. Nesse estágio, ele manteve a maior parte das formas dos nomes encontradas no F 2 na discussão acerca de *Bolseiro*, *Gamgi*, *Villa*, *Brandevin* e *Brandebuque*; a palavra *hobbit*; a origem dos nomes de Hobbits tais como *Tom*, *Bill*, *Mat*, *Meriadoc* e *Samwise*. Há, contudo, algumas diferenças e acréscimos,[7] notavelmente no seu relato sobre os curiosos nomes encontrados na Terra-dos-Buques (cf. RR, p. 1618):

Deixei estes frequentemente inalterados, pois, se agora são estranhos, já eram estranhos na sua época. A alguns dei um aspecto celta, notavelmente *Meriadoc* e *Gorhendad*. Há razão para isso. Muitos dos nomes reais da Terra-dos-Buques (e Bri) tinham algo desse estilo, tais como *Marroc*, *Madoc* e *Seredic*; e eles com frequência terminavam em *ac*, *ic*, *oc*. Ademais, a relação entre, por exemplo, o galês ou os idiomas britônicos e o inglês era algo similar àquela entre o idioma mais antigo dos Grados e dos Homens-de-Bri e o westron.

Assim, Bri, Combe [Valão], Archet e [Floresta] Chet são modelados em relíquias britônicas nos topônimos ingleses, escolhidas conforme o sentido: *bree*, "colina", *chet*, "mata". De maneira similar, *Gorhendad* representa o nome *Ogforgad*, o qual, segundo a tradição dos Grados, outrora significara "bisavô" ou "ancestral"; ao passo que *Meriadoc* foi escolhido para se ajustar ao fato de que o nome abreviado desse personagem significava "alegre, jovial" [como *Merry* em inglês], em westron *kili*, apesar de ser na verdade uma abreviatura de *Kilimanac* [> *kali*, *Kalamanac*].

No texto A está ausente a discussão (RR, pp. 1619–20) das palavras *mathom* e *smial* e dos nomes *Sméagol* e *Déagol* e ele se encerra no pé de uma página com a seguinte passagem:

A língua de Valle, ainda mais setentrional, só se vê aqui nos nomes dos Anãos que vieram daquela região e, portanto, usavam o idioma dos Homens dali, assumindo nomes "externos" nessa língua. Os nomes anânicos neste livro e em *O Hobbit* são, na verdade, todos nomes-anânicos nórdicos genuínos, embora o título *Oakenshield* [Escudo-de-carvalho] seja uma tradução.

Assim, o trecho conclusivo no F 3 (ver pp. 104–5), a respeito do uso da palavra *Gnomos* e do plural *Dwarves* [Anãos], está ausente, mas é impossível dizer se isso aconteceu porque meu pai o havia rejeitado ou porque o final do texto A foi perdido.

No segundo desses textos *Da Tradução*, o qual chamarei de "**B**", ele manteve todo esse material reintegrado de A, alterando algumas das formas dos nomes,[8] e até o expandiu, voltando à versão original F 2 em uma passagem que exemplificava seu tratamento dos verdadeiros nomes no idioma da Marca. Aqui reaparece algum material derivado de F 2 §§54–5 a respeito do verdadeiro nome nativo de Rohan, *Lôgrad*, da tradução de *Lohtûr* por *Éothéod* e de *tûrak*, "rei", por Theóden; e a isso se segue a discussão de *mathom*, *smial*, *Sméagol* e *Déagol* — a única porção dessa passagem que restou na versão final do Apêndice F.

Em B, meu pai acrescentou à passagem de A, citada acima ("A língua de Valle, ainda mais setentrional ..."), uma afirmação sobre o tratamento diverso das "verdadeiras" runas em *O Hobbit* e *O Senhor dos Anéis* que deriva daquela no F* (pp. 41–2, §11):

> Seguindo o método geral de tradução aqui esboçado, conforme aplicado à fala comum e outros idiomas aparentados, em *O Hobbit* as *cirth* foram transformadas em runas nas suas formas e valores, isto é, praticamente as mesmas outrora usadas na Inglaterra. Mas visto que as *cirth* eram, na verdade, de origem élfica, e pouco usadas para escrever a fala comum (exceto pelos Anãos), e como muitos leitores de *O Hobbit* acharam o assunto das escritas interessante, nessa história maior pareceu-me melhor apresentar as *cirth*, assim como as letras fëanorianas, em suas formas e usos próprios. Naturalmente, contudo, uma adaptação pelo tradutor desses alfabetos para se encaixar ao inglês moderno teve que substituir sua aplicação real ao idioma westron, que era muito diferente do nosso.

A isso se segue a conclusão a respeito de *Gnomos* e *Dwarves* [Anãos] que está ausente em A.

No texto final datilografado, aquele que foi enviado para impressão, foram inseridas muitas alterações que — como era a prática quase invariável de meu pai ao passar de um rascunho para o outro — não haviam sido antevistas por correções feitas ao texto precedente: de fato, elas parecem ter entrado no texto conforme ele datilografava.[9] Não há qualquer sugestão no texto B, por exemplo, da nota de rodapé em RR, p. 1619 admoestando contra uma suposição, baseada na transposição linguística, de "que os Rohirrim se assemelhassem muito aos antigos ingleses em outros aspectos"; ou da realocação da detalhada discussão sobre palavra *hobbit* e dos nomes *Gamgi* e *Brandevin* do corpo do texto para uma nota ao final;[10] e nem mesmo da alteração da passagem (discutida na

p. 104) sobre a palavra *Gnomos* para que fosse aplicada à palavra *Elfos* e a sua alocação no final do texto em vez preceder a discussão sobre *Dwarves* [Anãos]. Nada poderia demonstrar mais claramente a pressão extrema que meu pai estava sofrendo quando, após tanto trabalho, ele finalmente enviou o Apêndice F para os editores. Parece-me mais que provável que, caso as circunstâncias fossem outras, a forma desse apêndice seria significativamente distinta.

NOTAS

1 A aparente implicação aqui de que *Teleri* era o nome exclusivamente dos Eldar que permaneceram na Terra-média com certeza não foi intencional.

2 Uma nota de rodapé nesse ponto diz: "Tais como *Thranduil* e *Legolas* de Trevamata; *Lórien*, *Galadriel*, *Caras Galadon*, *Nimrodel*, *Amroth* e outros de Loth-lórien."

3 Para um relato acerca dessa reintegração de material do F 2, ver pp. 108–9, juntamente com as notas 7 e 8.

4 Deve-se admitir, contudo, que a afirmação no capítulo *De Maeglin* em *O Silmarillion* (p. 193) de que Idril Celebrindal "era dourada como os Vanyar, a gente de sua mãe" já aparece no texto original (1951; veja XI. 380); e, é claro, mesmo que a reutilização da passagem tenha de fato precedido o surgimento da ideia dos "Vanyar dourados", ela necessitou de correção subsequente.

5 Compare com a passagem no F 2 acerca dos Trols (p. 56, §17): "o Poder maligno muitas vezes fizera uso deles, ensinando-lhes o pouco que podiam aprender e até cruzando sua estirpe com a de Orques mais robustos".

6 Não há quase nada nos últimos textos que necessite de observação especial, mas deve-se registrar que, no penúltimo rascunho, meu pai revelou o significado da frase na língua negra proferida por um dos Orques que estava vigiando Pippin no capítulo *Os Uruk-hai* (DT, p. 665): *Uglúk u bagronk sha pushdug Saruman-glob búbhosh skai.* Ao final da seção *Orques e a língua negra* (RR, p. 1611), esse texto diz:

> ... enquanto que a imprecação do Orque de Mordor no Capítulo 3 do Livro III era na forma mais degradada em uso entre os soldados da Torre Sombria, cujo capitão era Grishnákh. *Uglúk para a fossa, sha! esse esterco; esse grande idiota-de-Saruman, skai!*

7 No lugar em que o F 2, na discussão sobre *Bolseiro* (pp. 69–70), trazia o westron *labin*, "bolsa", e *Labin-nec*, "Bolsão", o texto A traz *laban*, *Laban-nec*. Para a origem de "hobbit", meu pai manteve a forma *cubuc* e a palavra arcaica de Théoden, *cûgbagu* (p. 71), observando que ela significava "'habitante-de-toca' (ou 'escavador-de-toca')": ver pp. 95–6. Ele também incluiu aqui pela primeira

vez o nome em westron para "hobbits", *nathramin*, embora mais à frente no texto apareça a forma *banathin*; e forneceu o nome verdadeiro de Hamfast Gamgi:

> O nome do Feitor, por outro lado, era *Ranadab*, que significava "assentado; que vive em uma habitação fixa ou conjunto de tocas de hobbit", daí frequentemente "fica-em-casa", o contrário de "viandante". Como ele corresponde bem de perto ao inglês antigo *hamfæst*, eu o traduzi por *Hamfast*. De todo modo, essas reduções [*Sam* e *Ham*] rimam, assim como *Ban* e *Ran* no Condado. Ademais, nem *Banzîra* nem *Ranadab* eram mais usados no Condado como palavras ordinárias, e sobreviviam apenas como nomes, sem dúvida atribuídos originalmente como apelidos (não completamente elogiosos), mas usados tradicionalmente em certas famílias — sem que fossem mais reconhecidos do que é o caso hoje, por exemplo, de Roy ou Francis.

[8] Onde A possui *Laban-nec*, "Bolsão", o segundo texto B possui *Laban-neg*. A palavra "hobbit" tornou-se *kubug* e a forma de Rohan, *kûgbagul*, alteradas no texto datilografado para *cuduc* e *kûddûka*. O nome verdadeiro de Gorhendad Velhobuque tornou-se *Ogmandab* e o de Meriadoc, *Kalimanac*, foi alterado para *Kalimanoc* (*Kalimac* em RR); o de Hamfast Gamgi tornou-se *Ranagad* (*Ranugad* em RR) e o de Sam, *Banzîra*. A palavra em westron para "hobbit" tornou-se *banakil*, como em RR; mas *Branduhîm*, "cerveja espumante", a corruptela dos Hobbits de *Baranduin*, permaneceu (ver nota 10), assim como *Carbandur* para Imladris (mas *Karningul*, como em RR, foi escrito a lápis, em oposição).

[9] Fica claro que não houve qualquer texto intermediário.

[10] A introdução do nome original dos Hobbits para o rio — *Branda-nîn*, "Água-fronteiriça" ou "Riacho-da-Divisa", transformado para *Bralda-hîm*, "cerveja inebriante" — foi feita somente nesse último texto datilografado.

3

As Árvores Genealógicas

Este capítulo é um relato da evolução das tabelas genealógicas do Apêndice C em *O Senhor dos Anéis*. Uma vez que, obviamente, se pode acompanhar esse desenvolvimento de maneira muito mais fácil e rápida observando-se os estágios sucessivos das próprias tabelas do que por qualquer explicação em palavras, eu o apresento aqui majoritariamente por desenhos refeitos a partir das árvores genealógicas originais. Meu pai seguiu seu curso habitual de corrigir cada uma (a maioria foi feita cuidadosa e até mesmo artisticamente) de maneira mais ou menos apressada, preparando-a para a árvore sucessora. Portanto, em minhas reelaborações, excluí alterações subsequentes quando a distinção pode ser feita claramente.*

Bolseiros da Vila-dos-Hobbits

As primeiras quatro tabelas genealógicas da família Bolseiro, às quais atribuo referências de **BO 1** a **BO 4**, podem ser encontradas nas pp. 119–122.

BO 1 (p. 119)

Essa é a mais antiga árvore da família Bolseiro da Vila-dos-Hobbits (com isso quero dizer a primeira tabela integralmente composta e cuidadosamente apresentada, sem contar as genealogias apressadas como as mencionadas em VI. 278). Foi feita de maneira muito esmerada, mas bastante utilizada e corrigida posteriormente e

*É importante observar que muitas imprecisões apontadas por Cristopher Tolkien neste capítulo foram posteriormente corrigidas ou atualizadas na edição comemorativa de 50º aniversário de *O Senhor dos Anéis*. Assim, as observações feitas por Christopher neste capítulo devem ser entendidas como um retrato do estado editorial da obra naquele momento histórico, e não necessariamente como representações válidas para as edições atuais. [N.E.]

agora é um documento muito amarfanhado. O número de membros da família Bolseiro é bem menor do que na tabela publicada e a presença de *Folco Tûk* (com *Faramond* escrito ao lado, a lápis) sugere que ela pertence ao período a que chamei de "a Terceira Fase" na escrita dos primeiros capítulos de *A Sociedade do Anel*, antes do surgimento de Peregrin Tûk (ver VII. 41–3). Pode-se conectá-la, portanto, ao texto original do *Prólogo* (ver p. 19 e nota 1) e à árvore original da família Tûk incluída em VI. 391. Assim como naquela tabela, as idades dos presentes na Festa de Despedida são informadas, mas não ampliadas em um sistema de datação relativa para todos os membros da família, incluindo aqueles falecidos há muito tempo, e as datas também são informadas de acordo com o Registro do Condado (o qual surgiu bem cedo, no outono de 1939, ver VII. 16).

Notar-se-á que praticamente todas as datas em BO 1 diferem das correspondentes na versão publicada, embora raramente por uma margem grande.

Boa parte dessa genealogia já estava presente nos primeiros estágios da escrita de *O Senhor dos Anéis*, mas não retomarei aqui a história inicial da árvore genealógica da família Bolseiro, já que ela foi integralmente explicada em *O Retorno da Sombra* e todos os nomes foram indexados. Há que se observar, contudo, que o nome de solteira de Miranda Covas, descrita (VI. 350) como a "mulher submissa" de Cosimo Sacola-Bolseiro, nunca foi dado nos textos narrativos antes de ela desaparecer (VI. 400); e que Flambard Tûk, filho do Velho Tûk, e sua esposa, Rosa Bolseiro, haviam aparecido na árvore genealógica original da família Tûk incluída em VI. 391.

BO 2 (p. 122)

Essa tabela é uma cópia de trabalho feita sem apuro, adotando mudanças assinaladas em BO 1 e com outras alterações e acréscimos feitos à medida em que era composta. Foi imediatamente seguida de uma versão ainda mais apressada e sem datas que mal difere de BO 2, mas introduz uma ou duas alterações que aparecem em BO 3 (e alterando Miranda Covas para Miranda Noques e, depois, para Miranda Ruivão). Não dei qualquer número a esse texto, considerando-o simplesmente uma extensão de BO 2.

Conforme meu pai fazia essa tabela, Bingo Bolseiro foi realocado, tornando-se o mais jovem dos três filhos de Mungo, mas permaneceu como marido de Máxima Pé-Soberbo. Enquanto estava em progresso, contudo, uma filha mais velha, Linda Bolseiro, foi inserida e assumiu a conexão Pé-Soberbo, tornando-se a esposa de Marco Pé-Soberbo e mãe de Odo Pé-Soberbo; ao passo que Bingo, agora o mais jovem de uma família de cinco, e assim permanecendo, tornou-se marido de Fátima Roliço.

Olo Pé-Soberbo foi inicialmente chamado de Rollo e o marido de Rosa Bolseiro, Flambard Tûk, tornou-se Hildigrim Tûk (o nome final: ver a genealogia da família Tûk, T 3, p. 143). Os nomes Ponto, Largo, Longo, Fosco e Dora — substituindo Longo, Tango, Largo, Togo e Semolina, respectivamente — permaneceram na versão final da árvore genealógica. Pode-se notar, ademais, que o nascimento de Drogo foi alterado, tornando-o um ano mais novo que sua irmã, Dora, embora seu lugar na árvore não tenha mudado; em BO 3, como se verá, ele novamente se tornou um ano mais velho que ela.

BO 3 (p. 121)

A terceira árvore genealógica da família Bolseiro faz parte de uma série de tabelas feitas cuidadosamente e, sendo a primeira, ela traz a seguinte nota explicativa inicial:

> As datas nestas Árvores estão dadas de acordo com o "Registro do Condado", à maneira tradicional dos Hobbits, calculado desde a travessia do Baranduin (Rio Brandevin), Ano 1, pelos irmãos Marco e Cavallo. As pessoas mencionadas nestas tabelas são apenas uma seleção dentre muitos nomes. Todos eles ou dizem respeito aos eventos relatados nas memórias de Bilbo e Frodo; ou são mencionados nelas; ou estavam presentes na Festa de Despedida ou são ancestrais diretos dos convidados dessa ocasião. Os nomes desses convidados (tantos dos 144 quanto houve espaço para incluir) estão marcados com *.
>
> Bilbo Bolseiro, nascido em 1290, partiu em sua famosa jornada em 1341–2. Aos 111 anos, deu sua Festa de Despedida, em 1401. Frodo Bolseiro vendeu Bolsão em 1418 e retornou no final de 1419. Ele deixou o Condado em 1421. Meriadoc Brandebuque assumiu a Mansão do Brandevin e a chefia da família em 1432. Peregrin tornou-se O Tûk (e Décimo Sétimo Reidado) em 1434. As memórias (e acréscimos de Samwise Gamgi) se encerram em 1436.

A menção aqui a Peregrin tornando-se décimo sétimo Reidado conecta essa tabela imediatamente aos textos do *Prólogo* (ver pp. 21–4, 49), escritos após a narrativa de *O Senhor dos Anéis* estar completa, e sugere que as árvores genealógicas seguiram uma sucessão parecida com a que se verifica nos textos do Prólogo. — Não incluí em meus desenhos os asteriscos indicando a presença na Festa de Despedida, pois meu pai só os acrescentou depois e de maneira incompleta.

Acerca do sobrenome Rogerastrado posteriormente abandonado, que aparece na esposa de Togo Bolseiro, Selina Rogerastrado, ver VI. 295 e a nota 10; e acerca de Belisarius Bolger, ver a nota 3.

BO 4 (p. 122)

A quarta árvore é o primeiro texto de outro conjunto de genealogias e parece pertencer a mais ou menos a mesma época de BO 3. Também está belamente escrito, com uma nota introdutória que é praticamente a mesma da versão publicada (RR, p. 1562), exceto por preservar os nomes Marco e Cavallo, mas então continua com o segundo parágrafo (fornecendo as datas) de BO 3 e inclui a referência a Peregrin ter se tornado o "Décimo Sétimo Reidado".

Essa versão mantém as datas de BO 3 (que não foram repetidas no desenho), e difere dele principalmente por acrescer descendentes de Bingo e Ponto Bolseiro e também pela supressão de Togo Bolseiro e sua esposa Selina Rogerastrado, substituídos por uma segunda filha de Inigo e Belinda, Laura, e seu marido Togo Rogerastrado.

Os novos nomes Polo e Porro são mencionados em ambos os textos da versão original do Apêndice sobre Idiomas (ver p. 68, §43), demonstrando que o trabalho sucedeu ou acompanhou esse estágio no desenvolvimento das árvores genealógicas.

Os nomes com asterisco, indicando presença na Festa de Despedida, estão conforme a tabela publicada, com a omissão de Cosimo Sacola-Bolseiro e Dora Bolseiro: talvez tenha sido por inadvertência, mas nenhum dos nomes está marcado com asterisco em BO 3.

Alterações drásticas aos nomes existentes foram feitas subsequentemente em BO 4. Na nota introdutória, Marco e Cavallo foram alterados para Marcho e Blanco (ver pp. 23, 36) e "Décimo Sétimo Reidado" para "Vigésimo Thane" (ver comentário a BO 3). Na árvore genealógica, as seguintes alterações foram feitas, listadas por gerações:

Inigo Bolseiro > Balbo Bolseiro
Belinda Boffin > Berila Boffin

Regina Fossador > Laura Fossador
Ansegar Bolger > Fastolph Bolger
Máxima Bunce > Mimosa Bunce
Cornélia Corneteiro > Tanta Corneteiro
Laura Bolseiro > Lili Bolseiro
Togo Rogerastrado > Togo Boncorpo

Bertha Bolseiro > Belba Bolseiro
Rudigor Bolger > Rudigar Bolger
Magnus Pé-Soberbo > Bodo Pé-Soberbo
Fátima Roliço > Chica Roliço
Robínia Bolger > Rubi Bolger

Conrad Bolger > Wilibald Bolger

Cosimo Sacola-Bolseiro > Lotho Sacola-Bolseiro
Gerda Roliço-Bolseiro > Papoula Roliço-Bolseiro
Arnor Bolger > Filibert Bolger
Porro Bolseiro > Porto Bolseiro
Crassus Covas > Milo Covas
Duenna Bolseiro > Margarida Bolseiro
Guido Boffin > Grifo Boffin

Flavus, Crispus, Rhoda, Fulvus Covas > Mosco, Moro, Mirta, Minto Covas

Ademais, a esposa de Posco Bolseiro foi inserida, chamada (assim como na versão final) de Goivita Cachopardo e a filha de Ponto Bolseiro, Angélica, surgiu.

Quanto à remoção dos nomes latinos do marido de Peônia Bolseiro e seus filhos, ver p. 69, §45 e o comentário (p. 94).

A nomenclatura e estrutura da genealogia dos Bolseiros, conforme publicada, fora alcançada nesse momento, exceto neste aspecto. Na versão final, a tia de Frodo, Dora, novamente se torna mais velha do que seu irmão, Drogo (ver o comentário a BO 2 acima) e seu marido, Wilibald Bolger (ver a lista acima) foi removido, ao passo que Posco Bolseiro passa a ter uma irmã, Prisca, nascida em 1306, que toma Wilibald como seu marido.

Em manuscritos subsequentes (dos quais há cinco, totalizando nove, sem contar os rascunhos incompletos), essas mudanças foram inseridas e em um deles a palavra "solteirona" foi escrita ao lado de Dora Bolseiro.

Bolgers do Vau Budge

É um fato curioso que as tabelas genealógicas das famílias Bolger do Vau Budge e Boffin da Baixada já estavam no prelo quando foram eliminadas do Apêndice C, mas não consegui encontrar nenhuma evidência sobre o motivo dessa rejeição. Em uma carta dos editores de 20 de maio de 1955, disseram ao meu pai: "Retiramos Bolger e Boffin do Apêndice C" e, em 24 de maio, Rayner Unwin escreveu: "Eliminei as duas árvores genealógicas e a nota redundante que as introduzia" (nenhuma das cópias das árvores tem qualquer nota especificamente relacionada a elas). Essas observações talvez sugiram que foi meu pai quem propôs a omissão, embora nenhum vestígio possa agora ser encontrado de qualquer requisição dessa natureza, mas é difícil de entender por que ele o faria. É certo que estava sendo pressionado por conta do espaço e bastante agravado por essa necessidade, mas parece estranho (se essa for a explicação) que ele estivesse tão limitado a ponto de ter que abandonar essas genealogias para assegurar mais algumas páginas em outro lugar dos Apêndices.

Refiro-me às versões da genealogia da família Bolger pelas letras **BG**, e as três que redesenhei — BG 1, BG 2 e BG 4 — encontram-se nas pp. 125–7.

BG 1 (p. 125)

A versão mais antiga da árvore genealógica dos Bolgers foi intitulada *Bolgers da Vila-do-Bosque*. No mapa original do Condado feito por meu pai, reproduzido nas guardas de *O Retorno da Sombra*, o território Bolger está localizado ao norte da Ponta do Bosque e ao sul da Estrada Leste (isto é, a oeste da Ponte do Brandevin).

Essa tabela muito breve se encontra, juntamente com genealogias dos Tûks e Brandebuques, na página que contém a árvore genealógica original dos Bolseiros, BO 1, e foi claramente feita na mesma época, em um estágio inicial da escrita de *O Senhor dos*

Bolseiros da Vila-dos-Hobbits

- Inigo Bolseiro 1167–1258 = Pervinca Boffin 1171–1265
  - Mungo 1211–1302 = Lavínia Fossador
    - Bungo 1246–1346 = Beladona Tûk
      - BILBO (111) 1290–
    - Bingo 1251–1299 = Máxima Pé-Soberbo
    - Largo 1255–1350 = Cornélia Sacola de Grã-Cava
      - Otho Sacola-Bolseiro (98) 1303–1407 = Lobélia Justa-Correia (85) 1316
        - Cosimo Sacola-Bolseiro (57) 1344 = Miranda Covas
  - Longo 1214–1314
    - Rosa 1250–1340 = Flambard Tûk
      - ⋮ Folco Tûk (23)
  - Tango 1219–1312 = Cornélia Corneteiro
    - Togo 1261–1353 = Robínia Bolger
      - Drogo 1305–1380 = Prímula Brandebuque 1318–1380
        - FRODO (33) 1368–
      - Semolina (92) 1309

A Jornada de Bilbo aconteceu nos anos de 1341–1342. A festa do seu 111º aniversário, em 1401.

Tabela BO 1

Bolseiros da Vila-dos-Hobbits

Inigo Bolseiro 1167–1258 = Belinda Boffin 1171–1265

- Mungo 1211–1302 = Lavínia Fossador
  - Bertha 1252–1343 = Robur Bolger
    - ⋯ Hamilcar Bolger
  - Bungo 1246–1346 = Beladona Tûk
    - BILBO 1290–
  - Longo 1255-1350 = Camélia Sacola de Grã-Cava
    - Otho Sacola-Bolseiro 1303–1407 = Lobélia Justa-Correia
      - Cosimo 1344 = Miranda Covas
  - Linda 1259–1330 = Marco Pé-Soberbo
    - Odo Pé-Soberbo 1303–1403
      - Olo Pé-Soberbo 1344
        - Sancho Pé-Soberbo 1384
  - Bingo 1263– = Fátima Roliço
    - ⋯ *Vários descendentes*
- Ponto 1214–1301
  - Rosa 1250–1340 = Hildigrim Tûk
    - ⋯ Peregrin Tûk
- Largo 1220–1312 = Cornélia Corneteiro
  - Fosco 1264–1353 = Robínia Bolger
    - Drogo 1310–1380 = Prímula Brandebuque
      - FRODO 1368–
    - Dora 1309–
    - Dudo
- Togo
  - ⋯ *Uma extensa família*

Tabela BO 2

Bolseiros da Vila-dos-Hobbits

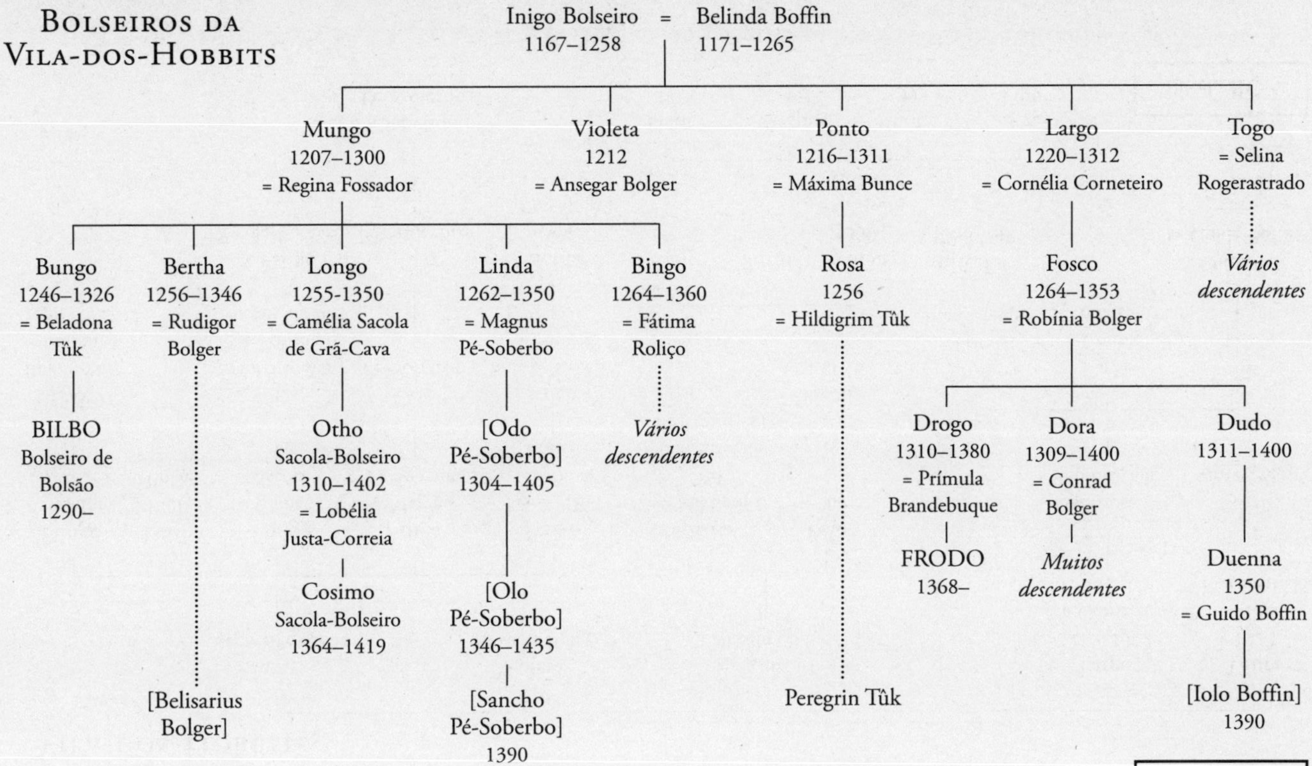

Tabela BO 3

Bolseiros da Vila-dos-Hobbits

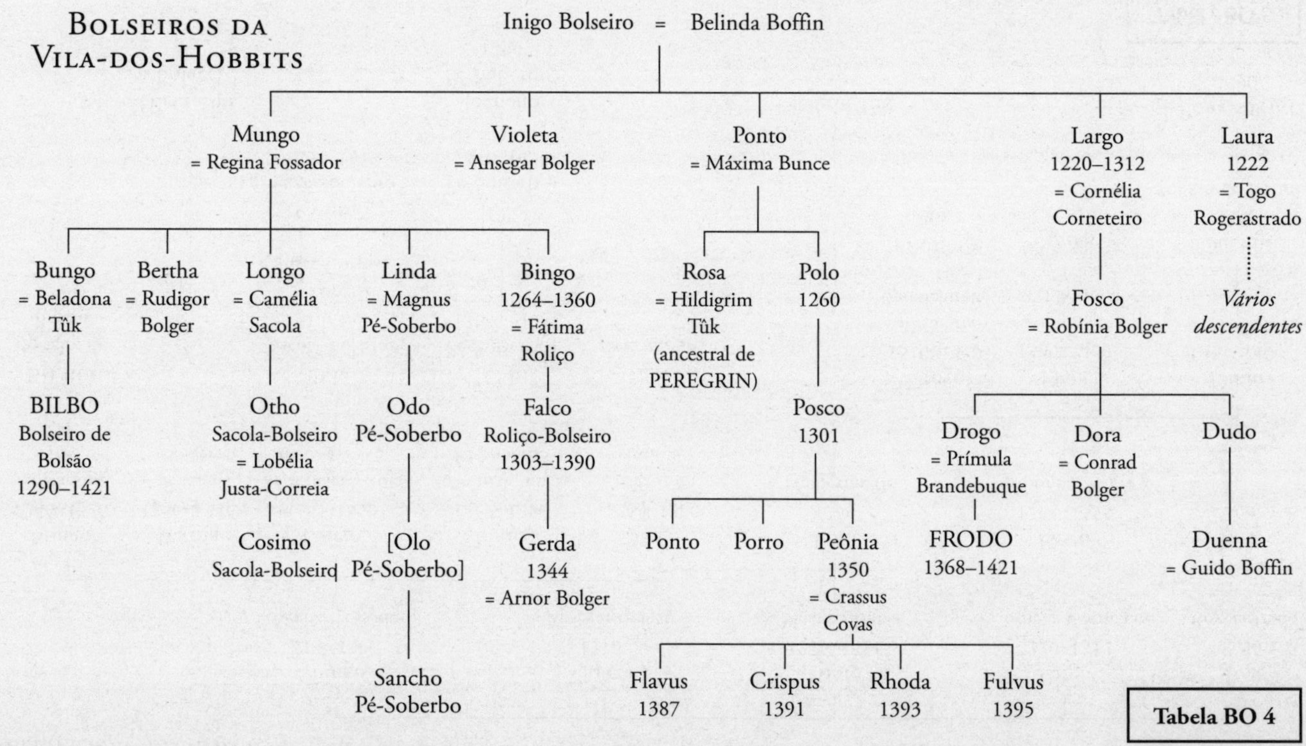

Anéis (ver pp. 113, 119); mas esses Bolgers primitivos — Scudamor, Cedivar, Savanna e Sagramor — não se encontram naqueles textos. Robínia Bolger, na quarta geração, também aparece em BO 1 como esposa de Togo Bolseiro, mas nota-se que seu irmão Robur existia de maneira independente antes de ser inserido na família Bolseiro em BO 2 (p. 120) como marido de Bertha Bolseiro, tia de Bilbo, a qual apareceu pela primeira vez naquela versão. Rollo Bolger é o amigo de Bilbo a quem ele legou o seu colchão de penas (VI. 308). Olo e Odo aparecem na árvore genealógica dos Tûks incluída em VI. 391; para minha tentativa de explicar brevemente a história de "Odo Bolger", ver VII. 42–3.

BG 2 (p. 126)

A segunda versão da genealogia Bolger[1] faz parte do conjunto do qual a tabela Bolseiro BO 3 (p. 12) é a primeira, encabeçado pela nota explicativa. O título agora fora alterado para *Bolgers do Vau Budge*. No capítulo *Uma Conspiração Desmascarada* (SA, p. 177), está dito que a família de Fredegar vem "do Vau Budge nos Campos da Ponte" (a única ocorrência desses nomes na narrativa de *O Senhor dos Anéis*).[2]

À exceção de Odovacar, Rudigor (posteriormente Rudigar) e Fredegar (atribuído a uma pessoa diferente), nenhum dos nomes dos membros da família Bolger nessa genealogia aparece nas árvores em RR, mas alguns deles reaparecem em outras tabelas contemporâneas: assim, na tabela Bolseiro BO 3 encontram-se Ansegar (marido de Violeta Bolseiro); Robínia (esposa de Fosco Bolseiro); Conrad (marido de Dora Bolseiro) e Belisarius (substituindo Hamilcar).[3]

Dois dos nomes posteriormente rejeitados são mencionados no texto F 2 do Apêndice sobre Idiomas: Celador Bolger (p. 84, nota 42) e Bildad Bolger. Bildad é mencionado no F 2 (pp. 73–4, §50) no contexto em que meu pai afirma não ter usado nomes das Escrituras para "traduzir" nomes hobbits: era "um nome genuinamente hobbit", ele explicou, que tinha uma semelhança meramente acidental com o Bildade da Bíblia (um dos amigos de Jó).

O nome *Miranda* (Rogerastrado) reaparece após a supressão de Miranda Covas, esposa de Cosimo Sacola-Bolseiro (p. 114). Robur Bolger (ver comentário a BG 1) foi substituído, como em BO 3, por Rudigor, mas Robur permaneceu como o nome do irmão mais novo de Rudigor.

BG 3

Essa tabela corresponde à BO 4 do clã Bolseiro, mas repete BG 2 com rigor, exceto pelo acréscimo dos descendentes de Robur e pela alteração do nome *Gundobad* para *Gundahad*. Não a redesenhei, portanto, mas incluo aqui os elementos acrescentados:

Robur = Amélia Corneteiro
|
Omar = Alma Boffin
|
Arnor = Gerda Roliço-Bolseiro

Arnor e sua esposa, Gerda Roliço-Bolseiro, aparecem em BO 4. — As datas de nascimento desses Bolgers são as mesmas daqueles que os substituíram em BG 4: Robur (Rudibert) 1260, Omar (Adalbert) 1301, Arnor (Filibert) 1342.

BG 4 (p. 127)

Na tabela Bolseiro BO 4, meu pai fez muitas alterações aos nomes existentes e, ao fazê-lo, trouxe a genealogia da família Bolseiro para perto de sua forma final. Na tabela Bolger que a acompanhava, BG 3, ele fez o mesmo, mas de maneira ainda mais ampla, de modo que, dos nomes existentes, nenhum restou, exceto Gundahad, Rudigar (alterado de Rudigor), Odovacar (ver VII. 29) e Fredegar (que se tornou o neto do antigo Fredegar); e o clã Bolger passou a ter nomes uniformemente "traduzidos" de origem germânica. Ao mesmo tempo, três filhos de Wilibald Bolger (anteriormente Conrad) foram acrescentados e surgem os sobrenomes hobbits Diggle e Pesperto (não encontrados em *O Senhor dos Anéis*).[4]

Dentre os nomes que não aparecem nas genealogias publicadas, os seguintes estão assinalados como convidados da Festa de Despedida: Wilimar, Heribald e Nora, e também a sua mãe, Prisca Bolseiro (ver p. 118), que não está assim assinalada na árvore dos Bolseiros. Ela tinha 95 anos, mas a tia ainda mais idosa de Frodo, Dora, estava presente aos 99 anos.

Neste caso, como não há árvore genealógica dos Bolgers em *O Senhor dos Anéis*, redesenhei a última das tabelas manuscritas, nas quais as alterações feitas a BG 3 foram dispostas de maneira limpa e é nesse formato que a genealogia foi impressa.[5] Nessa reelaboração,

Bolger do Vau Budge

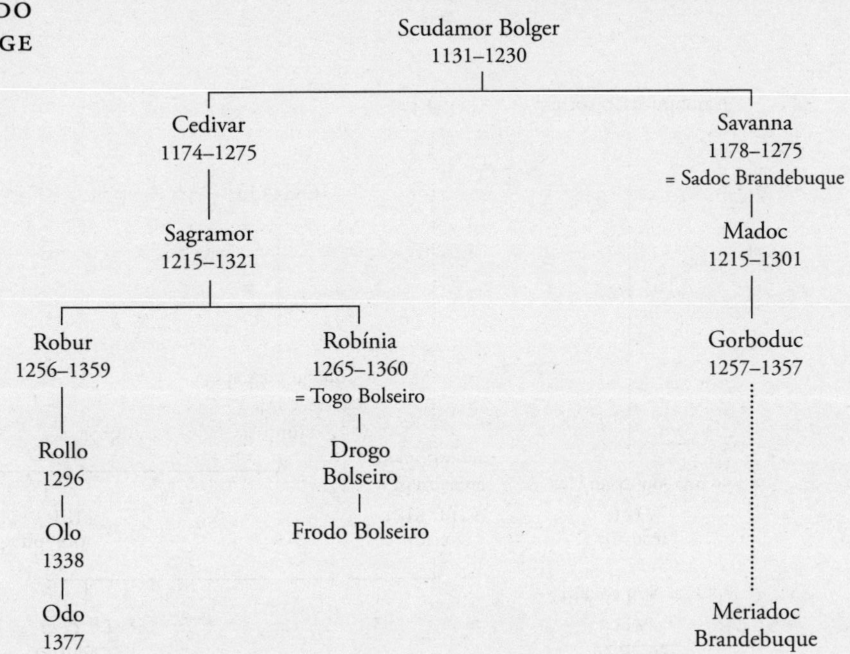

Tabela BG 1

Bolger do Vau Budge

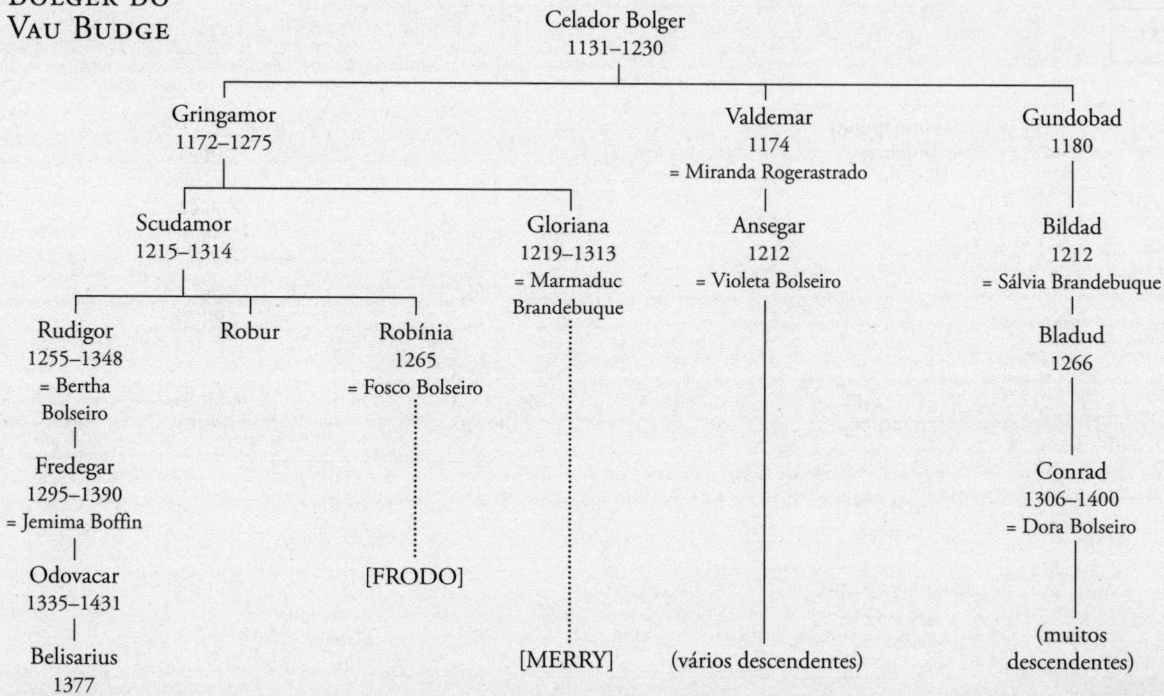

Tabela BG 2

Bolger do Vau Budge

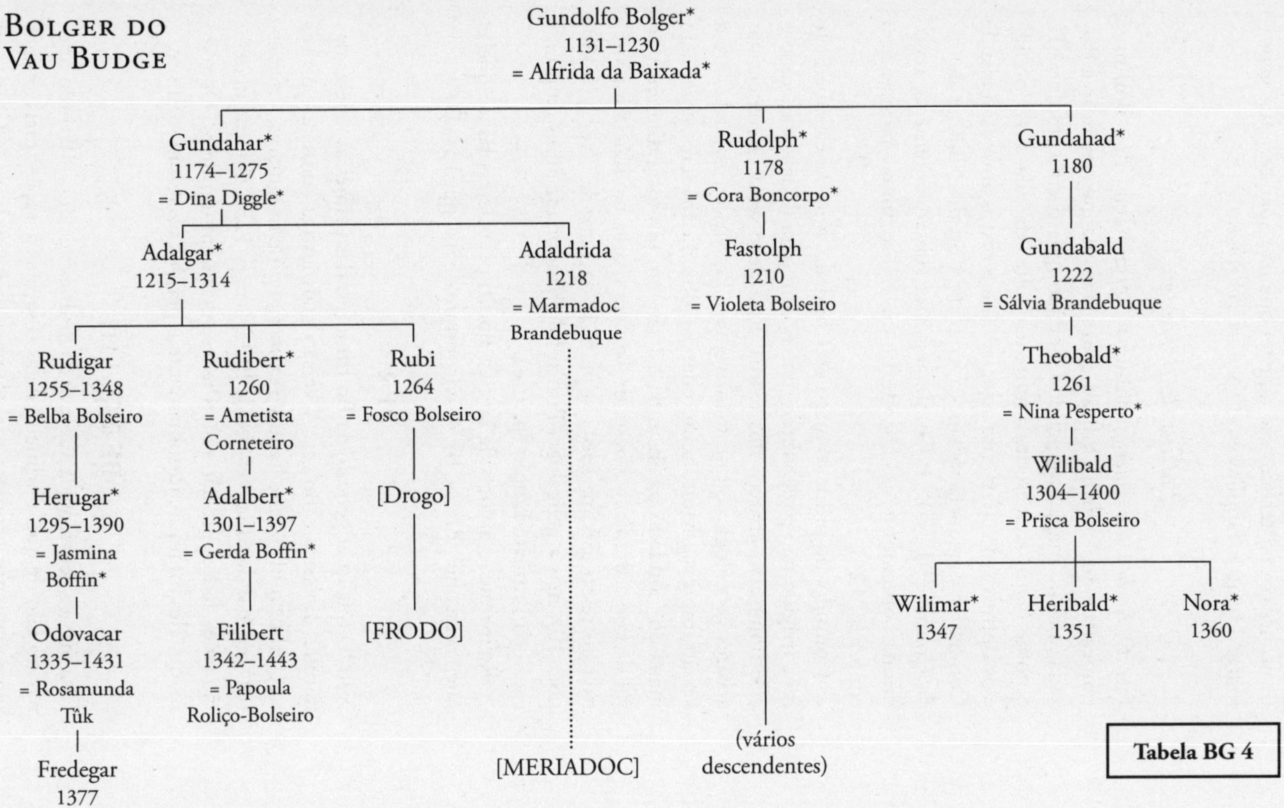

Tabela BG 4

os nomes com asteriscos são aqueles que não aparecem nas genealogias de outras famílias em *O Senhor dos Anéis*.

Boffins da Baixada

Em *O Senhor dos Anéis,* nenhuma "terra natal" dos Boffins é nomeada e, na Primeira Edição, não se faz qualquer menção à Baixada; mas no mapa original do Condado (guardas do volume VI), o nome *Boffins* está escrito a norte da Colina da Vila-dos-Hobbits[6] e os Boffins são claramente associados, em textos antigos, à vila de Combanorte naquela região, "apenas uma ou duas milhas depois da Colina" (VI. 478,). Combanorte foi subsequentemente renomeada Sobremonte e o "Sr. Boffin em Sobremonte" permaneceu em SA (p. 124).

Contudo, no primeiro mapa do Condado, o nome Combanorte foi corrigido não para Sobremonte e, sim, para A Baixada, embora esse nome não apareça nos textos. Essa deve ser a referência nas árvores genealógicas, que mantiveram "Boffins da Baixada" até a versão impressa. Muito tempo depois, o nome foi acrescentado ao mapa do Condado na Segunda Edição, em um local diferente, ao sul de Fosso Branco e a oeste de Tronco, e uma referência foi inserida no texto (SA, p. 136), "a planície da Baixada" (ver VI. 480, nota 10); mas a genealogia Boffin foi abandonada antes da publicação da Primeira Edição (p. 118).

Refiro-me às árvores da família Boffin pelas letras **BF** e aquelas que redesenhei, BF 2 e BF 4, encontram-se nas pp. 131–2.

BF 1

Não há qualquer genealogia Boffin junto das primeiras tabelas das famílias Bolseiro e Bolger. A versão mais antiga consiste em dois rascunhos muito semelhantes e extremamente irregulares, nas mesmas páginas das duas versões de BO 2 (ver p. 123): tão irregulares e tão emendados que não tentei redesenhar nenhum deles. De todo modo, eles foram majoritariamente repetidos na versão seguinte.

BF 2 (p. 131)

Essa árvore genealógica sobrevive em duas versões, diferindo apenas no fato de que a primeira delas coloca as gerações mais antigas separadamente e começa a tabela principal com Otto, o Gordo, ao passo que, na segunda versão, os elementos estão unidos: para estes propósitos elas podem ser tratadas como uma só. Essa tabela faz conjunto com BO 3 (p. 121) e BG 2 (p. 126).

Hugo Boffin, cuja esposa era Donamira Tûk, e seu filho Jago remontam à genealogia Tûk incluída em VI. 391; Guido e sua esposa, Duenna Bolseiro, com seu filho Iolo, encontram-se na tabela dos Bolseiros, BO 3; e Jemima Boffin, esposa de Fredegar Bolger, consta na tabela dos Bolgers BG 2. Hugo Justa-Correia, que não aparece nas genealogias publicadas, é mencionado em SA (p. 113) como aquele que recebeu a estante de livros de Bilbo.

As datas que acompanham Lobélia Sacola-Bolseiro fazem com que ela tivesse 92 anos à ocasião de sua morte: no início do capítulo *Os Portos Cinzentos* (RR, p. 1452), o texto trazia "afinal de contas, tinha lá seus noventa anos de idade", o que foi alterado no texto posterior para "mais de cem anos"; e na versão seguinte da genealogia Boffin, as datas foram alteradas para 1318–1420.

A elaboração subsequente da genealogia Boffin segue exatamente a dos Bolgers e eu as trato da mesma forma.

BF 3

Essa tabela foi escrita na mesma página de BG 3 e, como naquela tabela, a versão anterior foi copiada com exatidão, exceto pelo correspondente acréscimo (ver p. 124) que introduziu Alma Boffin, esposa de Omar Bolger. Esta tabela não foi redesenhada. Como no caso de BG 3 (e da tabela Bolseiro junto dela, BO 4), grande parte dos nomes foi alterada no manuscrito de BF 3 e novos Boffins foram introduzidos na segunda geração.

BF 4 (p. 132)

Assim como a genealogia dos Bolgers, incluo aqui o manuscrito final da tabela Boffin (escrita na mesma página de BG 4), a versão a partir da qual foi impressa e na qual os nomes alterados e acréscimos feitos a BF 3 aparecem em cópia limpa. Aqui também os nomes com asterisco indicam que eles não são encontrados nas genealogias de outras famílias em *O Senhor dos Anéis*. Folco Boffin, que não estava presente em nenhuma delas, era amigo de Frodo (SA, p. 92, 124–25, ver também VII. 40–3); a respeito de Hugo Justa-Correia, ver o comentário a BF 2 acima.

Dentre os que não aparecem nas genealogias publicadas, estes são marcados como presentes na Festa de Despedida: Vigo, Folco, Tosto, Bruno Justa-Correia, Hugo Justa-Correia e os "diversos descendentes" de Rollo Boffin e Druda Covas.

Brandebuques da Terra-dos-Buques

As genealogias dos Brandebuques são identificadas pelas letras **BR**; para as versões redesenhadas BR 1 e BR 4, ver pp. 136–7.

BR 1 (p. 136)

Essa versão, a mais antiga, da árvore genealógica dos Brandebuques está escrita abaixo da primeira do clã Bolseiro (BO 1), sendo que a dos Bolgers (BG 1) e a dos Tûks (não a primeira) estão no verso.

Muitos dos nomes encontrados aqui também estão na genealogia dos Tûks incluída em VI. 391: Gorboduc Brandebuque e sua esposa Mirabela Tûk, seus seis filhos (ver VI. 392); Roderic, Alaric, Belíssima, Theodoric, Athanaric e Prímula; além de Caradoc, pai de Merry, e sua esposa Yolanda Tûk (cf. VI. 128, 313). O primo de Merry, Lamorac, aparece em textos antigos de *O Senhor dos Anéis*,[7] nos quais o nome substituiu Bercilak (VI. 337) que, na genealogia, é seu pai. De Madoc (pai de Gorboduc) e dos descendentes de seu segundo filho, Habaccuc, não há qualquer vestígio naqueles textos exceto por Melissa (posteriormente substituída por Melilota, ver pp. 135, 137, que se mostrou na Festa de Despedida, VI. 53, 129).

BR 2

Essa é uma tabela extremamente irregular, escrita a tinta sobre lápis no verso da página contendo as tabelas rascunhadas dos Bolseiros e dos Bolgers, BO 2 e BF 1: aqui é possível ver meu pai criando uma genealogia muito alterada dos Brandebuques. Eu não a redesenhei, já que os nomes e a estrutura sobreviveram em grande parte na cópia limpa BR 4 e basta registrar que foi aqui que Gorhendad Brandebuque, o "fundador", primeiro apareceu, mas com as datas 1134–1236 e não ainda como sendo o ancestral remoto, Gorhendad Velhobuque, de quatro séculos antes; ao passo que Marmaduc é seu filho e não seu neto, como se tornou posteriormente, e Madoc, Sadoc e Marroc são os filhos de Marmaduc. O "Velho Rory" é chamado Cadwalader e todos os títulos em latim (ver BR 4) já estão presentes.

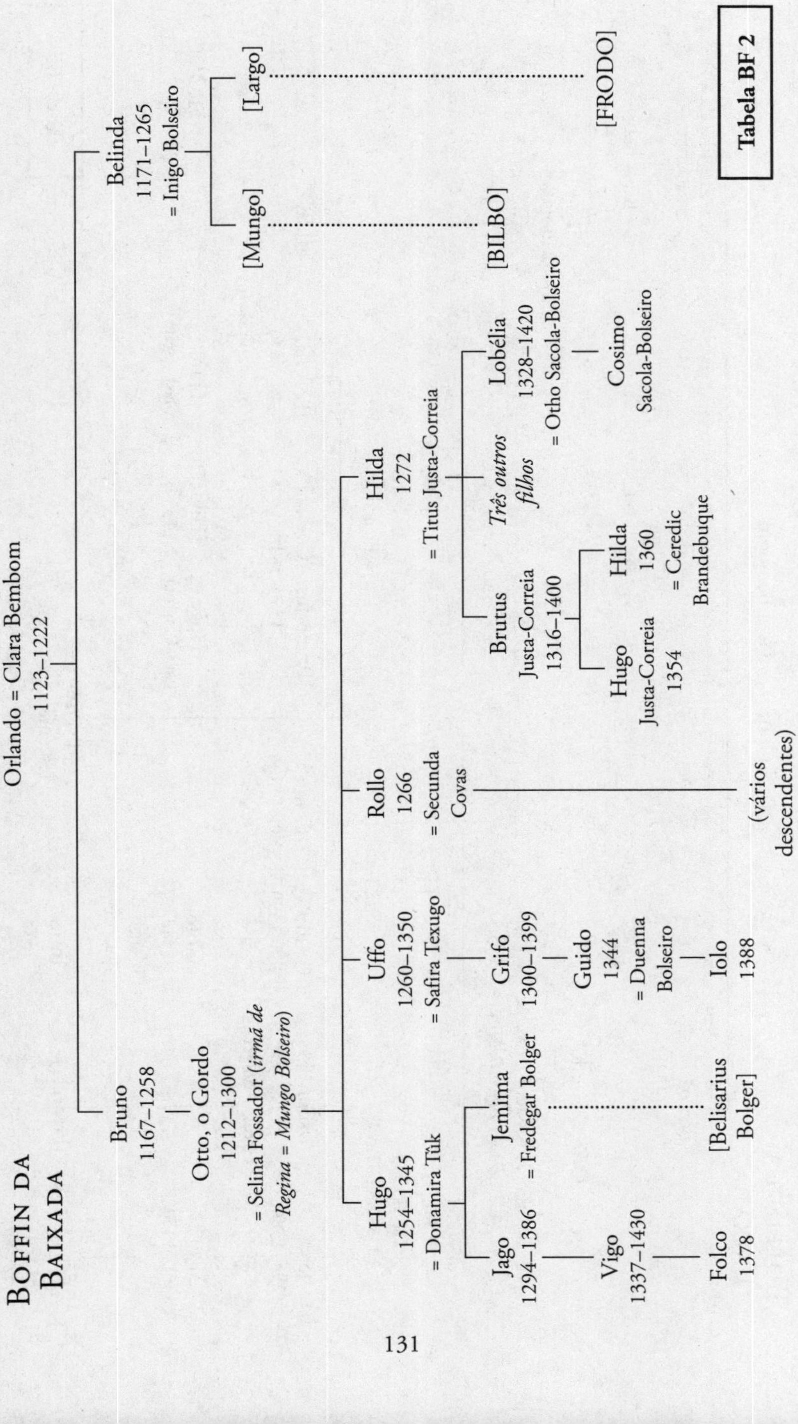
Boffin da Baixada
Orlando = Clara Bembom
1123–1222
Bruno
1167–1258
Otto, o Gordo
1212–1300
= Selina Fossador (*irmã de Regina = Mungo Bolseiro*)
Belinda
1171–1265
= Inigo Bolseiro
[Mungo]
[Largo]
[BILBO]
[FRODO]
Hugo
1254–1345
= Donamira Tûk
Jago
1294–1386
Vigo
1337–1430
Folco
1378
Jemima
= Fredegar Bolger
[Belisarius Bolger]
Uffo
1260–1350
= Safira Texugo
Grifo
1300–1399
Guido
1344
= Duenna Bolseiro
Iolo
1388
Rollo
1266
= Secunda Covas
(vários descendentes)
Hilda
1272
= Titus Justa-Correia
Brutus Justa-Correia
1316–1400
Hugo Justa-Correia
1354
Hilda
1360
= Ceredic Brandebuque
Três outros filhos
Lobélia
1328–1420
= Otho Sacola-Bolseiro
Cosimo Sacola-Bolseiro
Tabela BF 2

Boffin da Baixada

Tabela BF 4

Buffo Boffin* = Hera Bembom*

- Bosco* 1167–1258
  - Otto, o Gordo* 1212–1300 = Lavanda Fossador* (*irmã de Laura = Mungo Bolseiro*)
    - Hugo 1254–1345 = Donamira Tûk
      - Jago* 1294–1386
        - Vigo* 1337–1430
          - Folco* 1378
      - Jasmina* 1297 = Herugar Bolger*
        - ⋮ [Fredegar]
    - Uffo* 1257 = Safira Texugo*
      - Gruffo* 1300–1399
        - Grifo 1344 = Margarida Bolseiro
          - Tosto* 1388
      - Gerda* 1304–1404 = Adalbert Bolger*
    - Rollo* 1260 = Druda Covas*
      - (diversos descendentes)
    - Prímula* 1265 = Blanco Justa-Correia*
      - [Bruno Justa-Correia]* 1313–1410
        - [Hugo Justa-Correia]* 1350
        - [Hilda] 1354 [= Seredic Brandebuque]
      - [Lobélia] 1318–1420 [= Otho Sacola-Bolseiro]
        - [Lotho Sacola-Bolseiro]
- Basso* 1169 dizem que "se fez ao mar" em 1195
- Brifo* 1170 mudou-se para Bri em 1210
- Berila 1172 = Balbo Bolseiro
  - [Mungo]
    - ⋮ [BILBO]
  - [Largo]
    - ⋮ [FRODO]

BR 3

Esse era outro rascunho irregular, pouco diferente de BR 2 exceto pela inversão de Madoc e Marmaduc e o acréscimo de suas esposas: a esposa de Madoc é Savanna Pocilga e a de Marmaduc, Sultana Bolger. Na tabela Bolger original (BG 1, p. 125), Savanna Bolger era esposa de Sadoc Brandebuque, ao passo que em BG 2, a esposa de Marmaduc era Gloriana Bolger. Correções ao texto alteraram o nome do "Velho Rory" de Cadwalader para Sagramor (tomado de Sagramor Bolger em BG 1) e o de sua esposa de Matilda Taverneira para Matilda Oiro.

BR 4 (p. 137)

Essa versão feita cuidadosamente é uma da série que inclui (Bolseiro) BO 3 (p. 121), (Bolger) BG 2 (p. 96) e (Boffin) BF 2 (p. 131). Acréscimos foram feitos subsequentemente a BR 4, mas, neste caso, é conveniente tratá-los como parte da tabela conforme foi escrita primeiro (ver abaixo).

Nessa nova versão da árvore dos Brandebuques, compreendida em BR 2–4, o prazer de meu pai com a incongruência dos costumes hobbits ao dar nomes culminou em casamentos tais como o de Madoc Superbus com Savanna Pocilga e nos epítetos grandiosos dos chefes do clã, com Meriadoc tomando emprestado seu título Porphyrogenitus da Bizâncio imperial, "nascido em (câmara) púrpura". No texto F 2 do Apêndice sobre Idiomas, meu pai escreveu (p. 47, §45): "Nomes 'clássicos' ... em geral representam nomes que os Hobbits derivaram de contos de tempos antigos e reinos longínquos dos Homens" e acrescentou em uma nota de rodapé: "Assim, esses que talvez sejam para nós ridículos subnomes ou títulos dos Brandebuques, adotados pelos chefes da família — *Astyanax*, *Aureus*, *Magnificus* —, eram originalmente pequenos gracejos e foram, de fato, retirados de tradições sobre os Reis em Norforte". Posteriormente, ele excluiu essa nota e abandonou os nomes clássicos (ver pp. 94, §45).

Os seguintes acréscimos, incluídos no desenho, foram feitos à tabela depois de ela ter sido completada. Sadoc Brandebuque, que constava inicialmente como tendo tido "vários descendentes", ganha "Dois filhos" e uma filha, Sálvia, esposa de Bildad Bolger (ver BG 2, p. 126); Basilissa Brandebuque se torna esposa de Fulvus

Covas; é acrescentado seu filho, Crassus Covas, que aparecera em BO 4 (p. 122) devido ao casamento com Peônia Bolseiro, junto com os quatro filhos deles; e Hilda Justa-Correia aparece como esposa de Ceredic Brandebuque, com seus três filhos. Conforme a tabela foi feita, a esposa de Marmaduc ainda era Sultana Bolger, mas ela foi alterada para Gloriana, como em BG 2.

BR 5

Seguindo o padrão geral, BR 5 foi recopiada de BR 4 quase exatamente: a única alteração foi que Gorhendad agora passou a se chamar, de fato, Gorhendad Velhobuque, preservando a nota "Construiu a Mansão do Brandevin e mudou o nome da família para Brandebuque" (mantendo também as datas 1134–1236). Então, subsequentemente, vários dos nomes foram alterados no manuscrito.

Gorhendad Velhobuque foi substituído por Gormadoc "Cavafundo" e sua esposa, Malva Teimão, foi inserida. "Gorhendad Velhobuque do Pântano", contudo, ficou sendo pai de Gormadoc, com as datas 1090–1191. Nesse momento, todos os títulos latinos ou gregos dos chefes do clã Brandebuque foram substituídos por nomes ingleses, como na árvore genealógica final. Outras mudanças (seguindo as gerações) foram as seguintes:

Savanna Pocilga > Hanna Valeouro

Marmaduc > Marmadoc
Gloriana Bolger > Adaldrida Bolger (ver BG 4)
Bildad Bolger > Gundabald Bolger (ver BG 4)

Gorboduc > Gormanac > Gorbadoc
Orgulus > Orgulas

Sagramor > Rorimac
Matilda Oiro > Menegilda Oiro
Belíssima > Amaranta
Carados > Saradas
Basilissa > Asfodélia
Fulvus Covas > Rufus Covas
Priamus > Dinodas
Columbus > Gorgulas > Gorbulas

Caradoc > Saradoc
Pandora Tûk > Esmeralda Tûk
Lamorac > Merimac
Ceredic > Seredic
Crassus Covas > Milo Covas (ver p. 117)
Melampus > Marmadas

Bercilac > Berilac
Roderic > Doderic
Alberic > Ilberic
Cara > Celidônia
Marcus > Merimas
Melissa > Mentha
Mantissa > Melilota

Os nomes dos filhos de Milo Covas e Peônia Bolseiro — Flavus, Crispus, Rhoda e Fulvus — foram excluídos, mas não substituídos, já que aparecem na genealogia dos Bolseiros (ver p. 117 e RR, p. 1563).

Somente nestes aspectos a versão corrigida de BR 5 difere da versão final (RR, p. 1571): Gorhendad Velhobuque é o pai e não o ancestral remoto de Gormadoc Brandebuque e Merry ainda é nomeado Meriadoc Tûk-Brandebuque. Posteriormente, meu pai alterou a nota de Gorhendad para que começasse com "c. 740, começou a construção da *Mansão do Brandevin*", mas deixou as datas 1090–1191, que sobreviveram até a prova do texto, assim como Meriadoc Tûk-Brandebuque, quando foram então removidos.

Tûks de Grandes Smials

A genealogia final dos Tûks foi alcançada sem o grande reviramento de nomes que se deu naquelas das famílias Bolseiro, Bolger, Boffin e Brandebuque. Atribuo a letra **T** às versões, sendo T 1 a primeiríssima, incluída em VI. 391; as versões redesenhadas T 2, T 3 e T 4 aparecem nas pp. 142–4.

T 2 (p. 142)

Essa versão se encontra na página que também traz as primeiras genealogias das famílias Bolseiro, Bolger e Brandebuque — BO 1, BG 1 e BR 1. É intimamente relacionada a T 1 e, de fato, difere dela principalmente por incluir as datas de acordo com os anos

Brandebuques da Terra-dos-Buques

- Sadoc Brandebuque 1175–1277 = Savanna Bolger
  - Madoc 1215–1301
    - Gorboduc 1257–1357 = Mirabela Tûk
      - Roderic (Velho Rory) 1301
        - Caradoc 1336 = Yolanda Tûk
          - Meriadoc (Merry) 1375
        - Bercilac 1341
          - Lamorac 1377
      - Alaric 1304–1399
      - Belíssima 1306–1399
      - Theodoric 1311
        - Cerdic 1357
      - Athanaric 1314–1400
      - Prímula 1318–1380 = Drogo Bolseiro
        - Frodo Bolseiro
    - Habaccuc 1264–1365
      - Haiduc 1303
        - Meneaduc 1343
          - Marmaduc 1381
          - Melissa 1383
          - Mantissa 1385

Tabela BR 1

Brandebuques da Terra-dos-Buques

- Gorhendad (Astyanax) 1134–1236 — Construiu a *Mansão do Brandevin* junto ao Rio Brandevin e mudou o nome da família de *Velhobuque* para *Brandebuque*
  - Madoc Superbus 1175–1277 = Savanna Pocilga
    - Marmaduc Pancrator 1217–1310 = Gloriana Bolger
      - Gorboduc Crassus 1262–1363 = Mirabela Tûk
        - Sagramor Aureus ("Velho Rory") 1302–1405 = Matilda Oiro
          - Caradoc Dives 1340–1432 = Pandora Tûk
            - Meriadoc Porphyrogenitus Tûk-Brandebuque "Merry" 1382
          - Lamorac 1342
            - Bercilac 1380
        - Belíssima 1304–1398
        - Carados 1308–1407
          - Ceredic 1348 = Hilda Justa-Correia
            - Roderic 1389
            - Alberic 1391
            - Cara 1394
        - Dodinas 1311–1399
        - Basilissa 1313–1412 = Fulvus Covas 1308
          - Crassus 1347 = *Peônia Bolseiro*
            - *Flavus* 1387
            - *Crispus* 1391
            - *Rhoda* 1393
            - *Fulvus* 1395
        - Priamus 1316–1410
        - Prímula 1320–1380 = Drogo Bolseiro
          - *Frodo Bolseiro*
      - Orgulus 1264–1365
        - Columbus 1303
          - Melampus 1343
            - Marcus 1381
            - Melissa 1383
            - Mantissa 1385
  - Sadoc 1179
    - (Dois filhos)
    - Sálvia 1226 = Bildad Bolger
  - Marroc 1182 (vários descendentes)

Tabela BR 4

do Registro do Condado em vez de dar as idades das pessoas em relação à Festa de Despedida. Se a idade de cada pessoa em T 1 for subtraída do ano da Festa de Despedida, os anos de nascimento em T 2 correspondem em quase todos os casos.[8] As únicas outras alterações são a inversão da ordem de Isambard e Flambard, filhos do Velho Tûk;[9] o acréscimo do filho de Vigo, Uffo, e do filho de Uffo, Próspero (ver VI. 53); e a alteração de Odo Tûk-Bolger para Odo Bolger.

T 3 (p. 143)

O desenvolvimento dessa versão é mais bem compreendido ao se comparar com T 2, mas pode-se notar que Isembard (que antes era Isambard) é recolocado no segundo lugar entre os filhos do Velho Tûk, ao passo que Flambard, marido de Rosa Bolseiro, é renomeado Hildigrim (mudança que se vê também nas tabelas Bolseiro BO 1 e 2). Fosco se torna Sigismond e, muito estranhamente, tanto o filho de Hildigrim quanto o de Sigismond se chamam Hildibrand (anteriormente Faramond e Vigo): Hildibrand filho de Hildigrim foi substituído depois no manuscrito por Adalgrim e assim permaneceu. Dentre as muitas alterações na terceira e quarta geração a partir do Velho Tûk, pode-se notar o surgimento de Peregrin, filho de Paladin (ver VII. 47), ao passo que Odo Bolger se torna Hamilcar; a substituição da mãe de Merry, Yolanda, por Pandora (cf. as tabelas Brandebuque BR 1 e 4); e o aparecimento de Odovacar Bolger (cf. BG 2).[10]

T 4 (p. 144)

Nesse estágio (correspondendo a BO 3, BG 2, BF 2 e BR 4), meu pai fez uma série de quatro tabelas, todas muito semelhantes — quase sem diferenças, de fato, exceto pelos nomes dos filhos do Velho Tûk, que aumentaram em número, sem com isso alterar as gerações subsequentes que já existiam. Eu redesenhei a quarta tabela, chamando-a T 4, mas observo abaixo as diferenças em relação às três versões anteriores.

Em todas as quatro cópias, o primeiro ancestral registrado na árvore é agora Isengrim II, com o título "Sétimo Reidado" (na primeira cópia, "Rei-do-Condado ou Reidado"), acerca do qual ver p. 166. Isengrim, primogênito do Velho Tûk, agora Isengrim III, manteve por três cópias as datas que lhe foram atribuídas em T 3,

1232–1282, vida notavelmente curta entre todos os centenários, com a nota "sem filhos" acrescentada. Em todas as cópias, os detentores do título de Reidado estão sublinhados, da mesma forma que os Thains têm estrelas na versão final (RR, p. 1569).

Uma filha chamada Gloriana, seguindo Isengrim III, foi introduzida na primeira cópia, mas alterada imediatamente para Hildigunda (ver abaixo), seja porque Gloriana Bolger (BG 2, BR 4) já existia ou porque o nome Gloriana lhe foi transferido de uma só vez. Hildigunda teve uma vida curta, sendo suas datas na primeira cópia 1235–1255; em cópias subsequentes, nenhuma data é informada, mas é dito que "morreu jovem". Na terceira cópia, seu nome foi alterado para Hildigard e assim permaneceu.

Entre Hildigunda / Hildigard e Hildigrim foi inserido um filho do Velho Tûk de nome Isumbras IV (o ancestral remoto se tornou Isumbras III), ele mesmo sendo o pai e avô de Reidados subsequentes. Uma vez que Isengrim III não teve descendentes, à ocasião da morte de Ferumbras III, solteiro, a chefia da família passou para os descendentes do terceiro filho do Velho Tûk, Hildigrim, e, assim, o pai de Pippin, Paladin, tornou-se o Reidado. Parece provável que as alterações nessa parte da genealogia foram feitas para que isso acontecesse.[11]

Após Hildigrim, Isembold aparece sem descendentes indicados e, depois de Isembold, na primeira cópia havia Hildigunda, alterada para Hildifuns quando Hildigunda substituiu Gloriana (ver acima). Na terceira cópia, Hildifuns tornou-se Hildifons: ele viveu até madura idade de 102 anos (ver abaixo), de novo sem descendentes indicados.

Isembard foi realocado, tornando-se o sétimo filho do Velho Tûk, ao passo que Sigismond (o quarto filho, em T 3) trocou de lugar com seu filho Hildibrand. Finalmente, um décimo segundo filho entrou na terceira cópia: Isengar, de quem nada se fala.

O filho de Pippin, Faramir I, e sua esposa, Cachinhos D'ouro, filha de Samwise, entraram na quarta cópia (T 4).

A versão T 4 recebeu diversas alterações de nomes, embora muito menos do que nas outras famílias, e algumas notas foram acrescentadas. O título foi alterado para "Tûks de Grandes Smials".

Isengrim II (sétimo Reidado) > Isengrim II (décimo Thain da linhagem Tûk)

Bandobras: (muitos descendentes) > (muitos descendentes incluindo os Tûk do Norte da Frincha Longa)
Isembold: [*acrescentado:*] (muitos descendentes)
Hildifons 1244–1346 > Hildifons 1244– (foi embora e nunca mais voltou)
Gorboduc Brandebuque > Gormanac Brandebuque (ver abaixo)
Isengar: [*acrescentado:*] diz-se que se "se fez ao mar" em sua juventude
Paladin II > Pharamond II (ver abaixo)
Pandora > Esmeralda (ver p. 132)
Caradoc Brandebuque > Saradoc Brandebuque (ver p. 134)
Diamanda > Rosamunda (ver BG 4)
Prima > Pérola
Pamphila > Pimpinela
Belisarius Bolger > Fredegar Bolger
Faramond > Ferdibrand

Ademais, a mãe de Pippin, Eglantina Ladeira, e sua esposa, Diamantina da Frincha Longa, foram inseridas; e "muitas [> três] filhas" foram dadas a Adelard Tûk.

Em versões manuscritas subsequentes, os pontos em que a genealogia ainda diferia da forma final foram corrigidos: assim, o pai de Pippin foi revertido de Pharamond II para Paladin II; Gormanac Brandebuque tornou-se Gorbadoc, assim como na genealogia Brandebuque (p. 134), e Folco Boffin foi omitido, talvez por causa da dificuldade de encaixá-lo (de todo modo, ele apareceu na genealogia Boffin).

A Árvore dos Antepassados de Mestre Samwise

Não há qualquer genealogia muito antiga das famílias Gamgi e Villa e a primeira versão a aparecer pertence ao grupo que começa com a tabela Bolseiro BO 3: de fato, foi escrita na mesma página que BG 2 dos Bolgers. As tabelas têm títulos diferentes e eu as chamo de **S**. As que redesenhei podem ser encontradas nas pp. 147–9.

S 1 (p. 147)

Consiste em duas pequenas tabelas dispostas lado a lado sem interconexão: a única ligação entre as duas famílias é o casamento de Sam Gamgi e Rosa Villa. É notável que seus filhos são apenas oito, terminando com Margarida, que nasceu em 1436. Na primeira versão do *Epílogo* de *O Senhor dos Anéis*, que se passa nesse ano, Margarida era a mais nova, no berço (IX 149). Na segunda versão (IX. 157), isso se repete, mas agora corrigido de modo a dizer que era Prímula, a nona criança, quem estava no berço.

S 2 (p. 148)

Coloco sob esta referência duas tabelas intimamente relacionadas, ambas com o mesmo título (a primeira versão, que não redesenhei, difere da segunda apenas nestes pontos: Wiseman Gampsi está ausente e Hamfast de Galabas, que "se mudou para o Campo-da-Corda", é pai de Hob Gampigi, o Cordoeiro; a irmã de Ham Gamgi, Maiana, está ausente e nem o marido de Elanor nem o de Cachinhos D'ouro aparecem). A segunda versão, assim como S 1, é parte da série que começa com a tabela Bolseiro BO 3.

Nesses textos, a família Villa novamente está listada em separado dos Gamgis, mas a irmã de Sam, Calêndula, é agora esposa do irmão de Rosa Villa, Tom, ("Jovem Tom", RR, p. 1433). Notar-se-á que, nesse ponto, a terceira família, começando com Holman "da Mão-Verde" da Vila-dos-Hobbits (como é chamado na versão final), ainda não entrara na genealogia; e que Sam e Rosa tinham catorze filhos e não treze, como aconteceu depois, a mais nova sendo Lili (nascida quando seus pais já eram de idade muito avançada, de acordo com as datas fornecidas!). Lili sobreviveu na primeira prova do texto, quando foi excluída.

Correções posteriores a S 2 substituíram Goodwill Pealvo (marido de Elanor) por Fastred Lindofilho (na versão final, Fastred de Ilhaverde) e suprimiram os Pealvos das Colinas Brancas, acrescentando-se a seguinte nota apressada: "Mudaram-se para um novo país além das Colinas Distantes, o Marco Ocidental, entre as Colinas Distantes e as Colinas das Torres. Deles descendem os Lindofilhos das Torres, Guardiões do Marco Ocidental." A frase no *Prólogo* (SA, p. 48) "Fora das Quartas ficavam os Marcos do Leste e do Oeste: a Terra-dos-Buques; e o Marco Ocidental acrescentado ao Condado em R.C. 1452" foi acrescentada na Segunda Edição (ver p. 36).

S 3 (p. 149)

Essa tabela, sem título, foi escrita no verso da "Nota" acerca das duas versões da história de Bilbo sobre seu encontro com Gollum (ver pp. 30–1).

Família Tûk

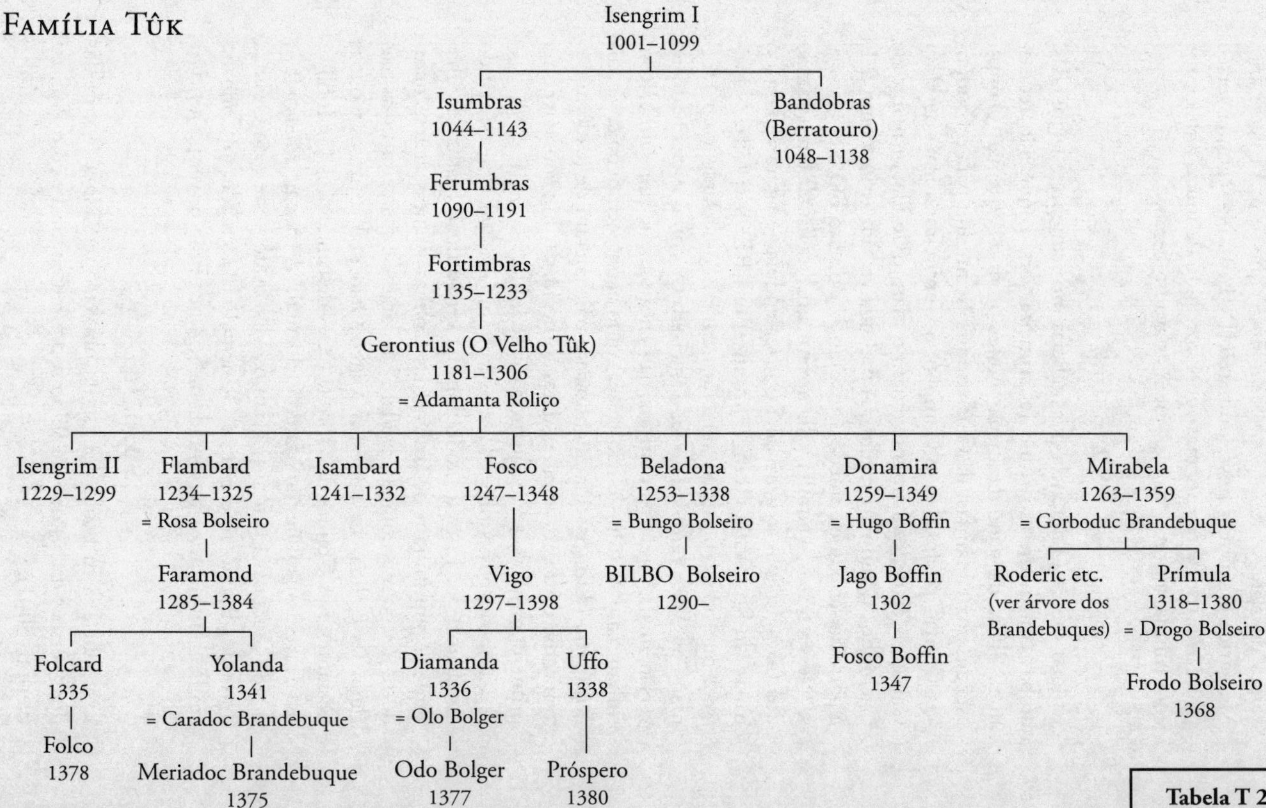

Tabela T 2

Tûks de Tuqueburgo

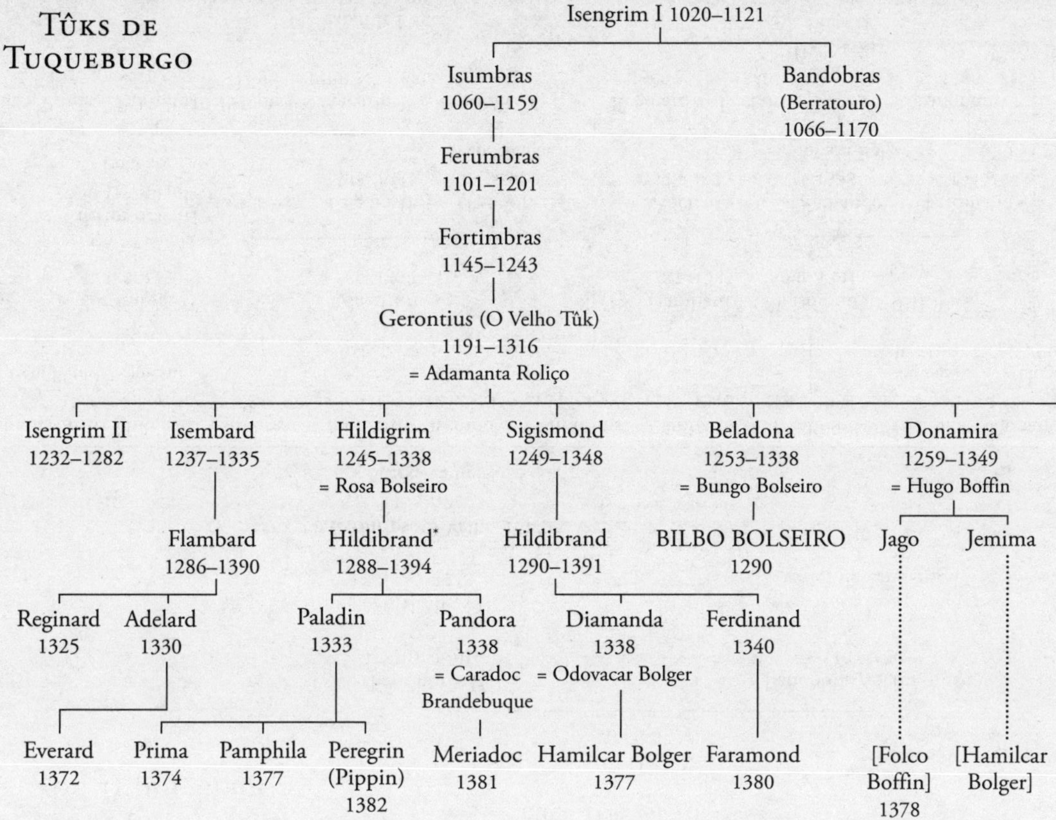

*Hildibrand, filho de Hildigrim, alterado subsequentemente para Adalgrim.

Tabela T 3

Tûks dos Smials de Tuqueburgo

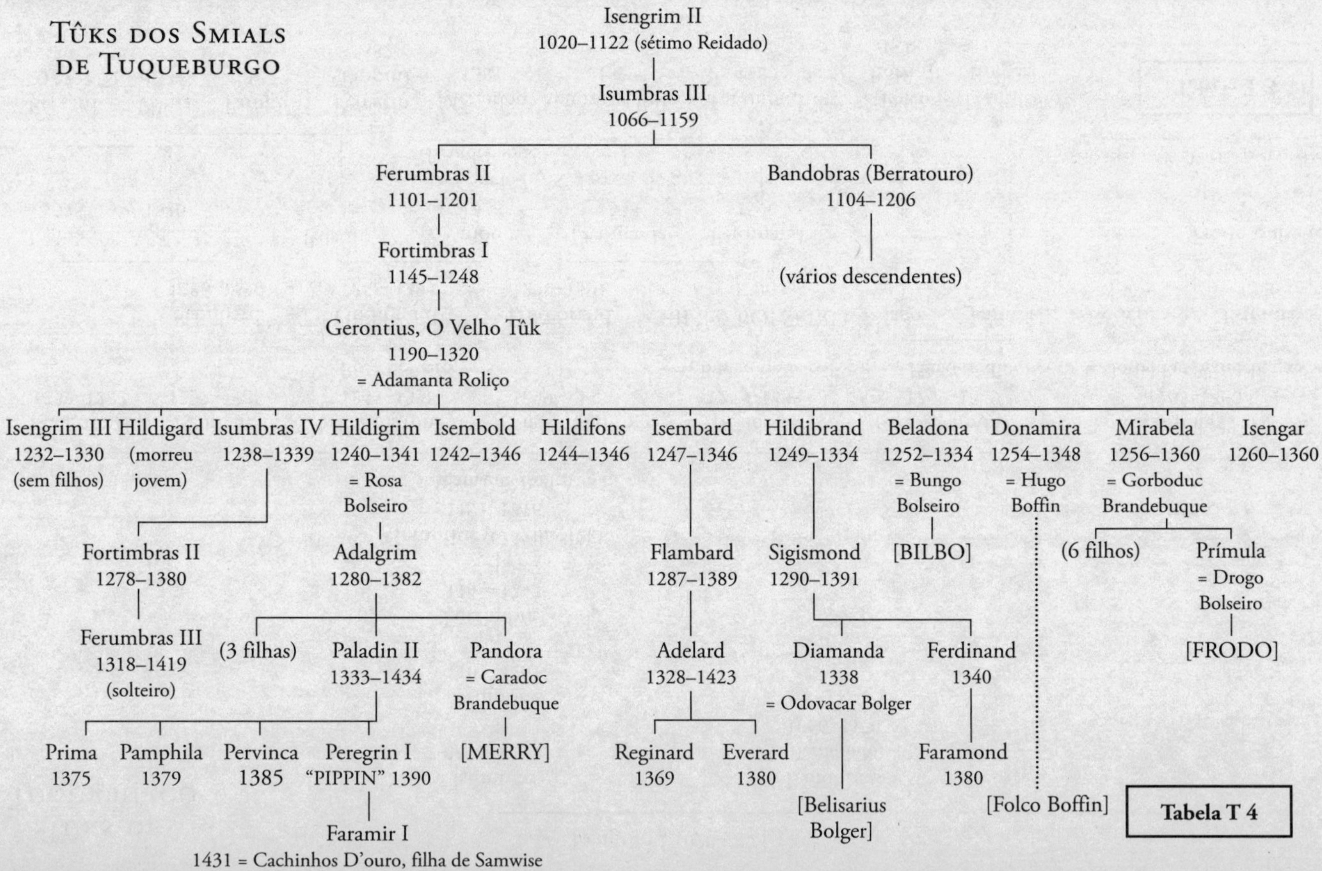

Tabela T 4

Aqui, a linhagem da "Mão-Verde" entrou na genealogia, mas as gerações, em relação às famílias Gamgi e Villa, seriam posteriormente "alçadas": ver o comentário a S 4. Essa versão não tem qualquer nota acerca dos Lindofilhos.

S 4

Com essa árvore belamente composta, intitulada "Genealogia de Mestre Samwise, mostrando o surgimento da família Jardineiro da Colina", a versão final foi alcançada em quase todos os pontos. O alçamento dos "Mão-Verde" em uma geração foi feito nesse momento: Hending "Mão-Verde" da Vila-dos-Hobbits foi mantido, mas nascido em 1210; as datas de nascimento de seus filhos, outrossim, foram adiantadas em uns quarenta anos; e as filhas de Hending, Sorveira e Rosa, casaram-se não com Hobson Gamgi e Wilcome Villa, mas com os pais deles, Hob Gampigi e Cotman.

À primeira vista, a alteração que meu pai fazia aos nomes nas árvores genealógicas, como aqui, com esse atordoante movimento de Holmans e Halfreds, pode parecer perfeccionismo incompreensível, mas, em alguns casos, as razões podem ser percebidas claramente e este é, de fato, um bom exemplo. Em S 3, diz-se que Ham Gamgi "associou-se como jardineiro a seu tio Holman": esse é Holman Mão-Verde, o jardineiro, irmão de sua mãe Sorveira — e ele é o "velho Holman" que cuidava do jardim de Bolsão antes que Ham Gamgi assumisse a função (SA, p. 64). Mas com o alçamento das gerações "Mão-Verde" que aconteceu em S 4, Holman Mão-Verde se tornaria o tio-avô de Ham Gamgi (irmão de sua avó Sorveira) e, portanto, demasiado idoso. Foi por essa razão que meu pai alterou Holman Mão-Verde de S 3, nascido em 1292, para Halfred Mão-Verde (nascido em 1251), dando-lhe um filho chamado Holman, nascido em 1292, descrito na genealogia final como o "Primo Holman" de Ham Gamgi: ele era primo em primeiro grau com uma geração de diferença de Ham Gamgi.

Em S 4, o terceiro filho de Hending (Grossman em S 3) é Holman: os nomes de pai e filho foram subsequentemente invertidos. O irmão de Ham Gamgi, Holman de Sobremonte, permaneceu (tornando-se depois Halfred de Sobremonte); e Wilcome Villa se torna Holman Villa, como na versão final, mas seu apelido é "Holm Comprido" e não "Hom Comprido". O nome *Holman* deve ser entendido, penso, com o significado de "habitante-de-toca".

O marido de Elanor permanece em S 4 como Fastred Lindofilho e o filho de Frodo, Samwise Jardineiro em S 3, é revertido para Samlad Jardineiro como em S 2: isso foi corrigido para o nome final, Holfast. As datas de nascimento dos filhos de Sam Gamgi e Rosa Villa permanecem como estavam em S 3; assim, Prímula, a nona criança, nasceu em 1439 (ver o comentário a S 1 acima).

Em todos os outros aspectos, S 4 está como a genealogia final, incluindo a nota sobre os Lindofilhos, e foi neste manuscrito que as últimas correções foram feitas (o ano de nascimento da última filha de Sam e Rosa, Lili, tornou-se 1444).

S 4 foi seguido de uma árvore lindamente desenhada, a partir da qual a genealogia em *O Senhor dos Anéis* foi impressa, e aqui o título final entrou. Como já foi mencionado, foi na primeira prova do texto que Lili foi excluída.

NOTAS

1 Esse manuscrito da família Bolger foi o mais tardio que ficou em poder de meu pai e ele não tinha, é claro, cópias dos textos que foram para Marquette. Anos depois, ele escreveu em BG 2: "Não se encaixa nas genealogias publicadas. Fredegar precisa nascer por volta de 1385–8. Inserir Estella 1387". Em um de seus exemplares da Primeira Edição, à genealogia dos Tûks (com a mãe de Fredegar sendo Rosamunda Tûk) ele acrescentou "Estella" como a irmã de Fredegar e seu ano de nascimento, 1385; e à genealogia dos Brandebuques, acrescentou a Meriadoc "= Estella Bolger 1385", anotando ao lado que ele dissera a um correspondente em 1965 que "acredito que ele se casou com uma irmã de Fredegar Bolger dos Bolgers do Vau Budge". Essas correções, por motivos que desconheço, não foram incorporadas na Segunda Edição da Allen and Unwin, mas ocorrem de fato em uma reimpressão da edição de 1966 da Ballantine e daí Estella Bolger e seu casamento com Merry Brandebuque entraram em *The Complete Guide to Middle-earth* [*O Guia Completo da Terra-média*], de Robert Foster.

Tais acréscimos às árvores genealógicas foram feitas por sugestão de Douglas A. Anderson na edição da Houghton Mifflin de 1987, para a qual ele contribuiu com uma nota sobre a história do texto. Estella Bolger e seu casamento com Meriadoc finalmente entraram na "tradição" britânica com a edição recomposta publicada pela HarperCollins em 1994 (ver a "Nota sobre o Texto" nessa edição, p. 15 [cf. também SA, pp. 17, 20]).

2 Minha afirmação em VII. 51, nota 19, de que Campos da Ponte não aparece no mapa original do Condado está incorreta: o nome consta a lápis nesse mapa (e pode ser visto na reprodução nas guardas do volume VI) ao lado do nome Bolger, uma região logo a sudoeste da Ponte do Brandevin. Como observado em VII. 51, no meu mapa grande do Condado, feito em 1943, meu

- Hob Gampigi, o Cordoeiro do Campo-da-Corda (apelidado de Velho Gamgi) 1246–1340
  - Hobson (Cordoeiro) Gamgi 1287–1384
    - Andwise do Campo-da-Corda 1326–1420
    - Hamfast (Ham, o Feitor) 1330–1432 = Pérola Bonfilho
      - Anson 1365
      - Halfred 1369
      - Margarida 1373
      - Maiana 1376
      - Samwise 1380 = Rosa Villa
      - Calêndula 1384
    - Holman de Sobremonte

- Cotman 1260–1358
  - Will Comprido Villa de Beirágua 1302–1390
    - Tom Villa 1340 = Lili Castanho
      - Tom 1382
      - Rosa 1384 = Samwise Gamgi
        - Elanor 1421
        - Frodo 1423
        - Rosa 1425
        - Merry 1427
        - Pippin 1429
        - Cachinhos D'ouro 1432
        - Hamfast 1434
        - Margarida 1436
      - Risonho 1386
      - Nicol (Nick) 1389
      - Will (Fessor) 1392

Tabela S 1

Surgimento da Família dos Jardineiros da Colina

Hamfast de Galabas 1160

Wiseman Gampsi 1200 (mudou-se para o Campo-da-Corda)

Hob Gampigi, o Cordoeiro (apelidado de Velho Gamgi) 1246

Hobson (Cordoeiro Gamgi) 1287–1384

- Andwise (Andy) do Campo da Corda 1326–1420
  - Anson 1365
- Hamfast (Ham Gamgi, o Feitor) 1330–1432 = Pérola Bonfilho
  - Halfred 1369 (mudou-se para a Quarta Norte)
  - Margarida 1373
  - Maiana 1376
  - Samwise (Jardineiro) 1380 (7 vezes Prefeito) = Rosa Villa
  - Calêndula 1384 = Tom Villa
- Maiana
- Holman (Nol) de Sobremonte 1335

Cottar 1220

- Cotman 1260
  - Will Comprido Villa de Beirágua 1302–1390
    - Tom Villa 1341–1440 = Lili Castanho
      - Tom 1380 = Calêndula Gamgi
      - Rosa 1382 = Samwise Gamgi (catorze filhos)
      - Carl (Risonho) 1384
      - Nicol (Nick) 1386
      - Will (Fessor) 1389
- Carl 1263

Filhos de Samwise e Rosa:

- Elanor 1421 = Goodwill Pealvo
  - Os Pealvos das Colinas Brancas
- Frodo Jardineiro 1423
  - Samlad Jardineiro 1462
    - Harding da Colina 1501–1606
- Rosa 1425
- Merry 1427
- Pippin 1429
- Cachinhos D'ouro 1432 = Faramir I, filho de Peregrin I da Terra-dos-Tûks
- Hamfast 1434
- Margarida 1436
- Prímula 1439
- Bilbo 1440
- Rubi 1442
- Robin 1444
- Tom 1446
- Lili 1450

Tabela S 2

Hamfast de Galabas
1160

Wiseman Gampsi
1200
(mudou-se para o Campo-da-Corda)

Hob Gampigi,
o Cordoeiro "Velho Gamigi"
1246

Halfred
1249

Hending
"Mão-Verde" da Vila-dos-Hobbits
1252

Cottar
1220

Cotman
1260

Carl
1263

Hobson (Cordoeiro Gamgi) = Sorveira
1285–1384 1288

Holman
Mão-Verde
1292
jardineiro

Erdling
1296

Grossman
1299

Rosa
1303

= Wilcome "Will Comprido"
Villa de Beirágua 1302

Andwise
Cordoeiro do
Campo-da-
-Corda (Andy)
1323–1421

HAMFAST
(Ham Gamgi), o Feitor
1326–1428 (associou-se como
jardineiro a seu tio Holman)

Maiana
1328

Holman de
Sobremonte
1332

Tom Villa
1341–1440
= Lili Castanho

Anson
Cordoeiro
1361

Halfred
1365
(foi ter com seu
tio, o cordoeiro)

Holman
1369 (mudou-se
para a Quarta
Norte)

Margarida
1372

Maiana
1376

SAMWISE
(jardineiro)
1380 Sete vezes Prefeito do
Condado = Rosa Villa

Calêndula = Tom
1383 1380

ROSA
1382
= Sam Gamgi

Carl
(Risonho)
1384

Nicol
(Nick)
1386

Will
(Fessor)
1389

ELANOR
1421
= Fastred
Lindofilho

FRODO
Jardineiro
1423

Samwise Jardineiro
1462

Harding da Colina
1501–1606

Rosa
1425

Merry
1427

Pippin
1429

Cachinhos D'ouro
1431
= Faramir I, filho do
Thain Peregrin I

Hamfast
1433

Margarida
1436

Prímula
1439

Bilbo
1440

Rubi
1442

Robin
1444

Tom
1446

Lili
1450

Tabela S 3

pai acrescentou a lápis o nome Vau Budge, sendo ele a travessia do Água pela estrada (incluída no mapa simultaneamente) desde Fosso Branco, na Estrada Leste, até Escári. Ao mesmo tempo, ele escreveu Campos da Ponte em uma nova posição, a noroeste da Ponte do Brandevin e a norte da Estrada Leste, da forma que aparece no mapa publicado do Condado.

[3] Em textos datilografados tardios dos capítulos nos quais Fredegar Bolger aparece em *O Senhor dos Anéis*, o nome *Belisarius* (com o apelido *Belly*, que sem dúvida justifica a escolha) substituiu o nome anterior *Hamilcar*, o qual foi depois substituído por *Fredegar*.

[4] Jemima Boffin, em BG 2, foi inicialmente renomeada *Jasmine*, substituído pela forma *Jessamine* [Jasmina], e isso acontece também na genealogia Boffin.

[5] Em uma das provas, meu pai emendou o ano de nascimento de Fredegar de 1377 para 1380, mas a árvore genealógica foi omitida do livro antes de isso ser inserido. Contudo, na tabela Tûk a data foi alterada. Ver nota 1.

[6] Isso foi, na verdade, uma alteração (VI. 368 e nota 1): originalmente, meu pai assinalou os Boffins a noroeste da Ponta do Bosque e os Bolgers a norte da Vila--dos-Hobbits, subsequentemente trocando-os de lugar; cf. VI. 368, "do lado oeste, até a Vila-do-Bosque (que que estaria localizada em território Boffin)".

[7] Em VI. 337, 339, coloquei o nome como *Lanorac*, o que é uma leitura incorreta do manuscrito difícil.

[8] Em VI. 390, observei que alguns dos números em T 1 foram alterados no manuscrito e forneci uma lista deles. Contudo, eu disse que estes eram os anteriores, sendo que eles são, na verdade, os números corrigidos. Ver nota 9.

[9] Em T 1, os anos de nascimento de Isambard e Flambard eram 170 e 165 anos antes da Festa de Despedida, mas eles foram alterados (ver nota 8) para 160 e 167 (em T 2, 1241 e 1234), daí a inversão da posição dos irmãos em T 2.

[10] Em T 2, Uffo Tûk e seu filho Próspero foram alterados para Adelard e Everard (ver VI. 308, 388) e Uffo tornou-se um nome Boffin (ver BF 2). Notar-se-á, portanto, que foram removidos da linhagem do quarto filho (Fosco > Sigismond) e acrescentados à do segundo filho, Isembard (anteriormente sem descendentes nomeados), cujo filho Flambard assume o antigo nome de Hildigrim.

[11] A menção do Fazendeiro Villa ao pai de Pippin como o Thain ("Sabe, seu pai, Sr. Peregrin, ele nunca se acertou com esse Lotho, não desde o começo: disse que, se alguém ia bancar o chefe a esta altura, seria o legítimo Thain do Condado e nenhum novo-rico ...") foi um acréscimo tardio ao texto do capítulo *O Expurgo do Condado* (RR, p. 1436). Para a versão original do trecho, ver IX. 130.

4

Os Calendários

O texto mais antigo daquele que se tornou o Apêndice D em *O Senhor dos Anéis* é um manuscrito breve e descuidado sem título, o qual chamarei de **D 1**. Em estilo e aspecto ele sugere uma associação com o primeiro dos dois manuscritos intimamente relacionados do Apêndice sobre Idiomas, F 1 (ver p. 48), e isso se demonstra por uma menção no texto à "nota sobre Idiomas p. 29". Isso se refere, na verdade, à segunda versão, F 2, que, portanto, já existia (ver p. 171, nota 2). A D 1 seguiu-se, claramente não muito depois, uma cópia limpa, **D 2**, em exato paralelo aos manuscritos F 1 e F 2 do Apêndice sobre Idiomas; e, portanto, a ordem de composição foi F 1, F 2; D 1, D 2. Não tenho qualquer dúvida de que todos os quatro textos pertencem à mesma época, certamente antes do verão de 1950 (ver p. 48 e nota 1) e provavelmente anterior a isso: de fato, um envelope associado ao D 1 tem um carimbo postal datado de agosto de 1949.

Nesse caso, uma vez que os textos são muito mais curtos do que o F 1 e o F 2, e o segundo manuscrito, D 2, foi substancialmente alterado em relação ao primeiro, eu incluo ambos. Essas versões mais antigas do Apêndice sobre Calendários mostram, assim como o Apêndice sobre Idiomas, quão longe a concepção ainda estava da forma publicada quando *O Senhor dos Anéis* havia sido terminado. Segue-se aqui o texto do manuscrito D 1.

No Condado, o Calendário não era organizado como o nosso, embora o ano aparentemente tivesse o mesmo comprimento, pois, por longínquos que aqueles tempos sejam agora, considerados em anos e vidas de homens, não eram (suponho) tão distantes tendo em vista a idade da Terra-média. De acordo com os próprios Hobbits, eles não tinham "semana" quando eram ainda um povo errante e, apesar de terem meses, calculados pela lua, seu registro de datas e do tempo não era particularmente preciso. Em Eriador (ou Terras-ocidentais), ao se assentarem eles adotaram o registro dos Dúnedain, que era de origem élfica. Mas os Hobbits do Condado, após algum tempo, alteraram coisas para se adaptarem melhor à sua própria conveniência. O "Registro-do-Condado" acabou sendo adotado também em Bri.

É difícil descobrir a partir de antigos registros detalhes precisos sobre aquelas coisas que todos conhecem e consideram evidentes, nem sou eu mesmo habilidoso nesses assuntos abstrusos. Mas naquela parte da Terra-média, naquela época, parece que os Eldar (que, como disse Sam, tinham mais tempo à disposição) calculavam em séculos. Ora, eles haviam notado — não sei como; mas os Eldar têm muitos poderes e haviam observado muitos séculos — que um século contém quase exatamente, para propósitos práticos, 36.524 dias. Eles então dividiram o valor em 100 anos (ou "rondas-do-sol") de 366 dias, lidando com a imprecisão não da maneira que fazemos, inserindo em intervalos um dia a mais para compensar o déficit, mas retirando alguns dias em determinadas épocas para reduzir o excedente. A cada *quatro* anos, eles teriam *três* dias a mais caso nada tivesse sido feito para corrigir isso.

Usualmente, dividiam o ano de 366 dias em doze meses, seis de 31 dias e seis de 30. Eles alternavam 31, 30 de janeiro a junho e 30, 31 de julho a dezembro. Notar-se-á que os seus meses, portanto, tinham o mesmo comprimento que os nossos, exceto por fevereiro, 30, e julho, 30. A cada *oito* anos, eles se livravam do excesso de 6 dias reduzindo todos os meses para 30 dias; e esses anos eram chamados ["Anos Equimeses" ou "Anos de Trinta-dias" >] "Anos de Sessenta-semanas" ou "Anos Curtos".

A semana élfica tinha apenas *seis* dias; assim, anos normais tinham 61 semanas e, a cada oito anos, 60 semanas. O primeiro dia do ano sempre começava no primeiro dia da semana. Nos Anos Curtos (os oitavos), todo mês começava no primeiro dia da semana. Nos anos normais, eles progrediam assim: 1, 2, 2, 3, 3, 4, 4, 4, 5, 5, 6, 6.[1]

Os Eldar, ao final de um século, ainda teriam 36.525 dias e não 36.524; por isso, uma vez por século eles deixavam de fora o último dia do último mês (reduzindo dezembro para 30 dias). O dia da semana ia junto: não havia sexto dia na última semana do século.

Os Dúnedain alteraram esses arranjos. Eles favoreciam o número 7 e também achavam uma semana com sete dias mais conveniente. Também preferiam um sistema no qual todos os meses tivessem o mesmo comprimento e não variassem a intervalos. [*Riscado posteriormente:* Eles tinham 12 meses (e não 13), de modo que o ano pudesse ser dividido em duas metades exatas.]

Em Gondor, portanto, e na maioria das regiões onde se usava a fala comum, o ano tinha 365 dias; havia 12 meses de 30 dias cada e 52 semanas de 7 dias cada. Mas o método empregado para lidar com os 5 dias excedentes diferia em países distintos.

Em Gondor, entre 30 de junho e 1 de julho, eles alocavam uma espécie de mês curto de 5 dias, chamados de *Os Dias Estivais*, e era tempo de feriados. O dia do meio dos Dias Estivais (o terceiro) era chamado de Dia do Meio-do-Ano e era um festival. A cada quatro anos havia 6 Dias Estivais e o festival do Meio-do-Ano durava dois dias (celebrados no terceiro e no quarto dia). No último ou centésimo ano de um século, o Dia Estival acrescentado era omitido, computando o total de 36.524.

No Condado (e depois em Bri, onde o Registro-do-Condado acabou sendo adotado) havia 3 Dias Estivais, que no Condado se chamavam *Lite* ou *Dias-de-Lite*; e 2 *Dias-de-Iule*, o último do Ano Velho e o primeiro do Novo.* A cada quatro anos havia 4 Dias-de-Lite [*acrescentado:* exceto no último ano de um século]. Os Dias-de-Lite e os Dias-de-Iule eram os principais feriados e épocas de festejo. O Dia-de-Lite adicional, chamado *Sobrelite*, era um dia de festejo e diversão especial. O *Iule* compreendia, no total, a última semana do ano velho e a primeira do novo, ou, pelo Registro-do-Condado (já que dezembro tinha apenas 30 dias), de 24 de dezembro a 7 de janeiro, incluindo ele; mas os dois dias do meio daquele período, o *Dia do Ano Velho*, ou *Findano* (30 de

*O cálculo do início do ano tinha variado muito em diferentes tempos e lugares. O início após o Iule (que originalmente era para cair no Solstício de Inverno) era usado no Reino do Norte e acabou sendo adotado pelos Hobbits. Dizia-se que os Hobbits Selvagens iniciavam seu ano com a Lua Nova mais próxima do início da Primavera. Os Hobbits assentados, por um tempo, começaram seu ano após a Colheita, por volta de primeiro de outubro. Esse costume sobreviveu por muito tempo em Bri. Em Gondor, após a queda de Baraddur, uma nova era começou e aquele dia foi contado como o primeiro dia do seu primeiro ano.

dezembro) e o *Dia do Ano Novo*, ou *Diadano* (1 de janeiro), eram os grandes Dias-de-Iule, isto é, o Iule propriamente dito.

Os Hobbits introduziram uma notável inovação (a Reforma-do-Condado). Achavam irregular e inconveniente o deslocamento dos nomes dos dias da semana em relação às datas, de um ano para outro. Assim, na época de Isengrim II, convieram que o dia extra que interferia na sucessão não deveria ter nome de dia da semana. Assim, o Dia do Meio-do-Ano (o segundo dia bem no meio do Lite) não tinha nome de dia da semana, assim como não o tinha o Sobrelite (que o seguia a cada quatro anos). Após essa reforma, o ano passou a sempre começar no primeiro dia da semana e terminar no último; e a mesma data em um ano sempre tinha o mesmo nome do dia da semana em todos os outros anos. Como consequência, os Hobbits nunca se preocupavam em registrar os dias da semana em suas cartas. Achavam isso bem conveniente no Condado mas, é claro, se viajassem além de Bri, onde a reforma foi adotada, achavam isso bastante confuso.

Pode-se notar, observando um Calendário Hobbit (perpétuo) que o único dia da semana em que não começava nenhum mês era a sexta-feira. Assim, era uma expressão jocosa no Condado dizer "na sexta-feira, dia primeiro" quando se fazia referência a um dia que não existia, ou a um dia em que se poderia esperar eventos impossíveis acontecerem como porcos voando ou (no Condado) árvores caminhando. A expressão completa era "na sexta-feira, dia primeiro de cerrestio", pois esse mês não existia.

Nas notas anteriores usei nossos nomes modernos para os meses e para os dias da semana, apesar de, logicamente, nem os Eldar, nem os Dúnedain, nem os Hobbits fazerem isso de verdade. Mas datas são tanto importantes quanto facilmente confundidas, então achei essencial uma tradução para nossos nomes familiares. Estes podem muito apropriadamente ser aceitos como representações dos nomes usuais em Gondor e na fala comum. Mas, de fato, os Hobbits tanto do Condado como de Bri aderiam a antiquados nomes de meses, que parecem ter obtido na antiguidade dos Homens do Vale-do-Anduin; seja como for, nomes muito semelhantes se encontravam em Valle e em Rohan (ver a nota sobre Idiomas p. 29).[2] Os significados originais deles tinham em regra sido esquecidos havia muito tempo e, como consequência, sua forma se corrompera. Havia alguma variação nos nomes. Diversos nomes em Bri diferiam daqueles do Condado e, em um ou dois casos, os leste-quartenses convergiam com Bri.

	Condado	*Bri*
Janeiro	Posiule	Gelal (também na Quarta Leste)
Fevereiro	Lodal	Lodal
Março	Glorial[3]	Glorial
Abril	Luzal	Brotal (também na Quarta Leste)
Maio	Triamojo[a]	Trimunge
Junho	Prelite O Lite ou Dias-de-Lite	Lite Os Dias Estivais
Julho	Poslite	Pradal
Agosto	Erval	Erval
Setembro	Rital	Sega(l) (também na Quarta Leste)
Outubro	Cerrinverno[Invernês >]	Invernal
Novembro	Seival	Seival
Dezembro	Preiule	Iule

(a) Também escrita *Trimojo*, *Trimunge*, essa última já a forma mais usual na época de Bilbo. Frequentemente era um chiste em Bri falar sobre o "cerrinverno no Condado", após o povo de Bri ter alterado o nome para *invernal*; mas o nome provavelmente significava "completude, encerramento" e talvez tenha derivado da época em que o ano terminava e começava em outubro, após a Colheita. De fato, o Inverno era (e ainda é para nós) frequentemente usado como sinônimo de "ano" no cálculo da idade.[4]

A semana dos Hobbits foi tomada dos Dúnedain, e os nomes eram traduções daqueles dados pelos Dúnedain seguindo os Eldar. A semana de seis dias dos Eldar tinha dias dedicados às Estrelas, Sol, Lua, às Duas Árvores de Valinor, ao Céu e aos Valar ou Regentes, nessa ordem, sendo o último o principal ou nobre dia.

Os Dúnedain mantiveram as dedicações e a ordem, mas alteraram o quarto dia para Dia da Árvore, com referência à Árvore Mais Antiga da qual uma descendente cresceu em Númenor e, como desejavam uma semana de sete dias e eram grandes navegantes, inseriram um Dia do Mar após o Dia do Céu.

Os Hobbits assumiram esse arranjo, mas os significados dos dias logo foram esquecidos e os nomes, reduzidos na forma. A "tradução" foi feita mais de mil anos antes da época de Bilbo. Nos registros conhecidos mais antigos do Condado, nas partes iniciais do Grande Códex de Tuqueburgo,[5] os nomes constam nas seguintes formas arcaicas.

1. *aster-dies*	isto é	Dia das Estrelas
2. *sol-dies*		Dia da Sol
3. *luna-dies*		Dia do Lua
4. *arbor-dies*		Dia da Árvore
5. *cælo-dies*		Dia do Firmamento (do Céu)
6. *aquo-dies*		Dia do Mar
7. *nobili-dies*		Nobre Dia

Mas na linguagem da época do Livro Vermelho esses nomes tornaram-se, na escrita, *astres* (ou *estres*), *soles*, *lues*, *árbores*, *caeles*, *aques*, *nobles*; e *caeles* era universalmente pronunciado *celes* e frequentemente assim escrito. A grafia *estres* (comum no Livro Vermelho) se devia ao fato de que, uma vez esquecido o antigo significado, supunha-se popularmente que *estres*, recomeçando a semana após o festivo *Nobre Dia*, estava conectado ao *Estremecer*, ou *Agitação*.

Uma vez que os nomes hobbits são acidentalmente semelhantes com os nossos e que dois deles são idênticos (na fala),[6] achei que seria inconveniente traduzi-los de acordo com a sua *ordem*. Portanto, eu os traduzi de acordo com o seu *som*. Mas deve-se lembrar que as associações no Condado eram diferentes. Na tradução, a ordem da semana é: sábado, domingo, segunda-feira, terça-feira, quarta-feira, quinta-feira, sexta-feira. Mas o sábado era o primeiro dia da semana e a sexta-feira, o último. Em associações, o sábado era mais parecido com nossa segunda-feira e a sexta-feira, com nosso domingo.

Os nomes dos meses, como expliquei anteriormente, foram traduzidos. Mas, por receio de criar confusão, deixei as *datas* de Bilbo e Frodo inalteradas; isto é, mantive o comprimento dos meses hobbits. Neste livro, isso só afeta diretamente a virada dos anos 1418–19. Portanto, aqueles que desejam seguir as diversas movimentações dos personagens devem lembrar que, enquanto dezembro de 1418 e janeiro de 1419 têm (devido ao acréscimo de um Dia-de-Iule em cada) o mesmo comprimento que os nossos, fevereiro tem 30 dias, de modo que 25 de março, por exemplo, corresponderia a 27 de março em nossa contagem.

O Dia Bissexto ou Sobrelite não afeta o Livro Vermelho, pois não aconteceu em nenhum dos anos importantes da história do Anel. Ele ocorreu no ano anterior à jornada de Bilbo rumo à Montanha Solitária, 1340; foi pulado em 1400, por ser o fim de um século (logo antes da Festa de Despedida de Bilbo em 1401) e, portanto, não aconteceu de 1396 até 1404. Os únicos anos que aparecem no Livro Vermelho no qual ele ocorreu foram 1420, a famosa Colheita, e 1436. Contudo, ainda que sem dúvida os festejos de Sobrelite em 1420 tenham sido tremendos, não são mencionados de maneira especial.[7] O Livro se encerra antes do Lite de 1436.

Há de se observar que o relato sobre o calendário eldarin na Terra-média dado no D 1 não tem qualquer relação com aquele no texto publicado. Ademais, apesar de o Calendário do Condado, conforme descrito no D 1, ter se mantido sem alterações, ele é baseado muito mais diretamente no sistema númenóreano do que acontece no Apêndice D. No D 1, ambos os calendários tinham um ano de 12 meses com 30 dias cada e a única diferença no do Condado era a distribuição dos cinco Dias Estivais de Gondor em dois Dias-de-Iule e três Dias Estivais ou Dias-de-Lite (o dia do ano bissexto, Sobrelite, ou quarto Dia-de-Lite, correspondendo ao sexto Dia Estival em Gondor). No Apêndice D, por outro lado, o calendário númenóreano tinha dez meses de 30 dias e dois de 31 (perfazendo 362), com os três "dias extras" sendo *yestarë* (o início do ano), *löendë* (o dia mediano) e *mettarë* (o fim do ano).

Ao escrever os nomes dos meses e dias da semana, meu pai usou a palavra "tradução". Ele estava se referindo, é claro, à substituição de *Mersday* [aques], por exemplo, por *quinta-feira*, ou *Rethe* [glorial] por *março*. Mas deve-se lembrar que *Mersday*, *Rethe* etc. eram eles mesmos nomes falsamente "traduzidos" dos nomes hobbits reais. Não sabemos qual era a "verdadeira" tradução do nome númenóreano *Oraearon* (RR, p. 1581); a teoria é que meu pai criou a tradução do nome hobbit, o qual ele conhecia, em uma forma inglesa arcaica, *Meresdei* [aquo-dies], posteriormente *Mersday* [aques], e então substituiu por *quinta-feira* na narrativa. O fato de "Trewsday, Hensday, Mersday, Hiday" [arbor-dies, cælo-dies, aquo-dies, nobili-dies] rimarem com o inglês "Tuesday, Wednesday (Wensday), Thursday, Friday" [terça, quarta, quinta e sexta-feira] foi chamado por ele, naturalmente, de uma semelhança acidental, mas foi uma coincidência impressionante! Inclino-me bastante a pensar que o calendário hobbit foi a ideia original e que os nomes dos dias foram, de fato, criados exatamente para desembocar nessa "semelhança acidental". Se for esse o caso, então é claro que a história mais antiga dos nomes da semana (retrocedendo até a semana de seis dias dos Eldar) foi uma evolução posterior nessa concepção extraordinariamente engenhosa e atraente. É notável, penso, que os nomes élficos não apareçam até o texto D 2 (no qual os nomes em sindarin são chamados, como é de se esperar, de noldorin).

Segue-se agora o segundo texto (com algumas omissões indicadas). É um manuscrito feito cuidadosamente, encabeçado pelo título *O Calendário*. Acredito que tenha sido escrito logo depois do D 1.

O Calendário

O Calendário do Condado diferia do nosso em vários aspectos. O ano, aparentemente, tinha o mesmo comprimento, pois, por longínquos que aqueles tempos sejam agora, considerados em anos e vidas de homens, não eram muito remotos de acordo com a memória da Terra. Foi registrado pelos Hobbits que não tinham "semana" quando eram ainda um povo errante e, apesar de terem "meses", governados mais ou menos pela Lua, seu registro de datas e seus cálculos do tempo eram vagos e inexatos. Nas terras ocidentais de Eriador, quando haviam começado a se assentar, adotaram o registro dos Dúnedain do Reino do Norte, que era remotamente de origem élfica; mas os Hobbits do Condado introduziram diversas alterações menores. Esse calendário, ou "Registro-do-Condado", como o chamavam, acabou sendo adotado também em Bri, exceto pelo uso, no Condado, de contar como Ano 1 aquele da fundação ou colonização do Condado.

Muitas vezes é difícil descobrir, a partir de antigos contos e tradições, informações precisas sobre aquelas coisas que as pessoas conheciam bem e consideravam evidentes em seu próprio tempo, como os nomes das letras, ou dos dias da semana, ou os nomes e comprimentos dos meses. Fiz o melhor que pude e vasculhei alguns dos trabalhos remanescentes sobre cronologia. Devido ao seu interesse geral por genealogia e ao [*acrescentado:* posterior] interesse dos eruditos entre eles por história antiga, os Hobbits do Condado parecem ter-se ocupado bastante com datas; e chegaram a montar tabelas complicadas que mostravam a relação de seu próprio sistema com os outros. Não tenho conhecimento ou habilidade nesses assuntos abstrusos e posso ter cometido muitos erros; mas, de qualquer maneira, a cronologia dos anos cruciais (Registro-do-Condado 1418, 1419) está tão cuidadosamente exposta no Livro Vermelho que não pode haver grande dúvida sobre dias e épocas nesse ponto.

Parece claro que os Eldar — que, como observa Samwise, tinham mais tempo à disposição — calculavam em séculos, e a palavra quenya *yén*, muitas vezes traduzida por "ano", significa na realidade uma centena dos nossos anos, às vezes chamado *quantiën* ou "ano cheio". Ora, eles haviam notado — não sei como ou quando; mas os Eldar têm muitos poderes e haviam observado muitos séculos — que um século ou *quantiën* continha, exatamente ou exatamente o bastante para propósitos práticos, 36.524 dias. Portanto, dividiram o valor em 100 anos *coranári** (rondas--do-sol ou anos) de 366 dias. Isso lhes daria 36.600 dias, ou 76 excedentes; e eles lidavam com a imprecisão não da maneira que fazemos, inserindo em intervalos um dia a mais para compensar o déficit, mas retirando alguns dias em determinadas épocas para reduzir o excedente. A cada *quatro* anos, eles teriam (muito próximo de) *três* dias a mais caso nada tivesse sido feito para corrigir isso. O seu método de correção pode parecer complicado para nós, mas eles favoreciam os números seis e doze e se preocupavam mormente em fazer as coisas se ajeitarem apropriadamente ao fim do seu "ano cheio" ou século.

Usualmente, dividiam sua *coranar* de 366 dias em doze meses, seis de 31 dias e seis de 30 dias. Os comprimentos se alternavam, de janeiro† a junho, em 31 e 30; e de julho a dezembro, em 30 e 31. Notar-se-á que os seus meses, portanto, tinham o mesmo

*Também chamado, em contextos menos astronômicos, de *loa*, "tempo de crescimento", isto é, de plantas etc.
†Os nomes dos meses estão aqui traduzidos para evitar confusão.

comprimento que os nossos, exceto por fevereiro, 30 (comum em todos os calendários desse período), e julho, 30. A cada *oito* anos, eles se livravam do excesso de 6 dias reduzindo todos os meses para 30 dias, tendo assim um ano (ou *coranar*) de apenas 360 dias. Esses anos eles chamavam de "Anos Curtos" ou "Anos de Sessenta-semanas".

A semana eldarin tinha apenas *seis* dias; assim, anos normais tinham 61 semanas e, a cada oito anos, 60 semanas. O primeiro dia da *coranar* sempre começava no primeiro dia da semana. Nos Anos Curtos, todo mês começava também com o primeiro dia.

Esses ciclos de oito anos aconteciam regularmente até o final do 96º ano do *quantiën*, ou século. Então, restavam mais quatro anos para se lidar e 1.460 dias eram necessários para fechar a conta inteira de 36.524. Quatro anos de 365 dias bastariam, mas isso não seria adequado para a semana de seis dias dos Elfos. O seu real arranjo para completar satisfatoriamente o *quantiën* era o seguinte: ao final do século eles tinham um meio-ciclo de *três* anos longos de 366 dias (totalizando 1.098) e *um* ano curto (o último do século) de 360: perfazendo 1.458 dias e completando exatamente as semanas. Os dois dias a mais necessários[8] eram acrescentados no fim e no começo do *quantiën*; eles não tinham nome de dia da semana e nem mês, mas apenas seus próprios nomes: *Quantarië*, Dia da Completude, Dia do Ano Velho, e *Vinyarië*, Dia do Ano Novo; eles eram épocas festivas. Assim, o ano 1 do século eldarin tinha 367 dias; os anos 8, 16, 24, 32, 40, 48, 56, 64, 72, 80, 88, 96 tinham 360 dias; o ano 100 tinha 361 e o restante, 366. Dessa forma, é impossível transferir uma data eldarin para nossos termos sem um possível erro de alguns dias, a menos que se saiba em que ponto de um século eldarin um determinado ano se encontra e se aquele século de fato se iniciou naquilo que chamaríamos de 1 de janeiro.*

---

*Acredito que os Elfos observam o Sol e as estrelas de perto e, ocasionalmente, fazem correções. Seus *quantiéni* são arranjados, fui informado, de modo a começarem o mais perto possível do primeiro poente depois do Solstício de Inverno. O "dia" eldarin, ou *arë*, era contado não a partir da meia-noite, mas a partir do momento em que o sol desaparecia no horizonte conforme observado das praias do mar. Entre outros povos, o cálculo do início do ano tinha variado muito em épocas diferentes, embora fosse geralmente no meio do inverno, ou em uma data tida como o começo da Primavera e, ocasionalmente, após a Colheita. O início após o Iule (entendido como o Solstício de Inverno ou próximo a ele) era usado pelos Dúnedain no Reino do Norte e acabou sendo adotado pelos Hobbits. Dizia-se

Os Dúnedain alteraram esses arranjos. Sendo mortais, ainda que de vida longa, a verdadeira "ronda-do-sol", ou ano, era sua unidade natural. Eles necessitavam, portanto, de um sistema no qual os meses tivessem o mesmo comprimento a cada ano. Ademais, favoreciam bastante o número sete. O sistema a seguir foi usado em Númenor e, depois da Queda, no Reino do Norte e também em Gondor até o fim da linha dos Reis: é chamado, portanto, de Registro do Rei.

O ano tinha 365 dias; havia 12 meses, geralmente de 30 dias cada; mas os meses de cada lado do meio-do-ano e do fim-do-ano tinham 31 (em nossos termos, janeiro, junho, julho e dezembro). O 183º dia, o Dia do Meio-do-Ano, não pertencia a nenhum mês. A cada *quatro* anos, exceto no último ano de um século, havia dois Dias do Meio-do-Ano. A partir desse sistema o Registro-do-Condado, descrito abaixo, foi derivado.

Mas posteriormente em Gondor, na época dos Regentes, o comprimento dos meses foi equalizado. Cada mês tinha 30 dias, mas entre 30 de junho e 1 de julho eram inseridos 5 dias, chamados de *Dias Estivais*. Eles eram geralmente tempo de feriados. O dia do meio, o terceiro, o 183º do ano, era chamado de Dia do Meio-do-Ano e era um festival. Como antes, ele era dobrado a cada *quatro* anos (exceto no centésimo ano de um século). Esse era chamado de Registro do Regente e era habitual em quase todos os países onde a fala comum era empregada (exceto entre os Elfos, que o utilizavam apenas em seus negócios com os Homens).

Os Hobbits, contudo, permaneceram conservadores e continuaram usando uma forma do Registro do Rei adaptada para se adequar aos seus próprios costumes. Seus meses eram todos iguais e tinham 30 dias, mas tinham *três* Dias Estivais, que no Condado se chamavam Lite ou Dias-de-Lite, entre junho e julho; e *dois* Dias-de-Iule, o último do ano velho e o primeiro do ano novo. Na prática, janeiro, junho, julho e dezembro ainda tinham 31 dias, mas os Dias-de-Lite e os Dias-de-Iule não eram contados

---

que os Hobbits Selvagens iniciavam seu ano com a Lua Nova mais próxima do início da Primavera. Os Hobbits assentados, por um tempo, começaram seu ano após a Colheita, ou em primeiro de outubro após a introdução de meses fixos e regulares. Um vestígio disso se verifica na manutenção de 1 de outubro como festival menor no Condado e em Bri.

no mês (1 de janeiro era o segundo, e não o primeiro dia do ano). A cada *quatro* anos, exceto no último ano do século,* havia *quatro* Dias-de-Lite. Os Dias-de-Lite e os Dias-de-Iule eram os principais feriados e épocas de festejo. O Dia-de-Lite acrescentado após o Dia do Meio-do-Ano (portanto o 184º dia dos anos mais longos) era chamado de Sobrelite e era um dia de diversão especial. No total, a "Época-de-Iule" durava catorze dias, a última semana do ano velho e a primeira do novo (de 25 de dezembro a 6 de janeiro, incluindo ele), mas os dois dias no meio do período, o *Findano*, ou Dia do Ano Velho, e o *Diadano*, ou Dia do Ano Novo, eram os grandes Dias-de-Iule.

Os Hobbits introduziram uma pequena, mas notável, inovação, a "Reforma-do-Condado". ...

O texto prossegue sem alteração significativa daquele no D 1 (p. 153), com a mesma referência à página do texto F 2 do Apêndice sobre Idiomas (ver nota 2), e sem os nomes quenya dos meses que constam no Apêndice D (RR, p. 1580). Na lista dos nomes hobbits dos meses, *Yulemath* [Iule] (assim como *Harvest(math)* [sega(l)]) foi incluído como corrente na Quarta Leste e em Bri, e o nome de maio no Condado se torna *Thrimidge* [trimunge], como em Bri, com a nota "anteriormente escrito *Thrimich* [trimojo] e, de maneira arcaica, *Thrimilch* [triamojo]". A explicação para o nome *Winterfilth* [cerrinverno] é alterada, "o nome provavelmente significava, na origem, o *preenchimento* ou *conclusão* do inverno, ou, antes, do ano que levava à entrada do inverno", frase cujo significado preciso me é obscuro (ver nota 4).

Depois da lista dos nomes dos meses e suas notas, o texto D 2 prossegue:

Não me arrisquei a empregar esses verdadeiros nomes estranhos ao longo da narrativa, mas deve ficar claro que a referência é sempre ao Calendário do Condado, mesmo nos lugares em que

*Anteriormente, era o *primeiro ano* do século, pois aconteceu de os Hobbits adotarem o Registro do Rei no último ano de um século dúnedain, provavelmente o ano 1300 da Terceira Era, que se tornou o primeiro ano de seu registro. Mas como se verificou que o ano 1 do Registro do Condado correspondia ao 1601 do Registro do Rei, tudo foi ajustado posteriormente para se adequar ao Registro do Rei.

o "Registro-do-Condado" não for especificado, como ocorre algumas vezes. Assim, os pontos essenciais na virada dos anos R.C. 1418, 1419 são que outubro de 1418 tem apenas 30 dias, ao passo que 1 de janeiro é o segundo dia de 1419 e fevereiro de 1419 tem 30 dias. Como consequência, o aniversário de Bilbo, 22 de setembro, é o 99º e não 100º dia a partir do final do ano, correspondendo ao nosso 23 de setembro; 1 de fevereiro coincide com nosso 1 de fevereiro, mas 29 e 30 correspondem ao nosso 1 e 2 de março; e a data da queda de Baraddur e Sauron, R.C. 25 de março, corresponde ao nosso 27 de março.

A semana dos Hobbits foi tomada dos Dúnedain, e os nomes eram traduções daqueles nomes dados aos dias no antigo Reino-do-Norte, que por sua vez derivavam dos Eldar. Esses nomes eram, àquela época, quase universais entre os que usavam a fala comum, embora houvesse algumas variações locais.

A semana de seis dias dos Eldar tinha dias dedicados a, ou nomeados conforme: as Estrelas, a Sol, o Lua, as Duas Árvores,* o Céu e os Valar (ou Poderes), nessa ordem, sendo o último dia o principal, ou nobre, dia da semana. Seus nomes em quenya eram: *elenya*, *anarya*, *isilya*, *aldarya*, *menelya*, *valarya* (ou *tárinar*). Os nomes em noldorin eram [*argiliath* >] *argilion*, *aranor*, *arithil*, [*argelaid* >] *argaladath*, *arvenel* (*-fenel*, *-mhenel*), *arvelain* (ou *ardórin*).[9]

Os Dúnedain mantiveram as dedicações e a ordem, mas alteraram o quarto dia para *argalad*, "Dia da Árvore", com referência apenas à Árvore Antiga, da qual a Árvore Branca que crescia na Corte do Rei em Númenor era descendente. Também, como desejavam um sétimo dia e eram os maiores dos navegantes, inseriram um "dia do mar", *aroeren* (quenya *ëarenya*) após o Dia do Céu.

Os Hobbits assumiram esse arranjo...

O texto então segue o D 1 (pp. 155–6) quase exatamente quanto ao relato dos nomes dos dias da semana no calendário dos Hobbits, mas as grafias no Livro Vermelho de *Sterrendei* [aster-dies] e *Hihdei* [nobili-dies] são alteradas para *Starday* [estreles] e *Hiday (or Highday)* [nobles (ou nobiles)]. *Starday* [estreles] foi alterado

*As Duas Árvores de Valinor, Silpion de prata (a Mais Antiga) e Laurelin de ouro (a Mais Nova), que davam luz ao Reino Abençoado.

para *Sterday* [astres], com a nota: "A grafia *estres*, às vezes encontrada no Livro Vermelho, se devia ao esquecimento do significado do nome. Supunha-se popularmente que *astres*, que começava a semana, estava conectado ao 'estremecer', à 'agitação' após o feriado de *nobiles*".

O D 2 se encerra, então, da seguinte forma:

Também traduzi esses nomes pelos nossos nomes familiares e, ao decidir qual nome corresponderia a qual dos nossos termos modernos, não segui a ordenação dos Hobbits (começando com *Sterday* [astres]), mas, sim, os significados. Assim, já que *Sunday* [soles] e *Munday* [lues] são praticamente idênticos aos nomes ingleses *Sunday* [domingo] e *Monday* [segunda-feira] e têm as mesmas "dedicações" na mesma ordem, eu os equalizei e coloquei o restante na mesma ordem que estão na lista do Condado: assim, a ordem hobbit 1, 2, 3, 4, 5, 6, 7 foi traduzida, na nossa, 7, 1, 2, 3, 4, 5, 6. Mas deve-se lembrar, contudo, que as associações dos nomes dos dias da semana serão, portanto, diferentes: o sábado, por exemplo, corresponderia no costume hobbit à nossa segunda-feira, enquanto a sexta-feira corresponderia mais diretamente ao domingo no Condado.

O Sobrelite ou Dia Bissexto não afeta o Livro Vermelho, pois não aconteceu em nenhum dos anos importantes da história do Grande Anel. Ele ocorreu no ano anterior à jornada de Bilbo rumo à Montanha Solitária, isto é 1340; foi pulado em 1400,* o ano anterior à sua Festa de Despedida (1401) e, portanto, não aconteceu de 1396 até 1404. Os únicos anos que aparecem no Livro Vermelho no qual ele ocorreu foram 1420, a famosa Colheita, e 1436. Sem dúvida a celebração de Sobrelite em 1420 foi maravilhosa como tudo o mais naquele maravilhoso ano, mas não é mencionada de maneira especial pelo Mestre Samwise. Ele tinha muitas outras coisas para pensar e seu breve relato sobre os acontecimentos não foi expandido. O Livro se encerra antes do Lite de 1436.

*O estabelecimento dos séculos foi, em última instância, tomado do registro dos Dúnedain. Pois, embora o "Registro-do-Condado" tenha começado apenas com o assentamento do Condado, verificou-se que isso ocorrera no ano 1601 da Terceira Era de acordo com o Registro do Rei. Para converter os anos do R.C. em anos da T.E., deve-se, portanto, adicionar 1600. Os anos de Bri começaram 300 anos antes que os do Condado.

Com a suposição, que estou certo de ser a correta, de que o D 2 pertence à praticamente a mesma época que o D 1, meu pai logo ficou descontente com seu primeiro relato acerca dos antecedentes do calendário dos Hobbits (o qual se manteve, em si, praticamente inalterado). No calendário eldarin ele agora introduziu as palavras *yén* e *quantiën*, ambas significando uma centena dos nossos anos (*coranári*, "rondas-do-sol"), mas manteve a estrutura essencial, descrita no D 1, de 366 dias no ano, dividido em seis meses, alternando entre 30 e 31 dias com uma redução de todos os meses para 30 dias a cada oito anos, os chamados "Anos Curtos". Por outro lado, ele alterou o tratamento dado pelos Eldar aos últimos quatro anos do século: enquanto no D 1 (p. 152) um dia era simplesmente eliminado bem no final do século, no D 2, acrescentava-se dois, um ao começo e um ao final do século (ver nota 8).

O calendário númenóreano sofreu mudanças mais radicais. No D 1 havia 12 meses de 30 dias cada em um ano com 365 dias, com um período de 5 dias (alheios aos meses) chamados de "Dias Estivais" entre 30 de junho e 1 de julho, o terceiro dos quais era chamado de "Dia do Meio-do-Ano". O quarto ano era bissexto, com seis "Dias Estivais", incluindo dois "Dias do Meio-do-Ano". Desse calendário derivou o dos Hobbits, com 5 dias "extras" distribuídos em 3 "Dias Estivais" ("Dias-de-Lite") e 2 "Dias-de-Iule", sendo o dia bissexto chamado "Sobrelite".

No D 2, por outro lado, o calendário númenóreano tinha 8 meses de 30 dias e 4 meses de 31 (janeiro, junho, julho e dezembro), necessitando apenas um dia "extra", o Dia do Meio-do-Ano, que ficava de fora da contagem dos meses e era dobrado a cada quatro anos (como no D 1). Esse era chamado de "Registro do Rei". Apesar dessa alteração no calendário númenóreano, o calendário hobbit (inalterado em relação ao D 1) muito curiosamente ainda derivou dele: pois meu pai explicou (p. 160) que "na prática" eles mantiveram quatro meses de 31 dias nos dois Dias-de-Iule (janeiro e dezembro) e nos dois Dias-de-Lite (junho e julho, de cada um dos lados do Dia do Meio-do-Ano), embora esses dias não fossem contados nos meses do calendário hobbit.

Outra inovação no D 2 é uma revisão posterior do calendário de Gondor, "na época dos Regentes", quando os meses foram todos reduzidos para 30 dias, com 5 "Dias Estivais" acrescentados. Isso foi chamado de "Registro do Regente" e foi amplamente adotado — mas não pelos Hobbits. O "Registro do Regente" é, logicamente, um retorno ao calendário númenóreano original no D 1, o qual foi a fonte para o calendário dos Hobbits.

No Apêndice D, a natureza conservadora do calendário hobbit foi mantida, sendo uma forma do Registro do Rei e não do emendado Registro do Regente, mas estes foram novamente alterados. As relações exatas podem ser mais bem compreendidas a partir dos textos em si, mas isto a seguir é uma tentativa de resumir as diferenças essenciais:

D 1 *númenóreano*: todos os meses têm 30 dias, 5 "Dias Estivais" contados fora dos meses. O calendário dos Hobbits derivou dele, com 2 Dias-de-Iule e 3 Dias-de-Lite contados fora dos meses.

D 2 *"Registro do Rei" númenóreano*: 4 meses de 31 dias, sendo o Dia do Meio-do-Ano contado fora dos meses. O calendário dos Hobbits derivou dele.

"Registro do Regente" númenóreano: todos os meses têm 30 dias, 5 "Dias Estivais" contados fora dos meses. Não foi adotado pelos Hobbits.

Apêndice D *"Registro dos Reis" númenóreano*: 2 meses de 31 dias, com 3 dias contados fora dos meses (*yestarë*, *loëndë*, *mettarë* no começo, meio e fim do ano). O calendário Hobbit (assim como em D 1 e D 2) derivou dele.

"Registro dos Regentes" númenóreano: introduzido por Mardil: todos os meses têm 30 dias, com 2 dias adicionais contados fora dos meses (*tuilérë*, *yáviérë*, ao final de março e setembro). Não foi adotado pelos Hobbits.

No D 2, não há referência à introdução de um novo calendário no ano 3019 da Terceira Era (R.C. 1419), o ano da queda de Barad-dûr e da coroação do Rei Elessar, começando em 25 de março (RR, p. 1583); mas no D 1 há uma referência (p. 153, nota de rodapé) a uma nova contagem, com o ano começando, contudo, no outono: "Os Hobbits assentados, por um tempo, começaram seu ano após a Colheita, por volta de primeiro de outubro. … Em Gondor, após a queda de Baraddur, uma nova era começou e aquele dia foi contado como o primeiro dia do seu primeiro ano".

Nessa época, meu pai escreveu duas explanações a respeito do novo registro, diferentes na organização, mas virtualmente idênticas no conteúdo. Eu incluo a segunda versão, que é de certa forma mais clara.

Nova Era

Calendário de Gondor da Quarta Era. Após a queda de Sauron e do retorno do Rei, um novo calendário foi criado em Gondor e adotado por todo o reino e em todas as terras ocidentais. Ele foi calculado para começar no dia da queda de Barad-dûr. Ela aconteceu no ano 3019 da Terceira Era (Registro-do-Condado 1419), em 25 de março de acordo com o Registro-do-Condado, o registro do Rei e os calendários élficos (27 de março em nosso calendário e 26 de março no registro do Regente).[10]

Em homenagem aos Pequenos (Hobbits), o seu dia de domingo (25 de março) foi tomado como o primeiro dia da semana do primeiro ano da Nova Era e, portanto, passou a ser também o primeiro dia de todas as semanas. Ademais, a "Reforma-do-Condado" foi adotada, na qual o Dia do Meio-do-Ano não tinha nome, de modo que os nomes dos dias da semana permaneciam fixos em relação às datas e todo ano começava em um domingo (*anarya*) e terminava em um sábado (*elenya*).

O calendário de meses e estações também foi completamente reformado. O ano agora começava com a *primavera* (25 de março no estilo antigo). Foi dividido em *cinco* estações: duas longas (de três meses) e três curtas (de dois meses): *primavera* (abril, maio); *verão* (junho, julho, agosto); *outono* ou *colheita* (setembro, outubro); *inverno* (novembro, dezembro, janeiro); *agitação* (fevereiro, março).*

Cada mês tinha 30 dias. Havia, portanto, 5 dias (ou 6, nos anos bissextos) contados fora dos meses. Eram eles: 2 "Dias-primaveris" antes de 1 de abril, os quais começavam o ano e eram festividades.† O "Dia do Meio-do-Ano" caía entre setembro e outubro e tornou-se um festival da colheita. Em anos bissextos, esse Dia era dobrado. O ano se encerrava com 2 "Dias-de-agitação" após 30 de março: esses eram dias de preparação para o Ano Novo e de celebrar os mortos e caídos.

Em documentos oficiais, as datas eram habitualmente registradas pela Estação, mas os antigos nomes dos meses (na fala comum,

*Quando o ano era dividido em duas metades, o inverno ia de outubro ao fim do Ano, e o verão, do começo do Ano ao fim de setembro.

†O primeiro Dia-primaveril, o primeiro do Ano, era especialmente para celebrar a queda de Sauron, já que correspondia a 25 de março na contagem anterior.

Nova Era

						Registro do Condado		Registro do Regente
Entarë	Começo do Ano:	1	Tuilë Primavera	1	Lairë ou Úriën: Verão	25	Março	26
	Tuilëar Dias-primaveris	2		2		26		27
Víressë	Primeira Primavera (Abril)	1		3		27	Abril	28
Lótessë	Segunda Primavera (Maio)	1		33		27	Maio	28
		30		62		26		27
Nárië	Primeiro Verão (Junho)	1	Lairë Verão	1		27	Junho	28
Cermië	Segundo Verão (Julho)	1		31		27	Julho	28
Úrimë	Terceiro Verão (Agosto)	1		61		24	Agosto	23
		30		90		23		22
Yavannië	Primeiro Outono (Setembro)	1	Quellë Outono	1		24	Setembro	23
Arendiën	Dia do Meio-do-Ano	1		31		24		23
Narquelië	Segundo Outono (Outubro)	1		32	Hrívë ou Fíriën: Inverno	25	Outubro	24
		30		61		24		25
Hísimë	Primeiro Inverno (Novembro)	1	Hrívë Inverno	1		25	Novembro	24
Ringarë	Segundo Inverno (Dezembro)	1		31		25	Decembro	24
Narvinyë	Terceiro Inverno (Janeiro)	1		61		25	Janeiro	24
		30		90		22		23
Nendessë	Primeira Agitação (Fevereiro)	1	Coirë Agitação	1		23	Fevereiro	24
Súlimë	Segunda Agitação (Março)	1		31		23	Março	24
		30		60		22		23
Coirëar	Dias-de-Agitação	1		61		23		24
Mettarë	Fim-do-Ano	2		62		24		25

A cada quatro anos, exceto no último do Quantiën, ou Século, havia dois Arendiéni.

em noldorin, ou em quenya) se conservaram no uso privado e popular, embora sua incidência tivesse sido de certa forma alterada: eles começavam e terminavam mais cedo no ano do que nos calendários antigos.

No verso da página contendo o primeiro desses relatos acerca do calendário da Nova Era está uma tabela feita na mesma época; ela foi excluída e substituída por outra, idêntica nos elementos essenciais, e essa última eu redesenhei (p. 168). Nessa tabela, a primeira coluna de dígitos se refere às próprias datas (com os cinco dias contados fora dos meses numerados 1 e 1, 2); assim, os primeiros cinco números em *tuilë* (primavera), 1, 2, 1, 1, 30, referem-se respectivamente aos dois *tuilëar* (Dias-primaveris), 1 (*entarë*) e 2; o primeiro dia de *víressë* (1 de abril); o primeiro dia de *lótessë* (1 de maio); e o último dia de *lótessë* (30 de maio). A segunda coluna de dígitos é o total *cumulativo* de dias em cada estação correspondente àqueles na primeira coluna. Assim, 1 de *lótessë* é o 33º dia do ano (2 *tuilëar*, 30 dias de *víressë* e 1 de *lótessë* = 33).

No Apêndice D, essa estrutura elegantemente equilibrada fora abandonada e substituída por um sistema distinto, recontado de modo algo obscuro. Mas parece extremamente provável que foi aqui, nesse relato original sobre o calendário da Nova Era, que os nomes em quenya dos meses apareceram primeiro. Será notado que os nomes dados no Apêndice D estão todos presentes, exceto fevereiro, *nénimë*, que aqui é *nendessë*; ao passo que o dia que inicia o ano é *entarë* (escrito *entalë* na primeira versão da tabela e depois alterado) onde posteriormente há *yestarë*, e o Dia do Meio-do-Ano é *arendiën*, posteriormente *loëndë*. Os nomes alterados foram acrescentados à tabela depois, provavelmente muito depois.

No verso da segunda tabela, e claramente com o propósito de ser uma continuação dela, há o seguinte:

Nomes alternativos.[11]
Outono: *Endien* (Meio-do-Ano).

Abril: *Ertuilë*	Outubro: *Lasselanta (Nóquellë)*
Maio: *Nótuilë*	Novembro: *Errívë*
Junho: *Ellairë*	Dezembro: *Norrívë*
Julho: *Nólairë*	Janeiro: *Meterrívë*
Agosto: *Metelairë*	Fevereiro: *Ercoirë*

Setembro: *Erquellë* Março: *Nócoirë*

Os nomes dos meses e estações correspondentes em noldorin eram:

Primavera: *Ethuil*: Abril *Gwirith*. Maio *Lothron*.

Verão: *Loer*: Junho *Nórui*. Julho *Cerfeth*. Agosto *Úrui*

Outono: *Firith*: Setembro *Ifonneth*. Outubro *Narbeleth*.

Inverno: *Rhíw*: Novembro *Hithui*. Dezembro *Girithron*. Janeiro *Nerwinien*.

Agitação: *Echuir*: Fevereiro *Nenneth*. Março *Gwaeron*.

Variantes ocasionais: Outono: [*Dant*, *Dantilais* >] *Dannas*, *Lasbelin*. Junho: *Ebloer*. Julho: *Cadloer*. Dezembro: *Ephriw*. Janeiro: *Cathriw*.

O antigo *Começo do Ano* correspondia a 8 de janeiro da N[ova] E[era], o 68º dia do inverno e 281º dia do ano.

O antigo *Meio-do-Ano* correspondia a 6 de julho da N.E., o 36º dia do verão e 98º dia do ano.

O antigo *Fim-do-Ano* correspondia a 7 de janeiro da N.E., o 67º dia do inverno e 280º dia do ano.

Os *Dias-de-Lite* do Condado = N.E. 5, 6 e 7 de julho

Os antigos *Dias Estivais* de Gondor = N.E. 4 a 8 de julho, incluindo ele.

Aqui aparecem os nomes noldorin (sindarin) pela primeira vez, sendo os mesmos daqueles no Apêndice D, com duas exceções: *nerwinien* no lugar de *narwain* (janeiro) e *nenneth* no lugar de *nínui* (fevereiro). *Narwain* e *ninui* foram acrescentados muito depois, junto com as seguintes mudanças: *metelairë*, *meterrívë* > *mettelairë*, *metterrívë*; *cerfeth* > *cerveth*; *ifonneth* > *ivanneth*; *loer* > *laer*; *ebloer* > *eblaer*, *cadloer* > *cadlaer*.

Junto com muitas outras tabelas comparativas de registros, algumas belamente desenhadas, isso efetivamente conclui todo o material dos calendários que eu consigo certamente identificar como pertencendo à essa primeira fase do trabalho de meu pai sobre o assunto. É notável que (em meio a notas abundantes, mas muito descuidadas e difíceis) não há nenhum outro texto até o datilografado (ele mesmo irregular e bastante corrigido) do qual o texto no Apêndice D foi impresso.[12] Parece muito improvável que qualquer escrito intermediário tenha se perdido e inclino-me a pensar que meu pai ainda estava desenvolvendo e refinando sua teoria dos

Calendários quando a necessidade de enviar seu texto aos editores tornou-se imperativa e urgente. Sobre a versão final, acredito que aquilo que eu disse do Apêndice F — que "caso as circunstâncias fossem outras, a forma desse apêndice seria significativamente distinta" (p. 111) — pode ser repetido para o Apêndice D com ainda mais ênfase.[13]

NOTAS

1 Eu acrescentei o 6 final, ausente no manuscrito.

2 Conforme observado na p. 151, essa é uma referência ao manuscrito F 2 do Apêndice sobre Idiomas, pp. 59–60, §§23–4. A frase ao final de §24 — "Contudo, os mais notáveis de todos são os nomes dos Hobbits para os meses, a respeito dos quais veja a nota sobre Calendários e Datas" — foi um acréscimo, mas feito com cuidado e próximo à época da escrita do F 2, sem dúvida quando meu pai havia chegado a esse ponto no D 1.

3 *Rethe* [glorial] não era o nome original. No verso dessa página do manuscrito há uma tabela comparativa, excluída por inteiro, de datas hobbits e modernas por mês e dia; e o terceiro mês aqui é *Luyde*, não *Rethe* [glorial]. *Luyde* ocorre também em um dos textos do *Prólogo* (ver p. 27), mas não encontrei o nome em nenhum outro lugar e nem quaisquer outros nomes precedendo esses na lista incluída aqui, que permaneceu sem alterações.

4 *Winterfylleth* [cerrinverno] era o nome em inglês antigo para outubro. O significado foi discutido por Beda (morto em 735), que explicou o nome fazendo referência à antiga divisão inglesa do ano em duas partes de seis meses cada uma, verão e inverno: *Winterfylleth* era assim chamado por ser o primeiro mês do inverno, mas *fylleth*, supunha Beda, era uma referência à lua cheia de outubro, que marca o início daquele período do ano. A interpretação que meu pai deu ao nome em D 1 — "a completude (encerramento) do ano", sendo "inverno" usado com o sentido de "ano" — está em desacordo tanto com Beda quanto, aparentemente, com a explicação no texto publicado (RR, p. 1581), "ao encerramento ou à completude do ano *antes do inverno*". Em ambos os casos, deve-se supor que as "verdadeiras" palavras subjazendo às traduções "filth" e "Winterfilth" teriam o mesmo duplo sentido![*] Sobre o início anterior do ano hobbit após a Colheita, ver a nota de rodapé na p. 153.

5 O Grande Códex de Tuqueburgo (posteriormente o Anuário de Tuqueburgo) é mencionado também no Apêndice sobre Idiomas, p. 61, §27.

---

[*] Christopher Tolkien chama a atenção para o fato de que *filth* em *Winterfilth* etimologicamente estava ligada aos significados de "cheio", "completo", "encerrado" (daí a tradução em português "cerrinverno"). Contudo, a palavra *filth* em inglês moderno significa "sujeira", "imundície", o que explica o chiste na nota em RR, p. 1581. [N. T.]

6 As palavras "(na fala)" se referem à grafia *Munday*. No texto publicado, a frase diz: "In the language of the time of the War of the Ring these had become *Sterday, Sunday, Monday* ..." [Na linguagem da época da Guerra do Anel tinham se tornado *astres, soles, lues* ...], em vez de "passaram a ser escritas", evitando assim a questão de *Munday, Monday* [segunda-feira]: a última sendo apenas uma peculiaridade da ortografia em inglês, como em muitas outras palavras com a mesma vogal de *but*, tais como *monk*, *son* etc. *Sunday* [domingo] foi outrora frequentemente grafado *Sonday*. — Desse modo, *Hiday* do D 1 também aparece com a grafia moderna *Highday* [nobles] no texto publicado. Mas na lista de formas arcaicas (em inglês antigo), deveria ser *Hihdei* [nobili-dies], como no D 1, e não *Highdei*.

7 Confronte com o Apêndice D (RR, p. 1576): "as comemorações naquele ano, ao que se diz, foram as maiores nas lembranças e nos registros."

8 O cálculo diferente no D 1 (p. 152), no qual o calendário eldarin teria 36.525 dias em um século (levando à remoção do último dia do século), foi alcançado da seguinte maneira: os últimos quatro anos de um século eram computados como metade de um ciclo de oito anos, ou seja, 2.922 dias (sete anos longos e um ano curto) divididos por dois, 1.461. Acrescentando-se ao total de dias em 96 anos (35.064), isso perfazia 36.525. No D 2, os últimos quatro anos não são metade de um ciclo de oito anos, mas três anos cheios e um ano curto, ou seja, 35.064 + 1.458 em um século, totalizando 36.522 (levando ao acréscimo de dois dias extras fora da estrutura de semanas e meses, *Quantárië* e *Vinyárië*).

9 Não encontrei qualquer outra lista de nomes élficos dos dias da semana, nem menção alguma a nomes individuais antes do terceiro (e último) texto, a partir do qual o Apêndice D foi impresso (ver pp. 170–1). Nele, os nomes em quenya para o quarto e o sexto dia, *aldarya* e *valarya*, ainda estavam nessa forma (mas *tárion* havia substituído *tárinar*); meu pai os corrigiu muito claramente, em ambas as cópias do texto digitado, para *aldauya* e *valanya*. Na prova do primeiro texto foi impresso *aldanya*, e ele corrigiu para *aldúya*, como aparece no Apêndice D.

Quanto ao uso de "noldorin" no lugar de "sindarin", ver o Apêndice sobre Idiomas, especialmente pp. 56–7, §18 e o comentário na p. 90. Esses nomes dos meses reaparecem depois no texto final datilografado, já alterados para *orgilion*, *oranor*, *orithil*, *orgaladhad*, *ormenel*, *orbelain* (ou *rodyn*); e, de modo parecido, com o nome do "Dia do Mar" acrescentado pelos númenóreanos, alterado de *aroeren* para *oraearon*.

10 No calendário eldarin (p. 159), nos anos longos (normais), janeiro tinha 31 dias e fevereiro, 30; portanto, 25 de março era o 86º dia do ano. Isso também era válido para o Registro do Rei gondoriano (p. 165). No Registro do Condado, o dia de Iule precedia 1 de janeiro, mas tanto janeiro quanto fevereiro tinham 30 dias, de modo que 25 de março era, novamente, o 86º dia do ano.

No Registro do Regente gondoriano (p. 166), por outro lado, a conta é simplesmente 30 dias em janeiro e 30 dias em fevereiro, de modo que 25 de março é o 85º dia do ano, ao passo que, em nosso calendário, 31 + 28 + 25 fazem de 25 de março o 84º dia.

11 Alguns desses nomes alternativos estão incluídos na primeira versão da tabela, com a diferença de que *errívë* e *norívë* (assim grafados) são alternativas para, respectivamente, *ringarë* (dezembro) e *narvinyë* (janeiro).

12 É um fato curioso que esse texto datilografado começa com o "Calendário do Condado para ser usado em todos os anos" *impresso*, exatamente como aparece no Apêndice D (RR, p. 1575): o texto datilografado de meu pai começa abaixo dele ("Todos os anos começavam no primeiro dia da semana ..."), e o mesmo se aplica à cópia em papel carbono. Presumivelmente, esse calendário foi impresso primeiro, de maneira separada, e cópias foram enviadas a meu pai, que as empregou assim.

O calendário manuscrito do qual a impressão foi feita sobreviveu, e é interessante ver que, do lado esquerdo, há uma coluna intitulada "Dia da semana" com os nomes dos dias da semana organizados de maneira oposta a cada um dos três grupos transversais de meses. Assim, por exemplo, no segundo mês *Solmath* [lodal]:

Stirday [estres]–5121926
Sunday [soles]–6132027
Munday [lues]–7142128
Trewsday [árbores]18152229

e assim por diante. Essa coluna de dias da semana teria tornado o calendário mais fácil de entender, mas, no manuscrito, ela foi completamente excluída, não está claro por quem. Não vejo outra razão para isso que não seja espaço na página, o que, imagina-se, seria muito fácil de acomodar. — Essa tabela manuscrita sem dúvida remonta à fase original do trabalho de meu pai nos calendários descrita neste capítulo.

13 Entre as muitas alterações que meu pai fez na prova do texto, pode-se notar que, conforme foi impresso da primeira vez, o texto do Apêndice D se encerrava assim: "Alguns diziam que era o aniversário do velho Sam Jardineiro, outros diziam que era o dia em que a Árvore Dourada floriu pela primeira vez em 1420, e outros, que era o Ano Novo dos Elfos. Esse último era (mais ou menos) verdade, então todos eles podem ter sido".

5

A HISTÓRIA DO AKALLABÊTH

O desenvolvimento do Apêndice B, *O Conto dos Anos*, naturalmente estava associado e dependia do desenvolvimento do Apêndice A que, conforme publicado, tem o título de *Anais dos Reis e Governantes*. De maneira mais inesperada, contudo, o Conto dos Anos da Segunda Era estava intimamente relacionado à evolução da história de Númenor e do *Akallabêth*. Na apresentação das versões iniciais desses Apêndices, percebi, após tentativa e erro, que a melhor forma é dividir o Conto dos Anos em duas partes, a Segunda e a Terceira Era, e tratá-los separadamente; e, ademais, introduzir neste ponto um relato do *Akallabêth*, seguido do Conto dos Anos da Segunda Era no Capítulo VI.

Na *História da Terra-média*, não dei qualquer indicação de como esse trabalho, uma narrativa fundamental da Segunda Era, se desenvolveu até a versão do *Silmarillion* publicado, ou de quando ela primeiro surgiu. A história inicial dessa lenda, intimamente relacionada com a história abandonada *A Estrada Perdida*, foi examinada no Volume V, no qual as duas narrativas originais de *A Queda de Númenor*, as quais chamei QdN I e QdN II, foram incluídas (V. 21 em diante). Em *Sauron Derrotado* (IX. 397 em diante), forneci uma terceira versão, QdN III, que atribuí a um estágio bem inicial na escrita de *O Senhor dos Anéis*. O desenvolvimento maciço da lenda no trabalho chamado *A Submersão de Anadûnê*, estreitamente ligado a *Os Documentos do Clube Notion* e ao surgimento da língua adûnaica, foi estudado em *Sauron Derrotado*, no qual eu o atribuí à primeira metade de 1946 (IX. 186, 464): essa datação foi subsequentemente confirmada pela observação de John Rateliff de que W.H. Lewis registrou no seu diário que meu pai leu o trabalho para os Inklings em agosto de 1946 (prefácio a *O Anel de Morgoth*, X. 12).

Em meu comentário a *A Submersão de Anadûnê*, indiquei e discuti em muitos pontos a sua relação com o *Akallabêth*, mas, para o texto desse último, utilizei apenas a versão final, conforme publicada em *O Silmarillion*, p. 339 em diante. Uma vez que a escrita do *Akallabêth* é evidentemente posterior à de *O Senhor dos Anéis*, adiei a discussão de sua história, mas não encontrei espaço para ela nos já muito longos *O Anel de Morgoth* e *A Guerra das Joias*.

Contudo, em *Sauron Derrotado* fiz uma afirmação extraordinariamente equivocada a respeito do *Akallabêth* que precisa ser consertada. Ao discutir (IX. 486) a nota tardia de meu pai sobre *A Submersão de Anadûnê*, na qual ele atribuía a história à "tradição dos Homens", afirmei:

> A caligrafia e o uso de uma caneta esferográfica sugerem uma data relativamente tardia, e se não houvesse nenhuma outra evidência eu suporia que isso foi em algum momento dos anos 1960. Mas é certo que o que parece ter sido a fase final do trabalho de meu pai com Númenor (*Uma Descrição de Númenor*, *Aldarion e Erendis*) data de meados dos anos 1960 (*Contos Inacabados*, pp. 21–2);[1] e pode ser que o *Akallabêth* derive desse período também.

Essa última observação é um absurdo patente. A longa linhagem de reis númenóreanos que apareceu no curso do desenvolvimento do *Akallabêth* estava presente no Apêndice A (e uma simples olhadela pelos textos do trabalho basta para mostrar, apenas pelo seu aspecto, que eles não poderiam concebivelmente datar de um período tão tardio). Não sei como foi que cheguei a escrever isso e nem como isso escapou a todos os cotejos e revisões subsequentes. Talvez eu quisesse dizer que a nota de meu pai acerca de *A Submersão de Anadûnê* pode ter derivado do mesmo período que *Aldarion e Erendis*.

De todo modo, quando escrevi *Sauron Derrotado*, não tinha certeza absoluta sobre o período em que o *Akallabêth* foi originalmente escrito e presumi, sem estudar os textos suficientemente, que tinha sido mais tarde do que se provou ser.

A história textual em si é relativamente breve e simples. O texto mais antigo, que chamarei de **A**, é um manuscrito claro de 23 páginas; boa parte desse texto também sobrevive em páginas que foram rejeitadas e reescritas, mas praticamente nada de significativo entrou na reelaboração e não é necessário atribuir letras diferentes às duas camadas desse manuscrito.

Depois, meu pai corrigiu o A — bastante na parte inicial, muito pouco na história da Queda — e fez um segundo texto, datilografado, que chamarei de **B**. Ele seguiu o manuscrito corrigido com atípica fidelidade, introduzindo apenas pouquíssimas alterações conforme datilografava. Não é possível demonstrar, mas acredito ser praticamente certeza, que o conjunto A, A corrigido e B pertence à mesma época; e no geral não há necessidade de distinguir os estágios dessa "primeira fase", que pode ser convenientemente chamada de **AB**.

Após um intervalo considerável, julgo eu, ele retornou ao texto datilografado **B** e o corrigiu. A maior parte do texto foi mantida intocada, mas introduziu-se uma vasta expansão à história númenóreana, essencialmente pela inserção de um longo aditamento manuscrito, mas também por transposições de texto, alteração de nomes e pela reescrita de certas passagens.

O terceiro e último texto (**C**) é uma versão de amanuense (original e carbono) datilografada a partir de B quando todas as alterações a ele haviam sido feitas. Parece-me muito provável que foi feito na mesma época (?1958) dos textos dos *Anais de Aman*, dos *Anais Cinzentos* e do texto QT 2 do *Quenta Silmarillion* (ver X. 363-4, XI. 16). A esse texto datilografado meu pai fez apenas pouquíssimas correções — e fortuitas, por assim dizer.

As alterações (incluindo o longo adendo) feitas ao B constituem uma "segunda fase" e essa é a versão final do *Akallabêth* (com exceção das poucas correções ao C mencionadas acima). Portanto, há apenas dois textos originais — o texto manuscrito A e o datilografado B —, mas as correções e expansões feitas ao B representam uma "camada" significativamente distinta na história do trabalho. Para deixar isso claro, chamarei o texto B, *na forma posteriormente alterada*, de **B 2**.

Ainda que o desenvolvimento do *Akallabêth* seja de muito interesse em suas particularidades, uma grandíssima porção do texto nunca passou por mudança significativa; e, como observei em IX. 446, algo como três quintos do fraseado exato do segundo texto de *A Submersão de Anadûnê* (integralmente publicado naquele livro) permaneceu no *Akallabêth*. Ademais, a forma final do *Akallabêth*, ainda que com alguma alteração editorial, está disponível em *O Silmarillion*. De modo a evitar uma quantidade enorme de simples repetições, portanto, usarei o texto do *Silmarillion*, ao qual me referirei como **S-A** ("Silmarillion-Akallabêth"), como base para trabalhar regressivamente, por assim dizer, em vez de trabalhar progressivamente a partir do A. Para isso, numerei todos os parágrafos do S-A, referindo-me a eles por esses números juntamente com as palavras iniciais para ajudar na identificação.

O texto do *Silmarillion* era, logicamente, o dp B 2 (com as correções feitas no C), mas, como eu disse, várias alterações editoriais foram feitas, por diversas razões, majoritariamente na busca (talvez excessiva, penso agora) por coerência e consistência com outros escritos. A menos que essas diferenças sejam triviais, elas estão indicadas no relato que se segue.

Não vou entrar aqui na relação entre o *Akallabêth* e suas fontes — *A Submersão de Anadûnê* e, em menor grau, a terceira versão de *A Queda de Númenor*, o QdN III —, já que elas estão integralmente disponíveis em *Sauron Derrotado*, no qual os desenvolvimentos mais cruciais são também discutidos a fundo.

O título original no manuscrito A era *The Fall of Númenor*, o que foi corrigido para *The Downfall of Númenor* [A Queda de Númenor] e assim permaneceu: nenhum dos textos está intitulado *Akallabêth*, mas meu pai se referia ao trabalho por esse nome (cf. p. 310).

§§1–2 A abertura original de A era quase uma simples cópia da abertura do QdN III (IX.331–2): "Na Grande Batalha, quando Fionwë, filho de Manwë, sobrepujou Morgoth" etc.; mas isso foi prontamente rejeitado, embora apareça de maneira revisada em S-A §3, e uma nova abertura veio em substituição, constituindo, com algumas alterações editoriais, a do S-A (§§1–2). O texto autêntico começa assim: "Dos Homens, Ælfwine, dizem os Eldar que vieram ao mundo no tempo da Sombra de Morgoth ..." e, no S-A, eu retirei o vocativo a Ælfwine.[2] O *Akallabêth* foi concebido como um conto de Pengoloð, o Sábio (o que deve ser presumido, embora ele não seja nomeado) em Tol Eressëa para Ælfwine da Inglaterra, como fica novamente muito explícito (no original) ao fim; e nenhuma alteração foi feita a esse respeito na "segunda fase", B 2, nem ao texto final de amanuense C.[3]

Em §1, também alterei a frase "e os Noldor os chamaram de Edain" para "Edain foi o nome que deram a esses na língua sindarin"; quanto a essa mudança, ver o comentário ao §9, abaixo.

Em §2, o navio de Eärendil era chamado *Vingilot* no AB, mas isso foi alterado no B 2 para um nome que não é registrado em outro lugar, *Eälótë*; no S-A eu reverti para *Vingilot*. O nome *Rothinzil* derivou de *A Submersão de Anadûnê*.[4]

§3 *Na Grande Batalha* ... A abertura desse parágrafo no AB diz:

> Na Grande Batalha, quando, por fim, Fionwë, filho de Manwë, sobrepujou Morgoth e as Thangorodrim foram destroçadas, os Edain lutaram pelos Valar, enquanto outras gentes dos Homens lutaram por Morgoth.

Isso foi alterado no B 2 para:

> Na Grande Batalha, quando, por fim, Eönwë, arauto de Manwë, sobrepujou Morgoth e as Thangorodrim foram destroçadas, os Edain, apenas, entre as gentes dos Homens, lutaram pelos Valar, enquanto muitos outros lutaram por Morgoth.

No S-A, a referência a Eönwë foi removida e, de maneira semelhante, mais para frente nesse parágrafo, "recusando tanto as convocações de [Fionwë >] Eönwë como as de Morgoth" foi alterado para "recusando tanto as convocações dos Valar como as de Morgoth". A razão para isso está no tratamento do último capítulo do *Quenta Silmarillion* no livro publicado. A única narrativa da Grande Batalha ao final da Primeira Era (V. 391 em diante) derivou de uma época em que os Filhos dos Valar eram uma ideia importante e Fionwë, filho de Manwë, foi o líder e autoridade máxima na guerra final contra Morgoth e na sua derrota; mas a rejeição dessa ideia e a alteração do "status" de Fionwë / Eönwë para arauto de Manwë levou-me a duvidar se meu pai, caso tivesse voltado a uma verdadeira reelaboração da história do final dos Dias Antigos (ver XI. 300–304), teria mantido Eönwë em um papel tão poderoso e fundamental. Sua parte foi, consequentemente, um tanto diminuída por omissões e fraseados ambíguos (como se pode ver comparando o texto no Volume V com o do *Silmarillion* publicado; cf. também o acréscimo editorial ao *Valaquenta*, X. 252). Não há, contudo, qualquer evidência para essa suposição e agora eu acredito ter sido um tratamento errôneo do texto original, e também aqui no *Akallabêth*.[5]

§4 *Mas Manwë lançou fora a Morgoth …* Nesse parágrafo, meu pai ainda estava seguindo o QdN III de perto (IX. 398), mas, ao final, após "Andor, a Terra da Dádiva", ele se voltou para *A Submersão de Anadûnê*, que a partir daí tornou-se a fonte primária, embora com algum entrelaçamento de trechos do QdN III. No QdN III, a passagem a respeito de Morgoth, originalmente escrita no tempo presente, foi corrigida para o passado, e isso se deu também no A, mas é curioso que, no B, meu pai reverteu uma das frases para o presente: "e *não pode* ele próprio retornar de novo ao Mundo, presente e visível, enquanto os Senhores do Oeste ainda *estão* em seus tronos". Isso foi mantido no S-A.

Após as palavras "vida mais fortes do que quaisquer outros têm na raça mortal", eu omiti, no S-A, a seguinte frase do original: "O triplo da dos Homens na Terra-média era a duração de seus anos e aos descendentes de [Húrin, o Resoluto >] Hador, o Belo, anos ainda mais longos foram concedidos, como é contado depois". A omissão, dificilmente necessária, foi feita por conta de afirmações divergentes sobre o assunto (ver *Contos Inacabados*, p. 305, nota 1). A referência errônea a Húrin, que sobreviveu do QdN III (ver IX. 399 e nota 1), foi corrigida apenas no B 2.

No manuscrito original A, as palavras do QdN III a respeito de Eressëa foram mantidas: "e aquela terra recebeu o novo nome de Avallon; pois está muito próxima de Valinor, e à vista do Reino Abençoado". Isso foi corrigido para o texto que aparece no S-A ("e há, naquela terra, um porto que é chamado de Avallónë …"). Quanto a isso, ver o comentário a §12, abaixo.

§5 *Então os Edain zarparam …* A abertura original desse parágrafo, que não foi alterada posteriormente, era:

> Então os Edain reuniram todos os seus navios, grandes e pequenos, que haviam construído com a ajuda dos Elfos e aqueles que estavam dispostos a partir tomaram suas esposas e seus filhos e toda a riqueza que possuíam, e içaram vela sobre as águas profundas, seguindo a Estrela.

Não sei dizer agora com certeza por que essa passagem (derivada de *A Submersão de Anadûnê*, IX. 429, §12) foi omitida em S-A: possivelmente por conta de um trecho na "Descrição da Ilha de

Númenor", não incluída nos excertos publicados em *Contos Inacabados*, no qual os navios usados na migração foram descritos como sendo élficos:

> As lendas da fundação de Númenor frequentemente falam como se todos os Edain que aceitaram a Dádiva tivessem zarpado a um só tempo e em uma só frota. Mas isso se deve apenas à brevidade da narrativa. Em histórias mais detalhadas, está relatado (como se pode deduzir a partir dos eventos e números relacionados) que após a primeira expedição, liderada por Elros, muitos outros navios, sozinhos ou em pequenas frotas, passaram para o oeste levando outros dos Edain, sejam aqueles que estavam, a princípio, relutantes em enfrentar o Grande Mar mas não conseguiram suportar se separar daqueles que haviam partido, ou alguns que estavam longe, dispersos, e não puderam ser reunidos para partir com a primeira leva.
>
> Uma vez que os barcos que foram usados eram de modelo élfico, ligeiros, mas pequenos, e cada um timoneado por um dos Eldar designados por Círdan, teria sido necessária uma grande frota para transportar todas as pessoas e bens que acabaram sendo trazidos da Terra-média até Númenor. As lendas não fazem qualquer conjectura acerca da quantidade e as histórias dizem pouco. Conta-se que a frota de Elros tinha muitos navios (para alguns, cento e cinquenta embarcações e para outros, duas ou três centenas) e que trouxe "milhares" de homens, mulheres e crianças dos Edain: provavelmente entre cinco mil e, no máximo, dez mil. Mas o processo inteiro de migração aparenta, de fato, ter levado pelo menos cinquenta anos, possivelmente mais do que isso, e finalmente terminou apenas quando Círdan (sem dúvida instruído pelos Valar) deixou de fornecer mais navios ou guias.

Nesse parágrafo há a primeira aparição do nome *Elenna* ("Rumo-à-estrela") de Númenor.

§6 *Esse foi o princípio daquele povo* ... Na primeira frase, as palavras "daquele povo que na fala élfico-cinzenta é chamado de Dúnedain" foram uma alteração editorial a partir de "daquele povo que os Noldor chamam de Dúnedain".[6] Cf. a mudança semelhante feita em §1 e ver o comentário a §9.

§7 *Desde o começo, a principal cidade e porto …* Depois das palavras "era chamada de Andúnië, porque estava voltada para o poente", o texto A trazia, originalmente, a seguinte passagem:

> Mas o lugar alto do Rei era em Númenos, no coração daquela terra, e ali estava a torre e a cidadela que foi erigida por Elros, filho de Eärendil, a quem os Valar designaram para ser o primeiro rei dos Dúnedain.

Númenos permaneceu do QdN III (IX. 399) e mesmo antes (ver V. 35, §2). Isso foi substituído no B pelo trecho do S-A: "Mas, no meio da terra, havia elevada e íngreme montanha, e ela recebeu o nome de Meneltarma", etc. Contudo, o nome da cidade foi dado aqui como *Arminalêth* (o mesmo nome em *A Submersão de Anadûnê*), com uma nota: "Esse é o nome númenóreano, pois por esse nome ela era principalmente conhecida, *Tar Kalimos* na língua eldarin". No B 2, o nome foi alterado aqui (e em ocorrências subsequentes) de *Arminalêth* para *Armenelos*, e a nota foi alterada: "*Arminalêth* era a forma do nome na língua númenóreana; mas era chamada por seu nome eldarin, *Armenelos*, até a chegada da Sombra". Desse modo, a afirmação no Índice II de *Sauron Derrotado* (IX. 539) de que *Arminalêth* foi "substituída por *Armenelos*" está incorreta: *Armenelos* foi um *substituto* no *Akallabêth* porque meu pai agora afirmava que esse era o nome pelo qual a cidade foi conhecida por longas eras, mas a sua forma adûnaica permaneceu *Arminalêth*. *Tar Kalimos* é que foi substituída por *Armenelos*. — Essa nota foi omitida no S-A.

§8 *Ora, Elros e Elrond, seu irmão …* As palavras, no S-A, "descendiam das Três Casas dos Edain" foram uma mudança editorial a partir de "descendiam das linhagens tanto de Hador quanto de Bëor". — Próximo ao fim do parágrafo, está dito (em todos os textos) que a quantidade de anos concedida a Elros foi "sete vezes a dos Homens da Terra-média", mas, em uma cópia do C, meu pai trocou "sete" por "três" e colocou um X ao lado da afirmação de que Elros viveu quinhentos anos. A expressão "muitas vezes", no S-A, foi uma substituição editorial.

§9 *Assim os anos passaram …* Na frase "Pois, embora esse povo usasse ainda sua própria fala, seus reis e senhores conheciam e falavam também a língua élfica, que tinham aprendido nos dias de sua aliança", o texto AB tinha "a língua noldorin". De maneira semelhante a §§1 e 6, dizia-se que *Edain* e *Dúnedain* eram nomes noldorin, mas somente no presente caso meu pai alterou (no B 2) "noldorin" para "élfica". Assim, a antiga concepção de que os Noldor em Beleriand mantiveram sua própria língua ainda estava presente, assim como nas versões originais dos Apêndices sobre Idiomas e sobre Calendários (ver p. 172, nota 9). Isso mostra de pronto uma data relativamente antiga para o *Akallabêth*; e, conforme observado anteriormente, a adoção do sindarin pelos Noldor Exilados já surgira nos *Anais Cinzentos* (p. 85, §5).

A continuação da mesma frase originalmente dizia "e mantiveram grande amizade com os Eldar, seja os de Avallon ou os das terras do oeste da Terra-média", mas isso foi alterado para o texto no S-A, "e assim tinham colóquio ainda com os Eldar, seja os de Eressëa", etc. A mesma remoção da palavra "amizade" das relações entre os Eldar e os Númenóreanos se vê em §§12 e 29.

§§10 e 11 *Pois os Dúnedain se tornaram poderosos ..., Mas os Senhores de Valinor ...* Não houve alterações editoriais feitas a esses parágrafos, que remontam, sem qualquer mudança significativa, ao texto mais antigo.

§12 *Pois, naqueles dias, Valinor ainda permanecia ...* No A, o nome da Montanha de Númenor era *Menelmindon*; no QdN III, era *Menelmin* (IX. 402) e *Menelmindo, Menelminda* ocorrem em *Os Documentos do Clube Notion*. Mas *Meneltarma* já se encontra no A, em um ponto mais adiante da narrativa.

No A, conforme escrito originalmente, *Avallon* ainda era o novo nome da ilha de Eressëa, mas, na reescritura dessa passagem (ver o comentário a §4), ele foi corrigido para *Avallónë*, agora sendo o nome do porto dos Eldar em Eressëa. No presente parágrafo, o texto A dizia: "Mas os sábios entre eles tinham conhecimento de que essa terra distante não era de fato Valinor, o Reino Abençoado, mas era Avallónë, a Ilha dos Eldar, a mais oriental das Terras Imortais"; *Avallónë* era aqui a primeira forma escrita e, portanto, meu pai foi de *Avallon* para *Avallónë* enquanto escrevia o manuscrito sem, contudo, mudar a carga de sentido do nome (mas veja o comentário a §75). O texto foi então alterado de modo a incorporar a nova concepção, mas mudando apenas "Ilha" para "Porto", ao que acrescentei, no texto de S-A, "em Eressëa" para deixar o sentido claro. (Muito do presente trecho deriva bem de perto de *A Submersão de Anadûnê*, IX. 430–1, §16: sobre a questão extremamente difícil do nome de *Avallôni* nesse trabalho, ver IX. 450–1, 458.)

Na passagem que descreve a vinda dos Eldar a Númenor, o AB dizia:

> E de lá, por vezes, os Primogênitos ainda vinham velejando a Númenor em barcos sem remos, como aves voando, pela amizade que existia entre os povos.

O texto no S-A nesse ponto é o do B 2 e aqui novamente (ver §9 acima) a "amizade" entre os Eldar e os Númenóreanos foi removida.

A conclusão do parágrafo fornece outra clara evidência de que o *Akallabêth* é de datação antiga. Essa passagem começou como um acréscimo ao texto A (após as palavras "pela amizade que existia entre os povos", citada acima), da seguinte maneira, indicando-se as alterações feitas a ele:

> E traziam a Númenor muitos presentes: aves canoras, e flores de doce fragrância, e ervas de grande virtude. E uma semente trouxeram da Árvore Branca [Nimloth, a Bela >] Galathilion que crescia [nos pátios de Avallónë >] em meio a Eressëa, que era, por sua vez, uma muda da Árvore Mais Antiga, [Galathilion, a luz de Valinor >] Telperion de muitos nomes, a luz de Valinor. E a árvore cresceu e floresceu nos pátios do Rei em [Númenos >] Ar-minalêth; Nimloth, a bela, era seu nome, e as sombras da noite se dispersavam quando Nimloth estava em flor.

A história dos nomes das Árvores Brancas é complexa por muitas razões: os nomes foram atribuídos às Duas Árvores de Valinor e reutilizados para as árvores posteriores; essas árvores posteriores (de Tirion (Túna), Eressëa e Númenor) apareceram em momentos diferentes e houve um deslocamento na sua aplicação. É mais simples considerar primeiro as afirmações que derivam do importante período de trabalho nos Dias Antigos, entre a finalização e a publicação de *O Senhor dos Anéis*.

Nos *Anais de Aman* (X. 112, §69), Yavanna deu aos Noldor de Túna (Tirion) "Galathilion, imagem da Árvore Telperion". Na revisão do *Quenta Silmarillion*, do mesmo período (X. 218, §39), diz-se sobre essa árvore que "Yavanna fez para os Eldar uma árvore semelhante em todas as coisas a uma imagem menor de Telperion, salvo que ela não produzia luz de seu próprio ser"; o seu nome não é informado. Também se conta, na mesma versão do *Quenta Silmarillion* (X. 193) que *Galathilion*, um nome de Telperion, também foi atribuído à Árvore Branca de Túna, que era conhecida como "Galathilion, a Menor" e que "as mudas dela eram chamadas de *Celeborn* em Eressëa e *Nimloth* em Númenor, a dádiva dos Eldar".

Da maneira como meu pai inicialmente escreveu esse acréscimo ao texto A, ele chamou a Árvore de Eressëa de *Nimloth*, dizendo que era "uma muda da Árvore Mais Antiga, Galathilion, a luz de Valinor" e, portanto, omitiu a Árvore de Túna (Galathilion, a Menor). Imediatamente, ele alterou o nome da Árvore de Eressëa para *Galathilion*, uma muda de Telperion, dando o nome *Nimloth* para a Árvore de Númenor. (A propósito, isso mostra que o acréscimo precedeu a escrita do relato sobre o destino da Árvore de Númenor, mais à frente no texto A, pois ali o nome era *Nimloth* desde o início.)

A passagem, conforme corrigida, reaparece sem mais mudanças na segunda versão, o texto datilografado B. Mas nesse texto meu pai a excluiu e a reescreveu assim (B 2):

> E uma semente trouxeram da Árvore Branca que crescia em meio a Eressëa, que era, por sua vez, uma muda da Árvore de Túna, Galathilion, que Yavanna dera aos Eldar na Terra dos Deuses para ser um memorial a Telperion, a Luz de Valinor. E a árvore cresceu e floresceu nos pátios do Rei em Ar-Minalêth [> Ar-Menelos]; Nimloth, a bela, era seu nome, e ela florava ao anoitecer e as sombras da noite se enchiam com sua fragrância.

Aqui, nessa "segunda fase" do *Akallabêth*, com a introdução da Árvore de Túna (Galathilion), o presente de Yavanna, encontra-se a mesma sucessão dos *Anais de Aman* e da revisão contemporânea ao *Quenta Silmarillion*: Telperion de Valinor; Galathilion de Túna; [Celeborn] de Eressëa; Nimloth de Númenor. A conclusão inescapável é, portanto, que a primeira fase (AB) do *Akallabêth* é anterior àquelas obras (os *Anais de Aman* etc.) que podem ser datadas com suficiente exatidão de 1951.

No S-A, o trecho foi levemente reescrito, introduzindo o nome *Celeborn* da Árvore de Eressëa (X. 194) e (desnecessariamente) a palavra "imagem" da Árvore de Túna dos *Anais de Aman* (X. 112).

A esse respeito, é interessante comparar a passagem em *O Retorno do Rei* (p. 1387 no final do capítulo *O Regente e o Rei*) em que se narra a descoberta do rebento da árvore no Monte Mindolluin. As palavras de Gandalf são:

> Deveras este é um rebento da linhagem de Nimloth, a bela; e esta veio da semente de Galathilion, e este fruto de Telperion de muitos nomes, Mais Antiga das Árvores.

Há de se observar que isso está de acordo com a versão corrigida do trecho na primeira fase (AB) do *Akallabêth*: pois Galathilion (sendo genitora de Nimloth) é aqui a Árvore de Eressëa; não há menção à Árvore de Túna, e Galathilion é "fruto" de Telperion (não uma "imagem" ou um "memorial"). A conclusão deve necessariamente ser que esse trecho não foi revisado quando a Árvore de Túna entrou na história.[7]

§13 *Assim foi que, por causa da Interdição dos Valar* ... O desenvolvimento do trecho de abertura, a respeito da grande viagem, é curioso. Em *A Submersão de Anadûnê* (IX. 431, §17), foi dito que os marinheiros de Númenor velejaram "da escuridão do Norte aos calores do Sul, e além do Sul para a Escuridão Ínfera. E os Eruhîn [Númenóreanos] vinham amiúde às costas das Grandes Terras, e tiveram piedade do mundo abandonado da Terra-média". No *Akallabêth*, após as palavras "para a Escuridão Ínfera", meu pai introduziu uma passagem do QdN III (IX. 400):

> Suas jornadas iam de Eressëa, no Oeste, às costas da Terra-média, e chegavam até mesmo aos mares internos; e velejavam pelo Norte e pelo Sul e vislumbravam de suas altas proas os Portões da Manhã no Leste

Isso remonta aos textos mais antigos de *A Queda de Númenor* (V. 22, 29, 36). Contudo, enquanto incorporava esse trecho ao *Akallabêth*, ele alterou para "e chegaram até mesmo aos mares internos, e velejaram à volta da Terra-média, e vislumbraram de suas altas proas os Portões da Manhã no Leste" — voltando para *A Submersão de Anadûne* com "E os Dúnedain vinham amiúde às costas das Grandes Terras" (com "amiúde" > "por vezes" no B 2).

Esse é o texto no S-A. Parece completamente impossível dizer qual concepção geográfica do Leste do Mundo está por trás desse trecho.

No S-A, após as palavras "os Númenóreanos lhes ensinaram muitas coisas", a seguinte passagem (igualmente derivada de *A Submersão de Anadûnê*, *ibid.*) foi omitida:

> Linguagem lhes ensinaram, pois as línguas dos homens da Terra-média tinham se tornado brutas, e eles gritavam como aves bravias ou rosnavam como as feras selvagens.

§14 *Então os Homens da Terra-média foram confortados* ... até §17 *E havia alguns que diziam* ... (S-A, pp. 346–7). Nenhuma mudança entrou no texto no B 2, mas duas alterações editoriais foram feitas a §17: substituí "a ventura dos Grandes" e "ao povo da Terra" por "a ventura dos Poderes" e "ao povo de Arda".

§18 *Os Eldar relataram essas palavras* ... o texto A possui: "e mandou mensageiros aos Dúnedain, que falaram com franqueza ao Rei, Tar-Atanamir". Meu pai estava seguindo de perto *A Submersão de Anadûnê* nesse parágrafo (IX. 433, §23), mas ali o rei era Ar-Pharazôn: Tar Atanamir aparece aqui pela primeira vez.[8] Ver adiante o comentário a §§24–5.

§19 *"O Destino do Mundo", disseram* ... até §23 *Então os Mensageiros disseram* ... Quase nenhuma alteração — e nenhuma que precise ser registrada — entrou no texto no B 2 nessa parte do *Akallabêth*. Houve, contudo, algumas alterações editoriais mínimas feitas no S-A. Em §21 há, no original, uma complexa alternância entre "thou" [tu] e "you" [vós] na resposta dos Mensageiros, conforme eles se dirigem ao Rei ou se falam do povo no geral, por exemplo: "tu e teu povo não são dos Primogênitos, mas são Homens mortais como Ilúvatar vos fez", ou "E vós sois punidos pela rebelião dos Homens, dizes ...". No S-A, o "vós" foi empregado inteiramente. Em §23, "dentro do cinturão da Terra" foi alterado para "dentro dos Círculos do Mundo" e "O Amor a esta Terra", para "O amor a Arda".

§§24, 25 *Essas coisas tiveram lugar* ..., *Então Tar-Ancalimon* ... Esses dois parágrafos precisam ser considerados em conjunto. AB §24 iniciava-se assim:

> Essas coisas tiveram lugar nos dias de Tar-Atanamir, e ele era o sétimo daqueles reis que sucederam Elros no trono de Númenor; e aquele reino tinha então durado por mais que dois mil anos ...

E AB §25 iniciava-se assim:

> Então [Kiryatan > Ar-Kiryatan >] Tar-Kiryatan, o Construtor de Navios, filho de Atanamir, tornou-se Rei e era de alvitre semelhante ...

Ficaria evidente de qualquer maneira, por esses novos nomes, que uma elaboração acontecera, ou estava acontecendo, na história da casa real de Númenor em relação àquela em *A Submersão de Anadûnê*; mas, de fato, há uma página isolada extremamente interessante na qual meu pai expôs a nova concepção e o mais conveniente é incluir essa página aqui.

Segunda Era

Elros		morreu	S.E.	460	
Rei	1	"	c.	682	
	2	"	c.	903	
	3	"	c.	1125	
	4	"	c.	1347	
	5	"	c.	1568	
	6	"	c.	1790	[*acrescentado:*] Nos seus dias, os Númenóreanos auxiliaram Gil-galad na derrota de Sauron
	7	"	c.	2061	

Na sua época a Sombra primeiro se abateu sobre Númenor. O seu nome era *Tar-Atanamir*. A ele chegaram mensagens dos Valar, as quais rejeitou. [*Acrescentado:*] Agarrou-se à vida por 50 anos a mais.

8 morreu S.E. c. 2233

Na sua época começou a cisão entre o povo do Rei e os *Nimruzîrim*[9] *(Elendilli)* ou Amigos-dos-Elfos. O povo do Rei e a Casa Real deixam de aprender ou empregar a fala élfica e são mais usualmente conhecidos por seus nomes númenóreanos. Esse rei era *Tar-Kiryatan* (Armador) ou, em númenóreano, *Ar-Balkumagān*. Assentamentos de *dominação* na Terra-média são iniciados.

9 morreu S.E. c. 2454

O afastamento entre os Amigos-dos-Elfos e os Homens do Rei se intensifica. O Rei força os Amigos-dos-Elfos a habitarem no Leste e seu principal local se torna Rómenna. Muitos partem para se radicar nas praias do N.O. da Terra-média. O povo do Rei, como regra, vai mais para o sul.

10 morreu S.E. c. 2676
11 " c. 2897
12 " c. 3118

O poder, mas não a bem-aventurança, de Númenor atinge o zênite.

13 e último *Tarkalion* ou *Arpharazôn*. Desafia
Sauron e atraca em Umbar em 3125
Queda de Númenor 3319

Aspectos gerais desse texto são discutidos mais à frente (pp. 211–2 e nota 4). Não há dúvidas de que esse é um esquema que meu pai tinha ao seu lado enquanto escrevia o manuscrito original A do *Akallabêth*. Por ora, pode-se observar que, assim como no A, Atanamir (a quem vieram os Mensageiros) era pai de Kiryatan; e que, quando meu pai escreveu no A que Atanamir "era o sétimo daqueles reis que sucederam Elros", ele queria dizer precisamente isso: pois no "Esquema" (como me referirei), ele está numerado 7 e Kiryatan está numerado 8, ao passo que Elros não tem número.

No B 2, a abertura desses dois parágrafos, §§24–5, foi alterada para o texto dado no S-A: "Essas coisas tiveram lugar nos dias de Tar-Kiryatan, o Construtor de Navios, e de Tar-Atanamir, seu filho ...", e "Então Tar-Ankalimon, filho de Atanamir, tornou-se Rei ...". Nessa "segunda fase", não apenas a ordem de Atanamir e Kiryatan foi invertida, mas também (embora ainda fosse a ele que chegaram os Mensageiros) Atanamir se torna o décimo terceiro rei (as palavras originais em A, "daqueles reis *que sucederam Elros*" foram agora removidas: em *A Linhagem de Elros* em *Contos Inacabados* (pp. 300–1), Kiryatan era o décimo segundo e Atanamir, o décimo terceiro, sendo Elros contado como o primeiro). Portanto, a segunda fase (B 2) do *Akallabêth* representa — ou, antes, assenta-se sobre — um grande desenvolvimento posterior da história númenóreana em relação à verificada na primeira fase, ou AB.

Ao final de §25, há um parágrafo no AB que foi inteiramente omitido no B 2 (isto é, foi excluído no texto datilografado B):

> Os Elendili habitavam mormente próximo às costas ocidentais da terra; mas a sombra se aprofundou nos corações dos homens, o estranhamento entre os dois partidos intensificou-se, e o rei ordenou que se mudassem e habitassem no leste da ilha, longe do porto de Andúnië, para o qual os Eldar soíam vir; e a partir de então os Eldar os visitavam apenas rara e secretamente. A principal habitação dos Amigos-dos-Elfos nos dias posteriores ficava, assim, nas cercanias do porto de Rómenna; e de lá muitos içavam velas e retornavam à Terra-média, onde podiam falar com os Elfos no Reino de Gil-Galad. Pois eles ainda ensinavam aos seus filhos os idiomas eldarin, enquanto entre os Homens do Rei esses idiomas caíram em desuso, e mesmo os herdeiros de Eärendil tornaram-se conhecidos pelo seu povo por nomes no idioma númenóreano. E os reis desejavam pôr fim a toda amizade entre o seu povo e os Eldar (a quem chamavam agora de Espiões dos Valar), na esperança de manter seus feitos e seus conselhos ocultos dos Senhores do Oeste. Mas tudo o que faziam era conhecido de Manwë, e os Valar estavam irados com os Reis de Númenor e não lhes davam mais conselhos.

Para a explicação sobre essa omissão, ver p. 194. O B 2 continua a seguir com S-A §26.

§26 *Assim, a ventura de Ociente se tornou diminuída* ... Ao final desse parágrafo, o AB possui "depois dos dias de [Ar-Kiryatan >] Tar-Kiryatan" (Kiryatan sendo, então, o filho de Atanamir); no B 2, isso se tornou "depois dos dias de Tar-Ankalimon" (que já apareceu em §25 como filho de Atanamir).

Resta algum rascunho original da passagem a respeito da crescente obsessão com a morte entre os Númenóreanos, incluindo o seguinte trecho que não foi incorporado no A:

> E alguns ensinavam que havia uma terra de sombras repleta dos espectros das coisas que eles haviam conhecido e amado sobre a terra mortal, e que em sombra os mortos haveriam de ir até lá carregando consigo as sombras de suas posses.

§27 *Assim veio a acontecer* ... Esse parágrafo no S-A remonta ao texto mais antigo sem alteração.

§28 *Em tudo isso os Amigos-dos-Elfos tomavam pequena parte* ... O final desse parágrafo, a partir de "dando-lhes auxílio contra Sauron", foi alterado no S-A; o texto autêntico diz:

> Mas os Homens do Rei velejavam muito ao longe, para o sul, e embora os reinos e fortalezas que fizeram tenham deixado muitos rumores nas lendas dos Homens, os Eldar nada sabem delas. Apenas de Pelargir eles se lembram, pois era lá o porto dos Amigos-dos-Elfos acima das fozes do Anduin, o Grande.

Pengoloð sem dúvida estava sugerindo que, após a grande divisão surgir entre os Númenóreanos, os Elfos de Eressëa deixaram de ter qualquer conhecimento sobre as empresas imperiais dos Homens do Rei no longínquo sul da Terra-média. Mas com a remoção de Pengoloð e Ælfwine do texto publicado, o *Akallabêth* perdeu sua ancoragem na sabedoria expressamente eldarin; e isso me levou (com o que agora julgo ser excesso de vigilância) a alterar o final do parágrafo. — Essa é a primeira aparição de Pelargir nas narrativas de Númenor.

§29 *Nessa Era, como se conta alhures* ... No AB, a segunda frase desse parágrafo era: "Foi de fato nos dias de Atanamir em Númenor que, em Mordor, a Torre de Barad-dûr foi completada e, dali por diante, Sauron começou a batalhar pelo domínio da Terra-média ...". No B 2, isso foi alterado para o texto do S-A, "Já nos dias de Tar-Minastir, o décimo primeiro Rei de Númenor, ele tinha fortificado a terra de Mordor e construíra ali a Torre de Barad-dûr ...". A aparição, aqui, de Tar-Minastir, o décimo primeiro rei, é logicamente um elemento a mais na história expandida já vista em §§24–6 e também, nesse parágrafo, o texto do AB "nem esquecia ele o auxílio que eles [os Númenóreanos] deram a Gil-galad outrora" foi alterado no B 2 para "o auxílio que Tar-Minastir dera ..."

Na frase "E Sauron odiava os Númenóreanos por causa das façanhas de seus pais e de sua antiga aliança com os Elfos", a palavra "aliança" foi uma alteração antiga da palavra original "amizade"; ver comentário a §9, acima.

As palavras no S-A "naquele tempo quando o Um Anel foi forjado e houve guerra entre Sauron e os Elfos em Eriador" foram um acréscimo editorial.

§30 *Sauron, porém, sempre fora astuto* ... Esse parágrafo remonta inalterado ao texto A, exceto pela antiga mudança de "grandes senhores de Númenor" para "grandes senhores de raça númenóreana". — O nome *Úlairi* dos Espectros-do-Anel parece demarcar um período no trabalho de meu pai: também se encontra em um texto do Conto dos Anos (p. 209); em *Os Herdeiros de Elendil* (Capítulo VII); e em *Dos Anéis de Poder e da Terceira Era* (publicado em *O Silmarillion*).

Ao final do parágrafo, meu pai escreveu no texto C, depois de "ele começou a assaltar as praças-fortes dos Númenóreanos nas costas do mar": "mas Umbar ele até então não conseguira tomar". Ver §41 abaixo.

Após S-A §30, há uma segunda passagem no AB (ver pp. 188–9) que foi excluída no B 2:

> Naqueles dias se ergueu e tomou o trono dos Reis-dos-Mares o grande Tar-Calion, a quem os homens chamavam Ar-Pharazôn, o Dourado, o mais poderoso e soberbo de toda a sua linhagem. E doze reis tinham regido os Númenóreanos entre Elros e Ar-Pharazôn, e dormiam, então, em seus túmulos profundos sob o monte de Meneltarma, deitados sobre camas d'ouro. Grande e glorioso era Ar-Pharazôn, sentado sobre seu trono entalhado na cidade de Ar-minalêth

no apogeu de seu reino; e vieram a ele os mestres de navios e homens retornando do Leste, e falaram de Sauron, como ele se havia intitulado O Grande, e tencionava tornar-se senhor de toda a Terra-média e destruir até mesmo Númenor, se pudesse.

Então grande foi a raiva de Ar-Pharazôn ao ouvir essas notícias, e sentou-se longamente em ponderação, e seu ânimo tornou-se sombrio. E decidiu, sem conselho dos Valar ou o auxílio de qualquer sabedoria que não a sua, que exigiria submissão e vassalagem desse senhor; pois, em sua soberba, julgava que nenhum rei deveria se erguer com poderio que fizesse frente ao Herdeiro de Eärendil.

Ar-Pharazôn é aqui denominado o décimo quarto rei, já que "doze reis tinham regido os Númenóreanos *entre* Elros e Ar-Pharazôn"; e isso está de acordo com *A Submersão de Anadûnê*[10] e com o Esquema na p. 188, no qual Ar-Pharazôn é numerado 13 e Elros não é contado.

Nesse ponto (isto é, após a conclusão de S-A §30), há um direcionamento no texto B para incluir um adendo, sendo ele um belo manuscrito de duas folhas, anverso e verso.

§31 *Naqueles dias, a Sombra se tornou mais profunda* ... até §40 *Grande foi a raiva* ... Essa passagem no S-A (pp. 352–5) segue quase exatamente o texto do adendo recém aludido. Aqui entrou na narrativa de Númenor a história dos reinados de Ar-Adûnakhôr e Ar-Gimilzôr; dos Senhores de Andúniё, que eram da Linhagem de Elros; dos filhos de Ar-Gimilzôr, Inziladûn e Gimilkhâd, e seu conflito; do infeliz reinado de Inziladûn (Tar-Palantir); e do casamento forçado de sua filha, Míriel (Ar-Zimraphel), a Rainha legítima, com Pharazôn, filho de Gimilkhâd, que tomou o cetro para si.

Os poucos lugares significativos em que o texto do adendo foi alterado no S-A são os seguintes.

Em §31, alterei "o vigésimo rei" (Ar-Adûnakhôr) e "o vigésimo terceiro rei" (Ar-Gimilzôr) para "décimo nono" e "vigésimo segundo" e, em §38, alterei "quatro e vinte Reis e Rainhas tinham regido os Númenóreanos" antes de Ar-Pharazôn para "três e vinte". Meu motivo para fazer essas (incorretas) alterações — uma omissão na lista dos governantes de Númenor dada no Apêndice A (I, i) — foi inteiramente explicado em *Contos Inacabados*, p. 307, nota 11.*

Em §33, omiti duas notas (contemporâneas ao manuscrito e parte dele) a respeito dos Senhores de Andúnië. A primeira delas, que se refere às palavras "pois eram da linhagem de Elros", diz: "E eles assumiram nomes em quenya, o que não se fazia em nenhuma outra casa que não a dos reis"; a segunda nota se refere às palavras "sendo descendentes de Silmarien, filha de Tar-Elendil, o quarto rei":

> E em sua linhagem o cetro teria de fato passado, caso a lei fosse nos seus dias como se fez mais tarde. Pois quando Tar-Ankalimë se tornou a primeira Rainha governante, sendo a única filha de Tar-Aldarion, o Sexto Rei, a lei foi feita para que o descendente mais velho do Rei, fosse homem ou mulher, recebesse o cetro e a autoridade real; mas Silmarien era mais velha que o seu irmão, Meneldur, que sucedeu Tar-Elendil.

A esse respeito, ver *Contos Inacabados*, pp. 285–7, na qual as diferentes formulações da nova lei implementada por Tar-Aldarion são discutidas. A lei é formulada aqui nas mesmas palavras do Apêndice A (I, i), ou seja, simples primogenitura, independente do sexo (em vez da sucessão ao trono por uma filha apenas se o Governante não tivesse filho homem).[11]

Em §37, o nome adûnaico de Tar-Míriel não é *Ar-Zimraphel* no longo adendo, mas *Ar-Zimrahil*, e essa é a forma em todas as fontes: em *A Submersão de Anadûnê* (IX. 443, §48), no *Akallabêth* AB (ver §78, abaixo), em *A Linhagem de Elros* (*Contos Inacabados*, p. 304) e em *Aldarion e Erendis* (*ibid.*, p. 261). *Ar-Zimraphel*, na verdade, só ocorre em um lugar, uma alteração feita por meu pai no presente parágrafo do texto

*Nos *Contos Inacabados*, Christopher explica que, no Apêndice A de *O Senhor dos Anéis*, houve uma omissão por descuido, de modo que o rei que se seguiu a Tar-Calmacil acabou sendo Ar-Adûnakhôr quando, na verdade, teria de ser Tar-Ardamin. Contudo, a edição mais recente de *O Senhor dos Anéis* (que foi utilizada na tradução brasileira) restituiu Tar-Ardamin à lista (RR p. 1471) e, igualmente, na edição de *O Silmarillion* utilizada para a tradução brasileira, os erros que Christopher aponta foram também corrigidos. [N. E.]

C, datilografado por amanuense. Adotei o nome no S-A e a mudança para *Ar-Zimraphel* foi feita silenciosamente também aos trechos em *A Linhagem de Elros* e *Aldarion e Erendis*.

Nos comentários acima a §§24–5 e §30, incluí duas passagens no AB que foram eliminadas quando o longo adendo foi introduzido. A primeira delas, seguindo S-A §25 e começando com "Os Elendili habitavam mormente próximo às costas ocidentais..." (p. 189) foi amplamente reutilizada no adendo (S-A §32, *Ora, os Elendili habitavam mormente as regiões do oeste ...*), mas a mudança forçada dos Amigos-dos-Elfos para o leste de Númenor passou a ser executada por Ar-Gimilzôr, enquanto no AB o rei que ordenou não é nomeado. A segunda passagem omitida, seguindo S-A §30 e começando com "Naqueles dias se ergueu e tomou o trono dos Reis-dos-Mares o grande Tar--Calion" (p. 191), foi posta ao final do adendo, onde reaparece de maneira revisada (S-A §§38–40, pp. 354–5). O adendo se encerra com as palavras no §40 "com poderio que fizesse frente ao Herdeiro de Eärendil" e o texto AB, ou a "primeira fase", é retomado novamente com "Portanto, começou, naquele tempo, a forjar grande reserva de armas ...".[12]

Muitas páginas foram colocadas junto do adendo, escritas no mesmo tipo de papel, nas quais se observa meu pai criando uma história diferente acerca do matrimônio de Pharazôn e Míriel. A esse respeito, ver pp. 199 em diante.

§41 *E os homens viram suas velas vindo do pôr do sol ...* Na primeira frase, as palavras "brilhando com vermelho e ouro" (sobre as velas dos navios de Ar-Pharazôn) deveriam ser reluzindo com ouro rubro" (uma frase que remonta a *A Submersão de Anadûnê*, IX. 463, §28).

Na segunda frase, eu alterei o texto original "Umbar, onde havia um magno porto que mão alguma construíra" para "Umbar, onde estava o magno porto dos Númenóreanos que mão alguma construíra", tendo em vista o Apêndice B, Segunda Era 2280: "Umbar se torna uma grande fortaleza de Númenor" (quase mil anos antes da chegada de Ar-Pharazôn). Pela mesma razão, alterei o texto original na frase seguinte, de "Vazia e silenciosa sob a foice da lua estava a terra quando o Rei do Mar pôs os pés na praia" para "Vazias e silenciosas estavam todas as terras em volta quando o Rei do Mar marchou sobre a Terra-média".

(É provável que, quando meu pai escreveu isso, ele ainda não supunha que Umbar fosse uma fortaleza e porto númenóreano na época do aportamento de Ar-Pharazôn).

§§42 em diante. No restante do *Akallabêth*, o texto do manuscrito original A sofreu de fato pouquíssimas alterações em todos os estágios subsequentes. Portanto, não há mais necessidade de comentar o texto parágrafo por parágrafo. Apenas alterações editoriais ocasionais foram feitas no S-A e, no restante deste relato, deve ficar implícito que, exceto quando indicado, o trabalho publicado segue o original com exatidão, ou no máximo com modificações muito pequenas que não valem a pena registrar.[13]

§44 *Contudo, tal eram a astúcia de sua mente* … (p. 423). O texto no AB diz "todos os conselheiros, salvo apenas Valandil, começaram a adulá-lo". No B 2, meu pai alterou *Valandil* para *Amandil* aqui e em todas as ocorrências seguintes. Uma vez que Amandil não fora mencionado anteriormente no texto, incluí as palavras "senhor de Andúnië" no S-A. — É curioso que o nome *Valandil* do pai de Elendil tenha sido uma volta para *A Estrada Perdida* (V. 76, 86). No curso da escrita de *O Senhor dos Anéis*, o nome foi atribuído, variada e transitoriamente, a um irmão de Elendil, a um filho de Elendil e ao próprio Elendil (VI. 212, 219; VII. 149, 151–2).

§53 *Mesmo assim, por muito tempo pareceu aos Númenóreanos* … (p. 427). Na última frase, "dos reis bondosos de outrora" é uma alteração editorial de "dos reis bondosos dos Dias Antigos".

§57 *"Os dias são sombrios e não há esperança para os Homens …"* (p. 361). O texto diz "não há esperança nos Homens" e a frase no S-A aparenta ser um mero erro, já que não há qualquer razão para a mudança. Nas falas de Amandil e Elendil que se seguem, meu pai evidentemente pretendia que houvesse uma distinção entre "thou" [tu] de pai para filho e "you" [vós] de filho para pai, mas o seu uso não foi consistente. No S-A, substituí tudo por "tu".

§73 *Então Ar-Pharazôn endureceu seu coração* … (p. 364). O nome do grande navio de Ar-Pharazôn é *Aglarrâma* no texto AB (assim como em *A Submersão de Anadûnê*, IX. 441, §44), alterado no B 2 para *Alkarondas*.

§75 *Mas as frotas de Ar-Pharazôn* … (p. 365). No texto original (em todos os estágios) esse parágrafo começa assim:

> Mas quem dentre os Homens, Ælfwine, pode contar o conto de sua sina? Pois nem navio nem homem de toda aquela hoste jamais retornou às terras dos vivos; e o mundo foi alterado naquela época, e na Terra-média a memória de tudo o que foi antes é turva e incerta. Mas entre os Eldar preservou-se a palavra das façanhas e coisas que foram; e os mais sábios nas tradições entre eles contam esta história, Ælfwine, que eu conto agora a ti. E eles dizem que as frotas de Ar-Pharazôn vieram das profundezas do mar e cercaram Avallónë e toda a ilha de Eressëa ...

Uma vez que essa última frase já se encontra no A, fica claro que o sentido alterado de *Avallónë* (significando o porto oriental em Eressëa, e não a própria Ilha) havia entrado durante a escrita do A (ver o comentário a §12, acima).

No S-A, "Taniquetil" é uma alteração editorial de "a Montanha de Aman" e "a luz de Ilúvatar", de "a luz de Deus".

§76 *Então Manwë, sobre a Montanha* ... Na primeira frase, "seu governo de Arda" foi uma alteração no S-A de "seu governo da Terra".

§77 *Mas a terra de Aman* ... Duas alterações foram feitas aqui, no S-A. O texto original tem "foram retiradas e removidas dos círculos do mundo para além do alcance dos Homens para sempre", e "não há agora dentro dos círculos do mundo lugar algum existente ...".

§78 *Em uma hora imprevista pelos Homens* ... O AB possui "Ar-Zimrahil", alterado no B 2 para "Tar-Míriel"; ver nota 12.

§80 *Nove navios havia* ... Todos os textos têm "Doze navios havia: seis para Elendil, e para Isildur quatro, e para Anárion dois", mas, no texto de amanuense C, meu pai alterou os números para "nove: quatro, três, dois", observando na margem: "Nove, a menos que o verso em SdA seja alterado para *Quatro vezes três*". A referência é à canção que Gandalf entoou enquanto cavalgava em Scadufax com Pippin através de Rohan, a caminho de Minas Tirith (*As Duas Torres*, p. 863):

> Altas naus e altos senhores,
> Três vezes três,
> O que trouxeram da terra submersa
> Sobre o mar daquela vez?

§81 *Elendil e seus filhos* ... A abertura desse parágrafo foi alterada no S-A para remover a referência a Ælfwine: "E aqui termina o conto, Ælfwine, e, para falar de Elendil e seus filhos, que depois fundaram reinos na Terra-média ...".

§83 *Mas essas coisas não entram no conto* ... O B possuía "a Submersão de Anadûnê", corrigido para "a Submersão de Númenor" (uma reversão para o texto do A). Ao final do parágrafo, o AB possuía: "falavam de Akallabêth que foi sobrepujada pelas ondas, a Decaída, Atalantë na língua eldarin", sendo *Akallabêth* alterado para *Mar-nu-Falmar* no B 2. A remoção de *Akallabêth* (restaurado no S-A) se deu junto com a substituição generalizada de nomes adûnaicos por élficos: ver o comentário a §78 acima e a nota 12. — Em uma das cópias do texto C, meu pai escreveu esta nota sobre o nome *Atalantë*:

> O nome adûnaico ou númenóreano de mesmo significado era *Akallabêth*, √KALAB. Por uma coincidência curiosa (não preparada conscientemente) antes de este conto ser escrito, uma base √TALAT "colapsar, cair em ruína" já fora inventada e, dessa base, *atalantë* "ele/ela/isso caiu" foi uma derivação correta de acordo com regras gramaticais criadas antes que Númenor fosse pensada. A semelhança com *Atlântida* é, assim, por acaso (como costumamos dizer).

Ao lado dessa nota está escrito "71", que deve significar "1971" (ver XI. 230, 236). Com essa afirmação, confronte as observações de Lowdham em *Os Documentos do Clube Notion*, IX. 305; a carta de meu pai de julho de 1964 citada em V.14 (nota de rodapé); e as *Etimologias*, V. 475, radical TALÁT.

§§84–6 A seção que conclui o *Akallabêth*, iniciando no S-A *"Em meio aos Exilados, muitos acreditavam ..."* (pp. 435–6), estava intitulada *Epílogo* no texto A; isso foi omitido no B. Há uma discussão completa sobre essa seção e sua conexão com *A Submersão de Anadûnê* em IX. 466–72.

§84 *Em meio aos Exilados, muitos acreditavam* ... O texto original, não alterado a partir do A, diz:

> Mas se quiseres saber, Ælfwine, antes de ires, porque é que homens da semente de Eärendil — ou qualquer um como

tu de cujo sangue uma parte, conquanto pequena, descende deles — ainda se aventuram pelo Mar, buscando aquilo que não pode ser encontrado, isto é o que te digo.

O cume do Meneltarma, o Pilar do Céu, em meio a terra, tinha sido um lugar consagrado e, mesmo nos dias de Sauron, ninguém o profanara. Portanto, em meio aos Exilados, muitos acreditavam que ele não tinha sido afundado para sempre, mas se erguera de novo acima das ondas, uma ilha solitária perdida nas grandes águas, a menos que um marinheiro se deparasse com ela. E alguns havia que mais tarde a buscaram, porque se dizia entre mestres-de-saber, que os homens de visão aguçada de outrora podiam ver do Meneltarma um vislumbre da Terra Sem-Morte.

§86 *Assim, em dias que vieram depois* ... A frase "até que chegava a Tol Eressëa, a Ilha Solitária" foi uma alteração, no S-A, do original "até que chegava a Eressëa onde estão os imortais Eldar". Imediatamente a seguir, "onde os Valar ainda habitam e observam o desenrolar da história do mundo" foi uma alteração primitiva da frase no A, "onde os Valar ainda habitam, mas observam apenas e não mais intervêm no mundo relegado aos Homens".

Na última frase, "e, assim, chegaram aos ancoradouros iluminados por lamparinas de Avallónë" foi uma alteração editorial de "e, assim, chegaram a Avallónë e a Eressëa" (no A, "a Eressëa e a Avallónë"). Quanto aos "ancoradouros iluminados por lamparinas de Avallónë", ver V. 400.

Após a conclusão do *Akallabêth* em S-A, as linhas a seguir foram omitidas:

> E se esses contos são todos forjados, ou se alguns, ao menos, são verdadeiros, e por meio deles os Valar ainda mantêm acesa entre os Homens uma memória para além da escuridão da Terra-média, tu é que sabes agora, Ælfwine, em ti mesmo. Ainda assim, talvez ninguém acredite em ti.

Nota sobre o matrimônio de Míriel e Pharazôn

Meu pai despendeu muito trabalho nessa história, mas não é fácil de ver como ela deve ser relacionada ao parágrafo (S-A §37, *E veio a acontecer que Tar-Palantir fatigou-se* ...) no longo aditamento inserido ao texto datilografado B, o qual é repetido com exatidão no S-A exceto pela mudança de *Ar-Zimrahil* para *Ar-Zimraphel* (pp. 193–4). De todo modo, ficará mais claro se a genealogia for exposta (cf. *A Linhagem de Elros* em *Contos Inacabados*, pp. 303–4).

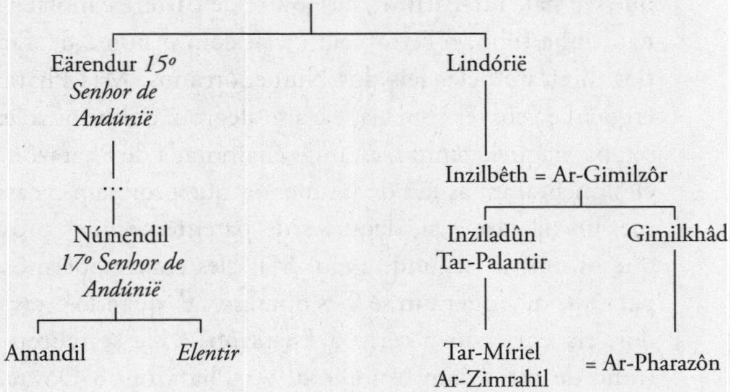

A importância do irmão de Amandil, Elentir, será vista nestes textos incluídos aqui: até onde sei, ele não aparece em nenhum outro lugar. Estes textos foram escritos no mesmo tipo de papel do longo aditamento e foram inseridos junto com ele no texto datilografado B.

(a)

Este é um manuscrito muito irregular, escrito com tamanha pressa que se provou extraordinariamente difícil de decifrar. O texto que se segue é incerto em muitos pontos, mas eles não afetam a narrativa e eu majoritariamente dispensei colchetes e interrogações; ele não passa de modo algum a aparência do original.

> Ele [Ar-Pharazôn] era um homem de grande beleza e força/estatura, à imagem dos primeiros reis e, de fato, em sua juventude não era dessemelhante aos Edain de outrora também na mente, embora tivesse poder de vontade mais do que de sabedoria, como mais tarde se demonstrou, quando foi corrompido pelos conselhos de seu pai e pela aclamação do povo. Em seus dias antigos, tinha amizade próxima com Amandil, que foi depois Senhor de Andúnië,[14] e ele amara as pessoas da Casa de Valandil, com quem tinha parentesco (por causa de Inzilbêth, mãe de seu pai). Deles era frequentemente hóspede, e veio Zimrahil, sua prima, filha de Inziladûn que foi depois o Rei Tar-Palantir.

Elentir, o irmão de Amandil, a amava, mas, quando ela primeiro viu Pharazôn, seus olhos e seu coração voltaram-se para ele, por sua beleza e por sua riqueza também.

Mas ele partiu[15] e ela permaneceu inupta. E veio a acontecer que seu pai, Tar-Palantir, fatigou-se de tristeza e morreu e, como não tinha filho, o cetro veio a ela, com o nome de Tar-Míriel, por direito e pelas leis dos Númenóreanos. Mas Pharazôn [?se ergueu] e veio ter com ela, e ela se alegrou, e abjurou a lealdade a seu pai naquele tempo, estando enamorada de Pharazôn. E nisso eles quebraram as leis de Númenor, que proibiam o casamento, mesmo na casa real, daqueles de parentesco mais próximo do que primos de segundo grau. Mas eles eram poderosos demais para que qualquer um se lhes opusesse. E, quando estavam casados, ela entregou o cetro a Pharazôn, e ele se sentou sobre o trono de Elros com o nome de Ar-Pharazôn, o Dourado, mas ela manteve também seu título, sendo seu por direito, e foi chamada de Ar-Zimrahil.[16]

Os Elendili somente não eram subservientes a ele, e ousavam falar contra seus desejos, e tornou-se bem conhecido de todos naquele tempo que Amandil, o Senhor de Andúnië, era o chefe de seu partido, embora não abertamente declarado. Portanto, Ar-Pharazôn perseguiu os Fiéis, tomando-lhes quaisquer riquezas que possuíssem, e privou os herdeiros de Valandil de seu senhorio. Andúnië ele tomou, então, e fez dele um porto-mor para a construção de navios do rei, e Amandil, que era agora o Senhor, ele ordenou que se mudasse e habitasse também em Rómenna. Ainda assim, não o importunou de outras maneiras [?nesse momento], nem o dispensou do Conselho do Cetro, pois lembrava ainda em seu coração a sua amizade de outrora; e Amandil era benquisto também por muitos que não eram dos Elendili.

E agora, quando se julgou [?firme] sobre o trono e acima de toda oposição, ele sentou-se em A[rmenelos] na glória de seu poder e encontrava muito pouco que satisfizesse sua [?cobiça], e em meio a todo o seu esplendor, meditava sombrio sobre guerra.

Há muitas frases nesse texto que são idênticas, ou quase, às encontradas no longo aditamento ("Tar-Palantir fatigou-se de tristeza e morreu", "por direito e pelas leis dos Númenóreanos", "daqueles de parentesco mais próximo do que primos de segundo grau", "meditava sombrio sobre guerra", S-A §§37, 39). Seria natural supor que essas frases apareceram primeiro nesse texto, que foi precipitadamente posto no papel, e repetidas no aditamento, um manuscrito escrito com muito cuidado; e, nesse caso, seria necessário concluir que meu pai descartou essa história do amor do irmão de Amandil, Elentir, por Zimrahil, e do afastamento dela tanto dele quanto dos Amigos-dos-Elfos, além da sua contente aceitação de Pharazôn, antes de escrever a versão final. Mas eu duvido que seja o caso.

(b)

Uma segunda página está numa escrita ainda mais obscura e eu não fui capaz de compreender a totalidade após repetidas tentativas.

> Em sua infância, tinha amizade próxima com Amandil, filho de Númendil, Senhor de Andúnië, que, sendo um dos principais conselheiros do Cetro, vivia frequentemente em Armenelos.
>
> Cortou a amizade. A política de Ar-Pharazôn quanto a Amandil era devido à sua esposa?
>
> Ora, Zimrahil, a quem seu pai chamava Míriel, filha única de Tar-Palantir, era uma mulher de grande beleza, menor [?em ... estatura] do que era a maioria das mulheres daquela terra, com olhos brilhantes, e tinha grande habilidade em ... Era um ano mais velha do que Ar-Pharazôn,[17] mas parecia mais jovem, e seus olhos e seu coração voltaram-se para ela; mas as leis de Númenor se interpunham, além do descontentamento do pai dela, a quem Gimilkhâd se opunha de todas as maneiras que conseguia. Pois, em Númenor, primos de primeiro grau não se casavam nem mesmo na casa real. E, ademais, Zimrahil estava noiva de Elentir, irmão [?mais velho] de Amandil e herdeiro de Númendil.[18]
>
> À distância,[19] pois Gimilkhâd e seu filho não eram bem-vindos na casa do rei.

No restante do texto, há várias frases inteiras, claramente essenciais para a narrativa brevemente rascunhada, das quais não consegui decifrar praticamente nada.

> Ora, veio em seu coração que iria ....Pharazôn não estava disposto a admitir empecilhos aos seus desejos e pediu permissão, portanto, a Amandil para ser hóspede em sua casa, aprendendo

.....Zimrahil estava, na época, em Andúnië. Gimilkhâd ficou pouco contente com isso, pois os Senhores de Andúnië eram seus principais oponentes. Mas Pharazôn [?riu] dizendo que faria o que quisesse, e ....

E Amandil e Pharazôn cavalgavam em Andúnië e Elentir e Zimrahil os viram ao longe enquanto [?estavam] ..... pois Elentir amava seu irmão. Mas quando Zimrahil viu Pharazôn no esplendor de sua virilidade juvenil chegar cavalgando [?em] .... Subitamente o coração de Zimrahil se voltou para ele. E quando Pharazôn foi recepcionado na escadaria da casa, seus olhos se encontraram .... e ficaram embaraçados.

Entendo esse como sendo um movimento seguinte na história que se esforçava para emergir, no qual meu pai estava considerando um tratamento distinto acerca da intrusão de Pharazôn no relacionamento de Míriel e Elentir (que, conta-se agora, estavam noivos); mas o rascunho é tão apressado e há tanta coisa indecifrável que o percurso real da história é obscuro.

(c)

Um texto breve, escrito de maneira clara, é o terceiro desses papéis associados ao aditamento inserido no texto do *Akallabêth*.

Pois Pharazôn, filho de Gimilkhâd, tinha se tornado ainda mais inquieto e ávido por riqueza e poder que seu pai. Era um homem de grande beleza e estatura, à semelhança dos primeiros reis de homens; e, de fato, em sua juventude não era dessemelhante aos Edain de outrora também na mente, embora tivesse coragem e poder de vontade mais do que de sabedoria, como mais tarde se demonstrou, quando foi corrompido pelos conselhos de seu pai e pela aclamação do povo. Em seus dias antigos, tinha uma amizade próxima com Amandil, filho de Númendil, Senhor de Andúnië, e ele amava as pessoas daquela Casa, com quem ele mesmo tinha parentesco (por causa de Inzilbêth, mãe de seu pai). Deles era frequentemente hóspede, e lá também sua prima, filha de Inziladûn, amiúde se encontrava. Pois Elentir, irmão de Amandil, a amava, e ela voltara seu coração para ele, e sabia-se que logo ficariam noivos.

Nesse texto meu pai estava seguindo de perto a abertura do texto *(a)*, mas a última frase do texto, antes de ser abandonado, desvia-se, com a menção ao noivado próximo de Elentir e Zimrahil, e o texto provavelmente estava prestes a tomar um curso distinto.

(d)

Finalmente, meu pai escreveu o seguinte trecho na margem do adendo inserido, ao lado de §37, embora sem indicação de onde deveria ser alocado: muito provavelmente ao final do parágrafo ("... e o nome de sua rainha ele mudou para Ar-Zimrahil").

> E ele perseguiu os Fiéis e privou os Senhores de Andúnië de seu senhorio, já que eles haviam auxiliado Tar-Palantir e apoiado sua filha. Andúnië ele tomou, então, e fez dele o porto-mor para os navios do rei, e Amandil, o Senhor, ele ordenou que habitasse em Rómenna. Ainda assim, não o importunou de outras maneiras, nem o dispensou ainda do seu Conselho. Pois, nos dias de sua juventude (antes que seu pai o corrompesse), Amandil fora seu amigo querido.

Isso se relaciona intimamente com o final do texto *(a)*, p. 200, "Portanto, Ar-Pharazôn perseguiu os Fiéis ..."; por outro lado, parece claro, pelas palavras "apoiado sua filha" que a história do amor de Zimrahil por Pharazôn não está presente.

Não está perfeitamente claro para mim como o enigma textual imposto por esses escritos deve ser solucionado, mas inclino-me a pensar que, apesar da aparência, os textos *(a)*, *(b)* e *(c)* na realidade se seguiram à escrita do longo adendo ao *Akallabêth* e que eles representam o surgimento de uma dúvida na mente de meu pai sobre se o casamento de Pharazôn e Zimrahil foi de fato "contra sua vontade" e o esboçar de uma nova história sobre o assunto. A concordância íntima de frases em *(a)* com aquelas no adendo (ver pp. 200–1) deve, portanto, ser interpretada como uma simples repetição daquilo que já estava ali presente e não como um rascunho delas. A esse respeito, ele acabou por abandonar a nova história e retornou à que já estava presente em §37. O irmão de Amandil, Elentir, desapareceu, pelo menos na tradição registrada.

Pode-se observar que a amizade juvenil de Pharazôn e Amandil é mencionada em S-A §47 (*Então Ar-Pharazôn, o Rei, voltou-se …*, p. 357) e isso de fato remonta ao manuscrito original do *Akallabêth*: "Nos dias de sua juventude juntos, Valandil [> Amandil] tinha sido caro a Ar-Pharazôn e, embora fosse dos Amigos-dos-Elfos, permaneceu no conselho até a chegada de Sauron."

NOTAS

1 Acredito agora que uma evidência assim precária aponte, na verdade, para cerca de 1960 como sendo a data desses trabalhos.

2 Em §1, eu alterei o original "contudo, chegaram, por fim, às terras que dão para o Mar. Esses são, de fato, o povo *de quem tu ouviste falar* que entrou em Beleriand nos dias da guerra dos Noldor e Morgoth" de modo a remover as palavras que estão italicizadas (a alteração da última frase para "entraram em Beleriand nos dias da Guerra das Joias" foi uma mudança muito tardia, uma das pouquíssimas que meu pai fez ao texto C). De maneira semelhante, em §2 alterei "e *tu ouviste* como, por fim" para "e, na *Balada de Eärendil* conta-se como, por fim".

3 *A Linhagem de Elros* termina com as palavras (*Contos Inacabados*, p. 304): "Dos feitos de Ar-Pharazôn, de sua glória e sua loucura, conta-se mais na história da Queda de Númenor, *que foi escrita por Elendil*, e que foi preservada em Gondor".

4 No A, meu pai acrescentou uma nota de rodapé aqui, omitida no B: "*Rothinzil* é um nome no idioma númenóreano e tem o mesmo significado de Vingilot, que é Flor-de-espuma".

5 É verdade que, na frase de abertura do Conto dos Anos, meu pai alterou o texto final, "A *Primeira Era* terminou com a Grande Batalha, em que a Hoste de Valinor rompeu Thangorodrim e derrotou Morgoth", substituindo uma referência a "Fionwë e os filhos dos Valar" em versões anteriores (ver p. 214); mas ele talvez não tenha removido o nome de Fionwë (Eönwë) pela mesma razão que eu o fiz no *Akallabêth*.

6 O manuscrito A possuía "chamavam", que se tornou "chamam" no B.

7 Cf. as palavras de Elrond em *O Conselho de Elrond* (*A Sociedade do Anel*, p. 352): "Ali, na corte do Rei [em Minas Anor], crescia uma árvore branca, da semente daquela que Isildur trouxe por sobre as águas profundas, e a semente dessa árvore veio antes de Eressëa, e antes disso do Extremo Oeste, no Dia antes dos dias, quando o mundo era jovem".

8 "Tar-Atanamir" foi riscado no A, e não aparece no B, mas isso aparenta ter sido apenas pelo desejo de meu pai de postergar a denominação do Rei para §24.

9 *Nimruzîrim*: *Nimruzîr* é o nome de Elendil em *A Submersão de Anadûnê*.

10 Em *A Submersão de Anadûnê* (IX. 432, §20), "sete reis tinham governado… entre Indilzar [Elros] e Ar-Pharazôn", mas "sete" foi alterado para "doze" (IX. 452).

11 Outras notas de rodapé — sobre a inscrição do nome quenya de Ar-Adûnakhôr, *Herunúmen*, no Pergaminho dos Reis, §31, e sobre a explicação do nome Tar-Palantir, §35, com o qual cf. *A Linhagem de Elros* em *Contos Inacabados*, p. 303 — foram incorporadas ao texto principal no S-A. Ao final de §35, eu expandi as palavras do texto original, "a antiga torre do Rei Minastir sobre o Oromet" para "... sobre o monte de Oromet, perto de Andúnië", sendo essa informação retirada de *A Linhagem de Elros*, p. 300; e em §37, após "Míriel", acrescentei as palavras "na língua-élfica".

12 Antes que a segunda dessas passagens fosse excluída (e, portanto, antes da inserção do adendo) meu pai a revisou, e a todo o restante do texto B, substituindo *Ar-Pharazôn* por *Tar-Kalion* (na passagem rejeitada, p. 191, ele cortou as palavras "a quem os homens chamavam Ar-Pharazôn", deixando, assim, "Tar-Calion, o Dourado"). Sua intenção, presumivelmente, era usar exclusivamente os nomes élficos; contudo, no adendo inserido, ele chamou o rei de *Ar-Pharazôn*. O datilógrafo do C, portanto, passava de um nome para o outro e, ao ver isso, meu pai começou, no C, a reverter *Tar-Kalion* para *Ar-Pharazôn*, mas logo se cansou. No S-A, eu adotei *Ar-Pharazôn*.

13 Por toda essa parte que conclui o *Akallabêth*, eu substituí o nome Tar-Kalion por Ar-Pharazôn, como explicado na nota 12. *Arminalêth* foi alterado para *Armenelos* no B e isso foi adotado no S-A.

14 Aqui, na margem, está escrito o seguinte: "3º na linhagem depois de Eärendur e 18º depois de Valandil, o Primeiro Senhor de Andúnië".

15 Acima de "ele partiu" está escrito "[?Pharazôn] partiu para as guerras"; cf. S-A §36 (*Ora, Gimilkhâd morreu* ...): "[Pharazôn] tinha feito amiúde longas jornadas, como um líder nas guerras que os Númenóreanos travavam então nas regiões costeiras da Terra-média".

16 Neste ponto do manuscrito há o seguinte: "E, portanto, o amor dele pelos Senhores de Andúnië tornou-se ódio, uma vez que somente eles eram poderosos ou sábios o bastante para contê-lo e aconselhar contra seus desejos". Uma segunda versão, seguindo essa, foi excluída e, sem dúvida, meu pai pretendia que a primeira também fosse rejeitada.

17 Em *A Linhagem de Elros*, Ar-Pharazôn nasceu em 3118 e Tar-Míriel, em 3117 (*Contos Inacabados*, p. 304).

18 As palavras que coloquei como sendo "mais velho" mal são interpretáveis da maneira que estão, mas "mais velho" parece inevitável, já que Elentir é chamado de herdeiro de Númendil, Senhor de Andúnië, aparentemente substituindo Amandil.

19 "À distância" presumivelmente se refere às palavras "seus olhos e seu coração voltaram-se para ela".

6

O Conto dos Anos da Segunda Era

A cronologia da Segunda Era pode ser rastreada à sua origem em duas pequenas folhas de papel pela metade. Parece certo, pela natureza obviamente experimental dos cálculos, que esses não são apenas o primeiro registro escrito de tal cronologia, mas também representam o momento real de seu estabelecimento. Vou me referir aos vários textos do Conto dos Anos pela letra **C** e chamar a primeira dessas páginas, incluída abaixo, de **C(a)**, indicando sua natureza primária. Os números excluídos são às vezes difíceis de decifrar, pois há coisas escritas por cima deles, mas acredito que essa seja uma representação bastante correta do texto conforme foi escrito inicialmente; em seguida, incluo as alterações subsequentes.

Esquema Temporal

As "Eras" duram *cerca de* 3.000 anos.

Os "Anos das Trevas" — ou a era entre a Grande Batalha e a derrota de Morgoth e a Queda de Númenor e a derrocada de Sauron — durou cerca de 3.500.

Portanto:

Grande Batalha	
Julgamento de Fionwë e estabelecimento de Númenor	10
Reinado de Elros	410
11 outros reis, com média de 240 cada	2.640
Último 13º rei	220
	3.280

Elendil (muito longevo) tinha [*muitos números excluídos*] 200 anos na Queda de Númenor e Isildur, 100. Os novos reinos duraram 100 anos antes de Sauron iniciar a guerra.	100

A reunião da Aliança 3 anos, o Cerco, 7	10
	3.390

A Terceira Era estava "se aproximando do fim" na época de Frodo. Desse modo, a *Perda do Anel* foi cerca de 3.000 anos antes. Por 500 anos, Sauron permaneceu em silêncio e, então, começou a crescer lentamente em Trevamata — isso agitou os acontecimentos e despertou o Anel para que retornasse.

Assim, o achado por Smeagol e Deagol ocorreu por volta de 600 anos depois da morte de Isildur. Gollum, portanto, ficou com o Anel aproximada[mente] 2.400 anos.

Longevidade média de um Númenóreano	210 anos (3 x 70)
Longevidade média da casa real	350 anos (5 x 70)

Um Rei de Númenor geralmente ascendia ao trono com cerca de 100–120 e governava por cerca de 250 anos.

Essas datas parecem ter sido alteradas nesta ordem. Primeiro, a duração dos novos reinos antes de Sauron assaltá-los foi alterada de 100 para 110 anos, totalizando 3.400 (e, no início do texto, o valor de "cerca de 3.500" para a duração dos Anos das Trevas, isto é, a Segunda Era, foi alterado para "cerca de 3.400", sem alteração subsequente). Depois, o estabelecimento de Númenor foi alterado de 10 para 50, levando a Queda de Númenor para 3320 e um total de 3.440 anos na Segunda Era.

O "silêncio" de Sauron (na Terceira Era) foi alterado de 500 para 1.000 anos, o achado do Anel no Anduin, de 600 para 1.100 anos após a morte de Isildur e a posse de Gollum do Anel, de 2.400 para 1.900 anos.

Uma nota a lápis nessa página, muito provavelmente da mesma época, diz: "Em disposição, Aragorn era um homem robusto de uns 45. Na verdade, ele tinha 90 e viveria pelo menos mais 50 (provavelmente 70) anos. Aragorn era um Númenóreano de sangue puro, mas a duração havia minguado para o dobro da vida".

A segunda dessas duas páginas primárias, inquestionavelmente escrita ao mesmo tempo que a primeira (como se evidencia pelo tipo de papel utilizado), está intitulada "A Segunda Era e os Anos das Trevas" e fornece as datas a partir de "A.S." 0 (o final da Grande Batalha) até o desaparecimento do Um Anel e o final da Segunda Era, cuja data (3440 no C(a)) agora se torna 3441 e nunca foi alterada. Essa página, a mais antiga versão de um "Conto dos Anos" propriamente dito, chamarei de **C 1**. Na sua porção inicial, o C 1 foi tão corrigido e retrabalhado à medida em que meu pai prosseguia que mal é possível analisar os estágios sucessivos de sua cronologia infinitamente alterada; mas, em um texto subsequente, ele seguiu a forma final do C 1 tão de perto que esse texto pode ser incluído em seu lugar. O ponto principal a se notar nele é o registro "Fundação de Tarkilion", que foi alterado (provavelmente de pronto) para "Fundação de Artheden (Dunhirion) e Gondor". O nome *Dunhirion* também é encontrado — mas em nenhum outro lugar, até onde sei — em um texto tardio do capítulo *O Conselho de Elrond*, no qual foi corrigido para *Annúminas*; ao passo que *Tarkilion* é encontrado no manuscrito original de *Dos Anéis de Poder e da Terceira Era*, igualmente corrigido para *Annúminas* e também, aparentemente, não se encontra em outros lugares. *Artheden* é claramente a primeira aparição de Arthedain, embora não com o seu sentido posterior.

A página C 1 (na forma final) foi seguida tão de perto pelo texto seguinte que parece provável que um curto intervalo de tempo havia se passado. É um manuscrito claro nos dois lados de uma única folha; vou me referir a ele como **C 2**. Há umas poucas alterações em tinta vermelha, mas elas foram feitas após a versão seguinte ter sido escrita (já que as mesmas mudanças foram feitas àquela, também em tinta vermelha) e eu não as identifico aqui.

Do Conto dos Anos nas eras posteriores

A "Primeira Era"[1] terminou com a Grande Batalha e a partida dos Elfos e Pais de Homens e a fundação de Númenor.

A "Segunda Era" terminou com a derrota de Sauron e a Perda do Um Anel.

A "Terceira Era" aproxima-se do fim nos contos do Condado e dos Hobbits.

Cada "Era" dura[va] algo em torno de 3.000 anos; de modo que a Perda do Anel se deu por volta de 3.000 anos antes da época de Frodo. Deagol o encontra cerca de 1.100 anos após a morte de Isildur. "Gollum", portanto, ficou com o Anel por aproximadamente 1.900 anos.

A Segunda Era ou os Anos das Trevas contados a partir da derrota de Morgoth

Final da Grande Batalha.

10 Fundação dos Portos e do Reino de Lindon.

50 Fundação de Númenor.

460 Morte de Elros, filho de Ëarendel, primeiro rei de Númenor.
500 Redespertar[2] de Sauron na Terra-média.
700 As primeiras naus dos Númenóreanos retornam à Terra-média. Outras vêm às vezes, mas raramente, e não se demoram.
750 Fundação de Imladrist[3] (Valfenda) e Eregion (Azevim).
900– Sauron começa, em segredo, a construção da fortaleza de Barad-dûr em Mordor e faz as forjas de Orodruin.
1200–1500 Os Anéis de Poder são forjados em Eregion.
1550 Guerra entre Elfos e Sauron. Os "Dias de Fuga" têm início, ou os Anos das Trevas propriamente ditos.
1600 Gil-galad defende Lindon; e Imladris é sitiada, mas resiste. Eregion é devastada.
1700 As grandes navegações dos Númenóreanos têm início. Eles vêm em muitas naus até Lindon e prestam auxílio a Gil-galad e Elrond.
1900 Barad-dûr é completada.
2000–3000 O domínio de Sauron lentamente se estende por toda a Terra-média, mas é refreado no Noroeste, e por todas as praias ocidentais, até mesmo muito ao sul, os Númenóreanos mantêm fortalezas e postos avançados.
3118 Tar-kalion, o jovem rei, décimo terceiro em sua linhagem, sobe ao trono de Númenor. Ele resolve desafiar Sauron, o Grande, e inicia um armamento (3120).
3125 Tar-kalion zarpa para a Terra-média. Sauron é forçado a se render e é levado para Númenor.
3319 Queda de Númenor. Elendil, Anárion e Isildur fogem para a Terra-média. Fundação de Arthedain (com a cidade de Annúminas) no Norte; e de Gondor (com a cidade de Osgiliath) no Sul.
3320 Sauron retorna a Mordor.
3430–3 Sauron, finalmente pronto, trava guerra em Gondor. A Última Aliança se forma.
3433 [> 3434] Batalha de Dagorlad. Começa o cerco de Barad-dûr.
3441 Sauron é derrotado. O Anel é tomado e perdido. Fim da Segunda Era.

Estas a seguir são as únicas diferenças na cronologia do C 2 em relação a seu texto predecessor. No C 1, a partida de Sauron para Númenor consta em um registro separado, no ano 3128; e — enquanto o C 1 já possui a data final de 3319 para a Queda, onde o C(a) possui 3320 — a fuga de Elendil e seus filhos está colocada, muito estranhamente, um ano depois, em 3320.

Será visto que as datas dos acontecimentos na Segunda Era são majoritariamente diferentes daquelas no Apêndice B. Em vários casos, a diferença é muito ampla (assim, Imladris foi fundada ao mesmo tempo que Eregion, em 750, mas, no Apêndice B, não antes de 1697, na Guerra entre Elfos e Sauron, quando Eregion foi devastada). A mais extrema dessas diferenças diz respeito, na verdade, à Terceira Era, na nota inicial, em que a afirmação do C(a) de que Déagol achou o Anel por volta do ano 1100 da Terceira Era — e, portanto, que Gollum ficou com o Anel por uns 1.900 anos (p. 207) — é repetida: no Apêndice B, Déagol encontra o Anel na T.E. 2463 e, por essa contagem, Gollum ficou com ele por 478 anos, até Bilbo encontrá-lo em 2941.

Há vários pontos consonantes entre o C 2 (no qual eu incluo aqui o muito parecido texto C 1) e o "Esquema" dos reis númenóreanos que acompanha o manuscrito original A do *Akallabêth*, mostrado nas pp. 187–8. Em ambos, a morte de Elros se dá no ano 460 (e não, como depois, em 442); no C 2, a chegada dos Númenóreanos em auxílio a Gil-galad em Lindon está datada de 1700, enquanto no "Esquema" está dito que ocorreu nos dias do não nomeado sexto rei (após Elros), que morreu em 1790; no C 2, a ascensão de Tar-kalion ao trono está inserida em 3118 e, no "Esquema", seu pai, o não nomeado décimo segundo rei (após Elros), morreu naquele ano; e em ambos a data do aportamento de Tar-kalion na Terra-média é 3125. Outro ponto de consonância entre os dois, e também com o manuscrito A do *Akallabêth*, diz respeito à finalização de Barad-dûr: no C 2, a data é 1900; no *Akallabêth* A (ver p. 190–1, §29), diz-se que ocorreu nos dias de Atanamir e, no "Esquema", afirma-se que Atanamir morreu em 2061, tendo seu pai falecido em 1790.

Resta ainda mencionar dois outros pontos nessa versão mais antiga (ou, a rigor, versões) do Conto dos Anos da Segunda Era. A perda do Um Anel está expressamente colocada no último ano da Segunda Era, 3441; por outro lado, a nota inicial do Apêndice B afirma que a Era "terminou com a primeira derrota de Sauron … e com a *tomada* do Um Anel" (cf. também as últimas palavras da seção

I (i) do Apêndice A, RR, p. 1474), enquanto o plantio da Árvore Branca em Minas Anor, a entrega do Reino do Sul a Meneldil e a morte de Isildur são postas no ano 2 da Terceira Era. Em segundo lugar, no registro do ano 3319, Anárion vem antes de Isildur, e se verá em breve que isso realmente significa que Anárion era o mais velho dos filhos de Elendil (cf. o texto QdN III em IX. 402: "seus filhos, Anárion e Isildur"). No *Akallabêth* A e em textos subsequentes, Isildur tinha quatro navios e Anárion, dois (p. 157, §80), donde parece ficar claro que a inversão já tinha acontecido. Por outro lado, em uma versão antiga do capítulo *O Conselho de Elrond*, estava dito explicitamente que Isildur era o mais velho (VII. 155).

Junto do C 2 e visivelmente datando da mesma época está outra página na qual meu pai reafirmou com termos iguais ou muito parecidos uma parte de suas observações acerca de Númenor e das consequências da Queda em C(a), pp. 206–7. Essa página eu chamarei de **C(b)**. Foram feitas correções a ela no mesmo período que a C 2, as quais não estão indicadas aqui.

A longevidade média de um Númenóreano antes da queda era de aproximadamente 210 anos (3 x 70). A longevidade média da casa real da linhagem de Ëarendel era de aproximadamente 350 anos (5 x 70). Um rei de Númenor geralmente subia ao trono com aproximadamente 120 anos e reinava por 200 anos ou mais.

50	Fundação de Númenor
410	anos de reinado de Elros
2.640	11 outros reis (com média de 240 cada)
220	Último rei (Tarkalion)
3.320	

Elendil foi muito longevo (sendo da linhagem de Ëarendel). Tinha cerca de 200 anos no momento da Queda de Númenor, Anárion tinha 110 e Isildur, 100. Os novos reinos de Arnor e Gondor perduraram por cerca de 110 anos antes dos primeiros ataques de Sauron a eles. A formação da Última Aliança, a marcha, batalha e cerco duraram cerca de 11 anos. (121)

3.320 + 121, 3.441.

O restante dessa página e o verso contêm a primeira versão do Conto dos Anos da Terceira Era, obviamente escrito de maneira contínua após o C(b) acima; para esse texto, ver p. 278.

Esses cômputos iniciais da cronologia da Segunda Era são por si só notáveis e confusos no detalhe de suas interrelações.

O texto C(a), evidentemente o inicial, torna 3320 a data da Queda. Após um período de 110 anos, Sauron iniciou guerra contra os novos reinos (3430) e dez outros anos se passaram antes de sua derrota em 3440, último ano da Segunda Era.

No C 1, escrito na mesma época, mas depois do C(a), a Queda está inserida no ano 3319 (sem que haja qualquer razão evidente para essa mudança), mas a fuga de Elendil e seus filhos está incompreensivelmente assinalada no ano seguinte, 3320 (p. 209–10). Novamente, após 110 anos, Sauron atacou Gondor (3430), mas agora *onze* anos se passaram antes de sua derrota em 3441.

No C 2, que é pouco além de uma cópia limpa do C 1, a fundação dos reinos na Terra-média está inserida no ano da Queda, que é agora 111 anos antes do ataque de Sauron em 3430; assim como no C 1, onze anos se passaram antes da derrota de Sauron em 3441.

Por fim, o extremamente enigmático texto C(b) retorna ao C(a) na medida em que coloca a Queda no ano 3320 e que 110 anos se passaram antes de a guerra começar em 3430; mas chega-se ao total de 3441 — como no C 1 e no C 2 — pelo decurso de onze anos antes da derrota. O C(b) é aparentemente uma página que acompanha o C 2 e deve ser posterior aos outros textos, já que o Reino do Norte é aqui chamado de Arnor, e não Arthedain, e essa alteração entrou apenas quando outro texto do Conto dos Anos tinha sido escrito.

Se nos voltarmos agora para o "Esquema" do *Akallabêth* (pp. 187–8), notar-se-á que se chega à data 3319 da Queda por um caminho completamente diferente. No "Esquema", os intervalos entre as datas de falecimento dos reis são, em todos os casos, ou 221 ou 222 anos, exceto entre o não nomeado sexto rei e Atanamir, o sétimo, em que há 50 anos a mais (271 anos) e entre Atanamir e seu filho, Kiryatan, em que há 50 anos a menos (172 anos). Se todos esses intervalos forem somados, totalizam 2.658 anos; e se a isso somar-se o ano da morte de Elros (460) e a duração do reinado de Tar-kalion (201 anos), chegamos a 3319, a data da Queda.[4] No "Esquema", Tar-kalion está numerado "13", mas ele é expressamente o décimo terceiro rei *excluindo-se* Elros, assim como no *Akallabêth* A e em *A Submersão de Anadûnê* conforme revisado (ver p. 192 e nota 10), de modo que houve, ao todo, catorze reis de Númenor.

Nos textos C(a) e C(b), por outro lado, "onze outros reis" governaram entre Elros e Tar-kalion, totalizando treze e, sendo a duração média dos seus reinados 240 anos, o total é 2.640. Quando se acrescenta 460 a isso e mais o reinado de 220 anos de Tar-kalion, o total fica 3.320.

Um elemento final é o fato de que, no C 1, a página que acompanha o C(a), Tar-kalion subiu ao trono em 3118 e reinou por 201 anos, assim como no "Esquema".

Toda explicação para esse extraordinário enigma textual parece colapsar. A questão em si talvez não seja de grande importância, embora certamente se tenha a impressão de que há mais do que as evidências revelam na data 3319 (e possivelmente também em 3441). Fica claro, de todo modo, que todos esses textos — o manuscrito original do *Akallabêth* e o "Esquema" associado a ele, os cômputos nos textos C(a) e C(b) e a versão inicial do Conto dos Anos — surgiram na mesma época, antes de a narrativa de *O Senhor dos Anéis* chegar à forma final; ao passo que as evidências sugerem que foi a contagem dos reis númenóreanos, por convencional que fosse, que deram o "veículo" cronológico da Segunda Era, estabelecido naquela época. Pode-se ver pelo texto C 1 que a história númenóreana forneceu o elemento fixo, enquanto a datação dos acontecimentos na Terra-média antes da Queda era, inicialmente, extremamente fluida (a feitura dos Anéis de Poder, por exemplo, foi alterada de 1000–1200 para 1200–1500, e a Guerra entre Elfos e Sauron, de 1200 para 1550).

O terceiro texto do Conto dos Anos, que chamarei de **C 3**, é (no que se refere à Segunda Era) pouco mais do que uma cópia do C 2, com vários registros um tanto expandidos e um único registro adicional: "3440 Anárion é morto"; nenhuma data foi alterada. Anárion e Isildur ainda aparecem nessa ordem e o Reino do Norte ainda é chamado de Arthedain, embora isso tudo tenha sido corrigido subsequentemente. A afirmação no trecho que abre o C 2, a respeito da duração das Eras e do achado do Anel por Déagol, foi omitida e, em seu lugar, introduziu-se o seguinte:

> A *Quarta Era* se iniciou com o Domínio dos Homens e o declínio de todos os demais "povos-falantes" das Terras Ocidentais.

Seguindo o padrão usual, vários acréscimos, alguns substanciais, foram feitos ao manuscrito C 3, mas praticamente todos eles foram incorporados à versão seguinte, o muito expandido texto **C 4**, cujos registros da Segunda Era estão incluídos aqui. É um manuscrito claro, com poucas alterações subsequentes a essa parte do texto. As alterações feitas antes de o texto seguinte derivar deste são indicadas caso sejam significativas.

O Conto dos Anos nas Eras Posteriores

A *Primeira Era* foi a mais longa. Ela terminou com a Grande Batalha, em que Fionwë e os filhos dos Valar romperam Thangorodrim e derrotaram Morgoth.[5] Então, a maior parte dos Elfos exilados retornou para o Oeste e habitou Eressëa, que posteriormente foi nomeada Avallon, estando à vista de Valinor.[6] Os Atani, ou Edain, Pais de Homens, passaram também por sobre o Mar e fundaram o reino de Númenor, ou Ociente, em uma grande ilha, a mais ocidental de todas as terras mortais.

A *Segunda Era* terminou com a primeira derrota de Sauron e a perda do Um Anel.

A *Terceira Era* chegou ao fim na Guerra do Anel e com a destruição da Torre Sombria de Sauron, que finalmente foi derrotado.

A *Quarta Era* se iniciou com o Domínio dos Homens e o declínio de todos os demais "povos-falantes" das Terras Ocidentais.

[*Acrescentado:* As três primeiras eras são agora chamadas por alguns de *Os Dias Antigos*, mas outrora, e antes de a Terceira Era terminar, esse nome era atribuído apenas à Primeira Era e ao mundo antes da expulsão de Morgoth.][7]

A Segunda Era

Esses foram os *Anos das Trevas* da Terra-média, mas o apogeu de Númenor. Dos eventos na Terra-média, registros escassos são preservados até mesmo entre os Elfos e as datas incluídas aqui são apenas aproximadas.

10 Fundação dos Portos Cinzentos e do Reino de Lindon. Este era governado por Gil-galad, filho de Felagund,[8] chefe de todos os Noldor que ainda não haviam partido para Avallon.

50 Fundação de Númenor. [*Acrescentado:* Por volta da mesma época, os trabalhos de Moria foram iniciados por Durin,

o Anão, e seu povo vindo das ruínas das antigas cidades-anânicas nas Montanhas Azuis. *Isso foi riscado e substituído por:* Por volta dessa época, muitos anãos, fugindo das ruínas das cidades-anânicas nas Montanhas Azuis, chegaram a Moria, e seu poder e o esplendor dos seus trabalhos aumentaram em muito.][9]

460 Morte de Elros, filho de Eärendil, primeiro Rei de Númenor.

500 Sauron, serviçal de Morgoth, começa a se agitar novamente na Terra-média.

700 As primeiras naus dos Númenóreanos retornam à Terra-média. A princípio elas vinham raramente e os Númenóreanos não se demoravam em lugar algum.

750 Fundação de Imladris (ou Valfenda) e de Eregion (ou Azevim) como moradas dos Noldor, ou Altos Elfos. Remanescentes dos Elfos Telerianos (de Doriath, na antiga Beleriand) estabelecem reinos nas florestas longínquas do leste, mas a maioria desses povos são Avari, ou Elfos-do-leste. O chefe deles era Thranduil, que governou no norte de Verdemata, a Grande, para lá do Anduin, mas Lórien era mais bela e de maior poder; pois Celeborn tinha por esposa a Senhora Galadriel dos Noldor, irmã de Gil-galad [> irmã de Felagund, pai de Gil-galad].[10]

900 Sauron em segredo começa a construção da fortaleza, Barad-dûr, em Mordor e faz ali as forjas de Orodruin, a Montanha de Fogo. Mas ele professa grande amizade com os Eldar e especialmente com aqueles de Eregion, que eram grandes artífices.

1200–1500 Os Anéis de Poder são forjados em Eregion; mas o Anel Regente é forjado por Sauron em Orodruin.

1550 Começa a Guerra dos Elfos e Sauron. Os "Dias de Fuga" têm início, ou os "Anos das Trevas" assim chamados apropriadamente, sendo o tempo do domínio de Sauron. Eregion é devastada. Os Naugrim (ou Anãos) fecham os portões de Moria. Muitos dos Noldor remanescentes partem para o oeste sobre o Mar.

1700 As grandes navegações dos Númenóreanos têm início. Gil-galad defende Lindon e os Portos Cinzentos. Imladris é sitiada, mas resiste sob o comando de Elrond, filho de Eärendil. Os Númenóreanos vêm com muitas naus até Lindon e auxiliam Gil-galad e Elrond. Sauron se retira de Eriador (a oeste das Montanhas Nevoentas).

1900 Barad-dûr é completada com o poder do Anel Regente.

c.2000 A Sombra se abate sobre Númenor. Os Númenóreanos começam a murmurar contra os Valar, que não os permitem velejar a oeste de sua terra; e eles passam a invejar a imortalidade dos Eldar. [*Acrescentado:* (c.2250).] Uma divisão aparece em meio aos Númenóreanos entre os Amigos-dos-Elfos, o partido menor, e o Povo do Rei. Esses últimos lentamente se afastam dos Valar e dos Eldar, e abandonam o uso dos idiomas élficos; os reis assumem nomes na forma númenóreana. Os Amigos-dos-Elfos, habitando mormente o leste de Númenor,[11] permanecem leais aos reis, exceto quanto à rebelião contra os decretos dos Valar.

2000–3000 Os Númenóreanos agora constroem habitações permanentes nas praias da Terra-média em busca de riqueza e domínio; constroem muitos portos e fortalezas. Os Amigos-dos-Elfos vão principalmente para o Noroeste, mas seu local mais fortificado é em Pelargir, acima das Fozes do Anduin. O Povo do Rei estabelece domínios em Umbar[12] e no Harad e em muitos outros lugares nas costas das Grandes Terras.

Durante o mesmo período, Sauron estende seu domínio lentamente sobre grande parte da Terra-média; mas seu poder se volta para o leste, já que ele é refreado nas costas pelos Númenóreanos. Fomenta seu ódio por eles, mas não pode ainda desafiá-los abertamente. Ao final dessa época, os *Úlairi*, os Espectros-do-Anel, serviçais de Sauron e escravos dos Nove Anéis, aparecem pela primeira vez.

3118 Tar-kalion, autoproclamando-se Ar-Pharazôn, o Dourado, décimo terceiro rei da linhagem de Eärendil, sobe ao trono de Númenor. Ele resolve desafiar Sauron, o Grande, e constrói um armamento.

3125 Ar-Pharazôn zarpa para a Terra-média. O poderio e esplendor dos Númenóreanos enchem os servos de Sauron de medo. Ar-Pharazôn aporta em Umbar e, com vistas ao seu próprio desígnio secreto, Sauron se humilha e se submete. Sauron é levado como cativo a Númenor.

3140–3310 Sauron lentamente ganha a confiança de Ar-Pharazôn, até que domina os seus conselhos. Ele urge Ar-Pharazôn a travar guerra com os Senhores do Oeste para conquistar a vida eterna.

A maior parte dos Númenóreanos cai sob domínio de Sauron e eles perseguem os Amigos-dos-Elfos e tiranizam os homens na Terra-média.

3310 Ar-Pharazôn, sentindo a aproximação da morte, finalmente acata o conselho de Sauron e prepara uma vasta frota para assaltar Avallon e Valinor. Valandil [> Amandil],[13] o fiel, quebra a interdição dos Valar e iça velas para o oeste, na esperança de repetir a embaixada de Eärendil e obter a ajuda dos Senhores do Oeste. Nunca mais se ouve falar dele. Seu filho, Elendil, conforme seu pai lhe pedira, apronta navios na costa leste de Númenor, preparando-se para fugir com todos os fiéis que consegue reunir.

3319 A grande frota de Ar-Pharazôn zarpa para o Oeste e, cercando Avallon, assalta as praias de Valinor. Númenor é destruída e engolida pelo mar. O mundo é rompido e Valinor, apartada das terras dos vivos.

Elendil e seus filhos, Isildur e Anárion, escapam e fogem para o leste em nove grandes navios[14] para a Terra-média. Levam consigo as Sete Pedras, ou *Palantíri*, dádivas dos Eldar de Avallon, e Isildur leva também um rebento da Árvore Branca de Avallon.

3320 Fundação do reino de Arnor, no norte das Terras Ocidentais, com a cidade de Annúminas; e de Gondor, próximo às águas do Anduin, no sul, com a cidade de Osgiliath. As Pedras são divididas: Elendil fica com três, no Reino do Norte, em Annúminas, e em Amon Súl, e na torre de Emyn Beraid (as Colinas das Torres).[15] Seus filhos ficam com quatro e as colocam em Minas Ithil, Minas Anor, Osgiliath e em Orthanc.

No mesmo ano, Sauron retorna à Terra-média e, inicialmente cheio de temor pelo poder e ira dos Senhores do Oeste, esconde-se em Mordor e permanece em silêncio.

3430–3 [> 3429–30] Sauron, finalmente pronto, trava guerra em Gondor. Orodruin irrompe em fumaça e chama, e Homens de Gondor, vendo o sinal, a renomeiam Amon Amarth, Monte da Perdição.[16] Sauron aparece e assalta Minas Ithil, e destrói a Árvore Branca que Isildur plantara ali. Isildur toma um rebento da Árvore e escapa de navio descendo o Anduin com sua esposa e filhos. Veleja até Elendil no Norte. A Última Aliança se forma entre Gil-galad, Rei-élfico, e Elendil e seus filhos. Eles marcham para o leste, rumo a Imladris, convocando toda a gente em seu auxílio.

3434 A Hoste da Aliança atravessa as Montanhas Nevoentas e marcha para o sul. Eles confrontam a hoste de Sauron em Dagorlad, a norte dos portões de Mordor, e saem vitoriosos. Sauron se refugia em Barad-dûr.

3434– Começa o cerco de Barad-dûr, que dura sete anos.

3440 Anárion é morto em Gorgoroth.

3441 Sauron aparece e entra em combate com Elendil e Gil-galad. Eles o derrotam, mas são mortos. O Um Anel é tomado da mão de Sauron por Isildur como compensação por seu pai e ele não permite que seja destruído. Planta o rebento da Árvore Branca em Minas Anor em memória de seu irmão, Anárion, mas ele mesmo não mora [*acrescentado:* por muito tempo] ali. Entrega o Reino do Sul a Meneldil, filho de Anárion, e marcha rumo ao norte, subindo o vale do Anduin, pretendendo assumir o reino de Elendil. É morto por Orques próximo aos campos de Lis e o Anel é perdido no Rio.[17] Os Espectros-do-Anel vão para a escuridão e o silêncio. Termina a Segunda Era.[18]

Nesse quarto texto do Conto dos Anos, preserva-se o padrão de datação visto no C 1 e no C 2, com suas grandes diferenças em relação à versão final no Apêndice B. Assim, Valfenda continua sendo fundada muito antes, em 750; Barad-dûr foi iniciada em 900 e sua construção ainda levou mil anos; a forja dos Anéis de Poder em Eregion e a Guerra de Elfos e Sauron estão datadas da mesma forma que estavam, estendendo-se por períodos muito maiores. O trabalho estava se tornando uma história condensada, mais do que uma listagem de datas; mas quase nenhuma data nova foi inserida.

Em novo material no registro c.2000, a frase "A Sombra se abate sobre Númenor" é claramente relacionada ao "Esquema" do *Akallabêth* (p. 188), onde se observa, acerca do reinado de Tar-Atanamir (c.1790–c.2061), que "Na sua época a Sombra primeiro se abateu sobre Númenor". A completude dos registros que dizem respeito ao reinado de Ar-Pharazôn reforça a visão de que meu pai escreveu essas versões iniciais do Conto dos Anos enquanto escrevia o *Akallabêth*, assim como outras características particulares, tais como a frase sobre a Grande Batalha na nota introdutória ao C 4 (ver nota 5) e a ocorrência do nome *Úlairi* dos Espectros-do-Anel no registro 2000–3000 (ver p. 191, §30). O fato de que *Avallon* ainda era o nome de Eressëa (e não do porto) demonstra, sem que restem dúvidas, que o *Akallabêth* ainda estava na fase do primeiro manuscrito (ver nota 6).

Penso ser extremamente provável que esse texto C 4 (no qual a parte que diz respeito à Terceira Era é muito mais longa) pertença à época dos textos F 2 e D 2 dos Apêndices sobre Idiomas e sobre Calendários e do terceiro texto de *Os Herdeiros de Elendil*, no capítulo seguinte. Mas qualquer evidência externa acerca da data parece inteiramente ausente.

A partir do C 4, um texto datilografado por amanuense, **C 5**, foi feito seguindo cuidadosamente o original. Em dado momento, meu pai sujeitou uma das cópias a uma correção pesada, mas seu principal (embora não único) objetivo ao fazê-lo parece ter sido reduzi-lo por meio da omissão frases. Nessa época, a "segunda fase" do *Akallabêth* (ver p. 192, §31) já vigorava e os últimos anos de Númenor foram alterados no texto (cf. p. 216):

3118 Nascimento de Ar-Pharazôn.
3255 Ar-Pharazôn, o Dourado, vigésimo quinto rei da linhagem de Elros, toma o cetro de Númenor. Ele resolve desafiar Sauron, o Grande, e constrói um armamento.
3261 Ar-Pharazôn zarpa para a Terra-média. O poderio dos Númenóreanos enche os servos de Sauron de medo. Ar-Pharazôn aporta em Umbar e Sauron se humilha e se submete. Sauron é levado como cativo a Númenor.
3262–3310 Sauron lentamente ganha a confiança de Ar-Pharazôn …

As datas de abertura da Segunda Era também foram alteradas: Ano 1 Fundação dos Portos Cinzentos; 32 Fundação de Númenor; 442 Morte de Elros; 600 As primeiras naus dos Númenóreanos retornam à Terra-média. Outras alterações foram a substituição de *Úlairi* por *Nazgûl* em 2000–3000 (que foi alterado para 2200–3000) e a remoção de *Avallon* em todas as ocorrências, seja alterando para *Eressëa* ou omitindo o nome.

A razão evidente para a revisão no texto datilografado (no que diz respeito à redução do texto) é discutida mais adiante (ver p. 300–1). A etapa seguinte no desenvolvimento foi uma tentativa de reduzir o Conto dos Anos muito mais drasticamente. Isso está representado por um conjunto confuso de páginas datilografadas (nas quais uma grande porção da Terceira Era está faltando), evidentemente feitas sob pressão: o prazo para publicação de *O Retorno do Rei* aproximava-se rapidamente e a situação era realmente aflitiva. Não apenas havia a necessidade de aparar e reduzir ainda mais o registro dos eventos; características fundamentais da cronologia da Segunda Era também não tinham sido estabelecidas ainda, e o trabalho precisava ser feito contra o tempo.

Para ilustrar, incluo uma porção da primeira versão da Segunda Era contida nesse material. Meu pai estava datilografando muito rapidamente, mais rápido do que conseguia, e há inúmeros erros, os quais eu, logicamente, corrigi; também introduzi divisões para indicar mudanças sucessivas na datação, embora não haja qualquer indicação desse tipo no texto datilografado, no qual os trechos rejeitados nem sequer foram riscados. Desse modo, o texto a seguir tem uma aparência muito mais organizada do que o original.

900 Sauron secretamente começa a construção de Barad-dûr. Faz as forjas da Montanha de Fogo.

1200 Sauron busca a amizade dos Elfos, especialmente daqueles de Eregion, que são grandes artífices.

1200–1500 Os Anéis de Poder são forjados em Eregion; mas o Anel Regente é forjado por Sauron em Mordor.

1550 A guerra de Sauron e os Elfos começa. Os "Anos das Trevas" se seguem, o tempo do domínio de Sauron. Muitos dos Eldar remanescentes partem para o oeste sobre o Mar. As grandes navegações dos Númenóreanos têm início.

1600 Eregion é devastada. Os portões de Moria são fechados. As forças de Sauron invadem Eriador. Imladris é sitiada, mas resiste sob o comando de Elrond, filho de Eärendil, enviado de Lindon. As forças de Sauron invadem Eriador. Gil-galad defende Lindon e os Portos Cinzentos.

1603 Uma frota númenóreana chega aos Portos Cinzentos. Os Númenóreanos auxiliam Gil-galad e as forças de Sauron são expulsas de Eriador e Sauron se retira de Eriador. As Terras Ocidentais têm paz por algum tempo.

A partir do momento da derrota em Eriador, Sauron não importuna as Terras Ocidentais por muitos anos, mas trama em segredo. Ele estende seu domínio lentamente para o leste, já que é refreado nas costas pelos Númenóreanos. Fomenta seu ódio por eles, mas não pode ainda desafiá-los abertamente.

1700 Barad-dûr é completada com o poder do Anel Regente.

1200 Sauron busca a amizade dos Elfos (na esperança de sujeitá-los). Ele ainda é belo de se contemplar e os Elfos se enamoram do conhecimento que ele lhes pode transmitir.

1300 Os Elfos começam a forjar os Anéis de Poder. Diz-se que isso levou muitos anos. S[auron] secretamente faz as forjas [*sic*]

1500 Os Três Grandes Anéis são feitos por Celebrimbor do Punho de Prata (*celebrin* "prata", *paur* "o punho ou mão fechada"). O Anel Regente é feito secretamente por Sauron em Mordor.

1000 Sauron começa a construção de Barad-dûr em Mordor.

1200 Sauron alicia a amizade dos Elfos, na esperança de tomá-los — o principal obstáculo para seu domínio — em seu poder. Gil-galad recusa-se a tratar com ele. Mas Sauron ainda é belo de se contemplar e os Elfos de Eregion são vencidos por seu desejo de destreza e conhecimento.

1500 Os Elfos de Eregion, sob a orientação de Sauron, começam a forjar os Anéis de Poder. Isso toma muitos longos anos. Sauron secretamente forja o Um Anel em Orodruin.

1690 Os Três Anéis são terminados. Celebrimbor toma ciência dos desígnios de Sauron. Barad-dûr é completada com o poder do [*sic*]

1695 Começa a Guerra dos Elfos e Sauron. Muitos dos Eldar remanescentes partem para o oeste sobre o Mar.

1696 Elrond, filho de Eärendil, é enviado a Eregion por Gil-galad.

1697 Eregion é devastada. Os portões de Moria são fechados. Elrond recua com o remanescente dos Eldar para Imladris.

1600 As grandes navegações dos Númenóreanos têm início. As naus são recebidas por Gil-galad e Círdan.

1699 Imladris é sitiada, mas resiste sob o comando de Elrond. Sauron invade Eriador. Gil-galad defende Lindon e os Portos Cinzentos.

1700 Uma grande frota dos Númenóreanos chega aos Portos Cinzentos.

Nesse ponto, o texto parece ter sido abandonado e substituído por outra versão, mais coerente, com os registros ainda mais reduzidos e as datas seguindo as formulações mais recentes do texto acima. Essas datas, de 1500 a 1700, foram então corrigidas no texto datilografado, sendo recuadas em cem anos, de maneira que se afastam daquelas no Apêndice B, como se vê pela seguinte tabela (na qual eu só incluo breves indicações dos próprios registros).

		Apêndice B
1500 [> 1400]	(Começa a forja dos Três Anéis)	c.1500
1600 [> 1500]	(Forja do Um Anel)	c.1600
1690 [> 1590]	(Os Três Anéis são terminados)	c.1590
1690 [> 1590]	(Barad-dûr é completada)	c.1600
1695 [> 1595]	(Guerra de Elfos e Sauron começa)	1693
1697 [> 1597]	(Eregion devastada)	1697
1699 [> 1599]	(Sauron invade Eriador)	1699
1700 [> 1600]	(Chegada da frota númenóreana)	1700

Nesse estágio, Imladris ainda é fundada no ano 750. A correção de todos os registros de 1500 até 1700 foi subsequentemente abandonada; as datas anteriores à correção tornaram-se agora as da cronologia final, ou muito próximas a elas, exceto pela finalização de Barad-dûr e dos Três Anéis. Nesse texto, por ambas as datas, os Três Anéis foram terminados noventa anos após a forja do Um Anel, enquanto na cronologia final (adotando, neste caso específico, a data revisada, 1590), o Um Anel foi feito dez anos depois dos Três.

O segundo texto então continua:

1869 Tar-Ciryatan, décimo segundo rei de Númenor, recebe o cetro. A primeira sombra se abate sobre Númenor. Os Reis se tornam ávidos por riqueza e poder.

2060–2251 Reinado de Tar-Atanamir, o Grande, décimo terceiro Rei de Númenor.[19] A sombra se intensifica. Os navios do Rei cobram pesados tributos de Homens nas costas da Terra-média. Os Númenóreanos passam a invejar a imortalidade dos Eldar; e o Rei fala abertamente contra [a] ordem dos Valar de que eles não deveriam velejar a oeste de sua terra.

2250–3000 Durante esse período, o poder e esplendor dos Númenóreanos continua a crescer e eles constroem muitas fortalezas nas praias ocidentais da Terra-média. Sauron estende seu poder para o leste, sendo refreado nas costas, e fomenta seu ódio por Númenor. Mas os Númenóreanos se tornam divididos contra

Aqui o registro é interrompido e imediatamente seguido por um longo relato (mais de 2.000 palavras) dos Númenóreanos, sua origem, sua cisão, a chegada de Sauron e a Queda.

Acredito que esse estranho desenvolvimento possa ser explicado desta forma. Àquela época, da maneira como as coisas estavam, *O Senhor dos Anéis* seria publicado sem qualquer relato, por mais breve que fosse, da história de Númenor. No manuscrito C 4, meu pai escrevera (pp. 215–18) o que eu chamei de "uma história condensada, mais do que uma listagem de datas"; pois deve-se lembrar que, na narrativa de *O Senhor dos Anéis*, apesar de todas as muitas menções aos nomes Númenor e Oeiente, ele não contara nada de sua história e, a respeito da Queda, nada além das palavras de Faramir em Minas Tirith, quando ele diz a Éowyn que estava pensando na "terra de Ociente que soçobrou, e a grande onda escura erguendo-se sobre as terras verdes e acima das colinas". Meu pai precisava, agora, tentar reduzir até mesmo o que escrevera no C 4 e, como se demonstra pela comparação dos últimos registros no presente texto que acabei de incluir com aqueles no C 4 (pp. 215–7), ele não estava conseguindo. A redução de uma história ampla — que não poderia ser compreendida por uma exposição de acontecimentos — em um mero esquema cronológico era uma tarefa profundamente incompatível com ele. Sentiu-se agravado com isso e interrompeu a frase no meio.

Pode bem ser que, àquela altura, tendo datilografado as palavras "Mas os Númenóreanos se tornam divididos contra", ele tenha decidido que *O Senhor dos Anéis* precisava conter algum relato da história de Ociente, separado do Conto dos Anos, e o escreveu imediatamente, começando com as palavras "Como recompensa por seus sofrimentos na causa contra Morgoth, os Valar, os Guardiões do Mundo, concederam aos Edain uma terra que pudessem habitar, removida dos perigos da Terra-média". Separado do Conto dos Anos, ele encontrou um lugar no Apêndice A, *Anais dos Reis e Governantes*, RR, pp. 1470–4.[20]

Há, na verdade, duas versões datilografadas desse texto, ambas compostas *ab initio* na máquina de escrever; a segunda delas meu pai descreveu, em uma observação a lápis, como sendo "variante" da primeira, e foi essa que ele usou — com muitas pequenas alterações de fraseado e algumas omissões — no Apêndice A. Nenhuma das versões traz a lista de Reis e Rainhas de Númenor (RR, pp. 1470–1) e ambas têm um relato mais detalhado da rebelião contra Tar-Palantir e do casamento de Míriel, sua filha, com Pharazôn (que, de acordo com ambos os textos, foi "à força"), relato esse omitido no Apêndice A. Ademais, ambas as versões têm um relato da política de Sauron no seu ataque às fortalezas costeiras e portos dos Númenóreanos, o qual também foi omitido e não se encontra no *Akallabêth*. Cito aqui duas passagens da primeira versão do texto.

O mais altivo de todos os Reis era Ar-Pharazôn, o Dourado, e nada menos que a realeza do mundo inteiro era seu desejo. Mas ainda ele conservava sabedoria o bastante para temer os Senhores do Oeste e, portanto, voltou seus pensamentos para a Terra-média. Ora, Sauron, sabendo da dissensão em Númenor, ponderou sobre como poderia se valer dela para consumar sua vingança. Começou, portanto, a assaltar os portos e fortes dos Númenóreanos e invadiu as terras costeiras sob domínio deles. Como previra, isso provocou a grande ira do Rei, que resolveu desafiar Sauron, o Grande, pela senhoria da Terra-média. Por cinco anos Ar-Pharazôn se preparou e, por fim, ele próprio zarpou com uma grande esquadra e armamento, os maiores que já se viram no mundo.

Se Sauron tinha pensado com isso em atrair o Rei para a Terra-média e ali destruí-lo, sua esperança o enganou. E Ar-Pharazôn atracou em Umbar e tão grande era o esplendor e poderio dos Númenóreanos no apogeu de sua glória que, apenas ao rumor deles, todos os homens atendiam às suas convocações e faziam reverência; e os próprios serviçais de Sauron fugiram. A terra de Mordor ele de fato fortificara e fizera tão robusta que não precisava temer qualquer assalto a ela; mas estava em dúvida agora, e mesmo a Barad-dûr não parecia mais segura.

Sauron, portanto, mudou seu desígnio, e fez uso da astúcia. Humilhou-se e veio ele próprio a pé diante de Ar-Pharazôn, e lhe fez homenagem e implorou perdão por suas ofensas. E Ar-Pharazôn poupou sua vida; mas tomou-lhe todos os seus títulos, e fez dele prisioneiro, e levou-o afinal de volta a Númenor como refém em troca da submissão e fidelidade de todos os que antes lhe deviam vassalagem.

"É uma sentença difícil", disse Sauron, "mas a vontade dos grandes reis deve-se cumprir", e submeteu-se como quem é coagido, escondendo seu deleite; pois as coisas haviam acontecido de acordo com seu desígnio.

Ora, Sauron tinha grande sabedoria e conhecimento, e conseguia encontrar palavras de aparente razão para persuadir todos, exceto os mais cautelosos; e ele conseguia ainda assumir um belo semblante quando desejava. Foi trazido como prisioneiro até Númenor em 3261, mas não passara ali cinco anos até que tivesse sujeitado os ouvidos do Rei e dominado profundamente seu conselho.

"A vontade dos grandes reis deve-se cumprir": esse era o moto de todo seu aconselhamento; e o que quer que o Rei desejasse, dizia que era seu direito e tramava planos pelos quais poderia conquistá-lo.

Então a escuridão sobreveio às mentes dos Númenóreanos e eles passaram a odiar os Guardiões e abertamente negavam o Uno que está acima de tudo; e voltaram-se para o culto ao Escuro e a Morgoth, Senhor da Escuridão. Construíram um grande templo naquela terra e lá praticaram o mal; pois atormentaram os remanescentes dos fiéis e lá os assassinavam ou os incineravam. E semelhante coisa faziam na Terra-média, e encheram as costas ocidentais com histórias de horror, de modo que os homens gritavam "Sauron então tornou-se Rei de Númenor?"

Tão grande era seu poder sobre o coração da maior parte das pessoas que talvez, se o desejasse, poderia ter tomado o cetro; mas tudo o que desejava era levar Númenor à ruína. Portanto, disse ao Rei: "Uma coisa apenas agora vos falta para vos tornar o maior Rei do mundo, a vida imortal que vos é negada por medo e inveja dos Poderes mentirosos no Oeste. Mas grandes reis tomam o que é seu direito." E Ar-Pharazôn ponderou sobre essas palavras, mas por muito tempo o medo o refreou.

Mas, afinal, até mesmo Ar-Pharazôn, o Dourado, Rei de reis, tendo vivido cento e noventa e dois anos,[21] sentiu o minguar de sua vida e temia a aproximação da morte e a partida para a escuridão que cultuara. Portanto, começou a preparar um vasto armamento para o assalto a Valinor que haveria de superar aquele com o qual chegar a Umbar, assim como um galeão de Númenor superava um barco de pesca.

Segue-se um breve relato da expulsão daqueles de lealdade duvidosa das costas ocidentais de Númenor, a viagem de Amandil para o Oeste,[22] a partida do Grande Armamento e o cataclisma da Queda. Ao final, após as palavras "Mas Elendil e seus filhos escaparam com nove naus, e foram carregados nas asas de uma grande tempestade e lançados nas praias da Terra-média", há uma afirmação notável sobre a destruição causada pela submersão de Númenor:

Estas foram muito alteradas no tumulto dos ventos e mares que se seguiram à Queda; pois em alguns lugares o mar avançou pela terra e, em outros, formou novas costas. Assim, enquanto Lindon sofreu grande perda, a Baía de Belfalas foi muito aterrada no leste e no sul, de modo que Pelargir, que ficava a apenas algumas milhas do mar, recuou bem para o interior e o Anduin esculpiu um novo caminho por muitas fozes até a Baía. Mas a Ilha de Tolfalas foi quase destruída e sobreviveu, no fim, como uma montanha estéril e solitária na água, não muito longe da foz do Rio.

Não se encontra nenhuma afirmação do tipo em outros lugares.[23] No *Akallabêth* (*O Silmarillion*, p. 367), em uma passagem retirada praticamente sem alterações de *A Submersão de Anadûnê* (IX. 420, §52), não há referência a qualquer nome de lugar ou rio.[24]

Não resta nenhuma outra versão do Conto dos Anos antes do texto datilografado a partir do qual o Apêndice B foi impresso. Nele, pode-se notar que, no preâmbulo aos registros da Segunda Era, a referência ao *mithril* diz:

Fizeram isso porque souberam que o *mithril* fora descoberto em Moria. Acreditara-se anteriormente que ele só poderia ser obtido nas Ered Luin; mas não se conseguia encontrar mais dele nas antigas minas dos Anãos.

Meu pai excluiu a segunda frase na prova do texto.

NOTAS

1 Ao lado dessa afirmação de abertura a respeito das Três Eras, meu pai rabiscou, posteriormente, "Essas Eras são chamadas de Dias Antigos". Quanto a isso, ver p. 214 e nota 7.

2 O C 1 possui a expressão mais natural "Ascensão de Sauron".

3 *Imladrist* foi imediatamente corrigido para *Imladris*. No C 1, a forma é *Imladris*, assim como no C 2, no registro do ano 1600, de modo que essa foi uma reversão meramente fortuita à forma antiga.

4 Fica claro que, no "Esquema", a data da morte de um rei indica também a ascensão do seguinte e, portanto, o intervalo entre falecimentos é também a duração do reinado: por exemplo, o quarto rei morreu em 1347 e o quinto, em 1568; portanto, o quinto rei reinou por 221 anos.

Certamente, parece muito natural supor que o "Esquema" era precisamente isso, e que a representação dos reinados como tendo todos a mesma duração (diferindo em um ano apenas) foi uma mera fórmula conveniente para se planejar a cronologia como um todo. Mas Atanamir reinou 50 anos a mais do que todos os outros e seu filho, 50 a menos; e isso obviamente está relacionado à passagem no *Akallabêth* (S-A §24 [*O Silmarillion*, p. 349] que remonta ao manuscrito original):

> E Atanamir viveu até grande idade, agarrando-se à vida além do fim de todo regozijo; e foi o primeiro dos Númenóreanos a fazer isso, recusando-se a partir até que estivesse senil e inválido e negando a seu filho a realeza no ápice de seus dias.

Deve-se subentender pela idade muito maior de Atanamir que todos os outros reis morreram por um ato de sua própria vontade, muito antes do fim de seu vigor físico e, portanto, permitiram a seus filhos um período de reinado equivalente aos seus próprios. Seria errôneo tentar extrair demais sobre o assunto desse texto antigo e experimental, mas ele certamente sugere uma diferença em relação à ideia desenvolvida em *A Linhagem de Elros*, onde se diz (*Contos Inacabados*, p. 297) que era costumeiro, "até os dias de Tar-Atanamir, que o Rei entregasse o cetro ao sucessor antes de morrer"; portanto, vários anos (registrados nas entradas em *A Linhagem de Elros*) transcorriam desde a entrega do cetro por um rei até sua morte.

5 Compare essa frase com a versão original do *Akallabêth*, p. 178, §3.

6 É digno de nota que aqui e subsequentemente *Avallon* ainda é o nome de toda a Ilha de Eressëa, como era no manuscrito original A do *Akallabêth*, embora a forma posterior, *Avallónë*, e seu novo significado (Porto) tenham aparecido antes de o manuscrito estar completo (ver p. 182, §12).

7 Cf. o preâmbulo ao Conto dos Anos no Apêndice B: "Na *Quarta Era*, as eras anteriores costumavam ser chamadas de *Dias Antigos*; mas esse nome era

atribuído corretamente apenas aos dias antes da expulsão de Morgoth". No *Akallabêth*, "os Dias Antigos" era aparentemente usado para a parte inicial da Segunda Era (p. 195, §53).

8 Para outras referências à ideia abandonada de que Gil-galad era filho de Felagund, ver XI. 296–298 e pp. 415–6.

9 Ao que parece, o trecho acrescentado sobre os Anãos foi rejeitado e substituído imediatamente. É estranho que meu pai tenha escrito primeiro que Durin fundou Moria no começo da Segunda Era, com o "seu povo" vindo das ruínas de Nogrod e Belegost.

10 Compare esse registro com a nota introdutória à Segunda Era no Apêndice B. — As palavras "a Senhora Galadriel dos Noldor, irmã de Gil-galad" não foram um deslize, como se poderia pensar, mas registram um estágio na entrada dela nas lendas da Primeira Era. Em um dos textos mais antigos de *Dos Anéis de Poder e da Terceira Era*, meu pai escreveu sobre Galadriel: "Rainha ela era e senhora dos elfos das matas; mas ela mesma vinha dos Noldor e chegara de Beleriand nos dias do Exílio". A isso, ele acrescentou subsequentemente: "Pois é dito por alguns que ela era uma aia de Melian, a Imortal, no reino de Doriath"; mas, imediatamente excluindo isso, ele substituiu por: "Pois é dito por alguns que ela era filha de Felagund, o Belo, e escapara de Nargothrond no dia de sua destruição". No texto seguinte, isso foi alterado para: "E uns disseram que ela era a filha de Felagund, o Belo, e fugira de Nargothrond antes de sua queda, e passou pelas Montanhas para Eriador antes da chegada de Fionwë"; isso, por sua vez, foi alterado para: "Pois ela era a filha de Felagund, o Belo, e irmã mais velha de Gil-galad, embora eles raramente tenham se encontrado, pois antes que Nargothrond fosse construída ou que Felagund fosse expulso de Dorthonion, ela passou para o leste cruzando as montanhas e abandonou Beleriand, e, antes que todos os Noldor, chegou às terras do interior; e demasiado tarde ouviu as convocações de Fionwë". — Nos *Anais de Aman* e nos *Anais Cinzentos*, ela se tornou, e assim permaneceu, a irmã de Felagund.

11 No *Akallabêth*, os Elendili habitavam majoritariamente o oeste de Númenor e foram forçados a se mudar para o leste (p. 89); mas a afirmação aqui de que eles habitavam mormente no leste pode ser simplesmente por concisão.

12 Essa é a primeira referência ao estabelecimento de um assentamento númenóreano em Umbar antes de Ar-Pharazôn aportar (ver p. 194, §41).

13 Acerca do nome *Valandil* por *Amandil* (como na primeira versão do *Akallabêth*), ver p. 195, §44.

14 É curioso que todos os textos do *Akallabêth* tenham doze navios e somente no texto datilografado tardio feito por um amanuense meu pai tenha alterado o número para nove (ver p. 96, §80); por outro lado, no presente texto C 4, certamente não posterior ao primeiro texto do *Akallabêth*, o número é nove desde o início.

15 A afirmação nesse registro a respeito da divisão das *palantíri* apareceu pela primeira vez em acréscimos ao texto precedente, C 3; lá, elas são chamadas de

Gwahaedir, enquanto as Colinas das Torres são chamadas de *Emyn Gwahaedir*, substituído por *Emyn Hen Dúnadan* e, então, por *Emyn Beraid*. Esse último nome não aparece na narrativa em si de *O Senhor dos Anéis*.

16 Essa é provavelmente a primeira aparição de *Amon Amarth*, que ocorre apenas no Apêndice A (I, i, ao final, RR, p. 1474).

17 Todo o material nesses últimos registros aparece inicialmente como acréscimos apressados e complexos na margem do manuscrito C 3, mas, nesse ponto, há um acréscimo no C 3 que meu pai não aproveitou, talvez por engano:

> Os fragmentos da Espada de Elendil são levados até Valandil, herdeiro de Isildur, em Imladris. Ele se torna rei do Reino do Norte de Arnor e mora em Fornost.

O nome Valandil do herdeiro de Isildur, dessa forma, não aparece no C 4; mas o registro do ano 3310 não foi incorporada ao C 3 e, portanto, Valandil como sendo o nome do pai de Elendil não aparece naquele texto.

18 Quanto ao término da Segunda Era com a morte de Isildur e a perda do Um Anel no Anduin, ver p. 211.

19 No Apêndice B, o registro do ano S.E. 2251 começa com "Tar-Atanamir toma o cetro. Começam a rebelião e a divisão dos Númenóreanos". Em *Contos Inacabados* (pp. 306–7, nota 10) eu discuti isso, chegando à conclusão de que o registro estava certamente errado, embora à época aparentemente não tivesse conhecimento do presente texto ou, de toda forma, não o havia consultado; sugeri que a leitura correta deveria ser: "2251 Morte de Tar-Atanamir. Tar-Ancalimon toma o cetro. Começam a rebelião e a divisão dos Númenóreanos". Não resta nenhum outro texto até a versão datilografada final, da qual o Apêndice B foi impresso, e não se pode dizer agora como o erro surgiu, partindo de "2060–2251 Reinado de Tar-Atanamir" e chegando a "2251 Tar-Atanamir toma o cetro".*

20 Não encontrei nada na correspondência daquela época que trate do Apêndice A e não sei responder como foi possível — já que o Conto dos Anos precisava ser tão reduzido por motivos de espaço — incluir uma longa seção adicional àquele Apêndice, naquele estágio.

21 "tendo vivido cento e noventa e dois anos": de 3118 a 3310. No texto C 4, 3118 era o ano de sua ascensão ao trono, corrigido na revisão posterior do texto C 5 (p. 219) para o ano de seu nascimento.

22 A data da viagem de Amandil está incluída nesse texto, 3316; foi acrescentada também à revisão do texto C 5, no registro de 3310.

*Essa informação foi corrigida na edição de 2004 de *O Senhor dos Anéis*, base para a tradução brasileira. Cf. RR p. 1540. [N. T.]

[23] Essa aparenta ser a única referência a Tolfalas em qualquer texto, exceto por uma menção à sua captura por Homens do Sul em um rascunho feito durante a escrita de *As Duas Torres* (VII. 512). A ilha e seu nome já aparecem no Primeiro Mapa da Terra-média (VII. 351, 363), mas, em todos os mapas, a sua extensão parece muito maior do que na sua descrição aqui.

[24] Acerca do problema extremamente complicado da relação entre a destruição causada na Terra-média durante a Grande Batalha, ao final da Primeira Era, e aquela causada pela Submersão de Númenor, ver V. 32–3, 44–5 e 184.

7

Os Herdeiros de Elendil

Enquanto o desenvolvimento dos Apêndices como um todo e do *Prólogo* foi um trabalho interconectado em alguma medida, o Conto dos Anos foi, por natureza (já que a cronologia se tornou uma preocupação primordial de meu pai), estreitamente entrelaçado com a evolução da história de Númenor e dos reinos númenóreanos na Terra-média, conforme já foi visto na relação do Conto dos Anos da Segunda Era com o desenvolvimento do *Akallabêth*. O documento primário da história e cronologia dos Reinos no Exílio é um trabalho substancial intitulado *Os Herdeiros de Elendil*.

A sua história textual não é fácil de compreender. Ele está dividido em duas partes, a Linhagem do Norte (os Reis e os Chefes) e a Linhagem do Sul (os Reis e os Regentes). O manuscrito mais antigo, que chamarei de **A**, está intitulado *Os Herdeiros de Elendil A Linhagem do Sul de Gondor*; foi escrito majoritariamente de maneira clara, ainda que apressada, mas na seção conclusiva, que relata os nomes e datas dos Regentes de Gondor, torna-se muito irregular e, obviamente, está na primeira etapa da composição.

O segundo manuscrito, **B**, traz tanto a Linhagem do Norte quanto a do Sul, nessa ordem; mas, embora meu pai tenha unido as duas seções, elas são diferentes na aparência. Acredito que a segunda parte começou como uma cópia limpa de A, mas rapidamente se desenvolveu e se expandiu em um texto muito mais completo (e cada vez mais descuidado). A este ele acrescentou a Linhagem do Norte. Essa seção, em B, parece ser o primeiro estágio da composição (uma página rejeitada mostra os nomes dos últimos reis e dos chefes no processo de surgimento) — e não há vestígio de qualquer trabalho anterior na Linhagem do Norte, algum texto que acompanhe o A. Por outro lado, há claras indicações de que a Linhagem do Norte e sua história de fato já existiam quando o texto A foi escrito.

Muitíssimo emendado, o texto compósito B lançou as bases para um belo manuscrito, **C**, o qual, por sua vez, foi muito emendado na Linhagem do Norte e menos no restante, e um texto datilografado por amanuense, **D**, foi feito (muito depois) a partir do texto corrigido (ver p. 234).

Como de costume, não há qualquer indicativo ou vestígio de datação externa a esse trabalho em *Os Herdeiros de Elendil*, e o máximo que se pode fazer é tentar estabelecer uma relação com outros textos. A datação relativa do B se demonstra pelo fato de que o Reino do Norte ainda se chamava *Arthedain* e que Anárion ainda era o primogênito de Elendil, pois esse também era o caso no terceiro texto do Conto dos Anos, C 3 (p. 214). No B, o nome do décimo rei da Linhagem do Norte é *Eärendil*, o que se encontra nos antigos textos F 1 e F 2 do Apêndice sobre Idiomas, onde o nome do décimo rei também é *Eärendil* (p. 52, nota de rodapé a §9). No quarto texto do Conto dos Anos, C 4, o nome do reino é *Arnor*, Isildur é o primogênito e surge o Rei Eärendur.

Não há dúvidas, portanto, de que toda a estrutura e cronologia fundamental dos Reinos no Exílio alcançou a forma escrita na primeira fase do trabalho daquilo que viria a ser os Apêndices (cf. p. 218). É igualmente claro que o manuscrito final C e pelo menos muitas das correções e acréscimos feitos a ele pertencem à mesma época. Pode-se supor que esse é o caso por conta de critérios gerais: pelo cuidado e calma evidentes no belo manuscrito, conforme feito originalmente, em contraste com o posterior trabalho, irregular e caótico, nos Apêndices, e também pelo fato de que correções ao texto anterior, B, foram feitas (conforme a prática constante de meu pai) em preparação para essa versão posterior. Mas a ocorrência, na primeira página do C, dos nomes *Valandil*, pai de Elendil, e de *Avallon* para *Eressëa* (esse último permaneceu sem correção) mostra que ele pertence à época em que o texto original do *Akallabêth* ainda estava em vigor e o texto C 4 do Conto dos Anos não fora ainda revisado, pois esses dois possuem *Valandil* (pp. 195, 217) e *Avallon* (p. 214 e nota 6). A isso pode-se somar o uso de "noldorin" no lugar de "sindarin".

O trabalho em *Os Herdeiros de Elendil* originou alterações ao texto de *O Senhor dos Anéis*. Um bom exemplo disso se encontra no trecho do capítulo *Um Punhal no Escuro* (SA, p. 277), no qual Passolargo fala sobre a história do Topo-do-Vento. Da maneira como esse trecho estava ao fim do trabalho no capítulo (mal diferindo do texto original, VI. 212), ele dizia:

> Não há túmulo no Topo-do-Vento, nem em qualquer destas colinas. Os Homens do Oeste não viviam aqui. Não sei quem fez esta trilha, nem há quanto tempo, mas foi feita para servir de estrada que pudesse ser defendida, desde o norte até a base do Topo-do-Vento; contam que Gil-galad e Elendil construíram uma fortaleza e um lugar fortificado aqui nos dias antigos, quando marcharam para o Leste.

Isso foi alterado e ampliado, num texto datilografado tardio, para o trecho em SA, no qual o relato de Passolargo sobre a grande torre de Amon Sûl, queimada e demolida, deriva do acréscimo feito ao registro de Arveleg I (décimo oitavo rei da Linhagem do Norte) no texto B de *Os Herdeiros de Elendil*, o qual reaparece no texto final C (ver pp. 238–9, 257–8). Mas o acréscimo feito ao texto C no registro de Argeleb I, décimo sétimo rei, "Argeleb fortifica as Colinas do Vento", está relacionado à alteração nas palavras de Passolargo sobre a trilha, que ficou da seguinte forma:

> Os Homens do Oeste não viviam aqui; porém em seus últimos dias defenderam as colinas por certo tempo do mal que veio de Angmar. Esta trilha foi feita para servir aos fortes ao longo das muralhas.

A datação do texto datilografado D, contudo, é muito posterior. É um bom texto, original e carbono, feito por um datilógrafo experiente, o que por si só sugeriria fortemente que ele procede do período seguinte à publicação de *O Senhor dos Anéis*; mas, além disso, ele foi datilografado na mesma máquina usada para os *Anais de Aman*, os *Anais Cinzentos*, o texto QT 2 do *Quenta Silmarillion* e o *Akallabêth*, por volta de 1958 (ver p. 176). Visto que todo o conteúdo essencial do C foi incorporado ao Apêndice A, ainda que apresentado ali numa forma completamente diversa, é notável que meu pai tenha selecionado esse texto como um daqueles que deveria ser copiado "como uma preliminar necessária à 'remodelagem' [de *O Silmarillion*]", como disse em sua carta a Rayner Unwin em dezembro de 1957 (X. 177). Ele de fato fez uso do texto ainda mais tarde, escrevendo no jornal dobrado que acondiciona os textos de *Os Herdeiros de Elendil*, "Parcialmente revisado agosto de 1965" — ou seja, em preparação para a Segunda Edição de *O Senhor dos Anéis*, publicada em 1966: dessa época deriva uma longa inserção datilografada que expande em muito o relato dos eventos que levaram à Contenda-das-Famílias em Gondor, introduzida de forma algo condensada no Apêndice A da Segunda Edição (ver mais na p. 315).

Foi difícil encontrar uma maneira satisfatória de apresentar esse complexo material, especialmente devido à falta de correspondência entre os textos das Linhagens do Norte e do Sul (B–C; A–B–C). Assim como os dois textos F 1 e F 2 do Apêndice sobre Idiomas, pareceu melhor incluir primeiro o texto integral de C, com as correções e expansões indicadas como tal (embora sem qualquer tentativa de distinguir a datação relativa de sua escrita), e apontar diferenças significativas no B no Comentário que segue o texto. Ademais, eu incluo um relato do breve manuscrito A da Linhagem do Sul no início do Comentário a essa parte do trabalho (p. 261).

Como já mencionei, não resta qualquer texto antes do manuscrito A. Contudo, há de se observar que os nomes dos reis do sul e suas datas já estavam amplamente estabelecidos no A quando foi inicialmente escrito e que (apesar de as notas históricas serem muito escassas e breves se comparadas à versão final) assuntos como a Contenda-das-Famílias e a reivindicação da coroa do sul por Arvedui (último rei do Norte) já estavam presentes de forma completa, ainda que não substancial. Assim, pode-se supor que notas e listas iniciais não sobreviveram (ver também pp. 267–8, em *Ondohir*). De maneira geral, é impossível dizer quanto do material que entrava em cada estágio sucessivo era novo, e quanto já estava presente, mas fora deixado pendente no começo, quando o escopo do trabalho ainda não estava completamente esclarecido. Contudo, há motivo para pensar (ver p. 263) que uma estrutura sólida, ainda que não desenvolvida, da história dos Reinos no Exílio surgira bem antes da composição dos primeiros textos de *Os Herdeiros de Elendil*. Há casos no texto B em que o próprio planejamento da história pode ser visto claramente, mas sempre dentro dessa estrutura.

Os Herdeiros de Elendil

Resumo dos Anais no "Livro dos Reis" e no "Rol dos Regentes de Gondor". As datas estão corrigidas de acordo com o registro das Eras dos Eldar, conforme usado também em Arnor. Em Gondor, as datas eram contadas a partir da fundação de Osgiliath, no ano 3320 da Segunda Era. Vinte e um anos, portanto, devem ser acrescidos aos anos informados aqui para se chegar às datas da primeira era de Gondor.

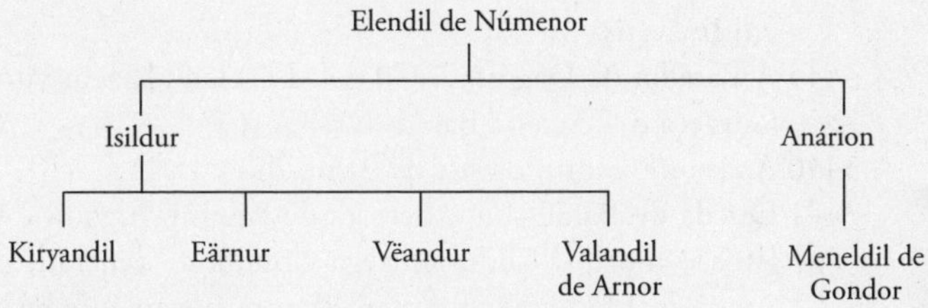

Ano

Segunda Era

3119 Elendil nasce em Númenor. Seu pai era Valandil [> Amandil], chefe do partido dos Amigos-dos-Elfos

3209 Isildur, primogênito de Elendil, nasce em Númenor.

3219 Anárion, segundo filho de Elendil, nasce em Númenor.

3299 Kiryandil, filho de Isildur, nasce em Númenor.

3318 Meneldil, filho de Anárion, nasce. Foi o último homem a nascer em Númenor.

3319 Queda de Númenor.

3320 Estabelecimento dos "reinos númenóreanos no exílio" no oeste da Terra-média: Arnor, no norte das terras ocidentais (com a principal cidade em Annúminas), por Elendil; Gondor, no sul (com a principal cidade em Osgiliath), por seus filhos. Isildur plantou um rebento da Árvore Branca de Avallon, dádiva dos Eldar, em Minas Ithil. As *Palantíri*, ou Sete Pedras da Visão, foram divididas e colocadas em torres: três em Arnor, em Annúminas, e em Amon Sûl, e nas Emyn Beraid, voltada para o Mar; quatro no Reino de Gondor, em Osgiliath, em Minas Ithil, em Minas Anor e em Orthanc, em Angrenost (Isengard).

3339 Ëarnur, segundo filho de Isildur, nasce em Gondor.

3379 Vëandur, terceiro filho de Isildur, nasce em Minas Ithil.

3429 Sauron ataca Gondor desde a vizinha terra de Mordor. Destrói Minas Ithil e queima a Árvore Branca. Isildur escapa de navio descendo o Anduin e veleja para o norte desde as Fozes do Anduin até Elendil, em Arnor, com sua esposa e filhos; leva consigo um rebento da Árvore Branca, germinada do seu primeiro fruto na Terra-média. Anárion resiste em Osgiliath.

3430 Tem início a última Aliança. Elendil e Isildur obtêm ajuda de Gil-galad e Elrond e reúnem grandes forças. Eles marcham para o leste, rumo a Imladris. Valandil, filho de Isildur, nasce em Imladris.

3434 A Batalha de Dagorlad. Gil-galad e Elendil saem vitoriosos. Começa o Cerco de Barad-dûr.

3440 Anárion é morto diante de Barad-dûr.

3441 Queda de Barad-dûr e derrota de Sauron. Elendil e Gil-galad são mortos. Isildur entrega Gondor a Meneldil, filho de Anárion. Ele planta a Árvore Branca novamente em Minas Anor em memória de seu irmão e marcha Anduin acima, pretendendo retornar a Arnor.

Isildur e seus três filhos mais velhos são mortos por Orques nos Campos de Lis. Seu quarto filho, Valandil, torna-se sucessor de Arnor, mas, sendo criança, permanece por um tempo com Elrond em Imladris.

A Segunda Era termina e a Terceira Era começa

Segue aqui o rol dos Reis da Linhagem do Norte e, após o término dos reis, os nomes dos chefes dos Dúnedain do Norte que mantiveram ininterrupta, por toda essa Era, a linhagem de Valandil, filho de Isildur.

No décimo ano da Terceira Era, Valandil, tendo atingido a virilidade, assumiu o reino de Arnor e morou em Annúminas, junto ao Lago Nenuial.

Os Herdeiros de Elendil

A Linhagem do Norte de Arnor: os Isildurioni

1	Elendil	nasceu S.E. 3119	viveu 322 anos	†morto 3441 ou T.E. 1
2	Isildur	3209	232	†morto 3441 ou T.E. 1

3	Valandil	3430	260	morreu T.E. 249
4	Eldakar	T.E.87	252	339
5	Arantar	185	250	435
6	Tarkil	280	235	515
7	Tarondor	372	230	602
8	Valandur	462	190	†morto 652
9	Elendur	552	225	morreu 777
10	Eärendur	640	221	861

Depois de Eärendur, o Reino do Norte de Arnor foi dividido. Os filhos do rei estabeleceram reinos menores e independentes. A linhagem direta do primogênito governou o reino de Arthedain no noroeste; sua cidade era Fornost. Annúminas tornou-se deserta devido à diminuição do povo. Os principais dentre os reinos menores eram [Cardolan, a leste do Baranduin; e Rhudaur, ao norte do Buinen. Arthedain ainda reivindicava soberania, mas isso foi posto em dúvida. >] Cardolan, ao sul da Grande Estrada e a leste do Baranduin; e Rhudaur, ao norte da Grande Estrada, entre as Colinas do Vento e o Bruinen. Havia frequentes contendas entre os reinos; o principal tema de debate era a posse das Colinas do Vento e das terras a oeste de lá, rumo a Bri. Pois tanto Rhudaur quanto Cardolan desejavam controlar Amon Sûl (que ficava nas suas divisas), por causa da Torre construída ali por Elendil, na qual estava guardada a principal *palantir* do Norte. / Dessa época em diante, os nomes oficiais dos reis não eram mais atribuídos, à maneira de Númenor, em forma alto-élfica, ou "quenya"; mas os reis de Arthedain usavam nomes élficos de forma noldorin e ainda mantinham sua amizade com os Eldar de Lindon e Imladris.

11	Amlaith de Fornost	nasceu 726	viveu 220 anos	morreu 946
12	Beleg	811	218	1029
13	Mallor	895	215	1110

Nos seus dias, uma sombra maligna se abateu sobre Verdemata, a Grande, e ela passou a ser conhecida como Trevamata. O Feiticeiro de Dol Guldur (que se soube depois ser Sauron de volta) começa a obrar maldades. Os Periannath cruzam as Montanhas e chegam em Arnor.

14	Celepharn	nasceu 979	viveu 212 anos	morreu 1191
15	Celebrindol [> Celebrindor]	1062	210	1272
16	Malvegil	1144	205	1349

Nos dias de Malvegil, os Orques novamente se tornaram uma ameaça e invadiram as terras de Arnor. Os Úlairi, ou Espectros-do-Anel, começaram a se agitar novamente. O chefe dos Úlairi vai para o norte e se estabelece como um rei de homens malignos em Angmar, nas longínquas regiões do norte. O Rei-bruxo trava guerra com os reinos dos Dúnedain, que estão desunidos. Os reinos menores resistem à reivindicação do Rei em Fornost pelo domínio sobre todas as antigas terras de Arnor. Em sinal dessa reivindicação, todos os reis de Arthedain e os chefes após eles assumem nomes com o prefixo *aran*, *ar(a)*, que significa "alto rei". [*Acrescentado*: O propósito do Rei-bruxo é destruir Arnor, pois há mais esperança de sucesso no Norte (onde o reino está desunido) do que no Sul, enquanto Gondor permanece forte. Nessa época, não resta nenhum descendente de Isildur em Rhudaur ou Cardolan; portanto, os reis de Arthedain mais uma vez reivindicam o domínio de toda Arnor. A reivindicação é rejeitada por Rhudaur, onde o poder foi tomado por homens em aliança secreta com Angmar.]

[*Riscado*: Os reis de Arthedain também se arrogam guardiões da *palantir* de Amon Sûl, embora ela esteja fora de seu território, nas fronteiras de Cardolan e Rhudaur, entre os quais isso também é assunto de amarga disputa.]

17	Argeleb I	nasceu 1226	viveu 130 anos	†morto 1356

[Foi morto em combate com Cardolan na contenda pela *palantir* de Amon Sûl. >] Argeleb fortifica as Colinas do Vento. Foi morto em combate com Rhudaur (com auxílio secreto de Angmar); o inimigo tenta tomar a *palantir* de Amon Sûl.

18	Arveleg I	nasceu 1309	viveu 100 anos	†morto 1409

O Rei-bruxo de Angmar, aproveitando-se da guerra entre [os Númenóreanos ou Dúnedain >] os Dúnedain, vem do Norte. Ele invade Cardolan e Rhudaur. [Cardolan é assolada e destruída e se torna desolada. A Torre de Amon Sûl é arrasada e a *palantir*, quebrada. Espíritos maus chegam e passam a habitar os morros das colinas de Cardolan. Em Rhudaur, uma gente maligna, obradores de feitiçarias, sujeitos a Angmar, assassina os remanescentes dos Dúnedain e constrói fortes sombrios nas colinas. Mas os Dúnedain de Fornost, a despeito da morte de seu rei, resistem e repelem as forças de Angmar com a ajuda de Cirdan de Lindon. >] Cardolan é assolada; a Torre de Amon Sûl é arrasada e a *palantir* é levada para Fornost. Em Rhudaur, uma gente maligna ... [*como acima*] constrói fortes sombrios nas colinas, enquanto os Dúnedain remanescentes de Cardolan resistem nas Colinas dos Túmulos e na Floresta; os Dúnedain de Arthedain repelem as forças de Angmar em Fornost com a ajuda de Cirdan de Lindon.

19	Araphor	nasceu 1391	viveu 198 anos	morreu 1589
20	Argeleb II	1473	197	1670

Nos seus dias, o povo das antigas terras de Arnor diminui ainda mais com a chegada da peste vinda do sul e do leste, que também devastou Gondor. [A peste não atravessa o Baranduin. >] A peste diminui em mortandade à medida que passa para o norte; mas Cardolan se torna desolada. Espíritos maus chegam de Angmar e passam a habitar nos morros de Tyrn Goerthaid. / Foi Argeleb II quem outorgou a terra a oeste do Baranduin para os Periannath; eles cruzaram o rio e entraram na terra em 1601.

21	Arvegil	nasceu 1553	viveu 190 anos	morreu 1743
22	Arveleg II	1633	180	1813
23	Araval	1711	180	1891

Com o auxílio de Lindon e Imladris, garantiu uma vitória sobre Angmar em 1851 e buscou reocupar Cardolan, mas as cousas malignas aterrorizam todos os que procuram habitar nas proximidades.

24	Araphant	nasceu 1789	viveu 175 anos	morreu 1964

Angmar se recupera e trava guerra contra os Dúnedain. Araphant busca renovar a antiga aliança e parentesco com Gondor. Em 1940, seu herdeiro Arvedui desposou Fíriel, filha do Rei Ondohir [> Ondonir] de Gondor. Mas Gondor está engajada nas longas Guerras dos Carroceiros e envia pouca ajuda. Ondohir [> Ondonir] e seus filhos tombaram em batalha em 1944 e Arvedui reivindicou a coroa de Gondor, por parte de Fíriel e de si mesmo, como representante da "linhagem mais antiga de Isildur", já que nenhum homem próximo reclamante ao trono em Gondor pôde, a princípio, ser encontrado. A reivindicação foi rejeitada por Gondor, mas Arvedui e seus descendentes continuaram a se considerar como os reais herdeiros de Anárion e também de Isildur.

25	Arvedui	nasceu 1864	viveu 110 anos	†afogou-se 1974 [> 1975]

Foi o último rei em Fornost. No [*acrescentado:* inverno do] ano de 1974, o Rei-bruxo destruiu Fornost, devastou Arthedain e dispersou os remanescentes dos Dúnedain. Arvedui escapou de Fornost e fugiu para o norte, levando as *palantíri* de Annúminas e das Emyn Beraid. Tentou ir de navio de Forochel a Gondor, mas veio a pique e as Pedras foram perdidas. Os filhos de Arvedui refugiaram-se com Cirdan de Lûn. No ano seguinte, Elrond e Cirdan, com alguma ajuda atrasada de Gondor enviada pelo mar, derrotaram as forças de Angmar. O Rei-bruxo foi derrotado por Elrond e seu reino chegou ao fim. As terras setentrionais, embora desoladas, voltaram então a ser um tanto mais salutares. Mas descobriu-se depois que o Rei-bruxo fugira secretamente para o sul, adentrara Minas Ithil (agora chamada Minas Morgul) e tornara-se o Senhor dos Espectros-do-Anel.

Os remanescentes dos Dúnedain do Norte tornam-se caminheiros e errantes, vivendo majoritariamente escondidos, mas guerreando incessantemente contra todos os seres malignos que ainda estão à solta nas terras. Os filhos de seus chefes são normalmente acolhidos em Imladris por Elrond, a cujos cuidados são entregues as principais relíquias remanescentes de sua casa, especialmente os fragmentos da espada de Elendil, Narsil.

Fim do Reino do Norte

Segue aqui o rol dos Chefes dos Dúnedain
de Eriador, herdeiros de Isildur
Pouco se preservou do conto de suas andanças e façanhas
até o final da Terceira Era.

Os Chefes dos Dúnedain

26 (e 24º herdeiro de Isildur)

	1	Aranarth	nasceu 1938	viveu 168 anos	morreu 2106
27	2	Arahail	2012	165	2177
28	3	Aranuir	2084	163	2247
29	4	Aravir	2156	163	2319
30	5	Aragorn I	2227	100	†morto 2327

Aragorn foi morto por lobos que infestavam a Eriador oriental.

31	6	Araglas	nasceu 2296	viveu 159 anos	morreu 2455
32	7	Arahad I	2365	158	2523
33	8	Aragost	2431	157	2588
34	9	Aravorn	2497	157	2654
35	10	Arahad II	2563	156	2719
36	11	Arassuil	2628	156	2784

Nos seus dias houve muita guerra com Orques que, infestando as Montanhas Nevoentas, atacaram Eriador. As principais batalhas foram em 2745–8. Em 2747, os Periannath (Pequenos) derrotaram uma força ocidental dos invasores vinda do norte até sua terra a oeste do Baranduin.

37	12	Arathorn I	nasceu 2693	viveu 155 anos	morreu 2848
38	13	Argonui	2757	155	2912
39	14	Arador	2820	110	†morto 2930

Foi morto por trols nas montanhas ao norte de Imladris.

40	15	Arathorn II	nasceu 2873	viveu 60 anos	†morto 2933

Desposou Gilraen, filha de Dirhael, também descendente, mas de uma linhagem mais jovem, de Arathorn I. Foi morto por uma flecha-orque enquanto caçava Orques na companhia de Elladan e Elrohir, os filhos de Elrond. Casou-se em 2929. Seu filho, criança (tinha 2 anos à morte do pai), foi acolhido e criado em Imladris.

41	16	Aragorn II	nasceu 2931	viveu 190 anos	morreu 3121 ou ano 100 da Quarta Era

Aragorn tornou-se Rei de Arnor e Gondor sob o nome de *Elessar*. Desempenhou grande papel na Guerra do Anel, na qual, por fim, Sauron e o poder de Mordor foram destruídos. Desposou Arwen Undómiel, filha de Elrond, e restaurou a majestade e o sangue dos Númenóreanos. A Terceira Era terminou com a partida de Elrond em 3022 [> 3021]; e os descendentes de Elessar, por meio de Arwen, tornaram-se também herdeiros dos reinos-élficos das terras ocidentais.

Os Herdeiros de Elendil

A Linhagem do Sul de Gondor: os Anárioni

1	Elendil	nasceu S.E. 3119	viveu 322 anos	†morto 3441 = T.E. 1
2	Anárion	3219	221	†morto 3440
3	Meneldil	3318	280	morreu T.E. 158

[*acrescentado*: 4º filho]

4	Kemendur	3399	279	238
5	Eärendil	T.E. 48	276	324
6	Anardil	136	275	411
7	Ostohir [> Ostonir]	222	270	492

Reconstruiu e ampliou Minas Anor, onde mais tarde os reis sempre moravam no verão, em vez de Osgiliath.

8	Rómendakil I	nasceu 310	viveu [231] anos	†morto 541

Seu nome original era *Tarostar*. No tempo de seu pai, homens selvagens do Leste primeiro assaltaram Gondor. Tarostar os derrotou e os expulsou, e assumiu o nome *Rómendakil*, Matador-do-Leste. No entanto, mais tarde foi morto em combate com novas hordas de Lestenses.

9	Turambar	nasceu 397	viveu 270 anos	morreu 667

Vingou seu pai e conquistou muitos territórios ao leste.

10	Atanatar I	nasceu 480	viveu 268 anos	morreu 748
11	Siriondil	570	260	830
12	Falastur	654	259	913

Foi inicialmente chamado *Tarannon*. Assumiu o nome de *Falastur*, quando subiu ao trono, para comemorar suas vitórias que estenderam o domínio de Gondor ao longo das terras costeiras dos dois lados das Fozes do Anduin. Foi o primeiro rei sem filhos. Foi sucedido pelo filho de seu irmão Tarkiryan.

13	Eärnil I	nasceu 736	viveu 200 anos	†afogou-se 936

Começou a construir uma grande frota e reparou os antigos portos de Pelargir [*acrescentado:* e tomou e fortificou Umbar em 933]. Perdeu-se, com muitas naus e homens, em grande tempestade diante de Umbar.

14	Kiryandil	nasceu 820	viveu 195 anos	†morto 1015

Continuou a aumentar as frotas de Gondor; mas tombou em combate com os Homens de Harad [que contestavam o desejo de Gondor de ocupar Umbar e lá construir um grande forte e porto. >] Eles contestavam o desejo de Gondor de ocupar as terras costeiras além do R. Harnen; portanto, tentaram tomar Umbar, onde Gondor mantinha um grande forte e porto.

15	Hyarmendakil I	nasceu 899	viveu 250 anos	morreu 1149

Inicialmente chamado *Kiryahir*, vingou seu pai, derrotou os reis de Harad e os fez reconhecer o domínio de Gondor em 1050. Gondor ocupava toda a terra ao sul das Fozes do Anduin até [Umbar e as divisas do Harad Próximo; >] o Rio (Poros >) Harnen e as divisas do Harad Próximo; e também todas as terras costeiras até Umbar. / Umbar tornou-se uma grande fortaleza e porto de frotas. Após sua vitória, Kiryahir tomou o nome de Hyarmendakil, "Matador-do-Sul". Reinou por 134 anos, o mais longo de todos, exceto por Tarondor (vigésimo sétimo rei).

16 Atanatar II nasceu 977 viveu 249 anos morreu 1226

Cognominado *Alkarin*, o Glorioso. Em seus dias — devido à vitalidade dos "Reis-Navegantes", a linhagem a partir de Falastur — Gondor atingiu o cume do seu poder. Ele se estendia, em autoridade direta, rumo ao norte até Celebrant e as bordas meridionais de Trevamata, a leste até o Mar de [Rúnaer >] Rhúnaer, e ao sul até Umbar, e a oeste até o Rio Gwathlo, ou Griságua. Ademais, muitas outras regiões eram tributárias: os Homens do Vale do Anduin até suas nascentes e o povo de Harad, no Sul. Mas Atanatar, na realidade, nada fez para aumentar seu poder e viveu mormente em esplendor e ócio. O declínio de Gondor começou antes de ele morrer e a guarda nas fronteiras foi negligenciada.

17 Narmakil I nasceu 1049 viveu 245 anos morreu 1249

O segundo rei sem filhos. Foi sucedido por seu irmão mais novo.

18 Kalmakil nasceu 1058 viveu 246 anos morreu 1304

19 Rómendakil II 1126 240 1366

20 Valakar 1194 238 1432

Em seus dias irrompeu a desastrosa guerra civil chamada de Contenda-das-Famílias. Após a morte de Atanatar, o Glorioso, os Nortistas de Trevamata e do Anduin Superior, que aumentaram grandemente na paz trazida pelo poderio de Gondor, tornaram-se poderosos. Embora essas pessoas fossem fundamentalmente aparentadas em fala e sangue aos Atani (e, portanto, aos Númenóreanos), e fossem geralmente amigáveis, tornaram-se agora irrequietos. Rómendakil foi forçado a recuar sua fronteira setentrional a leste do Anduin até as Emyn Muil. Lá, construiu os Portões das Argonath, com imagens de Isildur e Anárion, pelos quais nenhum estranho tinha permissão de passar para o sul sem autorização. Mas Rómendakil, estando nessa época muito atribulado por assaltos de Lestenses, buscou trazer os Nortistas mais para perto de sua vassalagem. Colocou muitos deles a seu serviço e lhes conferiu alta patente. Seu filho, Valakar, viveu por muito tempo entre eles na casa do Rei de Rhovannion [*acrescentado:* Vidugavia]. Rómendakil permitiu que ele desposasse a filha do rei. O casamento do herdeiro com uma mulher de um povo estrangeiro e sem qualquer sangue númenóreano jamais acontecera antes e causou muito desprazer. Antes de Valakar morrer, já havia rebelião aberta nos feudos do sul. Vários reclamantes à coroa apareceram, descendentes de Atanatar II. O preferido, especialmente pela frota e pelo povo-navegante das praias meridionais, era o Capitão das Naus, Kastamir, [bisneto >] neto do segundo filho de Kalmakil, Kalimehtar.

21(a) Eldakar nasceu 1255 deposto 1437

Quando Valakar morreu, seu filho, que tinha o nome estrangeiro *Vinitharya*, assumiu o nome *Eldakar* e o sucedeu. Inicialmente, defendeu Osgiliath e Minas Anor, mas foi expulso e deposto por Kastamir e fugiu para o norte. Nessa guerra, Osgiliath sofreu muitos danos e a torre da *palantir* foi destruída e a *palantir*, perdida.

22 Kastamir nasceu 1259 usurpou o trono 1437 †morto 1447

Após dez anos, Eldakar derrotou Kastamir com o auxílio da gente de sua mãe. Kastamir foi morto [*acrescentado:* por Eldakar em combate em Lebennin, nas Ethraid Erui], mas seus filhos e muitos de sua gente e partido fugiram para Umbar e por muito tempo o mantiveram como reino independente, em guerra com Gondor.

21(b) Eldakar
reconquistou o reino 1447 viveu 235 anos morreu 1490

Após o retorno de Eldakar, o sangue da casa real e sua gente tornou-se mais misturado, pois muitos Nortistas se estabeleceram em Gondor e tornaram-se grandes naquela terra e altos oficiais em seus exércitos. Mas a amizade com os Nortistas, que continuou sendo parte da política dos reis, provou-se de grande serventia em guerras posteriores.

23 Aldamir nasceu 1330 viveu 210 anos †morto 1540

Era o segundo filho homem e terceiro descendente de Eldakar. Seu irmão mais velho, Ornendil, foi morto nas guerras da Contenda-das-Famílias (1446). Aldamir tombou em batalha com os reis insurretos de Harad, aliados aos rebeldes de Umbar.

24	Vinyarion	nasceu 1391	viveu 230 anos	morreu 1621

Mais tarde (1551), assumiu o nome de *Hyarmendakil II*, após uma grande vitória sobre Harad em vingança por seu pai.

25	Minardil	nasceu 1454	viveu 180 anos	†morto 1634

Os rebeldes de Umbar nunca deixaram de fazer guerra a Gondor desde a morte de Kastamir, atacando suas naus e fazendo incursões às costas sempre que tinham a oportunidade. Contudo, seu sangue havia sido muito miscigenado com a vinda dos Homens de Harad e apenas os seus chefes, descendentes de Kastamir, eram da raça númenóreana. Sabendo por espiões que Minardil estava em Pelargir — sem suspeitar de perigo desde a derrota de Harad e Umbar por seu pai —, Angomaitë e Sangahyanda, líderes dos Corsários de Umbar, bisnetos de Kastamir, fizeram uma incursão Anduin acima, assassinaram o rei, assolaram Pelargir e as costas e escaparam com grande pilhagem.

26	Telemnar	nasceu 1516	viveu 120 anos	morreu 1636

Telemnar imediatamente começou a equipar uma frota para reduzir Umbar. Mas uma peste ou enfermidade mortal, vinda com ventos obscuros do Leste, abateu-se sobre a terra. Grande quantidade do povo de Gondor, em especial dos que viviam em Osgiliath e em outras cidades e vilas, adoeceu e morreu. A Árvore Branca de Minas Anor secou e morreu. Telemnar e todos os seus filhos pereceram. A coroa foi assumida por seu sobrinho.

27	Tarondor	nasceu 1577	viveu 221 anos	morreu 1798

Era o primogênito de Minastan, segundo filho de Minardil. Removeu a casa do Rei permanentemente para Minas Anor e lá replantou um rebento da Árvore Branca na cidadela. Durante a peste em Osgiliath, o povo que sobreviveu fugiu da cidade para os vales ocidentais ou para as florestas de Ithilien e poucos estavam dispostos a voltar. Osgiliath tornou-se majoritariamente deserta e parcialmente arruinada. Tarondor teve o reinado mais longo de todos os Reis de Gondor (162 anos), mas foi incapaz de realizar mais do que tentar reestabelecer a vida e a ordem dentro das fronteiras. Devido à escassez de seu povo, a guarda em Mordor foi negligenciada e as fortalezas que vigiavam as passagens ficaram vazias.

28	Telumehtar	nasceu 1632	viveu 218 anos	morreu 1850

Assumiu o título de *Umbardakil* após o ataque súbito e a destruição do porto e baluarte dos Corsários de Umbar (1810). Mas Umbar foi depois reocupada e reconstruída nos dias atribulados que mais tarde se abateram sobre Gondor.

29	Narmakil II	nasceu 1684	viveu 172 anos	†morto 1856

Nos seus dias, diz-se que os Úlairi, ou Espectros-do-Anel, retornaram a Mordor devido à descontinuação da vigilância e lá eles secretamente se prepararam na escuridão para o retorno de seu Senhor Sombrio. Homens de um novo tipo apareceram do Leste, mais fortes e bem armados, viajando em enormes carroças e combatendo em carruagens. Agitados talvez por Sauron, realizaram um grande assalto contra Gondor e continuaram a ser um grande perigo por muitos anos. Narmakil foi morto em combate contra a hoste deles além do Anduin, a noroeste do Morannon.

30	Kalimehtar	nasceu 1736	viveu 200 anos	morreu 1936

Deu continuidade à Guerra dos Carroceiros e, em 1899, conquistou grande vitória sobre eles em Dagorlad, o que deteve os seus ataques por algum tempo. Construiu a Torre Branca em Minas Anor para abrigar a *palantir*.

31	Ondohir [> Ondonir]	nasceu 1787	viveu 157 anos	†morto 1944

A guerra com os Carroceiros continuou. Em 1940, Ondohir [> Ondonir] concedeu a mão de sua filha, Fíriel (nascida em 1896), terceira de seus descendentes, para Arvedui, herdeiro de Araphant, Rei do Reino-do-Norte; mas ele foi incapaz de enviar qualquer auxílio para o norte contra o reino maligno de Angmar por conta de seu próprio risco. Em 1944, Ondohir [> Ondonir] e ambos os seus filhos, Faramir e Artamir, pereceram em batalha contra uma aliança dos Carroceiros com os Haradrim. O rei e seus filhos tombaram em batalha no norte e o inimigo se espalhou por Ithilien. Mas, nesse entretempo, Eärnil, Capitão do exército meridional, conquistou uma vitória em Ithilien do Sul, destruiu o exército de Harad e, apressando-se para o norte, socorreu os remanescentes do exército setentrional que recuavam e expulsou os Carroceiros.

No grande alvoroço que se seguiu, a maior parte do inimigo foi impelida para os Pântanos Mortos.

Quando morreram Ondohir [> Ondonir] e seus filhos, Arvedui do Norte reivindicou a coroa de Gondor como "descendente direto de Elendil" e marido de Fíriel. A reivindicação foi rejeitada por Gondor. Por fim, Eärnil, o Capitão vitorioso, recebeu a coroa (em 1945) já que era da casa real.

32	Eärnil II	nasceu 1883	viveu 160 anos	morreu 2043

Era filho de Siriondil, filho de Kalimmakil, filho de Narmakil II. Em seus dias, o Reino-do-Norte chegou ao fim com a derrota e morte de Arvedui, reclamante de ambas as coroas. Enviou [alguma ajuda para o norte, pelo mar >] seu filho Eärnur para o norte com uma frota e, assim, auxiliou na destruição do reino de Angmar. Mas, embora isto só tenha sido revelado depois, o Rei-bruxo fugiu para o sul e se juntou aos outros Espectros-do-Anel em Mordor, tornando-se Senhor deles. Quando estavam prontos, os Úlairi subitamente emergiram de Mordor pelo passo de Kirith Ungol. Tomaram Minas Ithil e nunca mais foram expulsos de lá enquanto durou essa Era. Tornou-se um lugar de grande medo e foi renomeada Minas Morgul. Poucas pessoas estavam dispostas a continuar morando em Ithilien, mas ela ainda era mantida e guarnecida por Gondor. Provavelmente nessa época, a *palantir* de Minas Ithil foi capturada e, assim, acabou nas mãos de Sauron.

33 e último da Terceira Era

Eärnur	nasceu 1928	viveu 122 anos	†morto 2050

Renomeou Minas Anor de Minas Tirith, como a cidade em guarda contra o mal de Minas Morgul. Quando da morte de seu pai, o Senhor dos Espectros-do-Anel o desafiou a combate singular para validar sua reivindicação ao trono. Mardil, o Regente, o refreou.

O desafio foi repetido com escárnio em 2050, sete anos depois, e, contra o aconselhamento de Mardil, Eärnur aceitou. Cavalgou com uma pequena escolta de cavaleiros até Minas Morgul, mas nem dele nem de sua companhia jamais se ouviu falar novamente. Supunha-se que o desleal inimigo o havia simplesmente atraído para os portões e depois o capturara, e o assassinara ou mantivera em tormento como prisioneiro.

Como sua morte não era certa, Mardil, o Bom Regente, governou Gondor em seu nome por muitos anos. Em todo caso, nenhum descendente homem da linhagem real, dentre aqueles cujo sangue era pouco miscigenado, foi encontrado.

Por muito tempo, antes dos dias de Mardil, a Regência fora geralmente detida por um membro de sua família (os *Hurinionath*, descendentes de Húrin, Regente do Rei Minardil). Ela se tornou, então, hereditária, como a realeza; mas cada novo Regente assumia o cargo com a fórmula: "governar e manter o bastão em nome do Rei e até o retorno do Rei". Embora isso logo tenha se tornado mera formalidade e os Regentes exercessem todo o poder dos reis, muitos em Gondor criam que um rei voltaria e os Regentes jamais se sentavam no antigo trono nem usavam o estandarte real e emblemas. O estandarte dos Regentes era branco. O estandarte real era negro com uma árvore prateada florida sob sete estrelas.

34	Elessar	nasceu 2931	viveu 190 anos	morreu 3121 ou ano 100 da Quarta Era

Após um lapso de 969 anos, Aragorn, filho de Arathorn, 16º chefe dos Dúnedain do Norte e 41º herdeiro de Elendil em linhagem direta de Isildur, sendo também em linhagem direta descendente de Fíriel, filha de Ondohir [> Ondonir] de Gondor, reivindicou a coroa de Gondor e de Arnor após a derrota de Sauron, a destruição de Mordor e a dissolução dos Espectros-do-Anel. Foi coroado com o nome de *Elessar* em Minas Tirith, em 3019. Tiveram início, então, uma nova era e um novo calendário, começando com 25 de março (do registro antigo) como o primeiro dia. Ele restaurou Gondor e o repovoou, mas manteve Minas Tirith como a principal cidade. Desposou Arwen Undómiel, filha de Elrond, irmão de Elros, primeiro Rei de Númenor e, assim, renovou a majestade e alta linhagem da casa real, mas a duração da vida deles não foi restituída e continuou a declinar até se tornar a mesma de outros homens.

A Terceira Era terminou, de acordo com o registro dos Eldar, em 3021, e, no mesmo ano, Elrond partiu. Em 3022, a Quarta Era se iniciou e os Dias Antigos e seu Crepúsculo terminaram.

O filho de Elessar e Arwen era Eldarion, primeiro rei da Quarta Era, cujo reino foi grande e duradouro, mas este rol não contém os nomes da Quarta Era.

Segue aqui o rol dos Regentes de Gondor que governaram o reino e a cidade entre a partida de Eärnur e a chegada de Elessar

Os Regentes Governantes de Gondor

Os nomes desses governantes estão acrescentados aqui pois, embora os *Hurinionath* não fossem descendentes de Elendil em linhagem direta, eram fundamentalmente de origem real e, de toda forma, conservaram seu sangue mais puro do que a maioria das outras famílias em eras posteriores.

Descendiam, de pai para filho, de Húrin, Regente do Rei Minardil, que trabalhara muito pelo ordenamento do reino nos desastrosos dias da peste, quando o Rei Telemnar morreu menos de dois anos após o assassinato do Rei Minardil pelos Corsários. Daquele tempo em diante, os reis geralmente escolhiam seu regente dessa família, embora o filho não necessariamente sucedesse o pai. Mas, na verdade, a regência passou de pai para filho desde Pelendur, Regente do Rei Ondohir, e, após o fim dos reis, tornou-se hereditária, ainda que, caso um Regente não deixasse filho homem, o cargo pudesse ser passado na linhagem feminina, isto é, para o filho de sua irmã ou para o filho da irmã de seu pai.

A escolha era feita pelo Conselho de Gondor, de acordo com o seu valor entre a parentela próxima. Mas o Conselho não tinha poder de escolha caso houvesse filho homem vivo.

Os Regentes pertenciam a uma família dos antigos Amigos-dos-Elfos que empregava (além da fala comum) o idioma noldorin à maneira de Gondor.* Seus nomes oficiais (após Mardil) estavam nesse idioma e eram retirados mormente das antigas lendas dos Noldor e seus tratos com os Edain.

*Uma vez que o idioma há muito tempo deixara de ser uma "língua de berço" em Gondor, mas era ensinado em tenra idade (àqueles que reivindicavam ascendência númenóreana) por mestres-do-saber e empregado por eles como marca de linhagem, ele mudara muito pouco desde a Queda; e, embora os Homens de Gondor tenham alterado um pouco alguns dos sons, ainda conseguiam compreender os Eldar e ser compreendidos por eles. Nos dias posteriores, contudo, raramente os viam.

Toda a época dos Regentes foi de lenta decadência e declínio tanto do poder quanto da quantidade de Homens de Gondor, além do saber e da habilidade de Númenor entre eles. Ademais, o tempo de vida mesmo daqueles de sangue mais puro diminuiu continuamente. Nunca estavam livres da guerra ou da ameaça de guerra com o mal que habitava Minas Morgul e os vigiava. Consideravam glória e êxito manter essa ameaça acuada. Osgiliath tornou-se uma ruína, uma cidade de sombras, amiúde tomada e retomada em batalhas triviais. Por um tempo, durante os 300 anos de paz, após a formação do Conselho Branco, Ithilien foi reocupada e um povo intrépido morou ali, cuidando de suas belas florestas e campos, mas, após os dias de Denethor I (2435–77), a maior parte dele fugiu para o oeste novamente. Mas é verdade que, não fosse por Minas Tirith, o poder de Mordor teria crescido muito antes e se espalhado pelo Anduin, adentrando as terras ocidentais. Após os dias de Eärnur, a Árvore Branca minguou e raramente floriu. Lentamente envelheceu e secou e não deu frutos, até onde os homens sabiam.

Pelendur nasceu 1879 viveu 119 anos morreu 1998

Era regente do Rei Ondohir e aconselhou que se rejeitasse a reivindicação de Arvedui, apoiando a reivindicação de Eärnil, que se tornou rei em 1945. Permaneceu regente de Eärnil e foi sucedido por seu filho.

Vorondil nasceu 1919 viveu 110 anos morreu 2029

Foi sucedido por seu filho. [*Acrescentado:* Vorondil era um grande caçador e fez uma grande trompa do chifre dos bois selvagens de Araw, que àquela época ainda perambulavam perto do Mar de Rhûn.]

1 Mardil Voronwë ("resoluto") nasceu 1960 viveu 120 anos morreu 2080

Tornou-se regente do Rei Eärnil em seus últimos dias e, depois, do Rei Eärnur. Após o desaparecimento de Eärnur, governou o reino por trinta anos, a partir de 2050, e é considerado o primeiro da linhagem dos *Regentes Governantes* de Gondor.

2 Eradan nasceu 1999 viveu 117 anos morreu 2116

3 Herion 2037 111 2148

4 Belegorn 2074 130 2204

5 Húrin I 2124 120 2244

6 Túrin I 2165 113 2278

Era o terceiro filho de Húrin. Casou-se duas vezes e teve muitos descendentes (algo que já era raro e notável entre os nobres de Gondor); mas apenas o último, uma criança nascida quando já era idoso, era filho homem.

7 Hador nasceu 2245 viveu 150 anos morreu 2395

O último Homem de Gondor de que se tem registro a alcançar tal idade. Depois desses dias, o tempo de vida daqueles de sangue númenóreano diminuiu mais rapidamente.

8 Barahir nasceu 2290 viveu 122 anos morreu 2412

9 Dior 2328 107 2435

Não teve filhos e foi sucedido pelo filho de sua irmã Rían.

10 Denethor I nasceu 2375 viveu 102 anos morreu 2477

Grandes atribulações surgiram em seus dias. Os senhores de Morgul, tendo gerado em segredo uma raça sinistra de Orques negros em Mordor, atacam Ithilien e a assolam. Capturam Osgiliath e destroem sua renomada ponte. Boromir, filho de Denethor, em 2475 derrotou a hoste de Morgul e recuperou Ithilien por um tempo.

11 Boromir

nasceu 2410 viveu [89 >] 79 anos morreu [2499 >] 2489

Era o terceiro filho de Denethor. Sua vida foi abreviada pelos ferimentos envenenados que recebeu na guerra de Morgul.

12 Cirion nasceu 2449 viveu 118 anos morreu 2567

Em seus dias veio um grande assalto do Nordeste. Homens selvagens do Leste cruzaram o Anduin a norte das Emyn Muil e, juntando-se a Orques das Montanhas Nevoentas, invadiram o reino (então esparsamente povoado) a norte das Montanhas Brancas, avançando pelo descampado e planície de Calenardon. Eorl, o Jovem, trouxe dos Éothéod grande ajuda de cavaleiros e a grande vitória do Campo de Celebrant (2510) foi conquistada. O povo de Eorl se estabelece em Calenardon, que depois é chamada Rohan, um povo livre, mas em perpétua aliança com os Regentes de Gondor. (De acordo com alguns, Eorl era descendente dos Nortistas aliados da casa real nos dias de Eldakar.) [*Acrescentado:* Eorl foi morto em batalha no "Descampado de Rohan" (como foi chamado depois), em 2545.]

13	Hallas	nasceu 2480	viveu 125 anos	morreu 2605
14	Húrin II	2515	113	2628
15	Belecthor I	2545	110	2655
16	Orodreth	2576	109	2685
17	Ecthelion I	2600	98	2698

Reparou e reconstruiu a Torre Branca em Minas Tirith, que mais tarde foi frequentemente chamada de Torre de Ecthelion. Não teve filhos e foi sucedido por Egalmoth, neto de Morwen, irmã de Orodreth.

18	Egalmoth	nasceu 2626	viveu 117 anos	morreu 2743

Em seus dias, houve nova guerra contra os Orques.

19	Beren	nasceu 2655	viveu 108 anos	morreu 2763

Em seus dias [houve um novo ataque a Gondor pelos piratas de Umbar. >] houve um grande ataque a Gondor (2758) por três frotas dos piratas de Umbar. Todas as costas foram invadidas. / Gondor não recebeu auxílio de Rohan e não conseguiu enviar auxílio para lá. Rohan foi invadida pelo Nordeste e também pelo Oeste (por Terrapardenses insurgentes). O Inverno Longo 2758–9. Rohan jaz por cinco meses sob neve. [*Acrescentado:* Saruman chega a Orthanc.]

20	Beregond	nasceu 2700	viveu 111 anos	morreu 2811

Em seus dias, a Guerra dos Anãos e Orques ocorreu nas Montanhas Nevoentas [(2766–9) >] (2793–9). Muitos Orques, fugindo para o sul, são mortos e impedidos de se estabelecer nas Montanhas Brancas.

21 Belecthor II nasceu 2752 viveu 120 anos morreu 2872

Único filho, nascido tarde, de Beregond. O último de sua linhagem a passar dos 100 anos de idade. À sua morte, a Árvore Branca finalmente morre na cidadela, mas foi mantida em pé "até o Rei retornar". Não se consegue encontrar nenhum rebento.

22 Thorondir nasceu 2782 viveu 100 anos morreu 2882

23 Túrin II 2815 99 2914

Nos seus dias, [as pessoas finalmente fugiram >] muito mais pessoas mudaram-se para o oeste, atravessando o Anduin desde Ithilien, que se tornara selvagem e infestada por Orques de Mordor. Mas Gondor constrói e mantém baluartes secretos ali, especialmente em Ithilien do Norte. O antigo refúgio de Henneth Annûn é reconstruído e ocultado. A ilha de Cair Andros no Anduin é fortificada. Os Homens de Harad são incitados pelos serviçais de Sauron a atacar Gondor. em 2885, Túrin travou uma batalha com os Haradrim em Ithilien do Sul e os derrotou com auxílio de Rohan; mas os filhos do Rei Folcwine de Rohan, Folcred e Fastred, tombaram nessa batalha. Túrin pagou a Folcwine um rico veregildo em ouro.

24 Turgon nasceu 2855 viveu 98 anos morreu 2953

No último ano de seu governo, Sauron se declarou novamente e voltou a entrar em Mordor, há muito preparada para ele. Barad-dûr ergueu-se de novo. O Monte da Perdição, há muito adormecido, irrompe em fumaça e chamas. [*Acrescentado:* Saruman toma posse de Orthanc e a fortifica.]

25 Ecthelion II nasceu 2886 viveu 98 anos morreu 2984

É visitado por Mithrandir (Gandalf), com quem tem amizade. Aragorn do Norte serve como soldado em suas forças. Fortalece Pelargir novamente e refortifica Cair Andros.

26 Denethor II nasceu 2930 viveu 89 anos †suicidou-se 3019

Era o primeiro filho homem e terceiro descendente de Ecthelion e mais versado no saber do que qualquer Regente em muitas gerações. Era muito alto e, na aparência, assemelhava-se a um antigo Númenóreano. Casou-se tarde (para sua época), em 2976, com Finduilas, filha do Príncipe Adrahil de Dol Amroth, uma nobre casa da Gondor meridional de sangue númenóreano, conhecida também por ter sangue-élfico dos dias antigos: o povo-élfico de Amroth de Lórien habitou a região de Dol Amroth antes de partirem por sobre o mar. Seu primogênito, Boromir (2978), foi morto por orques próximo a Rauros em 3019. Seu filho mais novo, Faramir (2983), tornou-se o último Regente Governante. Sua esposa, Finduilas, morreu prematuramente em 2987.

Em seus dias, o perigo de Gondor cresceu continuamente e ele sempre esperava pelo grande assalto de Sauron, que sabia estar sendo preparado. Conta-se que ousou usar a *palantir* da Torre Branca, dentro da qual ninguém desde os reis havia olhado e, desse modo, viu muito da mente de Sauron (que detinha a Pedra de Ithil), mas envelheceu prematuramente em sua contenda e caiu em desespero.

O ataque começou no verão de 3018. Os Espectros-do-Anel emergiram uma vez mais de Minas Morgul em forma visível. Os filhos de Denethor resistiram, mas foram derrotados pelo Capitão Negro e recuaram pelo Anduin; mas ainda mantinham Osgiliath Ocidental.

Boromir partiu para Imladris logo depois, com a missão de buscar o aconselhamento de Elrond. Foi morto quando retornava. Minas Tirith foi sitiada em março de 3019 e Denethor queimou a si mesmo em uma pira na Tumba dos Regentes.

27	Faramir	nasceu 2983	viveu 120 anos	morreu 3103 = Quarta Era 82

Subiu ao trono por direito quando da morte de seu pai, mas, no mesmo ano, entregou o bastão e o governo ao Rei Elessar e, assim, foi o último Regente Governante. Manteve o título de Regente e tornou-se Príncipe da renovada terra de Ithilien, habitando nas Colinas de Emyn Arnen, junto ao Anduin. Desposou, em 3020, Éowyn, irmã do Rei Éomer de Rohan.

Assim termina o conto dos Regentes Governantes de Gondor.

O manuscrito C de *Os Herdeiros de Elendil* se encerra aqui, mas, preso a ele, está uma genealogia da linhagem de Dol Amroth: ver p. 273.

Comentário

Conforme expliquei (pp. 131–2), o manuscrito B é o texto mais antigo da Linhagem do Norte, e o comentário a essa parte é majoritariamente um registro das diferenças significativas em relação ao texto impresso (C). Correções ao B, via de regra, não são indicadas quando elas simplesmente levam o texto à versão no C (no conteúdo: geralmente não quanto à expressão exata) e os acréscimos ao B, conforme escrito inicialmente, não são necessariamente indicados como tal.

Referências aos relatos históricos que seguem os nomes e datas dos reis e governantes são feitas simplesmente pelo nome, com as páginas do texto C. Uma característica notável de *Os Herdeiros de Elendil* é o registro das datas de nascimento dos governantes, as quais foram excluídas do Apêndice A; outras datas são, em todos os casos, as mesmas do Apêndice A, salvo em indicação contrária.

O preâmbulo a respeito das datas no C (p. 235) está ausente no B, que começa com a genealogia. Esta difere daquela no C por mostrar Anárion como primogênito de Elendil e por nomear "Valandil de Arthedain": portanto, B pertence à época dos textos iniciais do Conto dos Anos, como já foi observado (pp. 131–2).

Apenas o filho mais jovem de Isildur, Valandil, é nomeado em *O Senhor dos Anéis*. No trabalho muito tardio chamado *O Desastre dos Campos de Lis*, os três mais velhos se chamam Elendur, Aratan e Ciryon (*Contos Inacabados*, p. 366 e nota 11); em uma das cópias do texto datilografado D (pp. 233–4), meu pai anotou a lápis uma observação sobre isso, dizendo que os nomes encontrados em "Campos de Lis" deveriam ser aceitos.

No esboço cronológico que se segue no B, assim como no C, o ano de nascimento de Anárion é 3209 e o de Isildur, 3219; Meneldil nasceu em 3299 e foi Kiryandil, filho de Isildur, o último homem a nascer em Númenor (3318). Arthedain aparece no lugar de Arnor em 3320; os anos de nascimento de Eärnur e Vëandur são 3349 e 3389 e Valandil nasceu em Annúminas, não Imladris.

Em ambos os textos, Isildur morreu em 3441 (que na lista dos reis do Norte que se segue equivale ao ano 1 da Terceira Era), o mesmo ano da derrota de Sauron (ver pp. 210, 218).

Depois das palavras "A Segunda Era termina e a Terceira Era começa", o texto B prossegue imediatamente com a relação dos reis da Linhagem do Norte (sem o nome *Isildurioni*). A lista desses reis, até a desintegração do Reino do Norte, é a mesma em B e C, com a única diferença (descontando a data diversa do nascimento de Isildur, 3219) de que o décimo rei, Eärendur, é chamado de Eärendil no B: quanto a isso, ver p. 232.

Valandil (p. 217) No B, havia uma nota aqui: "Mudou-se para Fornost, e Annúminas tornou-se deserta"; isso foi excluído e "Annúminas tornou-se deserta" foi acrescentado à nota ao Rei Eärendil.

Eärendur (p. 117) A nota no B começa assim: "Depois de Eärendil, o Reino do Norte de Arthedain se desintegrou", e o reino no noroeste governado por Amlaith é chamado pelo nome da cidade de seus reis: "Fornost ainda reivindicava soberania, mas isso foi posto em dúvida." Os outros reinos são descritos da seguinte forma no B: "Cardolan (onde posteriormente situava-se Bri e as Colinas--dos-Túmulos) e Rhudaur, a norte do R. Bruinen (onde posteriormente situavam-se as Matas dos Trols)."

Mallor (p. 237) No B, a nota correspondente segue Beleg, o décimo segundo rei: "Em seu reinado, Sauron tomou forma novamente em Trevamata e seres malignos começaram a se multiplicar de novo".

Celebrindor (p. 238) O nome do décimo quinto rei no B, da forma como foi inicialmente escrito, era *Celem...gil*, talvez *Celemenegil*; isso foi excluído e substituído por *Celebrindol*, assim como no C, antes de ser corrigido para *Celebrindor*.

Malvegil (p. 238) A nota no B é, conforme a prática geral, mais breve, mas tem todos os elementos essenciais do C; aqui, diz-se que "Fornost está em guerra com os reinos menores, sendo a principal disputa acerca da *palantir* de Amon Sûl". A conclusão da nota no C, a esse respeito, foi rejeitada quando a querela por Amon Sûl foi introduzida muito antes, na desintegração de Arnor após a morte de Eärendur. — Acerca do nome *Úlairi*, ver p. 191.

Os reis de Argeleb I até Arvedui (pp. 138–40)Resta uma versão mais antiga da página no B que começa com a última frase da nota a Malvegil, sobre o emprego do prefixo *aran*, *ar(a)* pelos reis em Fornost, e aqui é possível ver os nomes desses reis evoluindo. Os nomes originais eram os seguintes (é curioso que, apesar das palavras encabeçando a página, os primeiros três reis não tenham o prefixo *Ar*):

17	Celebrindol	(> Argeleb I)
18	Beleg II	(> Arveleg I)
19	Malvegil II	(> Araphor)

20 Arveleg (> Argeleb II)
21 Arvegil
22 Argeleb (> Arveleg II)
23 Arvallen (> Araval)
24 Araphant
25 Arvedui

As datas desses reis, contudo, não sofreram alteração. O nome original do décimo sétimo rei, Celebrindol, foi atribuído ao décimo quinto, originalmente Celemenegil (?), como observado acima.

Argeleb I (p. 238) Na página rejeitada do B, a nota que segue esse rei diz apenas: "morto em combate 1356. Angmar é repelida, mas se volta para os reinos menores". A página substitutiva traz: "Morto em combate com sub-reinos de Cardolan e Rhudaur". Nenhum dos dois textos faz referência à *palantir* de Amon Sûl. Sobre a menção no texto alterado no C acerca da fortificação das Colinas do Vento por Argeleb, ver p. 233.

Arveleg I (p. 238) A página rejeitada de B não tem nota aqui; na página substituta, ela diz:

> Angmar, aproveitando-se da guerra entre os Númenóreanos, aparece e invade Cardolan e Rhudaur. Esses reinos tornam-se sujeitos ao Rei-bruxo e repletos de seres malignos, especialmente Cardolan. Mas Fornost, a despeito da morte do Rei Arveleg, resiste com ajuda de Lindon e Imladrist.

Um acréscimo a respeito da *palantir* de Amon Sûl foi feito a isso:

> A torre da *palantir* em Amon Sûl é destruída, mas ninguém sabe o que aconteceu com a Pedra. Talvez tenha sido levada pelo Rei-bruxo.

Esse acréscimo foi provavelmente feito em revisão à afirmação original no C de que a *palantir* foi quebrada.

Argeleb II (p. 239) No B, não havia nota aqui e, portanto, nenhuma menção à peste, mas o seguinte foi acrescentado: "Deu 'o Condado' aos Hobbits". Isso é afirmado em um acréscimo a um texto antigo do *Prólogo* (p. 27): "No Ano 1 ... os irmãos Marco e Cavallo, tendo obtido permissão formal do rei Argeleb

II na decadente cidade de Fornost, cruzaram o largo rio pardo Baranduin".

Araval (p. 239) A afirmação no B diz: "Com o auxílio de Lindon e Imladrist, Araval garante grande vitória sobre Angmar e manda as cousas malignas para o norte. Reocupa Cardolan." Na página rejeitada do B, essa vitória é atribuída ao rei seguinte, Araphant, que "repele o Rei-bruxo e, em 1900, destrói Cardolan". Não há referência à vitória de Araval na história do Reino do Norte no Apêndice A.

Araphant (p. 239) Mais sucintamente, o B traz nesse ponto:

> Angmar se recupera e trava guerra novamente. Araphant busca aliança com Gondor e casa seu filho Arvedui com a filha do Rei Ondohir de Gondor, de modo que seus descendentes também vêm da linhagem do sul de Anárion. Mas Gondor está em declínio e imersa em dias malignos e envia pouca ajuda.

A nota original a Araphant foi atribuída a Araval, mas um acréscimo a ela menciona o casamento do filho de Araphant, Arvedui, com a filha de Ondohir e aqui ela é nomeada: *Ilmarë* (ver mais adiante pp. 266–8, *Ondohir*). A alteração de *Ondohir* para *Ondonir* no C foi feita também em todas as ocorrências do nome na Linhagem do Sul, assim como a do sétimo rei de Gondor, *Ostohir*, alterado para *Ostonir*. Esses nomes alterados aparecem no texto tardio D, no qual meu pai os deixou assim; mas *Ostohir* e *Ondohir* reaparecem no Apêndice A. Na Segunda Edição, ele os alterou para *Ostoher* e *Ondoher* (e também o nome original de Hyarmendacil I, *Ciryahir* (*Kiryahir*), alterado para *Ciryaher*). Em uma nota isolada acerca dessas alterações, ele disse que *Ondohir* era um nome híbrido: em quenya puro, deveria ser *Ondoher* (quen. *heru*, *hēr-* "senhor") e *-hir* parece ser devido à influência do sindarin *hīr* "senhor" e à de outros nomes terminados em *-ir*, especialmente *-mir*, *-vir*.

Arvedui (p. 240) Na afirmação no B, nesse ponto, falta muito pouco do que é dito em C, embora conforme meu pai a escreveu inicialmente não houvesse menção à sina de Arvedui: sua morte está assinalada como "morto 1974". Em um acréscimo subsequente, diz-se o mesmo que no C sobre sua fuga de navio e afogamento, e a perda das *palantíri* no naufrágio é mencionada, mas elas não são identificadas: são simplesmente denominadas "as duas que sobraram". Nesse texto, a de Amon Sûl foi perdida quando a torre foi destruída ("Talvez tenha sido levada pelo Rei-bruxo", p. 258, *Arveleg I*). Também no C, as *palantíri* levadas por Arvedui são as de Annúminas e Emyn Beraid pois, nesse texto, conta-se que a Pedra de Amon Sûl foi quebrada (pp. 238–9, *Arveleg I*). O C foi corrigido de modo a afirmar que ela foi salva e levada para Fornost (*ibid.*): essa foi a versão final da história, sendo as Pedras perdidas no mar aquelas de Annúminas e Amon Sûl, enquanto a Pedra das Emyn Beraid, que tinha um caráter especial, permaneceu no Norte (veja rodapé em RR, p. 1481 e *Contos Inacabados*, p. 545, nota 16). Mas o texto C não foi corrigido na presente passagem.

Do conto no Apêndice A sobre a permanência de Arvedui entre os Lossoth, os Homens-das-Neves de Forochel, não há qualquer vestígio aqui.

Os Chefes dos Dúnedain (p. 240) A página rejeitada do B traz os nomes dos Chefes e alguns deles, conforme escritos inicialmente, foram corrigidos no manuscrito da seguinte forma:

27 Araha[n]til (sexta letra ilegível) > Arahail
28 Aranuil > Aranuir
31 Arallas > Araglas
33 Arandost > Aragost
35 Arangar > Arahad II
36 Arasuil > Arassuil
39 Arv[or]eg (quinta e sexta letras incertas) > Arador

As datas também são diferentes da cronologia final, exceto pelas de Aranarth e Aragorn II, em ambas as versões do B; elas foram corrigidas na página substitutiva do B para as datas do C. As originais eram:

Arahail	2011–2176	Aravorn	2490–2647
Aranuir	2083–2246	Arahad II	2555–2711
Aravir	2154–2316	Arassuil	2619–2775
Aragorn I	2224–2324	Arathorn I	2683–2838
Araglas	2292–2451	Argonui	2746–2901
Arahad I	2359–2517	Arador	2808–2912
Aragost	2425–2583	Arathorn II	2870–2933

Essas alterações de data foram feitas cuidadosamente, em vários casos em mais de uma etapa; no resultado, a duração das vidas dos Chefes permaneceu a mesma, exceto nos casos de Aravir, Aragost, Arador e Arathorn II.

Aragorn I (p. 241) Na página rejeitada do B, ele se "perdeu no ermo enquanto caçava"; na página substitutiva, ele se "perdeu no ermo; provavelmente morto por orques [> lobos]".

Arassuil (p. 241) A vitória dos Hobbits em 2747 foi a Batalha dos Verdescampos.

Arador (p. 241) A morte de Arador é mencionada no início do conto de Aragorn e Arwen no Apêndice A, assim como a de Arathorn II (RR, p. 1502).

Aragorn II (p. 242) Nesse ponto, o B traz: "Tornou-se Rei Elessar de Gondor e Arthedain, auxiliou na derrota de Sauron, com a qual a Terceira Era terminou em 3019. Desposou Arwen Undómiel, filha de Elrond. Seus descendentes tornaram-se, pois, herdeiros dos reinos númenóreanos, de Lúthien e dos Reinos-élficos do Oeste". A afirmação, no C, de que "A Terceira Era terminou com a partida de Elrond em 3022" foi, presumivelmente, apenas um deslize, já que a data da morte de Aragorn está posta imediatamente acima como 3121 = Quarta Era 100, o que implica o começo daquela Era em 3022. Mais adiante no C, quando Aragorn aparece no final do rol de reis da Linhagem do Sul (p. 249), a partida de Elrond é dada como 3021, está dito que a Quarta Era começou em 3022 e 3121 é, novamente, igualado ao ano 100 da Quarta Era.

A Linhagem do Sul de Gondor

A lista mais antiga que sobreviveu dos governantes de Gondor é o manuscrito A, brevemente descrito na p. 231. Ele tem exatamente a mesma forma que os dois textos posteriores de *Os Herdeiros de Elendil*, com as datas de nascimento e morte (e o modo como morreu) de cada rei e a duração de sua vida. Há apenas uma diferença de nome em A, o do décimo quarto rei (p. 253), que foi inicialmente chamado *Kiryahir*, mas subsequentemente renomeado *Kiryandil* (ao mesmo tempo, *Kiryahir* apareceu como o nome original de Hyarmendakil I). Há apenas duas diferenças na sucessão, a primeira após o décimo sexto rei, Atanatar II (p. 244), que no A, conforme escrito inicialmente, registrava assim:

16 Atanatar II977–1226
17 Alkarin1049–1294
18 Narmakil I

Evidentemente, foi nesse ponto que meu pai parou, mudou "Alkarin" para que ficasse ao lado de Atanatar II com as palavras "também chamado de", e mudou Narmakil I de 18 para 17, atribuindo a ele as datas anteriormente de "Alkarin". O rei seguinte, Kalmakil, foi introduzido como 18. Não tenho quaisquer dúvidas de que isso foi um mero deslize, sendo *Alkarin* um nome honorífico; e isso é significativo, pois mostra que meu pai estava copiando de um texto ou de notas preexistentes. Não há, agora, qualquer vestígio de algo do tipo e deve-se concluir que a origem escrita da história dos governantes de Gondor se perdeu.

A outra diferença na sucessão ocorre após o trigésimo rei, Kalimehtar (p. 247), em que o texto A traz:

31 Ostohir II1787–1985, viveu 198 anos
32 Ondohir1837–1944 (morto), viveu 107 anos

Eärnil II e Eärnur, o último rei, estão numerados 33 e 34. A morte de Ostohir II se dá, portanto, 41 anos *após* a de seu sucessor, Ondohir. Pode-se apenas conjecturar como essa peculiar anomalia surgiu: a explicação mais provável é que havia concepções variantes e contraditórias no texto que meu pai estava usando e que ele não prestou atenção nisso. Não foi corrigido no A e, de fato, a mesma sucessão sobreviveu no B, com Eärnur sendo numerado trigésimo quarto rei. Quando ele de fato notou, resolveu o problema simplesmente excluindo Ostohir II e atribuindo sua data de nascimento, 1787, para Ondohir, de modo que ele viveu 157 anos, e não 107.

O texto A também diferia da cronologia final quanto às datas dos reis desde Anárion até Anardil (veja p. 242), que eram:

AnárionS.E. 3209–3440
MeneldilS.E. 3299–T.E. 139
KemendurS.E. 3389–T.E. 228
EärendilT.E. 40–316
AnardilT.E. 132–407

As datas desses cinco reis permaneceram no B como estavam no A, mas foram depois corrigidas para aquelas mostradas no C. Após a correção, o período de vida de cada rei manteve-se igual, com exceção de Anárion, já que ele se tornou o filho mais novo de Elendil, enquanto a data de sua morte se manteve. Todas as outras datas em A foram mantidas na cronologia final.

As notas no A eram breves e escassas até Valakar, o vigésimo rei (e as de Rómendakil I e Hyarmendakil I foram acréscimos posteriores):

7 Ostohir IReconstruiu e ampliou Minas Anor.
8 Rómendakil INessa época, Lestenses atacaram o reino.
13 Eärnil IComeçou a reconstruir a frota abandonada. Perdeu-se no mar em grande tempestade.
15 Hyarmendakil IDerrotou Harad e os sujeitou.
16 Atanatar IIEm seus dias, Gondor atingiu sua maior extensão devido à vitalidade da "linhagem de Eärnil". Mas amava uma vida ociosa e começou a negligenciar as guardas no Leste. O declínio de Gondor começou.

Há também algumas notas sobre a natureza da sucessão: Falastur não teve filho homem e seu sucessor, Eärnil I, era filho do irmão de Falastur, Tarkiryan; Narmakil I não teve descendentes e seu sucessor, Kalmakil, era seu irmão.

Parece claro que uma estrutura firme, pelo menos no esboço, já surgira: que meu pai tinha na mente um retrato claro da cronologia, dos principais acontecimentos, dos triunfos e vicissitudes da história de Gondor, quer essa estrutura estivesse atrelada a escritos agora perdidos, quer não.

A partir de Valakar, as notas no texto A tornam-se mais frequentes, e algumas muito mais completas, um padrão refletido ainda nos registros do muito expandido texto C. Alguns desses registros estão incluídos no comentário à Linhagem do Sul no C, que se segue agora.

Ostohir (p. 242) Em todos os três textos, Ostohir é o primeiro com esse nome, mas o numeral I foi excluído no C: ver p. 262. Sobre a mudança do nome para *Ostonir*, ver p. 259, *Araphant.*
Rómendakil I (p. 242) No Apêndice A, *Rómendakil* é traduzido como "Vitorioso-do-Leste", mas nos textos B e C, como

"Matador-do-Leste"; também esse é o caso de *Hyarmendakil*, traduzido como "Matador-do-Sul" em B e C.

Falastur (p. 243) O nome anterior do rei, *Tarannon*, aparece inicialmente no C, embora o motivo para *Falastur* esteja registrado no B.

Kiryandil (p. 243) O texto B traz apenas "Continuou a aumentar as frotas, mas tombou em combate marítimo contra os Reis de Harad". As alterações no C a Eärnil I e Kiryandil trazem a história para a versão do Apêndice A, na qual é Eärnil quem captura Umbar.

Valakar (p. 244) Sendo o primeiro relato que sobreviveu da Contenda-das-Famílias em Gondor, incluo aqui o registro no A, onde a história inteira da guerra civil está posta na nota que segue Valakar:

> Em 1432 irrompeu a Contenda-das-Famílias. Valakar havia tomado por esposa uma filha do Rei de Rhovannion, sem sangue dúnedain. A sucessão de seu filho Eldakar foi contestada por outros descendentes de Kalmakil e Rómendakil II. Por fim, Eldakar foi forçado ao exílio e Kastamir, bisneto do segundo filho de Kalmakil, Kalimehtar, tornou-se rei. Mas Eldakar o expulsou novamente e, após aquele tempo, o sangue da casa real tornou-se mais misturado, pois Eldakar teve o auxílio dos Nortistas do Anduin Superior, a gente de sua mãe, e eles foram favorecidos pela casa real posteriormente, e muitos deles serviram nos exércitos de Gondor e tornaram-se grandes naquela terra.

Assim, nada se fala das circunstâncias políticas e militares que levaram ao casamento de Valakar com a filha do (ainda sem nome) Rei de Rhovannion. No B, algo é dito sobre isso:

> Desde os dias de Atanatar II, os Nortistas de Trevamata e do Anduin superior vinham crescendo muito em número e poder e, nos dias de Rómendakil, mal reconheciam o domínio de Gondor. Rómendakil, tendo muito o que fazer com os Lestenses, buscou trazer os Nortistas mais para perto de sua vassalagem e arranjou para que seu filho, Valakar, desposasse a filha do Rei de Róvannion (Terras-selváticas).

O texto B, então, acompanha o A na medida que coloca a história inteira da Contenda-das-Famílias na nota a Valakar e faz apenas as afirmações adicionais de que nunca se ouvira falar de um casamento desse tipo e de que o filho de Valakar, antes de sua ascensão ao trono, tinha o nome estrangeiro *Vinthanarya*. Em ambos os textos, diz-se que Kastamir foi morto por Eldakar em 1447, mas não há menção em nenhum deles à fuga para Umbar por seus partidários derrotados nem ao surgimento, lá, de um reino pirata independente (ver o comentário abaixo a *Minardil*).

Aldamir (p. 245) No A, está dito que "seu filho mais velho, Ornendil, foi morto com ele em batalha com rebeldes de Harad"; B é o mesmo que no C, tornando Ornendil o irmão de Aldamir, que fora morto na Contenda-das-Famílias, mas sem a referência aos "rebeldes de Umbar" (ver o comentário a *Minardil*).

Vinyarion (p. 246) A vitória de Vinyarion em Harad em vingança por seu pai, mencionada com quase as mesmas palavras em todos os três textos, não é aludida no relato do Apêndice A e, portanto, a razão para ele assumir o nome Hyarmendakil II não é dada; mas o evento está registrado no Conto dos Anos, Terceira Era 1551.

Minardil (p. 246) No A, a história da fundação do domínio hostil dos Corsários de Umbar pelos seguidores de Kastamir não aparece e, provavelmente, ainda não havia surgido: isso é sugerido pelo fato de que, no B, a história entra pela primeira vez muito depois do acontecimento na nota a Minardil:

> Os filhos de Kastamir e outros de sua parentela, tendo fugido de Gondor em 1447, fundaram um pequeno reino em Umbar e lá construíram um porto fortificado. Nunca deixaram de fazer guerra a Gondor, atacando suas naus e costas quando tinham a oportunidade. Mas eles desposaram mulheres do Harad e, em três gerações, haviam perdido a maior parte do sangue númenóreano; mas não se esqueceram de sua contenda com a casa de Eldakar.

O registro no B continua, então, com o relato (muito mais completo do que no Apêndice A) do assassinato de Minardil em Pelargir, o qual foi repetido quase exatamente no C.

Os nomes *Angomaitë* e *Sangahyanda* foram alterados para *Angamaitë* e *Sangahyando* na Segunda Edição.

Telemnar, Tarondor, Telumehtar (p. 246) No B, o texto desses verbetes se aproximou bastante das correspondentes no C; mas a maior parte do registro a respeito de Tarondor, incluindo o relato sobre a deserção de Osgiliath e a mudança da casa do rei para Minas Anor, foi um acréscimo posterior.

Narmakil II (p. 247) A nota no A dizia: "Batalha com os Espectros-do-Anel, que tomaram Mordor. Osgiliath deixa de ser a capital dos Reis". No B, isso foi um tanto desenvolvido:

> Nessa época, os Úlairi (ou Espectros-do-Anel) que haviam tomado Mordor muito antes, começam a atacar Ithilien. Narmakil foi morto pelo Rei-feiticeiro. Osgiliath deixou de ser a capital dos reis.

Isso foi reescrito apressadamente e passou a dizer:

> Nos seus dias, diz-se que os Úlairi (ou Espectros-do-Anel) emergiram de novo e retornaram secretamente a Mordor. Lá, eles secretamente se prepararam na escuridão para o retorno de seu Senhor Sombrio. Homens do Leste, um povo feroz avançando em grandes carroças, abateu-se contra Gondor, sem dúvida agitados por Sauron e os Úlairi. Narmakil é morto em combate.

Essa foi a primeira aparição dos Carroceiros.

Kalimehtar (p. 247) A nota no A registrava apenas que Kalimehtar "construiu a Torre Branca de Minas Anor e mudou sua corte para lá". O B repetiu isso e continuou: "Minas Anor passa a ser chamada de Minas Tirith, já que Minas Ithil é perdida e se torna um baluarte dos Úlairi, sendo chamada de Minas Morgul". Isso foi excluído imediatamente e a queda de Minas Ithil é adiada para a época do Rei Ondohir; subsequentemente, o registro foi substituído pelo seguinte:

> Construiu a Torre Branca de Minas Anor. Deu continuidade à guerra contra os Carroceiros e os derrotou diante do Morannon.

A construção da Torre Branca por Kalimehtar não é mencionada no Apêndice A, mas é registrada no Conto dos Anos, Terceira Era 1900. — Para Ostohir II, que seguiu Kalimehtar no texto A e (antes da correção) no B, ver p. 262.

Ondohir (pp. 247–8) O texto A possui uma entrada mais substancial, ainda que principalmente focada na reivindicação de Arvedui:

> Ambos os seus filhos, Faramir e Artamir, foram mortos na guerra com Mordor. Minas Ithil caiu e tornou-se Minas Morgul. Em 1940, sua filha (terceira descendente), nascida em 1896, casou-se com Arvedui (filho de Araphant), último rei do Norte. Arvedui, em 1944, reivindicou a coroa do Sul, mas isso foi recusado. Houve um período sem rei e o regente Pelendur governou. A reivindicação de Arvedui perdeu efeito com sua morte em combate em 1974, mas, embora sempre fossem demasiadamente fracos para forçar sua reivindicação, os descendentes de Arvedui e Fíriel, filha de Ondohir, chefes dos Dúnedain do Norte, continuaram a reclamar a coroa do Sul; embora, de fato, ela tenha passado, após um interregno, para Eärnil II, um descendente (bisneto) do segundo filho de Narmakil II, Kalimmakil.

A omissão, na nota, da morte de Ondohir foi um mero descuido na escrita veloz: ele está assinalado como "morto" em 1944. A filha de Ondohir é aqui chamada *Fíriel*, como em B e C; o nome *Ilmarë*, na página rejeitada do B, na parte da Linhagem do Norte (p. 259, *Araphant*) só pode, portanto, ser explicado como uma mudança de nome temporária. O fato de que os reis do Norte Araphant e Arvedui são nomeados no A (e a data da morte de Arvedui é incluída) demonstra que algum trabalho na história da Linhagem do Norte existia antes da escrita do B, o texto mais antigo que sobrevive dessa parte (ver p. 231).

No B, o registro de Ondohir, conforme escrito inicialmente, começava assim:

> A guerra com os Úlairi continuou. Minas Ithil caiu e tornou-se um baluarte do inimigo e foi renomeada Minas Morgul. Minas Anor tornou-se Minas Tirith.

Isso seguia o registro original, no B, de Narmakil II, no qual o assalto dos Úlairi a Ithilien estava registrado (antes da entrada dos Carroceiros na história). A queda de Minas Ithil e a renomeação das duas cidades, anteriormente no reino de Kalimehtar, foi colocada à frente (e, portanto, retorna ao texto A dado acima).

A abertura do B foi subsequentemente excluída, exceto pela primeira frase, que foi então corrigida para "A guerra com os Carroceiros continuou", como no C. o restante da entrada original no B registra a queda de Ondohir e seus filhos "em batalha em Ithilien" (que, conforme está escrito, referia-se a uma batalha com os Espectros-do-Anel, mas foi expandido depois para "em batalha em Ithilien contra uma aliança dos Carroceiros e do Harad que atacou a Gondor oriental vinda do norte e do sul") e, então, reconta a reivindicação de Arvedui, seguindo de perto o texto A. As afirmações no A de que "houve um período sem rei", quando o Regente Pelendur governou, e de que a coroa passou para Eärnil após um "interregno" foram mantidas, mas então excluídas (ver abaixo o comentário a *Eärnil II*). Assim, não há menção no B à grande vitória de Eärnil em Ithilien do Sul seguida pelo alvoroço que causou aos Carroceiros, o que levou à sua ascensão como rei.

Quanto à correção de *Ondohir* para *Ondonir*, ver p. 259, *Araphant*.

Eärnil II (p. 248) No A, conta-se apenas que ele era "filho de Kiryandil, filho de Siriondil, filho de Kalimmakil, filho de Narmakil II" e que subiu ao trono em 1960 (portanto, após um interregno de dezesseis anos). Isso foi repetido sem alteração no B e permaneceu assim, embora meu pai tivesse rejeitado, no registro de Ondohir, as menções a um interregno em que Pelendur governou. Kiryandil foi removido mais tarde e Siriondil tornou-se pai de Eärnil. Em todos os três textos, Kalimmakil era filho de Narmakil II, mas, no Apêndice A (RR, p. 1492), era filho de Arciryas, o irmão de Narmakil.

Nada mais se diz de Eärnil no B conforme escrito originalmente, mas, em um acréscimo, a fuga do Rei-bruxo vindo do Norte está registrada (embora sem qualquer menção à grande frota de Gondor sob comando de Eärnur, filho de Eärnil, que em grande parte ocasionou a destruição de Angmar) e a queda de Minas Ithil é colocada em seu lugar definitivo na história:

> Em seus dias, o Rei-feiticeiro de Angmar, chefe dos Úlairi, fugiu do Norte e chegou a Mordor, e estabeleceu um novo poder. Sob sua liderança, os Úlairi tomaram Minas Ithil e fizeram dela sua cidade e baluarte, da qual nunca foram expulsos. Ithilien do Sul abandonada por Gondor, mas uma guarnição defende as pontes de Osgiliath. Minas Ithil passa a se chamar Minas Morgul e Minas Anor é renomeada Minas Tirith.

No C, assim como no Apêndice A (RR, p. 1494), a renomeação de Minas Anor ocorreu nos dias de Eärnur. — Um outro acréscimo tardio ao B observa: "Os Nazgûl tomam a Pedra de Ithil".

Eärnur (p. 248) A nota final no A diz:

> O último rei. Foi para a guerra contra Minas Ithil e Mordor e nunca retornou, nem seu corpo foi jamais recuperado. Alguns diziam que fora levado vivo pelo maléfico rei. Não deixou filhos. Nenhum descendente homem de Elendil de título inequívoco (ou sangue quase puro) foi descoberto. Mardil, o Regente, neto de Pelendur, governou nominalmente "até o retorno do Rei" e isso se tornou uma fórmula habitual. Havia uma tendência (mas não regra) de a Regência ser hereditária, ou pelo menos escolhida em uma família. Ela se tornou, então, hereditária como a realeza.

Aqui termina o texto A da Linhagem do Sul. No B, essa nota é repetida sem alterações de conteúdo, mas continua após as palavras "hereditária como a realeza":

> Mas os Regentes não assumiam mais nomes oficiais em quenya e seus nomes eram todos de origem noldorin, sendo esse idioma empregado ainda pelas casas nobres de Gondor.
>
> Após os dias de Eärnur, a Árvore Branca nunca [> raramente] frutificou de novo e sua florada diminuía sempre à medida em que ela lentamente morria [> envelhecia].

Está claro que a história do desafio do Senhor dos Espectros-do--Anel para Eärnur ainda não surgira. Mais tarde, a abertura do trecho no B foi rejeitada e o seguinte veio em seu lugar:

> Ele aceitou o desafio [*acrescentado:* de lutar pela *palantir* de Ithil?] feito pelo Senhor dos Úlairi e cavalgou pela ponte de Osgiliath [> até os portões de Morgul] para encontrá-lo em combate singular, mas foi traído e capturado e nunca mais foi visto pelos homens.

Os dois desafios a Eärnur e o freio que Mardil, o Regente, colocou no rei, não aparecem até o texto C.

Elessar (p. 249) O texto no B é muito semelhante à versão no C, mas falta a referência ao contínuo declínio da longevidade da casa real. Após as palavras "e, assim, renovou a majestade e alta linhagem da casa real", o B conclui:

> Aqui termina o Livro Vermelho. Mas foi predito que Eldarion, filho de Elessar, haveria de governar um grande reino, e ele haveria de perdurar por uma centena de gerações de homens; e dele descenderiam os reis de muitos reinos em dias posteriores.

Afirmei (p. 234) que "de maneira geral, é impossível dizer quanto do material que entrava em cada estágio sucessivo era novo, e quanto já estava presente, mas fora deixado pendente no começo". Contudo, nesse (inevitavelmente complexo) relato do desenvolvimento da história dos reis de Gondor, registrado com crescente detalhamento através dos textos, novos elementos podem ser vistos surgindo e se estabelecendo, como a fundação do reino-corsário de Umbar, as invasões dos Carroceiros, ou o envio da frota de Gondor para atacar Angmar.

Os Regentes de Gondor

O texto mais antigo contendo os nomes e datas dos Regentes de Gondor é constituído por duas páginas anexadas ao manuscrito A da Linhagem do Sul. Essas páginas foram claramente escritas de maneira contínua a partir da seção precedente, mas o texto se torna muito rápido e irregular na parte final e termina em um garrancho de datas confusas.

Para o texto C dos Regentes, ver p. 249 em diante. O texto B está intitulado: "Apêndice. Os Regentes de Gondor", com um breve preâmbulo:

> Pode-se acrescentar estes pois, embora não em linhagem direta, os *Hurinionath*, a família à qual Pelendur e Mardil pertenciam, eram de sangue númenóreano quase tão puro quanto o dos reis e, sem dúvida, tinham algo do verdadeiro sangue de Elendil e Anárion.

A isso acrescentou-se o seguinte, depois:

> Durante todos os dias dos Regentes, houve guerra incessante entre Minas Morgul e Minas Anor. Osgiliath era amiúde tomada e retomada. Um povo intrépido ainda habitava Ithilien do Norte como arraianos e defensores, mas, aos poucos, minguaram e partiram para o oeste pelo Rio.

As notas no B, conforme escritas originalmente, eram poucas e majoritariamente centradas (como no A) em Regentes individuais cujas vidas e duração de suas vidas afetavam a natureza da sucessão. Referências a outros acontecimentos foram, em praticamente todos os casos, acréscimos posteriores.

Pelendur O texto B diz aqui, seguindo A quase exatamente: "Tornou-se Regente em 1940; governou o reino durante o interregno de 1944–1960, quando entregou a autoridade para Eärnil II". A esse respeito, ver *Eärnil II*, p. 268. O fato de que Pelendur realmente se tornou brevemente governante de Gondor não é mencionado no C (como o é no Apêndice A, RR, p. 1475), mas o fato de ter havido um interregno de um ano fica implícito pela revisão de data (Ondohir morto em 1944, ascensão de Eärnil em 1945).

Vorondil Não há nota a Vorondil em A ou B. Compare o acréscimo ao C com o capítulo *Minas Tirith*, RR, p. 1100, onde não se diz (embora sem dúvida fique implícito) que Vorondil foi quem de fato fez a trompa que Boromir carregou por último: "desde que o próprio Vorondil, pai de Mardil, caçou o gado selvagem de Araw nos longínquos campos de Rhûn" (acerca dessa passagem, ver VIII. 336 e nota 14).

Mardil Voronwë O texto A tem uma nota aqui, que não foi repetida no B, "Após os seus dias, os nomes são geralmente noldorin, não quenya. Restam poucos que sabem quenya". Cf. Apêndice A (RR, p. 1476): "Seus sucessores deixaram de usar nomes alto-élficos".

Belegorn No A, o nome do quarto Regente Governante era *Bardhan*, alterado depois para *Belgorn*; *Belegorn* no B.

Túrin I A mesma nota está presente em todos os três textos.

Hador No A, o nome do sétimo Regente Governante era *Cirion*, e *Hador*, o do décimo segundo; isso foi mantido no B, mas os nomes foram posteriormente invertidos. O texto A diz simplesmente "viveu até a avançada idade de 150"; B está como C, mas a nota termina com "o tempo de vida dos nobres está diminuindo continuamente."

Dior Em A e B se diz o mesmo que no C, mas a irmã de Dior (Rían, no texto C) não é nomeada.

Denethor I A nota no A diz: "Grandes atribulações surgiram. O Inimigo destruiu Osgiliath. Boromir, filho (terceiro descendente) do Regente, os derrota e, por um tempo, recupera Ithilien". Isso foi repetido no B, mas o texto foi alterado para: "O Inimigo invadiu toda Ithilien e destruiu as pontes de Osgiliath".

Boromir O texto A diz: "Morte apressada por ferimentos da guerra"; B: "Sua vida foi abreviada por ferimentos recebidos das armas envenenadas de Morgul."

Cirion Nem no A nem no B havia nota seguindo Cirion (inicialmente escrito *Hador*), mas o seguinte foi acrescentado no B: "Guerra com Orques e Lestenses. Batalha de Celebrant" (com a data 2510 inserida subsequentemente), e também:

> Sauron incita maldades e há um grande ataque em Gondor. Orques saem das Montanhas e de Trevamata e juntam-se aos Lestenses. Hador [> Cirion] obtém auxílio do Norte. Eorl, o Jovem, conquista a vitória do Campo de Celebrant e recebe Calenardon, ou Rohan.

Uma vez que as menções ao Campo de Celebrant na narrativa de *O Senhor dos Anéis* foram sempre acréscimos tardios (ver, por exemplo, IX. 98, nota 16), pode ser que a história estivesse evoluindo na época da escrita de *Os Herdeiros de Elendil*.

Ecthelion I A nota no texto A, aqui, faz de Egalmoth, sucessor do rei sem filhos Ecthelion, neto de Morwen, irmã de Belecthor I. Isso introduz uma geração excedente e, obviamente, deve-se à menção a Egalmoth na nota ao seu predecessor, Ecthelion — um testemunho da velocidade com que meu pai rascunhou as datas e relações entre os últimos regentes nesse texto inicial. No B, Morwen se torna irmã de Orodreth, pai de Ecthelion.

Egalmoth No B, uma nota foi acrescentada (repetida no C): "Guerras-orques irrompem". O Conto dos Anos no Apêndice B faz referência a isso: "2740 Os Orques renovam suas invasões de Eriador". Uma nota posterior a lápis no B diz: "Guerra de Anãos e Orques nas Montanhas Nevoentas" (ver o comentário a *Beregond* abaixo).

Beren Não havia nota no B, mas estas foram acrescentadas: "Inverno Longo 2758" e "Em seu reinado, há um ataque em Gondor por [Piratas >] Corsários de Umbar [2758 >] 2757".

Beregond Em A e B, seu nome era *Baragond*, com uma nota dizendo que era o terceiro descendente de Beren. Uma nota a lápis no B repete a observação sobre a Guerra dos Anãos e Orques do registro de Egalmoth, com a data "2766–"

Os Regentes de Belecthor II até Ecthelion II Nessa altura, o texto A se torna nada além de um rascunho de datas e as breves notas no B podem ser coligidas. A de Belecthor II é igual à do C, mas sem menção à morte da Árvore Branca; a nota de Túrin II é "Bilbo nasce no Condado durante o seu governo"; e a de Turgon é "Aragorn nasce em Eriador durante seu governo". Acréscimos muito irregulares e apressados foram feitos posteriormente em preparação para as notas muito mais completas do C.

A afirmação, no texto C, em Ecthelion II, de que "Aragorn do Norte serve como soldado em suas forças" é a primeira menção aos anos de serviço que Aragorn prestou disfarçadamente em Rohan e Gondor.

Denethor II O B possui apenas uma afirmação sobre datas e parentesco, incluindo o casamento de Denethor com Finduilas, filha de Adrahil de Dol Amroth: isso é visto no A — onde o pai de Finduilas é chamado *Agrahil* — no instante de seu surgimento.

*Faramir*A nota no B é a mesma do C no conteúdo, mas acrescenta que, como Príncipe de Ithilien, ele "habitou em uma bela casa nova nas Colinas de Emyn Arnen, cujos jardins, idealizados pelo Elfo Legolas, eram renomados".

A Linhagem de Dol Amroth

Partindo da referência ao casamento de Denethor com Finduilas, no pé da última página do manuscrito B meu pai começou a compor a genealogia dos descendentes de Adrahil de Dol Amroth; e uma tabela feita cuidadosamente, começando com Angelimir, o vigésimo príncipe, foi anexada por meu pai ao manuscrito C de *Os Herdeiros de Elendil.* Eu a redesenhei na p. 276 (os Príncipes estão marcados com cruzes, como no original). Abaixo da tabela há uma nota sobre as origens da casa de Dol Amroth, dizendo que Galador, o primeiro senhor, era filho de Imrazôr, o Númenóreano, que morava em Belfalas, e Mithrellas, uma das companheiras de Nimrodel. Essa nota está publicada em *Contos Inacabados*, pp. 337–8, com o injustificável erro de *Angelimar* no lugar de *Angelimir* (um erro editorial, já que ele ocorre duas vezes no texto e novamente no índice).

A página obviamente é ligada à escrita do texto C, ao qual está anexada, já que no verso estão os primeiros registros da Linhagem do Sul exatamente da mesma forma que aparecem no texto, mas abandonados, ao que parece, simplesmente por causa de um erro ao escrever as datas neste que estava planejado para ser um belo manuscrito.

Outro relato, mais breve, da origem da Linhagem de Dol Amroth se encontra em uma página anexada por meu pai ao manuscrito C 4 do Conto dos Anos (que acredito ser contemporâneo), seguido por uma lista de datas dos Príncipes, sendo que do segundo ao décimo oitavo não há nomes. Isso, contudo, é muito posterior, pois há outra versão da mesma lista escrita no verso de um documento da universidade do início de 1954, a qual é claramente a mais antiga das duas (ver p. 275).

A Casa de Dol Amroth

Amroth, irmão de Celeborn, foge do norte de Lórien quando o Balrog expulsa os Anãos por volta de 1980 da Terceira Era.

Mithrellas, uma das companheiras de Nimrodel, se perde nas florestas de Belfalas e é acolhida por Imrazôr, o Númenóreano [*acrescentado na margem:* Imrazôr 1950–2076], que a desposa (de acordo com as lendas e tradições de Dol Amroth); contudo, após alguns anos ela desaparece, seja para vagar nas florestas ou para buscar os portos. O filho da união de Mithrellas e Imrazôr recebeu o nome-élfico de Galador; a partir dele os senhores de Dol Amroth traçaram sua descendência. Após o término dos reis, eles se tornaram príncipes praticamente independentes, governando Belfalas, mas foram a todo momento leais ao Regente como representante da antiga coroa.

1	Galador	2004–2129	(125)
2	...	2060–2203	(143)
3	...	2120–2254	(134)
4	...	2172–2299	(127)
5	...	2225–2348	(123)
6	...	2274–2400	(126)
7	...	2324–2458	(134)
8	...	2373–2498	(125)
9	...	2418–2540	(122)
10	...	2463–2582	(119)

11	...	2505–2623	(118)
12	...	2546–2660	(114)
13	...	2588–2701	(113)
14	...	2627–2733	(106)
15	...	2671–†2746	(75) morto por Corsários de Umbar
16	...	2709–†2799	([90]) morto em batalha
17	...	2746–2859	(113)
18	...	2785–2899	(114)
19	Aglahad	2827–2932	(105)
20	Angelimir	2866–2977	(111)
21	Adrahil	2917–3010	(93)
22	Imrahil	2955–3054	(99)
23	Elphir	2987–(3087 =) Q.E. 57	(100)
24	Alphros	3017–(3115 =) Q.E. 95	(98)

Em contraste com essa página cuidadosamente escrita, a outra versão dessa lista (aquela escrita no verso do documento de 1954) tem uma nota rabiscada no topo, a mesma do texto recém incluído, mas indo somente até as palavras "acolhida por Imrazôr, o Númenóreano, que a desposa"; e as datas estão escritas a lápis, com algumas correções. Imrazôr está numerado 1, de modo que Angelimir é o vigésimo primeiro príncipe; mas isso foi corrigido. A duração de vida do décimo sexto rei está como 91 anos em vez de 90 e meu pai seguiu isso no segundo texto; e onde no segundo texto está escrito "morto em batalha", no primeiro está "Batalha com Orques".

A afirmação aqui de que Amroth era irmão de Celeborn parece ser única (para outros relatos sobre ele, veja *A História de Galadriel e Celeborn* em *Contos Inacabados*: mas todo o material acerca de Amroth coligido naquele livro é posterior, grande parte muito posterior, à publicação de *O Senhor dos Anéis*). Em ambas as versões do presente texto, essas palavras foram excluídas e, no segundo, meu pai escreveu a lápis "era um Sinda de Beleriand". Compare a data da fuga de Amroth de Lórien com o registro de 1981 no Apêndice B: "Os Anãos fogem de Moria. Muitos dos Elfos Silvestres de

Aqui está a linhagem de Dol Amroth desde o tempo de Angelimir, o vigésimo príncipe

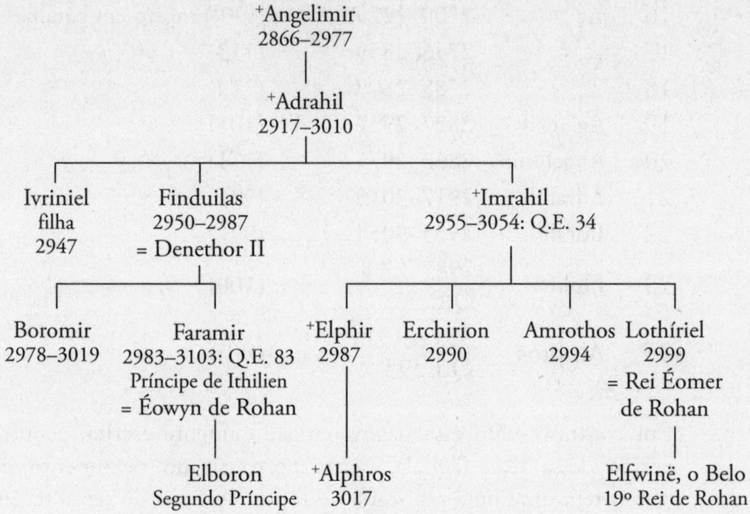

Na tradição de sua casa, *Angelimir* era o vigésimo na descendência direta de *Galador*, primeiro Senhor de Dol Amroth (c. 2004–2129 da Terceira Era). De acordo com as mesmas tradições, *Galador* era filho de *Imrazôr*, o Númenóreano, que habitava em *Belfalas*, e da senhora-élfica *Mithrellas*. Ela era uma das companheiras de *Nimrodel*, entre muitos dos Elfos de *Lórien* que fugiram para a costa por volta do ano de 1980 da Terceira Era, quando o mal se ergueu em Moria; e *Nimrodel* e suas donzelas desgarraram-se nas colinas cobertas de florestas, e se perderam. Nesse conto, porém, diz-se que *Imrazôr* acolheu *Mithrellas*, e a desposou. Mas, quando lhe dera um filho, *Galador*, e uma filha, *Gilmith*, ela fugiu de noite, e ele nunca mais a viu. No entanto, embora *Mithrellas* pertencesse à raça silvestre menor (e não aos Altos Elfos ou aos Cinzentos), sempre se afirmou que a casa e a família dos Senhores de Dol Amroth eram tão nobres no sangue quanto eram belos de rosto e mente.

Lórien fogem para o sul. Amroth e Nimrodel perdem-se"; e também *Contos Inacabados*, pp. 327, 332.

Nenhum acontecimento é relatado em outros lugares nos anos de 2746 e 2799 que esclareça as mortes, em combate, do décimo quinto e do décimo sexto Príncipes de Dol Amroth.

As datas de morte do Príncipe Imrahil e de Faramir, Príncipe de Ithilien, na genealogia redesenhada na p. 276 (3054 = Quarta Era 34 e 3103 = Q.E. 83) colocam o início da Quarta Era em 3021; semelhantemente, na lista dos príncipes incluída acima, as datas de morte de Elphir e Alphros, 3087 e 3115, são igualadas aos anos 67 e 95 da Quarta Era. No texto C de *Os Herdeiros de Elendil*, a Quarta Era começou em 3022 e, no texto B, a Terceira Era terminou em 3019 (ver pp. 241–2, 261).

Os Príncipes Aglahad, Angelimir, Elphir e Alphros são mencionados apenas nesses textos, assim como outros membros da linhagem de Dol Amroth na tabela genealógica — Ivriniel, Erchirion e Amrothos. O filho de Faramir, Elboron, também aparece apenas nessa genealogia. Com ele ressurge um antigo nome: Elboron e Elbereth eram os nomes originais dos jovens filhos de Dior, herdeiro de Thingol, que foram assassinados pelos seguidores de Maidros (IV. 360, V. 170). Posteriormente, os filhos de Elrond foram nomeados Elboron e Elbereth, antes de se tornarem Elladan e Elrohir (VIII. 353–4, 358, 438).

O desenvolvimento posterior do Apêndice A está adiado para o Capítulo IX.

8

O Conto dos Anos da Terceira Era

O mais antigo texto do Conto dos Anos da Terceira Era é um breve manuscrito intimamente associado, ao que parece, com a muito antiga versão do Conto dos Anos da Segunda Era que chamei de C 2 (ver pp. 214–7); embora sejam textos separados e não contínuos, é conveniente referir-me a este também como C 2.

Ainda que tenha sido posteriormente coberto de acréscimos um tanto fortuitos — na sua maior parte associados, evidentemente, com o trabalho na cronologia dos Reinos no Exílio — é possível recuperar com bastante certeza o texto de C 2 conforme foi escrito inicialmente e eu o incluo aqui nessa forma.

Da História da Terceira Era pouco se sabe

0	Se contarmos a partir da morte de Isildur.
Anos da Terceira Era	
1000–	Sauron desperta novamente e adentra Trevamata. Estabelece um baluarte em Dol Dûgul[1] e cresce lentamente.
c.1100	Deagol encontra o Um Anel e é assassinado por Smeagol.[2] Smeagol se torna Gollum.
c.1105	Gollum adentra as beiras das Montanhas Nevoentas.
c.1300	O povo de Smeagol cresce e começa a se multiplicar. Cruzam as Montanhas Nevoentas e viajam rumo ao oeste. Tornam-se Hobbits.[3] Orques começam a reaparecer.
c.1500	Os Hobbits se estabelecem em Bri.

c.1600	(R.C. 1)[4] Marco e Cavallo cruzam o Baranduin (Brandevin) e recebem "o Condado" para viver do rei em Norvila[5] (Fornost). O "Registro do Condado" tem início.
c.1900	Último "rei em Norvila". Os Dúnedain ou Caminheiros (últimos dos Númenóreanos no Norte) vagam no ermo; mas os herdeiros dos reis vivem em Imladris (Valfenda) com Elrond.
c.2000	A linhagem dos Reis de Gondor se extingue com a morte de Eärnur.[6] A Linhagem dos Regentes começa com Mardil, o Bom Regente.
c.2500	Elrond, que nunca se casara, desposou Celebrían, filha de Galadriel de Lórien.[7] Seus filhos eram Elrohir e Elladan e uma filha, Finduilas,[8] em quem a imagem de Lúthien reaparece. Esses descendentes são de estatura humana, mas de sangue-élfico.[9]
c.2600	Celebrían é assassinada por Orques viajando pelas Montanhas para visitar Galadriel.
c.2620	Isengrim Tûk Primeiro estabelece a família Tûk no Condado.
c.2890	Bilbo nasce.
2910	Aragorn, filho de Arathorn, herdeiro de Isildur, nasce.
2940	Bilbo parte em suas aventuras.
2950	Sauron entra novamente em Mordor.
3001	Festa de Despedida de Bilbo.
3018	Frodo parte.

Quaisquer que tenham sido as razões para a seleção desses acontecimentos em particular, é impressionante que não haja registros mencionando a história de Arnor e Gondor, com exceção das referências ao último rei do Norte e ao último rei do Sul (Eärnur), iniciando a linhagem dos Regentes; e as datas desses registros mostram que esse texto precedeu as versões mais antigas remanescentes de *Os Herdeiros de Elendil*.

A versão seguinte foi o manuscrito C 3 (ver p. 172) que, na porção que trata da Segunda Era, como eu disse, era "pouco mais do que uma cópia do C 2, com vários registros expandidos". Contudo, esse não é de forma alguma o caso da Terceira Era. Foi aqui que meu pai introduziu uma cronologia abrangente e coerente dessa Era e ajustou seu curso — nesse trabalho que ele chamou de "o Conto dos Anos" — em uma direção notavelmente distinta da que acabou aparecendo no Apêndice B de *O Senhor dos Anéis*. É muito claro que ele estava intimamente associado a *Os Herdeiros de Elendil*. O manuscrito estava coberto de alterações, expansões e acréscimos e se tornou um rascunho de trabalho para o texto principal, C 4, que sem dúvida o sucedeu logo.

Como será visto mais adiante, C 4 era e permaneceu por muito tempo a versão do Conto dos Anos que meu pai julgava apropriada e, de fato, ela foi proposta aos editores em 1954. Aqui, deixo de lado o texto C 3, embora faça alguma referência a ele nas notas ao fim do capítulo, e incluo o texto C 4 integralmente.

É um manuscrito muito claro, com notável escassez de hesitação ou mudanças de ideia. Que esse manuscrito era para ser um texto final e publicável se demonstra também pelo fato de que, quando meu pai chegou à conclusão de que a formação do Conselho Branco estava colocada quatrocentos anos antes do necessário, ele abandonou duas páginas e escreveu outras duas de tal modo que elas se encaixassem precisamente no texto original. Eu o incluo aqui como foi escrito, talvez nos anos 1949–50, acredito, mas com o texto dessas duas páginas substitutas, já que parece provável que foram escritas antes de o manuscrito ser finalizado ou, no máximo, logo em seguida. Ele foi bastante alterado depois, principalmente no que diz respeito a alguns assuntos como as migrações dos Grados, as maquinações de Saruman e as movimentações de Gollum. Não incluí quaisquer revisões ao texto, mas as descrevo no final do capítulo (pp. 304–5).

A nota de abertura que fala sobre as Quatro Eras e os registros da Segunda Era constam nas páginas 215–8.

A Terceira Era

Esses foram os Anos do Esvanecer. Dessa Era, em seus primórdios, pouco se sabe agora, salvo pelas tradições do reino de Gondor. Por mais de mil anos, os Eldar na Terra-média, protegidos pelos Três Anéis, estavam contentes e em paz, enquanto Sauron dormia; mas não tentaram grandes façanhas e não fizeram coisas novas e maravilhosas, vivendo mormente na lembrança do passado. Durante todo esse tempo, as coisas de antigamente aos poucos se esvaneciam e novas coisas se agitavam, embora poucos observassem os sinais.

Os Anãos tornaram-se cada vez mais retraídos e esconderam-se em lugares profundos, guardando seus tesouros dos principais inimigos, os dragões e os Orques. Um a um, seus antigos tesouros foram saqueados e eles se tornaram um povo vagante e minguante. Em Moria, os Anãos da raça de Durin resistiram por muito tempo, mas esse povo, certa vez numeroso, decaiu continuamente até que suas vastas mansões ficaram escuras e vazias.

A força, o saber e a duração da vida dos Númenóreanos (ou Dúnedain, como eram chamados pelos Elfos) também diminuiu à medida que os anos se passavam e seu sangue se misturava com o de Homens menores.[10] Mais veloz foi o declínio no Reino-do-Norte, pois as terras de Eriador, como aquela região foi então chamada, tornaram-se mais frias e menos amigáveis aos Homens naquele tempo. Lá os Dúnedain continuamente diminuíram. Após os dias de Eärendur[11] de Arnor, o Reino-do-Norte foi dividido em reinos apequenados e os Herdeiros de Isildur, em linhagem direta, governavam apenas Arthedain, no extremo Noroeste. Em Gondor, o poder dos reis da linhagem de Anárion perdurou por mais tempo e seu domínio se estendia por muitas terras de Homens; mas havia poucas idas e vindas entre os reinos, exceto em tempos de necessidade.

1 Ohtar, escudeiro de Isildur, escapa com apenas dois outros homens da matança dos Campos de Lis.[12] Ele leva os fragmentos da espada de Elendil, Narsil, que Isildur salvara, e os entrega a Valandil, filho de Isildur, em Imladris. Valandil era criança, o quarto filho de Isildur. Seus irmãos pereceram junto com o pai.

10 Valandil, filho de Isildur, torna-se Rei de Arnor e mora em Annúminas.

420–30 Ostohir, Rei de Gondor, reconstrói e amplia Minas Anor.

490 Primeira invasão a Gondor por Lestenses.

500 Tarostar derrota os Lestenses e assume o nome de Rómendakil, Matador-do-Leste.

541 Rómendakil é morto em batalha com uma segunda invasão de Lestenses, que são expulsos por seu filho Turambar.

861 Morte de Eärendur, décimo e último rei de Arnor. O Reino-do-Norte é dividido entre os filhos de Eärendur. A linhagem

direta do primogênito, Amlaith de Fornost, governa o reino de Arthedain. Annúminas é desertada. Os outros reinos eram Cardolan (onde posteriormente situavam-se Bri e as Colinas-dos-Túmulos) e Rhudaur, ao norte do Rio Baranduin. A partir dessa época, os nomes oficiais dos reis em Fornost não eram mais atribuídos em forma alto-élfica, mas em noldorin. Amlaith e seus descendentes mantiveram a amizade com os Eldar, especialmente com Cirdan nos Portos.[13]

c.1000 Por volta dessa época, os *Istari*, isto é, os Homens Sábios, ou magos, apareceram nas terras ocidentais da Terra-média. Não se sabia de onde vieram (a não ser por Cirdan e Elrond). Mais tarde, contudo, quando se revelou que a sombra de Sauron começara a tomar nova forma nessa mesma época, muitos diziam que eles vieram do Extremo Oeste e eram mensageiros enviados para contestar o poder de Sauron, caso ele se erguesse novamente, e para incitar toda a boa gente e criaturas gentis a lhe oferecerem resistência.

Os Magos apareceram, porém, na imagem de Homens e se assemelhavam a Homens na maioria das coisas, exceto por nunca serem jovens, e por envelhecerem devagar, e por terem muitos poderes de mente e de mão. Por muito tempo viandaram em toda parte, entre Elfos e Homens e todos os povos-falantes, e conversavam também com feras e pássaros. Não revelavam seus verdadeiros nomes, mas usavam aqueles que os povos da Terra-média lhes deram, os quais eram muitos. Os principais dessa ordem eram os dois a quem os Eldar chamavam Mithrandir e Curunír, mas que os Homens do Norte chamavam de Gandalf e Saruman. Deles, Mithrandir era o mais próximo em conselho com os Eldar e com Elrond; vagou no extremo Norte e Oeste e jamais fez para si uma habitação duradoura. Mas Curunír viajava com frequência para o longínquo Leste e, quando retornou, morou em Orthanc, no Círculo de Isengard.[14]

Também por volta dessa época os *Periannath*, de quem não há registros anteriores entre Elfos e Homens, são mencionados pela primeira vez em contos antigos. Eram um povo estranho e miúdo, chamado pelos Homens[15] de Pequenos, mas por si mesmo (mais tarde, no oeste de Eriador) de Hobbits. Acredita-se que habitaram longamente em

Verdemata, a Grande, ou próximo às suas beiras ocidentais, e no vale do Anduin superior. Mas, nessa época, começaram a rumar para o oeste, cruzando as Montanhas Nevoentas e entrando em Eriador. Diz-se que se mudaram de suas antigas habitações porque os Homens se multiplicaram muito àquela época; e porque uma sombra se abateu sobre Verdemata e ela se obscureceu e foi chamada de Trevamata, pois um espírito maligno se agitava ali.[16] Os Pés-Peludos foram o primeiro clã de Hobbits a adentrar Eriador.[17]

c.1100 Torna-se conhecido dos Sábios (sendo estes os chefes dos Eldar e os Istari) que um poder maligno se erguera em Trevamata e estabelecera um baluarte na colina de Dol Guldur, na porção meridional da floresta. Mas passou-se ainda algum tempo até que soubessem com certeza que esta era a sombra do próprio Sauron e que ele estava novamente desperto.

c.1150 Os Cascalvas, um clã dos Periannath, entraram em Eriador e desceram do Norte ao longo do Rio Fontegris. Por volta da mesma época, os Grados, outro clã, atravessaram o Passo do Chifre-vermelho e rumaram para o sul em direção à Terra Parda.[18]

c.1200 Sob Atanatar, o Glorioso, Gondor atinge o cume de seu poder e seu domínio se estende do Griságua, no Oeste, até o Mar de Rhúnaer, no Leste, e das beiras meridionais de Trevamata, no Norte, até a terra dos Haradrim, no Sul. Os Haradrim reconhecem a soberania de Gondor por muitos anos.

c.1300 Os Periannath ocidentais, agora majoritariamente misturados, se movem rumo ao oeste desde a região de Amon Sûl (Topo-do-Vento) e começam a fazer pequenos assentamentos entre os remanescentes dos povos do antigo Reino-do-Norte. Seu principal assentamento era na Colina de Bri e arredores.

c.1350 Seres malignos recomeçam a se multiplicar. Os Orques aumentam em número rapidamente e escavam as Montanhas Nevoentas, e atacam os Anãos. Os Espectros-do-Anel se agitam mais uma vez. O chefe deles, detentores dos Nove Anéis, torna-se o Rei-bruxo do reino de Angmar no Norte, além de Arnor, e trava guerra contra os remanescentes dos Dúnedain.

1356 Argeleb, rei em Fornost, é morto em batalha contra os reinos de Cardolan e Rhudaur, que resistem à sua reivindicação de soberania.

c.1400 Por volta dessa época, devido a dissensões e à hostilidade das terras e do clima da Eriador oriental, alguns dos Grados retornam para as Terras-selváticas e habitam próximo ao R. de Lis que corre para o Anduin. Tornam-se um povo ribeirinho, pescadores e adeptos de pequenos barcos. Outros dos Grados rumam para o norte e oeste e juntam-se aos Pés-Peludos e Cascalvas.

1409 O Rei-bruxo de Angmar, aproveitando-se da guerra civil entre os Dúnedain, vem do Norte e invade os pequenos reinos de Cardolan e Rhudaur e destrói os remanescentes dos Númenóreanos que ali habitavam. Cardolan é abandonada. Os morros desertos de Cardolan se enchem de espíritos mortais; mas em Rhudaur por muito tempo habitou um povo maligno vindo do Norte, muito afeito à feitiçaria. Os Homens de Bri e os Periannath da mesma região mantêm sua independência.

Nesse ano, 1409, o Rei Arveleg I de Fornost foi morto em batalha pelo Rei-bruxo, mas os Herdeiros de Isildur ainda resistem em Fornost com a ajuda de Lindon. Arveleg é sucedido por Araphor.

Nessa guerra, a Palantir de Amon Sûl foi destruída. Não chegou auxílio do Reino-do-Sul pois sua paz também estava perturbada por dissensões. O Rei Valakar tomou por esposa a filha de um rei estrangeiro dos Nortistas do Anduin, com quem Gondor buscara aliança e auxílio em sua guerra com os Lestenses. Nenhum rei ou herdeiro do trono de Gondor jamais havia feito isso.

1432 A guerra da Contenda-das-Famílias irrompe em Gondor. Valakar morre e a sucessão de seu filho, de sangue meio estrangeiro, é contestada por outros descendentes de Atanatar, o Glorioso. A guerra dura até 1447. Kastamir, que expulsara Eldakar, filho de Valakar, foi deposto por Eldakar e morto. Os filhos de Kastamir fogem de Gondor e fundam uma fortaleza pirata em Umbar, permanecendo em guerra com o rei.

1601 (R.C. 1)[19] Uma hoste de Periannath migra de Bri para o oeste e cruza o R. Baranduin (Brandevin). As terras mais além, entre o Baranduin e as Emyn Beraid, haviam sido propriedade dos Reis de Arnor, onde eles mantinham campos de caça e ricas fazendas; mas estavam agora descuidadas e tornando-se selvagens. O rei Argeleb II, portanto, permitiu que os Periannath se estabelecessem ali, pois eram bons lavradores.[20] Tornaram-se seus súditos nominalmente, mas eram praticamente independentes e governados por seus próprios chefes. Aumentaram em número por causa dos Grados que vieram da Eriador meridional e entraram na terra pelo sul, e habitaram mormente próximo ao Baranduin. Essa terra os Periannath, ou Pequenos, chamaram de "O Condado". O Registro-do-Condado começa com a travessia do Baranduin nesse ano.

1634 Os Corsários de Umbar mataram o Rei Minardil e assolaram Pelargir. Eram liderados por Angomaitë e Sangahyanda, netos de Kastamir.[21]

1636 Uma grande peste chega do Leste e devasta Gondor. O Rei Telemnar e todos os seus filhos morreram. A Árvore Branca de Isildur em Minas Anor secou e morreu. O poder de Gondor diminui.

1640 O Rei Tarondor removeu a casa do rei para Minas Anor. Plantou ali novamente um rebento da Árvore Branca. Osgiliath se torna deserta devido à escassez do povo e começa a cair em ruínas. A vigilância em Mordor é relaxada e as fortalezas nas passagens ficam vazias.

A peste se espalha para o norte e o oeste e vastas regiões de Eriador ficam desoladas. Mas a virulência da peste diminui à medida que passa para o oeste e os Periannath no Condado sofrem poucas perdas.[22]

c.1700 Seres malignos entram em Mordor, que está agora sem guarda, e ali fazem secretamente sua morada. A comunicação entre os reinos do Norte e do Sul cessa por muito tempo.

1850 Ataque dos Carroceiros do Leste contra Gondor. A guerra dura muitos anos.

1900 Kalimehtar de Gondor constrói a Torre Branca em Minas Anor.

1940 Mensageiros percorrem os dois reinos, já que ambos estão em perigo: no Sul devido aos Carroceiros do Leste e, no Norte, devido a renovados ataques de Angmar. Arvedui, herdeiro de Araphant de Arthedain, casa-se com Fíriel, filha do Rei Ondohir de Gondor.

1944 Ondohir e ambos os seus filhos, Faramir e Artamir, são mortos em batalha contra uma grande aliança entre os Carroceiros e os Homens de Harad. Arvedui do Norte reivindica a coroa do sul, tanto por parte de sua esposa quanto de si mesmo como representante da "linhagem mais antiga de Isildur". A reivindicação é rejeitada por Gondor e perde efeito com a morte de Arvedui; mas todos os seus descendentes, embora demasiadamente fracos para forçar sua reivindicação, continuam a afirmar que são também, por direito, reis de Gondor, sendo descendentes tanto de Isildur quanto de Anárion (por meio de Fíriel).

1960 Pelendur, regente do rei, por um período governou Gondor, mas, após um tempo, Eärnil, descendente de um rei anterior, recebe a coroa.[23]

1974 Fim do Reino-do-Norte. O Rei-bruxo destrói Fornost, devasta a terra e dispersa os remanescentes dos Dúnedain. Arvedui foge para o norte levando as Palantíri (as duas que restaram). Tenta escapar de navio para Gondor a partir de Forochel, mas se perde no mar e as Pedras desaparecem. Seus filhos se refugiam com Cirdan.[24]

1975 Cirdan de Lûn e Elrond, com a ajuda atrasada do Rei Eärnil enviada pelo mar, derrotam Angmar. O Rei-bruxo é sobrepujado e seu reino, destruído. Ele foge para o sul e chega, por fim, a Mordor.

1976 Aranarth, filho de Arvedui, refugia-se com Elrond em Imladris. Ele abandona o título de "rei", já que agora não tem povo, mas os chefes dos Dúnedain que descendem dele continuam a usar nomes com o prefixo real *Ar*, *Ara*. Os Periannath enviaram arqueiros para a Batalha de Fornost, mas, após o fim do reino, reivindicam o Condado para si. Eles elegem um Thain para tomar o lugar do rei.[25] De acordo com a sua tradição, o primeiro Thain-do-Condado independente foi um tal de Bucca de Pântano, de quem mais tarde a família Velhobuque reivindicou ancestralidade. O início de seu cargo se deu em R.C. 379.

1980–2000 O Rei-bruxo reúne os outros oito Espectros-do-Anel consigo e eles saem de Mordor, e as pessoas fogem de Ithilien aterrorizadas. Os Úlairi capturaram Minas Ithil e fizeram dela seu baluarte, de onde não foram mais expulsos enquanto durou a Terceira Era. A Palantir de Minas Ithil é capturada. Minas Ithil é renomeada Minas Morgul (Torre de Feitiçaria) e Minas Anor é chamada de Minas Tirith (a Torre de Guarda).

Também por volta dessa época, outros seres malignos são despertados. Um terror dos Dias Antigos, um Balrog das Thangorodrim, apareceu em Moria. Alguns dizem que a escavação demasiadamente profunda dos Anãos em sua busca por *mithril*, ou prata-vera, perturbou essa criatura maligna em seu sono nos fundamentos do mundo. Os remanescentes do povo de Durin são mortos pelo Balrog ou expulsos de Moria. Muitos deles viandaram para o extremo Norte, chegando mesmo às Montanhas Cinzentas ou às Colinas de Ferro.

c.2000 Curunír (Saruman), retornando do Leste, fixa residência na Torre de Orthanc, no Círculo de Isengard.[26] Era um antigo baluarte de Gondor, guardando a fronteira noroeste, mas as regiões setentrionais do reino estavam então majoritariamente vazias e o Rei Eärnil ficou contente em contar com o auxílio de Curunír contra os Espectros-do-Anel, e concedeu-lhe Isengard.

Por volta dessa época, acredita-se que Déagol, o Grado, encontrou o Anel no Anduin perto dos Campos de Lis, onde Isildur foi morto enquanto nadava. Déagol foi assassinado por seu amigo Sméagol, que tomou o Anel.

c.2010? Sméagol, agora chamado Gollum, é expulso por sua própria gente e se esconde nas Montanhas Nevoentas. Ele desaparece de todo conhecimento levando o Anel consigo.[27]

2043 Morte do Rei Eärnil. Seu filho, Eärnur (o Último Rei de Gondor nessa Era), ascende ao trono. O Senhor dos Espectros-do-Anel o desafiou para um combate.

2050 Contra o aconselhamento de Mardil, seu Regente, o Rei Eärnur aceita o renovado desafio do Senhor de Morgul para combate singular. Cavalga até os portões de Minas Morgul, mas foi traído e capturado e nunca mais visto por homens mortais. Eärnur não deixou filhos. Nenhum descendente homem (de título inequívoco ou sangue quase puro) de Anárion foi descoberto. Mardil, o bom Regente, governou o reino nominalmente "até o retorno do Rei". Anteriormente, por muito tempo a regência fora geralmente detida por um membro da mesma família (uma de ascendência quase puramente númenóreana). Ela se tornou, então, hereditária naquela família, como a realeza. Mas cada Regente assumia o cargo com a fórmula "manter o governo e o bastão até o retorno do Rei"; e não tomavam nomes oficiais em quenya, ou alto-élfico. Seus nomes eram majoritariamente de tipo noldorin, sendo esse idioma usado ainda pelos que descendiam dos Amigos-dos--Elfos de Númenor.

Após o desaparecimento de Eärnur e o fim dos reis, a Árvore Branca raramente frutificou de novo e a cada ano sua florada diminuía à medida em que ela lentamente envelhecia.

2060 O temor dos Espectros-do-Anel, ou Úlairi, espalha-se por toda parte. Os Elfos julgam que o Poder em Dol Guldur seja um deles; mas nos corações de Elrond e Gandalf cresce o temor de que a escuridão em Trevamata se prove a sombra do próprio Sauron despertando.[28]

2063 Gandalf vai sozinho a Dol Guldur em segredo para descobrir a verdade a respeito do Feiticeiro. Mas o Feiticeiro está ciente dele e, sem ter alcançado ainda grande poder, teme os olhos de Gandalf e a força dos Sábios, e abandona Dol Guldur e se esconde no Leste novamente por um tempo.

Aqui começa um tempo que é chamado de Paz Vigilante. Pois houve uma quietude longa, mas nenhuma certeza. Durante essa época, os Espectros-do-Anel nunca reapareceram em forma visível além dos muros de Minas Morgul; mas os Sábios estavam em dúvida sobre o que haveria de se passar e Gandalf fez grandes viagens para descobrir os planos e artifícios dos seus inimigos.

2300 Elrond, que permanecera inupto por todos os seus longos anos, tomou então por esposa Celebrían, filha de Galadriel e Celeborn de Lórien. Seus filhos eram os irmãos gêmeos, Elladan e Elrohir, e Arwen Undómiel, a mais bela de todas as donzelas da Terceira Era, em quem a imagem de Lúthien, sua antepassada, retornou à Terra-média. Esses descendentes eram três partes da raça-élfica, mas a sina proferida quando nasceram foi de que haveriam de viver tal como os Elfos enquanto seu pai permanecesse na Terra-média; mas, caso ele partisse, teriam a escolha de passar por sobre o Mar com ele, ou tornar-se mortais, caso ficassem para trás.

2340 Isumbras I, chefe da família Tûk no Condado, torna-se o décimo terceiro Thain, o primeiro da linhagem Tûk.[29] Após seus dias, o cargo tornou-se hereditário na família dos Tûks das Grandes Smials. Por volta dessa época, os Velhobuques ocuparam a Terra-dos-Buques, a leste do Rio Brandevin e nas bordas da Floresta Velha.

2349 Nascimento de Elladan e Elrohir, filhos de Elrond, em Imladris.[30]

2349 Nascimento de Arwen Undómiel.

2460 Após um período de quase quatrocentos anos, a Paz Vigilante termina e os poderes do mal se movem novamente. O Feiticeiro retorna a Dol Guldur com força aumentada e reúne todos os seres malignos sob seu comando.

2463 Forma-se o Conselho Branco para unir e dirigir as forças do Oeste, em resistência à sombra. Curunír (ou Saruman, o Branco) é escolhido para ser o chefe do Conselho, já que ele estudou todas as artes e planos de Sauron e seus serviçais mais a fundo. Galadriel de Lórien deseja que Gandalf seja escolhido chefe, mas ele recusa. Saruman começa seu estudo sobre os Anéis de Poder, e seus usos, e sua história.

2475 O ataque a Gondor recomeça com novo vigor nos dias de Denethor I, filho de Dior,[31] o décimo Regente. Seu filho, Boromir, derrota o inimigo em Osgiliath Oriental, mas Osgiliath é, afinal, arruinada nessa guerra e a antiga e maravilhosa ponte de pedra é partida. Os Homens de Gondor ainda mantêm o controle sobre Ithilien, mas pouco a pouco seu povo a abandona e passa para o oeste sobre o Anduin rumo aos vales das Montanhas Brancas.

2480 em diante Os Orques se multiplicam novamente em segredo e ocupam muitos lugares profundos (especialmente aqueles feitos antigamente pelos Anãos) nas Montanhas Nevoentas. Fazem isso tão furtivamente que ninguém se apercebe, até que reúnem grandes forças escondidas e estão prontos para bloquear todas as passagens de Eriador para os vales do Anduin, conforme o plano de seu mestre em Dol Guldur. Orques e Trols ocupam partes das Minas de Moria, agora vazias.

2509 Celebrían, esposa de Elrond, viaja para Lórien para visitar Galadriel, sua mãe, mas é levada por Orques nas passagens das montanhas. É resgatada por Elrond e seus filhos, mas após temor e tormento não está mais disposta a permanecer na Terra-média, e parte para os Portos Cinzentos e navega por sobre o Mar.[32]

2510 Uma grande hoste de Orques, com Lestenses como aliados, assola as fronteiras setentrionais de Gondor e ocupa uma grande parte de Calenardon. Gondor pede ajuda. Eorl, o Jovem, lidera seu povo, os Éothéod ou Rohirrim, desde o Norte, das nascentes do Anduin, e cavalga para ajudar Cirion, Regente de Gondor. Com seu auxílio, a grande vitória do Campo de Celebrant é conquistada. Elladan e Elrohir também cavalgaram naquela batalha. Daquele tempo em diante, os irmãos nunca cessam sua guerra com os Orques por causa de Celebrían. Eorl e seu povo recebem as planícies de Calenardon para morar e aquela terra é então chamada de *Rochann* (Rohan). Ali os Rohirrim vivem como homens livres, sob seus próprios reis, mas em perpétua aliança com Minas Tirith.

2569 O Paço Dourado de Meduseld é construído por Brego, filho de Eorl.

2570 Baldor, filho de Brego, faz uma jura audaz de entrar pela Porta Proibida no Fano-da-Colina e nunca mais é visto.

2590 Thrór, o Anão (da raça de Dúrin), funda o reino de Erebor (a Montanha Solitária) e se torna "Rei sob a Montanha".[33] Ele vive em amizade com os Homens de Valle, parentes próximos dos Rohirrim.

2620 Isengrim II, décimo Thain da Linhagem Tûk, nasce no Condado.

2698 Ecthelion I, Regente de Gondor, repara e reconstrói a Torre Branca de Minas Tirith, mais tarde frequentemente chamada de Torre de Ecthelion.[34]

2740– Guerras com os Orques irrompem novamente.

2747 Orques dirigindo-se para o extremo norte fazem uma incursão em Eriador. Uma grande força invade o Condado. Bandobras Tûk, segundo filho de Isumbras III, derrota-os na Batalha dos Verdescampos na Quarta Norte e mata o Chefe-órquico Golfimbul. Essa foi a última batalha na qual os Hobbits (Periannath) se envolveram até o final da Terceira Era.

2757 Rohan é atacada por Orques e Lestenses. Ao mesmo tempo, Gondor é atacada por Corsários de Umbar.

2758–9 O Inverno Longo. Helm de Rohan refugia-se dos seus inimigos no Abismo de Helm nas Montanhas Brancas.

2763 Tem início uma nova linhagem dos reis de Rohan com Fréaláf Hildeson (filho da irmã de Helm). A segunda linha de Morros do Rei tem início.

2765 Smaug, o Dragão, desce sobre Erebor e destrói o reino de Thrór, o Anão, e devasta a cidade e senhoria de Valle. Thrór e seu filho Thráin escapam com poucos apenas de seu povo.

2766 Thrór, o Anão, descendente de Durin, estando agora sem lar e destituído de seu tesouro, arrisca-se a entrar em Moria, mas é morto por um Orque no escuro. Thráin e Thorin escapam. Para vingar Thrór e na esperança de reestabelecer um reino, os Anãos dispersos da raça de Durin se reúnem no Norte e fazem guerra aos Orques das Montanhas Nevoentas. A Guerra dos Anãos e Orques foi longa e terrível, e combatida, em sua maior parte, na escuridão em lugares profundos.

2769 A Guerra de Orques e Anãos termina em uma grande batalha diante do Portão Leste de Moria: a Batalha do Vale do Riacho-escuro (Nanduhirion). Os Orques foram quase aniquilados e Moria é uma vez mais esvaziada, mas os Anãos também sofreram pesadas baixas e eram pouquíssimos ao final para reocupar Moria ou enfrentar o terror oculto. Dáin retorna às Colinas de Ferro, mas Thráin e Thorin se tornam vagantes.[35]

2790 Nascimento de Gerontius Tûk: posteriormente décimo quarto Thain[36] e conhecido como "o Velho Tûk" devido à sua idade avançada (viveu até os 130 anos).

2850 Gandalf visita Dol Guldur novamente e descobre os propósitos do Feiticeiro. Ali encontra Thráin, o Anão, filho de Thrór, e recebe dele a chave secreta de Erebor. Thráin fora até lá procurando um dos Sete Anéis; mas morre em Dol Guldur.[37] Gandalf descobre, acima de quaisquer dúvidas, que o Feiticeiro não é ninguém senão o próprio Sauron e que está novamente juntando todos os Anéis de Poder e buscando saber do destino do Um e do paradeiro dos Herdeiros de Isildur.

2851 Gandalf incita o Conselho Branco a atacar Dol Guldur, mas Saruman prevalece. Pois Saruman começou a cobiçar o poder e deseja encontrar por si só o Um Anel. Pensa que ele virá novamente à luz, buscando seu Mestre, se Sauron for deixado em paz por algum tempo. Ele não revela seus pensamentos ao Conselho, mas finge que seus estudos o levaram a acreditar que o Anel rolara Anduin abaixo até as profundas do Mar. Mas o próprio Saruman vigia o Anduin e os Campos de Lis e fortifica Isengard.

2872 Belecthor II, vigésimo primeiro Regente de Gondor, morre.[38] A Árvore Branca morre no pátio de Minas Tirith. Não se consegue encontrar rebento. A árvore morta é mantida de pé no pátio sob a Torre Branca.

c.2880 Ithilien se torna desolada e inculta e o remanescente de seu povo ruma para o oeste atravessando o Anduin até Lossarnach e Lebennin. Mas os Homens de Minas Tirith ainda retêm Ithilien como terra fronteiriça e a patrulham; eles mantêm forças nas ruínas de Osgiliath e em locais secretos em Ithilien.[39]

2885 Nos dias de Túrin II, vigésimo terceiro Regente, os Haradrim atacam Gondor e devastam Ithilien do Sul. Os Rohirrim enviam ajuda. Folcred e Fastred, filhos do Rei Folcwine de Rohan, tombam em batalha a serviço de Gondor.

2891 Bilbo nasce no Condado (sua mãe era filha do Velho Tûk).

2911 O Fero Inverno. Lobos Brancos invadem o Condado pelo Rio Brandevin congelado. Por volta dessa época, Saruman descobre que os serviçais de Sauron também estão fazendo buscas no Grande Rio perto dos Campos de Lis. Toma ciência, então, de que Sauron soube a maneira como se deu o fim de Isildur (talvez por Orques) e sente medo. Retira-se para Isengard e a fortifica, mas nada diz ao Conselho.

2920 Morte de Gerontius Tûk aos 130 anos.

2929 Arathorn, filho de Arador chefe dos Dúnedain, casa-se com Gilrain, filha de Dirhoel [> Dirhael].

2930 Arador é morto por Trols.

2931 Aragorn, filho de Arathorn, nasce.

2933 Arathorn II, chefe dos Dúnedain, é morto por Orques enquanto cavalga com Elladan e Elrohir. Seu filho Aragorn, ainda criança, é acolhido por Elrond. Elrond guarda os legados de seu pai, mas sua ascendência é mantida em segredo, já que os Sábios têm conhecimento de que Sauron está procurando pelo Herdeiro de Isildur.

2940 Thorin Escudo-de-carvalho, o Anão, filho de Thráin, filho de Thrór de Erebor, visita Bilbo no Condado na companhia de Gandalf. Bilbo parte para Valle com Gandalf e os Anãos. Bilbo se depara com Sméagol-Gollum e passa a ser dono do Anel; mas não suspeitam que Anel é esse.

Reunião do Conselho Branco. Saruman, visto que agora deseja evitar que o Feiticeiro procure no Rio, concorda com um ataque a Dol Guldur. O Feiticeiro é expulso de Trevamata. A Floresta por um tempo torna-se salubre novamente. Mas o Feiticeiro foge para o leste e retorna em segredo.

Batalha dos Cinco Exércitos acontece em Valle. Thranduil de Trevamata, os Homens de Esgaroth e os Anãos, com a ajuda das Águias das Montanhas Nevoentas, derrotam uma grande hoste de Orques. Bard de Esgaroth mata Smaug, o Dragão. Thorin Escudo-de-carvalho morre pelos ferimentos. Dáin das Colinas de Ferro entra novamente em Erebor e se torna "Rei sob a Montanha".

2941 Bilbo volta ao Condado com uma parte do tesouro de Smaug e o Anel.

2948 Théoden, filho de Thengel, rei dos Rohirrim, nasce em Rohan.

2953 Aragorn retorna de sua errância na companhia de Elladan e Elrohir. Elrond lhe revela sua ascendência e destino e lhe entrega os Fragmentos de Narsil, a Espada de Elendil. Elrond prevê que, em seus dias, ou os remanescentes de Númenor hão de se desfazer, ou os reinos de Arnor e Gondor hão de ser unidos e renovados. Ele insta Aragorn a se preparar para uma vida difícil de guerra e errância.

Arwen Undómiel havia então morado por muito tempo com Galadriel em Lórien, mas desejava rever seu pai, e seus irmãos, Elladan e Elrohir, trouxeram-na para Imladris. No dia em que sua ascendência lhe foi revelada, Aragorn se depara com ela desprevenidamente andando sob as árvores em Valfenda e, assim, passa a amá-la. Elrond se agrava, pois antevê a escolha que se colocará diante dela; e diz que Aragorn deve ao menos esperar até que tenha terminado sua missão. Ele revela que, sendo do puro sangue de Númenor, nascido com elevado propósito, Aragorn terá uma vida longa. Aragorn diz adeus a Valfenda e parte para o mundo.

Nesse momento, Sauron, tendo reunido novo poder, declara-se a si mesmo e seu verdadeiro nome novamente, e volta a entrar em Mordor que os Espectros-do-Anel prepararam para ele, e reconstrói Barad-dûr. Ela nunca fora completamente destruída e suas fundações estavam intactas, pois foram feitas pelo Poder do Um Anel. Mas Mithrandir (Gandalf) viaja por toda parte para se contrapor aos planos de Sauron e preparar Elfos e Homens para a guerra contra o Senhor de Barad-dûr.

2954 Orodruin (Monte da Perdição), há muito dormente, volta a irromper em fumaça e chama, e o medo se abate sobre Minas Tirith.

2956 Aragorn encontra Gandalf e sua grande amizade começa. Aragorn empreende grandes jornadas, até mesmo ao Leste longínquo e ao Sul profundo, explorando os propósitos de Sauron e todos os seus movimentos. Como um guerreiro desconhecido, luta a serviço de Gondor e de Rohan. Devido à sua elevada raça, a mais nobre dentre homens mortais, à proteção que teve de Elrond, aos ensinamentos de Mithrandir e às muitas façanhas e jornadas, torna-se o mais intrépido dos Homens, de sabedoria-élfica e habilidoso em ofício e saber.

2980 Aragorn, ao retornar certa vez para Valfenda dos perigos nas divisas de Mordor, passa por Lórien e ali reencontra Arwen Undómiel. É agora um homem poderoso e ela corresponde ao seu amor. Comprometem-se na colina de Cerin Amroth, em Lórien. Théoden torna-se Rei de Rohan.

2984 Denethor II torna-se o vigésimo sexto Regente de Gondor à morte de seu pai, Ecthelion II. Casou-se (tarde) com Finduilas, filha de Adrahil, Príncipe de Dol Amroth. Seu primogênito, Boromir, nasceu em 2978. Seu secundogênito, Faramir, nasceu em 2983. Sua esposa Finduilas morreu prematuramente em 2987.

2989 Na primavera desse ano, Balin, o Anão, junto com Óin e Ori e outros de Erebor, partiram para o sul e entraram em Moria.

2993 Éomer, filho de Éomund, nasce em Rohan. Sua mãe era Théodwyn, irmã mais nova de Théoden.

2996 Éowyn, irmã de Éomer, nasce.

c.3000 em diante A Sombra de Mordor rasteja pelas terras e os corações de toda a gente nas Terras Ocidentais são obscurecidos. Por volta dessa época, acredita-se que Saruman ousou usar a Palantir de Orthanc, mas foi, assim, apanhado em armadilha por Sauron, que estava de posse da Pedra de Minas Ithil (capturada muito antes pelos Úlairi). Saruman se torna um completo traidor do Conselho e de seus amigos, mas ainda planeja adquirir poder para si e procura com mais avidez pelo Um Anel. Seu pensamento se volta para Bilbo e o Condado e ele espiona aquela terra.

3001 Bilbo dá uma festa e banquete de despedida na Vila-dos--Hobbits e desaparece do Condado. Após alguma andança e uma visita a Erebor, retorna em segredo para Valfenda e ali Elrond lhe dá moradia. Gandalf finalmente também suspeita da natureza do Anel de Gollum que Bilbo deixou para seu parente e herdeiro, Frodo.

3002 Gandalf começa a investigar a história do Anel de Bilbo e, com a ajuda de Aragorn, busca notícias de Gollum.

3004 Gandalf visita o Condado novamente e continua a fazê-lo a intervalos, para observar Frodo, por alguns anos.

3009 Última visita de Gandalf a Frodo antes do fim. A caçada a Gollum começa. Aragorn vai até os confins de Mordor.

3016 Elrond manda buscar Arwen e ela retorna a Valfenda; pois as Montanhas Nevoentas e todas as terras a leste delas estão se enchendo de perigos e ameaças de guerra.

3018 Gandalf visita Frodo e revela a verdadeira natureza do Anel que ele possui. Frodo decide fugir do Condado para Valfenda, mas esperará até o outono, ou até que Gandalf retorne. Saruman, o traidor, atrai Gandalf e o aprisiona em Isengard (pouco depois do meio-do-verão). Os Espectros--do-Anel reaparecem. No meio-do-verão, Sauron faz guerra a Gondor. O próprio Rei-bruxo reaparece como o Capitão Negro das hostes de Mordor. Os filhos de Denethor repelem o ataque. Palavras em sonho instam Denethor a buscar conselho em Imladris, onde a Ruína de Isildur há de ser revelada e uma força maior do que a de Morgul há de ser encontrada. Boromir parte de Minas Tirith para Imladris.

Gandalf está ciente da chegada dos Espectros-do-Anel, mas, aprisionado em Orthanc, não consegue enviar aviso ou auxílio a Frodo.

Frodo deixa o Condado no outono, mas escapa por pouco dos Espectros-do-Anel que, na forma de Cavaleiros Negros, vieram ao norte para caçar o Anel. Assistidos por Aragorn, ele e seus companheiros alcançam Valfenda no final de outubro. Boromir chega até lá ao mesmo tempo, assim como mensageiros de Erebor (Glóin e seu filho Gimli) e de Thranduil de Trevamata (seu filho Legolas). Gandalf escapa de Isengard e alcança Valfenda.

Um grande conselho acontece na Casa de Elrond. Resolve-se tentar destruir o Anel mandando-o para o fogo de Orodruin, apesar da oposição de Sauron. Frodo, o Pequeno, aceita o periculoso ofício de Portador-do-Anel.

No fim do ano, a Comitiva do Anel ("Os Nove Caminhantes") deixa Valfenda.

3019 A Guerra do Anel começa, entre Sauron, suas criaturas e aliados no Leste e Sul (entre todos os Homens que odeiam o nome de Gondor), e os povos das Terras Ocidentais. Saruman desempenha um papel traiçoeiro e ataca Rohan. Théodred, filho de Théoden, é morto em guerra com Saruman. Boromir, filho de Denethor, é morto por Orques perto das Cataratas de Rauros. Minas Tirith é cercada por grandes forças lideradas pelo Capitão Negro e é parcialmente incendiada. Denethor se mata em desespero. Os Rohirrim em grande cavalgada rompem o cerco, mas Théoden é morto pelo Rei-bruxo. A Batalha dos Campos de Pelennor se seguiu, cuja história completa é contada alhures. A maior façanha daquele dia foi a de Éowyn, filha de Éomund. Por amor ao Rei, ela cavalgou disfarçada com os Rohirrim e estava ao seu lado quando ele caiu. Por sua mão, o Capitão Negro, o Senhor dos Espectros-do-Anel, o Rei-bruxo de Angmar, foi destruído.

Ainda assim, a batalha estaria perdida se não fosse pela chegada de Aragorn. Na hora da aflição, ele navegou Anduin acima desde o sul na frota que capturou dos Corsários de Umbar, trazendo nova força; e desfraldou o estandarte dos reis.

Após debate, a Hoste do Oeste marcha rumo ao Portão Negro de Mordor. Lá, ela é pega em armadilha e cercada pelas forças de Sauron. Mas, naquela hora, Frodo, o Pequeno, com seu fiel criado, alcançou o Monte da Perdição atravessando perigos e além da esperança, e atirou o Anel no Fogo. Então, Sauron foi desfeito e seu poder passou como uma nuvem e a Torre Sombria soçobrou em completa ruína. Esse é o Frodo que foi por muito tempo lembrado nas canções de Homens como Frodo dos Nove Dedos e renomado como um dos maiores heróis de Gondor; mas, embora isso fosse amiúde esquecido mais tarde, ele não era um Homem de Gondor e, sim, um Pequeno do Condado.

A Hoste do Oeste adentra Mordor e destrói todos os redutos-órquicos. Todos os Homens que se aliaram a Sauron são mortos ou subjugados.

No início do verão, Aragorn foi coroado Rei de Gondor em Minas Tirith, assumindo o nome de Elessar (a Pedra-Élfica). Tornou-se, portanto, Rei tanto de Arnor quanto de Gondor, e senhor supremo dos antigos aliados de Mordor, a quem concedeu, então, misericórdia e paz. Encontrou um rebento da Árvore Branca e o plantou.

No meio-do-verão, Arwen chegou com Elrond, e Galadriel, e seus irmãos e casou-se com Aragorn Elessar, e fez a escolha de Lúthien.

Em Gondor, uma nova era começou e um novo calendário foi feito de modo a começar no dia da queda de Barad-dûr, 25 de março de 3019. Mas não se diz que a Terceira Era terminou naquele dia e, sim, com a partida dos Três Anéis. Porque após a destruição do Anel Regente, os Três Anéis dos Eldar perderam sua virtude. Então, Elrond afinal se preparou para deixar a Terra-média e seguir Celebrían.

3021 No outono desse ano, Elrond, Galadriel e Mithrandir, os guardiões dos Três Anéis, cavalgaram para o oeste, passando pelo Condado, até os Portos Cinzentos. Com eles foram, conta-se, os Pequenos Bilbo e Frodo, os Portadores-do-Anel. Círdan lhes havia preparado uma nau e eles içaram vela no anoitecer e passaram para o extremo Oeste. Com seu passamento, a Terceira Era terminou, o crepúsculo entre os Dias Antigos e o Mundo-póstero que começou ali.

Aqui termina o assunto principal do Livro Vermelho. Contudo, pode-se saber mais tanto por anotações e acréscimos em letras mais recentes ao Livro Vermelho — menos fidedignas do que as partes iniciais, que se acredita terem derivado dos Pequenos que foram testemunhas reais dos feitos — quanto pelos Anais da Casa de Elessar, dos quais se preservaram porções de uma tradução dos Pequenos (feita, acredita-se, pelos Tûks).

Isto pode ser observado aqui. O reinado do Rei Aragorn foi longo e glorioso. Em seus dias, Minas Tirith foi reconstruída e tornada mais forte e mais bela do que antes; pois o rei teve a assistência dos pedreiros de Erebor. Gimli, filho de Glóin, de Erebor, fora seu companheiro e lutara em todas as batalhas da Guerra do Anel e, quando a paz se fez, trouxe parte do povo-anânico e eles habitaram nas Montanhas Brancas e fizeram trabalhos grandes e maravilhosos em Gondor. E os Anãos também forjaram novos portões grandes de *mithril* e aço para substituir os que foram quebrados no cerco. Legolas, filho de Thranduil, também fora um dos companheiros do rei e trouxe Elfos de Verdemata (nome para o qual Trevamata foi então revertido) e habitaram em Ithilien e essa se tornou a mais bela região de todas as Terras Ocidentais. Mas, após a morte do Rei Elessar, Legolas finalmente seguiu o desejo de seu coração e zarpou pelo Mar. Diz-se, no Livro Vermelho, que ele levou consigo Gimli, filho de Glóin, por causa de sua grande amizade, tal como jamais se vira entre Elfo e Anão. Mas é difícil de acreditar nisto: que um Anão esteja disposto a deixar a Terra-média por qualquer amor, ou que os Elfos o acolham em Avallon caso deseje ir, ou que os Senhores do Oeste o permitam. No Livro Vermelho, diz-se que ele também foi por desejo de rever a Senhora Galadriel, cuja beleza reverenciava; e que ela, poderosa entre os Eldar, obteve essa graça para ele. Mais não se pode dizer desse estranho assunto.

Também se diz que, em 3020, Éowyn, filha de Éomund, casou-se com Faramir, último Regente de Gondor e primeiro Príncipe de Ithilien, na casa do rei de Rohan. Éomer, seu irmão, recebeu a realeza de Théoden no campo de batalha, antes que ele morresse. Em 3022 (ou ano 1 da Quarta Era), casou-se com Lothíriel, filha de Imrahil de Dol Amroth, e seu reinado em Rohan foi longo e abençoado, e ele era conhecido como Éomer Éadig.

O Rei Elessar e a Rainha Arwen reinaram por muito tempo e em grande bem-aventurança; mas, afinal, o cansaço se abateu sobre o Rei e, então, enquanto ainda estava no vigor de mente e corpo, deitou-se à maneira dos antigos reis de Númenor e morreu, no centésimo segundo ano de seu reinado e centésimo nonagésimo ano de sua vida.

Então, Arwen partiu e morou sozinha e enviuvada nas desvanecentes matas de Loth-lórien; e veio a acontecer com ela como Elrond previra: que ela não deixaria o mundo até que tivesse perdido tudo aquilo pelo qual havia feito sua escolha. Mas, por fim, ela se deitou para repousar na colina de Cerin Amroth e estava ali seu verde túmulo até que a forma do mundo foi mudada.

De Eldarion, filho de Elessar, foi previsto que ele haveria de governar um grande reino, e que haveria de perdurar por uma centena de gerações de Homens após ele, isto é, até que uma nova era trouxesse outra vez novas coisas; e que dele descenderiam os reis de muitos reinos em longos dias posteriores. Mas, se essa previsão falava a verdade, ninguém pode agora dizer, pois Gondor e Arnor não mais existem; e mesmo as crônicas da Casa de Elessar e todas as suas façanhas e glórias estão perdidas.

O relato da história dos Reinos no Exílio em *Os Herdeiros de Elendil* — no qual ele está disposto dentro da estrutura da sucessão de reis e governantes — necessariamente se sobrepõe ao relato do Conto dos Anos, no qual ele faz parte da cronologia geral das Terras Ocidentais. Assim, seria interessante saber se meu pai escreveu o Conto dos Anos antes ou depois do manuscrito final C (sem revisão) de *Os Herdeiros de Elendil*; mas as evidências sobre esse ponto são estranhamente conflitantes. Por um lado, o registro do ano 1960 no texto C 4 parece indicar que ele precedeu o manuscrito C, no qual o interregno após a morte do Rei Ondohir foi de apenas um ano e Eärnil II subiu ao trono em 1945, e a correção ao texto (ver nota 23) foi claramente feita depois de o manuscrito ter sido completado. Há outros indicativos da mesma conclusão; assim, o trecho em 2050 a respeito dos Regentes foi retirado diretamente do texto B de *Os Herdeiros de Elendil* (ver p. 267). Por outro lado, há diversas características em C 4 que parecem demonstrar que meu pai tinha o manuscrito C diante de si, como, por exemplo, a afirmação no ano 1409 de que a *palantir* de Amon Sûl foi destruída, onde o C (antes da correção) dizia "a *palantir* é quebrada", mas o B (em um acréscimo) dizia que "ninguém sabe o que aconteceu com a Pedra" (pp. 238–9, 258); ou ainda os dois desafios feitos pelo Senhor dos Espectros-do-Anel a Eärnur, em 2043 e 2050, que muito claramente apareceram primeiro em *Os Herdeiros de Elendil* no manuscrito C (pp. 248, 269). Há grande semelhança no fraseado dos registros entre o C 4 e os textos B e C.

Poder-se-ia supor que a escrita do C 4 e a escrita do C prosseguiram em conjunto; mas os dois manuscritos são, a um só tempo, muito distintos em estilo e muito homogêneos ao longo da escrita. Cada um deles passa a impressão de ter sido escrito do começo ao fim de maneira conectada. Por outro lado, há pouca dúvida de que o C 3 e o C 4 pertençam à mesma época que *Os Herdeiros de Elendil*.

Meu pai talvez não tenha exatamente pretendido essa quase-repetição que ocorre entre as duas obras, mas é possível enxergá-la como a consequência inevitável da sua intenção na época. Esse longo Conto dos Anos, amplo na expressão, parece-me demonstrar que ele desejava, após finalmente ter terminado a história, fornecer ao leitor um "conspecto" claro e acessível (ainda no modo da história) de todos os diversos fios e narrativas que convergiram durante a Guerra do Anel: dos Hobbits, dos Magos, dos Dúnedain do Norte, dos governantes de Gondor, dos Rohirrim, dos Espectros-do-Anel, do Senhor Sombrio; também dos Altos-Elfos de Valfenda e Lindon, dos Anãos de Erebor e Moria e, mais no passado, o mundo perdido de Númenor. Esse relato (uma cronologia, mas com visão e tom narrativos) deveria ser lido ao final do livro, um Conto dos Anos no qual a história da Sociedade e a demanda do Portador-do-Anel pudessem ser vistas, quando tudo estivesse terminado, como o zênite de um processo histórico grande e de múltiplas raízes — para o qual uma cronologia era necessidade primordial. Ademais, ao final desse Conto dos Anos, ele se moveu "para fora da moldura" da história e examinou a vida posterior de Gimli e Legolas, de Faramir, e Éowyn, e Éomer, o reinado e morte de Elessar e Arwen e o reino de seu filho, Eldarion, no "Mundo-póstero".

Na discussão do Conto dos Anos da Segunda Era (p. 219), mencionei que um texto datilografado por amanuense em duas cópias (C 5) — feito de maneira muito inteligente e profissional — derivara do manuscrito C 4; e que uma das cópias foi corrigida muito radicalmente por meu pai, principalmente, ainda que não exclusivamente, para abreviar o texto pela omissão de frases que poderiam ser consideradas como não estritamente necessárias. Esse corte de frases é completamente interrompido mais para o final, no início do registro de 3019.

Não há qualquer evidência incontestável que demonstre quando o texto foi datilografado, mas acredito ter sido bastante tempo depois do manuscrito. A questão não é, em todo caso, de grande importância, pois o certo é que o texto datilografado foi enviado aos editores em 1954. Em uma carta de 22 de outubro daquele ano, Rayner Unwin disse:

> O Conto dos Anos, que estou aqui devolvendo, é interessante, mas como você, acredito, há de concordar, provavelmente longo

demais para os apêndices da maneira como está. Sugiro que se faça uma redução considerável nos relatos dos acontecimentos que já estão contados em O Senhor dos Anéis e que um estilo um tanto mais *staccato* seja adotado (fazer dele menos uma narrativa dos eventos da Terceira Era).

Foi, é claro, o texto datilografado na sua versão não revisada que meu pai enviara: a revisão (na medida em que ocasionou cortes) foi obviamente empreendida em resposta à crítica de Rayner Unwin.

Se minha interpretação acerca da intenção de meu pai para o Conto dos Anos estiver próxima da verdade, então é possível supor que ele executou o trabalho de redução com relutância; certamente, no resultado, a quantidade que se excluiu do texto original não foi, proporcionalmente, muito grande: a longa passagem conclusiva não foi tocada e o modo "narrativo" e bem-acabado foi pouco diminuído. Mas depois dessa época não há qualquer evidência externa, até onde sei, que indique se houve mais discussões sobre o assunto — se, por exemplo, meu pai recebeu uma limitação mais enfática quanto ao comprimento. De fato, não há realmente nada que demonstre que supressões posteriores muito mais drásticas não tenham sido ideia sua. Mas também não há nada que preencha a lacuna antes do texto seguinte, datilografado (no qual faltam os registros anteriores a 1900 e que é interrompido no meio do registro de 2941) já plenamente em modo "staccato" e, após muita correção, aproximando-se bastante do texto no Apêndice B. Depois dele, o único texto remanescente é o datilografado, a partir do qual o Apêndice B foi publicado.

NOTAS

1 Quanto ao nome *Dol Dûgul* em vez do posterior *Dol Guldur*, ver VIII.122. Nos manuscritos de *O Senhor dos Anéis*, está sempre grafado *Dol Dúghul* (substituindo o original *Dol Dúgol*).

2 Acerca da data em que Déagol encontrou o Um Anel, ver pp. 206–7.

3 "Tornam-se Hobbits": cf. o trecho em *A Sombra do Passado*, posteriormente revisado, citado na p. 90, §20.

4 A partir desse ponto, todas as datas são fornecidas também nos anos do Registro do Condado, mas eu não as incluo no texto. Aqui, 1600 é dado como R.C. 1, mas em todos os anais seguintes o dígito final desse ano coincide em ambos os registros, por exemplo "2940 (R.C. 1340)", como R.C. 1 = 1601. A correção para 1601 não foi feita até o terceiro texto, C 4.

5 Quanto a *Northworthy* [*Norvila*], ver p. 22 e nota 3.

6 O Rei Eärnur é nomeado no texto de *O Senhor dos Anéis*, no capítulo *A Janela para o Oeste* (DT, p. 959), uma correção tardia de *Elessar* (VIII. 187).

7 No Apêndice B, Elrond se casa com Celebrían 2.400 anos antes, no ano 100 da Terceira Era (alterado para 109 na Segunda Edição).

8 Finduilas, nome antigo de Arwen: ver VIII. 437 etc.

9 Isso foi alterado depois para "três partes de sangue-élfico".

10 Até esse ponto, o texto se conservou de forma reduzida no preâmbulo aos anais da Terceira Era no Apêndice B.

11 Eärendur: o C 3 possui, nesse ponto, Eärendil (ver p. 232).

12 Neste texto, a morte de Isildur havia sido registrada no ano 3441 da Segunda Era (p. 218).

13 No C 3, não há quaisquer registros anteriores à chegada dos Istari em c.1000, mas meu pai observou naquele manuscrito que mais precisava ser dito aqui sobre Gondor e Arnor.

14 Esse registro a respeito dos Istari foi preservado com alguma alteração no preâmbulo aos anais da Terceira Era no Apêndice B.

15 Nesse ponto, no C 3, havia "(de cuja gente eles talvez fossem um ramo)", o que foi excluído.

16 Compare esse trecho acerca da região na qual os Hobbits moravam antigamente e as razões de sua migração para o oeste com o *Prólogo*, SA, p. 40.

17 O texto C 3 possui, nesse ponto: "As famílias dos Pés-Peludos, os mais numerosos dos Periannath (ainda que esse povo fosse sempre pequeno em número), atravessaram as Montanhas Nevoentas e adentraram Eriador oriental. Os Casca-alvas, outro clã, menor, rumou para o norte ao longo das beiras da Floresta, pois a sombra era mais profunda nas regiões meridionais. Os Grados ainda se demoraram junto ao Rio".

18 No C 3, o mesmo se diz acerca dos "Casca-alvas", mas os Grados "atravessaram o Passo do Chifre-vermelho, entrando na desolada terra de Azevim".

19 Quanto à data de 1601, vernota 4. Diversos registros subsequentes são informados também no Registro do Condado, mas eu não incluí essas datas no texto publicado.

20 Compare essa passagem com o texto do *Prólogo* na p. 27. O registro no C 3, nesse ponto, começa: "Devido a um aumento no número, que se tornou grande demais para a pequena terra de Bri, muitos dos Periannath cruzaram o R. Baranduin"; o texto então é como no C 4, mas sem a referência aos Grados.

21 Tanto no texto B quanto no C de *Os Herdeiros de Elendil*, Angomaitë e Sangahyanda eram bisnetos de Kastamir (e também no Apêndice A, RR, p. 1489).

22 O registro de 1640 no C 3 termina com "Os Periannath foram pouco prejudicados, pois se misturavam pouco com outras gentes".

23 Esse registro pertence a um estágio na história de Gondor quando havia um interregno de dezesseis anos antes de Eärnil II chegar ao trono, período no qual Pelendur,

o Regente, governou o reino (ver p. 267). Isso foi posteriormente corrigido para "1945 Eärnil, descendente de um rei anterior, recebe a coroa de Gondor".

24 No C 3, diz-se que Arvedui foi morto pelo Rei-bruxo; isso aparentemente está de acordo com a versão original do texto B de *Os Herdeiros de Elendil* (pp. 259–60).

25 O C 3 diz, nesse ponto: "mas após o fim do reino eles proclamam 'O Condado' como sua própria terra e elegem um "Rei-do-Condado" dentre os seus próprios chefes." Sobre o nome *Rei-do-Condado* ou *Reidado*, veja pp. 22, 104, 138. Parece ter sido nesse registro no C 3 que Bucca de Pântano apareceu pela primeira vez.

26 Nesse registro, a chegada de Saruman a Orthanc se dá muito antes do que nos acréscimos feitos ao texto C de *Os Herdeiros de Elendil* (pp. 253–4), pelo qual "Saruman chega a Orthanc" durante o governo do Regente Beren (2743–63), e no do Regente Turgon (2914–53), "Saruman toma posse de Orthanc e a fortifica". No Apêndice B, "Saruman fixa residência em Isengard" em 2759.

27 Esses dois registros, a respeito do achado do Anel e do desaparecimento de Gollum nas Montanhas Nevoentas, estão novecentos anos depois do que no texto mais antigo (p. 278).

).

28 Com o registro de 2060, as páginas substitutas (ver pp. 279–80) começam. A entrada original desse ano começava assim:

> Forma-se o Conselho Branco para unir e dirigir a resistência contra as crescentes forças do mal, que os Sábios percebem serem todas governadas e guiadas em um plano de ódio pelos Eldar e pelos remanescentes de Númenor. O Conselho acredita que Sauron retornou. Curunír, ou Saruman, o Branco, é escolhido para ser o chefe do Conselho Branco ...

O texto original é, em seguida, o mesmo do registro que o substituiu, no ano 2463.

29 A abertura desse registro no C 3 parece ter sido escrito inicialmente assim: "Isumbras I, chefe da ascendente família Tûk, torna-se o primeiro Rei-do-Condado (Reidado) da linhagem Tûk", o que foi alterado imediatamente para "torna-se décimo sétimo [> décimo terceiro] Rei-do-Condado, o primeiro da linhagem Tûk"."

30 As datas de nascimento de Elladan, Elrohir e Arwen são fornecidas dessa forma no texto substituto, como dois registros separados do mesmo ano, 2349, sendo que o nascimento de Arwen foi alterado subsequentemente para 2359. Na versão rejeitada, seu nascimento era no ano 2400. Em concomitância com a data muito anterior, introduzida bem depois, do casamento de Elrond e Celebrían (ver nota 7), no Apêndice B, Elladan e Elrohir nasceram em 139 (alterado para 130 na Segunda Edição) e Arwen, em 241.

31 Em *Os Herdeiros de Elendil*, Denethor I era filho não de Dior, o nono Regente, mas da irmã de Dior (chamada, no texto C, de Rían): pp. 252, 271–2. — O texto rejeitado, tendo colocado a formação do Conselho Branco quatrocentos anos antes, em 2060 (nota 28), nesse ponto saiu diretamente do término da Paz Vigilante e o retorno de Sauron a Dol Guldur em 2460 para o ataque a Gondor nos dias de Denethor I. O adiamento da formação do Conselho Branco foi a razão principal para a rejeição e substituição das duas páginas no manuscrito original e os registros depois de 2436 foram copiados com poucas alterações no novo texto, até o ponto em que ele se junta novamente ao antigo, próximo ao fim do registro de 2510.

32 Assim como no texto mais antigo (p. 279), o texto C 3 afirma que Celebrían foi assassinada pelos Orques.

33 "Thrór … funda o reino de Erebor": a história dos ancestrais de Thrór ainda não surgira.

34 2698 foi o ano da morte de Ecthelion I nos textos de *Os Herdeiros de Elendil.*

35 A Guerra dos Anãos e Orques entrou na história nesse momento. Em notas rabiscadas muito difíceis ao final do C 3, meu pai se perguntou: "Quando foram as guerras de Anãos e Gobelins? Quando Moria se tornou, afinal, desolada?" Ele observou que, uma vez que as guerras foram mencionadas por Thorin em *O Hobbit*, elas "devem ter sido recentes" e sugeriu que houve "uma tentativa de entrar em Moria nos dias de Thráin", talvez "uma expedição de Erebor até Moria". "Mas a aparição do Balrog e a desolação de Moria devem ter sido mais antigas, datando até mesmo de c.1980–2000". Ele então escreveu:

> "Após a queda de Erebor, Thrór tentou visitar Moria e foi morto por um gobelim. Os Anãos reuniram uma legião e lutaram com os Orques no lado leste de Moria e fizeram grande matança, mas não puderam entrar em Moria por causa do "terror". Dáin retorna às Colinas de Ferro, mas Thorin e Thráin passam a vagar."

Os registros foram, então, adicionados ao texto do C 3, que foram incorporados ao C 4. Nesse momento, a história era que Thráin e Thorin acompanhavam Thrór, mas escaparam. — Muito tempo depois, as datas da guerra foram alteradas de 2766–9 para 2793–9.

36 "o décimo quarto Thain": isto é, da linhagem Tûk.

37 A afirmação aqui de que Thráin fora até Dol Guldur em busca de um dos Sete Anéis é estranha, pois a história de que ele recebera o anel de Thrór, o qual lhe fora tomado nas masmorras de Sauron, remonta ao texto mais antigo de *O Conselho de Elrond* (VI. 491, 498). Parece ser um lapso sem maior importância; ver mais adiante a p. 307.

[38] A data da morte do Regente Belecthor II em todos os três textos de *Os Herdeiros de Elendil* é 2872. A data 2852 nos textos posteriormente datilografados do Conto dos Anos e no Apêndice B é, evidentemente, um erro fortuito.*

[39] No texto C de *Os Herdeiros de Elendil* (p. 254), a desolação final de Ithilien, onde, contudo, Gondor mantém baluartes ocultos, está alocada nos dias do Regente Túrin II (2882–2914). No Apêndice B, o registro correspondente está no ano 2901.

Nota a alterações feitas ao manuscrito C 4 do Conto dos Anos

(i) Os Grados

c.1150 O registro original estava coberto por um pedaço de papel colado que não pôde ser removido, mas o texto embaixo dele conforme incluído (p. 283) pode ser lido com bastante certeza. A substituição difere apenas na afirmação acerca dos Grados: após chegarem a Eriador pelo Passo do Chifre-vermelho, "alguns rumaram para o sul em direção à Terra Parda; outros moraram por muito tempo no ângulo entre o Ruidoságua e o Fontegris".

c.1400 Esse registro foi excluído e substituído por outro no ano 1600, mas a data foi então alterada para 1550. É praticamente a mesma da versão rejeitada, exceto por "alguns dos Grados retornam para as Terras-selváticas", que é, ali, "os Grados setentrionais deixam o Ângulo e retornam para as Terras-selváticas".

Quanto à evolução da história inicial dos Grados, ver pp. 91–2, §§22–3.

(ii) Saruman

c.2000 A chegada muito anterior de Saruman a Isengard (ver nota 26) foi mantida, mas a menção a ele se tornar chefe do Conselho Branco em 2060 (nota 28) foi removida com o adiamento na formação do Conselho para quatrocentos anos depois (2463). Ver p. 319, nota 5.

2851 Saruman aparece depois nesse registro, que foi alterado para:

*Na edição de 2004, que serviu de base para a tradução brasileira, a data 2852 foi corrigida para 2872. [N.T.]

> Ele não revela seus pensamentos ao Conselho, mas mantém uma guarda no Anduin e nos Campos de Lis, onde ele mesmo secretamente procura pelo Um Anel.

As palavras do texto original, "e fortifica Isengard", foram presumivelmente excluídas enquanto o manuscrito estava em progresso, já que elas reaparecem no ano 2911 (de onde são, novamente, removidas).

2911 A última frase no texto original foi alterada para "Ele redobra sua busca pelo Anel, mas nada diz ao Conselho".

2940 Esse registro não foi alterado.

2953 A conclusão desse longo registro, após as palavras "pelo Poder do Um Anel", foi expandida desta forma:

> O Conselho Branco se reúne e debate os Anéis, temendo especialmente que Sauron encontre o Um. Saruman finge ter descoberto que o Um Anel desceu o Anduin para o Mar. Ele então se retira para Isengard e fortifica-a, e não mais se associa a membros do Conselho. Mas Mithrandir (Gandalf) viaja por toda parte …

O novo texto, então, retorna ao original. (A simulação de Saruman de que sabia que o Anel descera o Anduin para o Mar fora excluída do registro de 2851 e a referência à fortificação de Isengard, excluída do registro de 2911.)

c.300 A última frase do texto original foi substituída assim:

> Seus espiões lhe trazem rumores de Sméagol-Gollum e seu anel, e de Bilbo do Condado. Está furioso por Gandalf ter escondido esse assunto dele; ele espiona Gandalf e o Condado.

(iii) Gollum

c.2000 e c.2010 Esses registros a respeito do achado do Anel e do desaparecimento de Gollum foram excluídos e substituídos por acréscimos nos anos 2463 e 2470 (as datas no Apêndice B). Vários outros acréscimos sobre Gollum foram feitos, mas são muito semelhantes aos do Apêndice B. Não há menção a ele "travar conhecimento com Laracna" no ano 2980, mas um acréscimo ao registro original do ano 3001 diz "Por volta dessa época, Gollum foi capturado e levado a Mordor e ali foi aprisionado".

(iv) O retorno de Sauron a Mordor

No texto original do C 4, dizia-se no registro de 2953 que Sauron declarou a si mesmo e seu verdadeiro nome, voltou a entrar em Mordor, preparada para ele pelos Espectros-do-Anel e reconstruiu Barad-dûr. Na revisão, um acréscimo foi feito em 2941: "O Feiticeiro volta em segredo para Mordor, que os Espectros-do-Anel prepararam para ele"; e, ao mesmo tempo, o registro de 2953 foi alterado para: "Nesse momento, Sauron, tendo reunido novo poder, declara abertamente a si mesmo e seu verdadeiro nome novamente, e reivindica Soberania sobre o Oeste. Reconstrói Barad-dûr ..."

As datas correspondentes no Apêndice B são 2942 e 2951.

(v) Os Anãos

A afirmação em 2850 de que Thráin foi para Dol Guldur buscando um dos Sete Anéis (ver nota 37) foi substituída assim: "Thráin era dono do último dos Sete Anéis de Poder a sobreviver a destruição ou recaptura; mas o anel lhe foi tomado em Dol Guldur com tormento e ele morreu ali". Ao mesmo tempo, um novo registro foi acrescentado para o ano 2840: "Thráin, o Anão, vagueia e é capturado pelo Feiticeiro (por volta de 2845?)".

O registro de 2590 assinalando a fundação do reino de Erebor foi alterado para: "No Extremo Norte, dragões multiplicam-se novamente. Thrór ... vai para o sul e reestabelece o reino de Erebor ..." Ao mesmo tempo, no final do registro, este acréscimo foi feito: "Ele era o trineto de Thráin I, filho de Náin" (o que está em desacordo com a árvore genealógica no Apêndice A, RR, p. 1535: ver pp. 335–6).

Quanto à correção do registro de 1960 (a ascensão de Eärnil II ao trono de Gondor após um longo interregno), ver nota 23.

Todas as revisões aoC 4 acima foram incorporadas ao texto C 5 conforme datilografado inicialmente.

9

A Escrita do Apêndice A

(I) Os Reinos no Exílio

Assim como acontece com o importante manuscrito C 4 do Conto dos Anos incluído no capítulo anterior, acredito que anos tenham se passado após a elaboração do manuscrito C de *Os Herdeiros de Elendil* (p. 235 em diante) até que meu pai se voltasse novamente para o assunto visando sua radical alteração, quando a publicação de *O Senhor dos Anéis* estava assegurada. Seu trabalho posterior nesse tema, quase que inteiramente datilografado, é extremamente difícil de explicar.

O primeiro texto desse período posterior, que chamarei de **I**, é um datiloscrito muito descuidado que começa assim:

Os Herdeiros de Elendil

Não há espaço aqui para expor as linhagens dos reis e senhores de Arnor e Gondor, nem mesmo na forma abreviada em que aparecem no Livro Vermelho. Para compilar estes anais, os Hobbits devem ter consultado tanto os livros de saber em Valfenda quanto registros que lhes foram disponibilizados pelo Rei Elessar, tais como o "Livro dos Reis" de Gondor e a "Casa dos Regentes"; pois até os dias da Guerra do Anel, pouco conheciam de tais assuntos e, depois, interessaram-se por eles principalmente na medida em que dizia respeito a Elessar ou auxiliava na correção das datas de seus próprios anais.

A linhagem de Arnor, os Herdeiros de Isildur. Após Elendil e Isildur, houve oito altos reis em Arnor, terminando com Eärendur. O reino de Arnor então foi dividido e os reis deixaram de assumir nomes em forma alto-élfica. Mas a linhagem foi mantida por Amlaith, filho de Eärendur, que governou em Fornost.

Após Amlaith, houve treze reis[1] em Fornost, dos quais o último foi Arvedui, o vigésimo quinto da linhagem. Quando ele se perdeu no mar, a realeza chegou ao fim no Norte e Fornost foi desertada; mas a linhagem teve continuidade com os Senhores dos Dúnedain, que eram acolhidos por Elrond.

Dentre eles, o primeiro foi Aranarth, filho de Arvedui, e, depois dele, seguiram-se quinze chefes, terminando com Aragorn II, que se tornou rei novamente tanto de Arnor quanto de Gondor.

Era a marca e o prodígio da linhagem do Norte que, embora seu poder se tivesse dissipado e seu povo, se apoucado, atravessando todas as muitas gerações a sucessão foi inquebrável de pai para filho. Ademais, embora o comprimento das vidas dos Dúnedain diminuísse continuamente na Terra-média e seu declínio fosse mais rápido no Norte enquanto perduravam os reis em Gondor, mais tarde se passou o contrário; e muitos dos chefes do Norte viveram ainda o dobro da idade do mais velho dentre outros Homens. Com efeito, Aragorn viveu até os cento e noventa anos de idade, mais do que qualquer um de sua linhagem desde Arvegil, filho do Rei Argeleb II; mas com Aragorn a dignidade dos reis de outrora foi renovada e ele recebeu, em alguma medida, suas antigas dádivas.

Nas suas palavras de abertura — "Não há espaço aqui para expor as linhagens dos reis e senhores de Arnor e Gondor" —, meu pai certamente estava pensando em *Os Herdeiros de Elendil* na forma elaborada que o texto alcançara com o manuscrito C. Simplesmente expor os nomes e datas dos governantes tomaria pouco espaço, mas seria de pouca utilidade por si só. Parece claro que ele sabia ou receava que estaria sob severa restrição ao contar a história dos Reinos no Exílio; mas parece extraordinário que ele tenha se sentido obrigado a reduzir a história de Arnor e dos pequenos reinos posteriores quase a ponto de ela desaparecer.

Após o trecho incluído acima, contudo, ele continuou com *A linhagem de Gondor, os Herdeiros de Anárion* e, aqui, seguiu outro curso: fornecer "excertos" da história de Gondor. Começou com uma passagem que se conservou, pouco alterada, como o parágrafo inicial da seção *Gondor e os Herdeiros de Anárion* do Apêndice A (I, iv). Mas então prosseguiu imediatamente para "o primeiro grande mal" que se abateu sobre Gondor, a guerra civil da Contenda-das-Famílias, omitindo, portanto, os catorze séculos iniciais de sua história. Ela foi contada de maneira muito breve e seguida por um curto relato do "segundo e maior mal", a peste que chegou durante o reinado de Telemnar e, depois, "o terceiro mal", a invasão dos Carroceiros. Ele havia relatado o casamento de Arvedui, último rei do Norte, com a filha do Rei Ondohir e a grande vitória de Eärnil em 1944 quando abandonou o texto.

Poder-se-ia supor que ele percebeu que, num espaço tão curto quanto o que havia decidido ser o necessário, isso não iria funcionar. Os "excertos" não se sustentavam isoladamente sem explicação adicional. No final desse texto, ele havia escrito que o reino setentrional não conseguiu enviar auxílio a Gondor "pois Angmar renovou o ataque a Arthedain": contudo, nem Angmar e nem Arthedain haviam sido mencionados. O que se necessitava (pode-se imaginar) era um resumo da história inteira dos dois reinos, mas, como se verá num instante, isso não era de forma alguma o que ele tinha em mente.

É notável que, nesse estágio, ele tenha dito tão pouco acerca das fontes da história e parece provável que sua concepção acerca delas era ainda muito incipiente.

Em um segundo texto, **II**, ainda com o mesmo título, ele expandiu substancialmente o trecho de abertura:

Até a Guerra do Anel, o povo do Condado tinha pouco conhecimento da história das Terras Ocidentais além das tradições de suas próprias errâncias; mas, depois, tudo o que dizia respeito ao Rei Elessar se tornou de profundo interesse para eles e, na Terra-dos-Buques, os contos de Rohan não eram menos estimados. Assim, o Livro Vermelho continha, desde o início, muitos anais, genealogias e tradições dos reinos do Sul, obtidos por meio de Bilbo dos livros de saber em Valfenda, ou por meio de Frodo e Peregrin do próprio Rei e dos registros de Gondor cujo acesso ele lhes concedeu, tais como "O Livro dos Reis e Regentes" (agora perdido) e o *Akallabêth*, isto é, "A Queda de Númenor".[2] A esse assunto foram acrescentadas outras notas e contos mais tarde, por outras mãos, após o passamento de Elessar.

Não há espaço aqui para expor esse assunto, nem mesmo nas breves formas em que ele geralmente aparece no Livro; mas são incluídos alguns excertos que podem servir para ilustrar a história da Guerra do Anel, ou para completar algumas das lacunas no relato.

Meu pai agora fez referência explícita a "excertos" do Livro Vermelho. Ele manteve do texto I a brevíssima afirmação a respeito da Linhagem do Norte e, na parte da Linhagem do Sul, fez o que havia feito em I, omitindo toda a história de Gondor anterior à Contenda-das-Famílias. Mas, quando chegou à história da guerra civil, ele a ampliou dez vezes em relação ao comprimento no texto I. Pode-se perguntar qual era sua intenção agora quanto à forma e tamanho desse Apêndice, mas duvido que ele estivesse pensando em tais questões quando o escreveu. O historiador de Gondor manifestou-se de novo e ele contou a história da forma que queria contá-la.

O que é notável é que esse texto foi o antecedente imediato da história da Contenda-das-Famílias conforme publicada no Apêndice A (na Primeira Edição: na Segunda, os acontecimentos que levaram a ela foram alterados e expandidos. Ver p. 258).[3] E, após as palavras "Eldacar ... foi rei por cinquenta e oito anos, dez dos quais vividos no exílio" (RR, p. 1489), o texto II foi, por sua vez, abandonado.[4]

Em um terceiro texto, **III**, meu pai manteve a primeira página do II, trazendo as observações iniciais sobre as fontes e a breve afirmação sobre a Linhagem do Norte. Quanto à Linhagem do Sul, ele entrou, como antes, diretamente na história da Contenda-das-Famílias e trouxe o texto praticamente palavra por palavra à versão do Apêndice A da Primeira Edição. Depois, tendo falado sobre a peste e a invasão dos Carroceiros, sem expandir muito o que fora dito no texto I, ele escreveu um relato muito completo da reivindicação de Arvedui à coroa do sul: majoritariamente com as mesmas palavras do texto no Apêndice A que começam com "Quando morreram Ondohir e seus filhos ..." (RR, p. 1491), trazendo o registro da conversa entre Arvedui e o Conselho de Gondor e o surgimento de Malbeth, o Vidente, que o nomeou Arvedui quando nasceu. A única diferença é a ausência de menção ao Regente Pelendur que, segundo o texto do Apêndice A, desempenhou "o papel principal" na recusa da reivindicação.

Ele então continuou, em uma passagem que foi novamente mantida no Apêndice A (RR, p. 1492), descrevendo a mensagem de Eärnil para Arvedui, a frota enviada para o Norte sob comando de Eärnur e a destruição de Arthedain por Angmar. A história da derrota do Rei-Bruxo (RR, pp. 1493–4) ainda não fora escrita e, com uma breve referência à derrota de Angmar, meu pai continuou com "Foi assim que, no reinado do Rei Eärnil, como ficou claro mais tarde, o Rei-bruxo escapou do Norte, chegou a Mordor ...". Com a descrição do caráter de Eärnur (RR, p. 1494), o texto III termina.[5]

A esta altura, é possível ver como o longo relato dos Reinos no Exílio no Apêndice A veio a surgir. Por estranho que pareça, a evidência dos textos descritos acima só pode nos levar a esta conclusão: aquilo que começou como uma tentativa (seja lá por qual razão) de reduzir o rico material em *Os Herdeiros de Elendil* de maneira mais do que drástica desenvolveu-se gradualmente em um longo ensaio histórico belamente escrito de umas vinte páginas impressas. Na ausência de qualquer evidência externa aos próprios textos, sou completamente incapaz de explicar quais considerações tornaram isso aceitável, tendo em vista as exigências de concisão.

Há três versões de um texto curto, que chamarei de **IV** pois ele certamente seguiu o III, no qual a seção inicial do Apêndice A (I *Os Reis Númenóreanos.* (i) *Númenor*), RR, p. 1468 em diante, é vista surgindo. O parágrafo de abertura — "Fëanor foi o maior dos Eldar em artes e saber ...", sucintamente contando a história das Silmarils, a rebelião de Fëanor e a guerra contra Morgoth — não estava presente na Primeira Edição, na qual, assim como no texto IV, a seção se abria com as palavras "Houve apenas três uniões entre Altos Elfos e Homens ...". Contudo, nesse estágio meu pai ainda não introduzira a breve história de Númenor — RR, p. 1470 em diante, começando com "Como recompensa por seus sofrimentos na causa contra Morgoth ..." —, que surgira da sua tentativa de encurtar e comprimir o Conto dos Anos da Segunda Era (ver pp. 222–3), e a passagem a respeito da Escolha de Elros e Elrond, aqui chamados de *i·Pheredhil*, era diferente da publicada.

No fim da Primeira Era, uma escolha irrevogável foi dada aos Meio-Elfos sobre a gente à qual iriam pertencer. Elros escolheu ser da gente dos Homens e foi-lhe concedida uma grande duração de vida; e ele se tornou o primeiro Rei de Númenor. Seus descendentes foram longevos, mas mortais. Mais tarde, quando se tornaram poderosos, sentiram rancor da escolha de seu antepassado, desejando a imortalidade dentro da vida do mundo que era destino dos Elfos. Deste modo começou sua rebelião que, sob os ensinamentos malignos de Sauron, provocou a Queda de Númenor e a ruína do mundo antigo.

Elrond escolheu ser da gente dos Elfos e tornou-se mestre da sabedoria. A ele, portanto, foi concedida a mesma graça que àqueles dos Altos Elfos que ainda permaneciam na Terra-média: que, quando estivessem finalmente fatigados das terras mortais, poderiam tomar uma nau nos Portos Cinzentos e passar ao Extremo Oeste, apesar da mudança do mundo. Mas aos filhos de Elrond também foi designada uma escolha: passarem com ele para além dos círculos do mundo; ou, se desposassem alguém da gente dos Homens, tornarem-se mortais e morrerem na Terra-média. Para Elrond, portanto, todas as sortes da Guerra do Anel estavam repletas de pesar.

Elros foi o primeiro rei de Númenor e mais tarde ficou conhecido pelo nome real de Tar-Minyatur.

O quarto rei de Númenor foi Tar-Elendil. De sua filha, Silmarien, descendeu a linhagem dos Senhores de Andúnië, dos quais Amandil, o Fiel, foi o último.

Elendil, o Alto, era filho de Amandil. Ele foi o líder dos Fiéis remanescentes que escaparam da Queda com Nove Naus e estabeleceram reinos no exílio no Noroeste da Terra-média. Seus filhos eram Isildur e Anárion.

A seguir, no texto IV, estão as listas de reis, chefes e regentes dos Reinos no Exílio, muito parecidas com as incluídas no Apêndice A (RR, pp. 1474–76). As menções a Númenor no trecho acima foram, é claro, removidas quando o relato muito mais longo apareceu.

A Escolha dos Filhos de Elrond, da forma que está aqui, difere notavelmente da versão final na afirmação expressa de que estariam escolhendo a mortalidade caso se casassem com um mortal. No texto C 4 do Conto dos Anos (p. 288, registro do ano 2300), assim como no C 3, a escolha é (como no Apêndice A): "caso [Elrond] partisse, teriam a escolha de passar por sobre o Mar com ele, ou tornar-se mortais, caso ficassem para trás".[6]

Após o abandonado texto III, no qual o relato da Linhagem do Norte ainda se limitava a meia página, quase nada do material preliminar foi rejeitado antes do texto datilografado final, a partir do qual a seção I (iii) do Apêndice A foi publicada, *Eriador, Arnor e os Herdeiros de Isildur*. A julgar pela evidência dos textos que sobreviveram, esse datiloscrito final foi exatamente aquele no qual meu pai primeiro escreveu a história do Reino do Norte de modo contínuo e narrativo. A história de Arvedui e os Lossoth, os Homens-das-Neves de Forochel, RR, pp. 1479–80, "escreveu-se sozinha" precisamente na forma em que foi impressa. Mas é difícil acreditar nisso (ver p. 339).

No final da história dos Lossoth, contudo, é possível ver, em páginas rejeitadas, meu pai tomando exatamente um curso contra o qual se decidira. No fim do penúltimo parágrafo dessa seção (sobre as viagens do Rei Elessar até Annúminas e a Ponte do Brandevin, RR, p. 1483), ele continuou: "Arador era avô do rei", e datilografou parte de um novo texto da história de Aragorn e Arwen que, após certo ponto, foi abandonado. Sobre esse assunto, veja a seção seguinte desse capítulo, p. 326 em diante.

A seção seguinte do Apêndice A, I (iv), *Gondor e os Herdeiros de Anárion*, é um assustador complexo de páginas datilografadas. Embora seja possível destrinchar a história textual até certo ponto,[7] seria um desafio apresentá-la, o que é, de toda forma, desnecessário. O conjunto inteiro claramente pertence a uma só época. Foi aqui que novos elementos entraram na história, notavelmente a narrativa da derrota do Rei-bruxo de Angmar (RR, p. 1493) e o relato do serviço de Aragorn sob o nome de Thorongil com o Regente Ecthelion II (apenas mencionado em uma breve frase em *Os Herdeiros de Elendil*, p. 254) e seu relacionamento com Denethor (RR, pp. 1499–500).

Nota à expansão do conto da Contenda-das-Famílias na Segunda Edição

Na Primeira Edição de *O Senhor dos Anéis*, o relato da Contenda-das-Famílias (ou, mais precisamente, dos eventos que levaram a ela) era muito mais curto do que na Segunda Edição, e dizia o seguinte (correspondendo a RR, pp. 1485–6):[8]

> Ainda assim, foi só nos dias de Rómendacil II que o primeiro grande mal se abateu sobre Gondor: a guerra civil da Contenda-das-Famílias, em que grande perda e ruína foram causadas e jamais reparadas.
>
> "Os Nortistas aumentaram grandemente na paz trazida pelo poderio de Gondor. Os reis lhes eram favoráveis, uma vez que eles eram os mais próximos em parentesco, dentre os Homens menores, aos Dúnedain (já que descendiam mormente daqueles

povos dos quais provinham os Edain de outrora); e deram-lhes amplas terras além do Anduin, ao sul de Verdemata, a Grande, para serem uma defesa contra os homens do Leste. Pois no passado os ataques dos Lestenses haviam vindo principalmente por sobre a planície entre o Mar Interior e as Montanhas de Cinza.

"Nos dias de Rómendacil II seus ataques recomeçaram, porém inicialmente com pouca força; mas o Rei soube que os Nortistas nem sempre permaneciam fiéis a Gondor e que alguns uniam forças com os Lestenses, fosse por avidez de butim, fosse por intensificação das rixas entre seus príncipes.

"Portanto, Rómendacil fortificou a margem oeste do Anduin até a confluência do Limclaro e proibiu que qualquer estranho descesse o Rio além das Emyn Muil. Foi ele quem construiu os pilares das Argonath na entrada de Nen Hithoel. Mas, como necessitava de homens e desejava fortalecer o elo entre Gondor e os Nortistas, trouxe muitos deles para seu serviço e conferiu a alguns uma alta patente em seus exércitos.

"Em troca, enviou seu filho Valacar para morar por algum tempo com Vidugavia, que se intitulava Rei de Rhovanion, e era de fato o mais poderoso dentre os seus príncipes, apesar de seu próprio reino estar situado entre Verdemata e o Rio Rápido. Ali, Valacar casou-se com a filha de Vidugavia e, assim, causou mais tarde a pérfida guerra da Contenda-das-Famílias.

"Pois os altos homens de Gondor já olhavam de soslaio para os Nortistas entre eles...

A partir desse ponto, o texto da Segunda Edição retorna ao da Primeira, mas houve uma outra alteração no parágrafo seguinte, onde havia, na Primeira Edição, "À linhagem de seu pai, acrescentou o espírito indômito dos Nortistas. Quando os confederados liderados pelos descendentes dos reis se ergueram contra ele ...", inserindo a frase "Era belo e valoroso e não demonstrava sinal de envelhecer mais depressa que o pai".

Conforme mencionei anteriormente (p. 234), em 1965, um ano antes da publicação da Segunda Edição, meu pai escreveu uma nova versão desse relato. Ele a inseriu na cópia datilografada tardia, que chamei de D, de *Os Herdeiros de Elendil*. É notável que, embora esse novo texto tenha sido incorporado, de forma mais concisa, no Apêndice A, ele na verdade o escreveu como um acréscimo ao texto de *Os Herdeiros de Elendil*, para ser colocado na nota ao décimo nono rei, Rómendakil II, cujo registro (ver p. 244) ele corrigiu, no texto D, da seguinte forma (as datas se referem a nascimento, duração da vida e morte):

19	Rómendakil II (Minalkar)	1126 (Lugar-tenente do Rei 1240, Rei 1340)	240	1366

No texto da Primeira Edição, não havia referência ao nome Rómendacil como sendo o nome que o filho de Calmacil assumiu após sua vitória sobre os Lestenses em 1248 e, de fato, não há qualquer menção à vitória. Na Segunda Edição, na lista dos Reis de Gondor (RR, p. 1475), o texto original "Calmacil 1304, Rómendacil II 1366, Valacar" foi alterado para "Calmacil 1304, Minalcar (regente 1240–1304), coroado como Rómendacil II 1304, morreu em 1366, Valacar".

Não há necessidade de incluir a nova versão inteira, já que o conteúdo dela foi majoritariamente preservado no texto revisado do Apêndice A, mas há algumas porções dela que podem ser registradas. Da forma como foi originalmente composta, ela se iniciava assim:

> Narmakil[9] e Kalmakil eram, como seu pai Atanatar, amantes do ócio; mas Minalkar, primogênito de Kalmakil, era um homem de grande força, à maneira de seu bisavô Hyarmendakil, a quem reverenciava. Já no final do reinado de Atanatar, sua voz era ouvida nos conselhos do reino; e, em 1240, Narmakil, desejando livrar-se das atribuições de estado, deu-lhe o novo cargo e título de *Karma-kundo*, "Guardião-do-Elmo", ou seja, nos termos de Gondor, Lugar-tenente da Coroa ou Regente. Depois disso, tornou-se praticamente rei, embora agisse em nome de Narmakil e Kalmakil, exceto em assuntos de guerra e defesa, nos quais tinha autoridade completa. Seu reinado é, portanto, geralmente datado a partir de 1240, embora só tenha sido coroado com o nome de Rómendakil em 1304, após a morte de seu pai. Os Nortistas aumentaram grandemente na paz trazida pelo poderio de Gondor. …

Na versão longa, há uma nota de rodapé ao nome *Vinitharya*: "Esse nome, diz-se, tinha quase o mesmo significado de *Rómendakil*." Após o nascimento de Vinitharya, essa versão prossegue assim:

> Rómendakil consentiu com o casamento. Não poderia proibi-lo ou recusar-se a reconhecê-lo sem ganhar a inimizade de Vidugavia. De fato, todos os Nortistas teriam se encolerizado e não se poderia mais confiar naqueles a seu serviço. Portanto, ele esperou com paciência até 1260 e, então, revocou Valakar, dizendo que era hora de ele tomar parte nos conselhos do reino e no comando de seus exércitos. Valakar retornou a Gondor com sua esposa e filhos; e com eles veio uma corte de nobres homens e mulheres do Norte. Foram acolhidos e, àquela época, tudo parecia estar bem. Apesar disso, nesse casamento jaziam as sementes do primeiro grande mal que se abateu sobre Gondor: a guerra civil da Contenda-das-Famílias, que trouxe perda e ruína ao reino que jamais foram completamente reparadas.
>
> Valakar deu a seu filho o nome de Eldakar para uso público em Gondor; e sua esposa se portava com sabedoria e mostrava-se afável a todos os que a conheciam. Aprendeu bem a fala e os costumes de Gondor e dispunha-se a ser chamada pelo nome Galadwen, uma versão de seu nome setentrional no idioma sindarin. Era uma senhora bela e nobre de elevada coragem, a qual transmitiu a seus filhos; mas, embora tenha vivido até avançada idade, como se considerava entre seu povo, morreu em 1344 [*em uma cópia* > 1332]. Então, o coração de Rómendakil pesou, pressentindo as atribulações que estavam por vir. Há muito fora coroado rei e o fim de seu reinado e de sua vida estavam se aproximando. Os homens já aguardavam o consentimento de Valakar, quando Eldakar se tornaria herdeiro da coroa. Os altos homens de Gondor há muito olhavam de soslaio para os Nortistas entre eles, que se portavam mais soberbamente desde a chegada de Vidumavi. Entre os Dúnedain já corriam rumores de que jamais se ouvira antes falar que o herdeiro da coroa, ou qualquer filho do Rei, haveria de se casar com alguém de raça menor e vida curta; era de se temer que seus descendentes se mostrassem ser iguais e decaíssem da majestade dos Reis de Homens.

20	Valakar	1194	238	coroado 13661432

Valakar era um rei vigoroso e seu filho Eldakar era um homem de grande estatura, belo e valoroso, e não demonstrava sinal de envelhecer mais depressa que o pai. No entanto, o descontentamento cresceu continuamente durante seu reinado; e, quando envelheceu, já havia rebelião aberta nas províncias meridionais. Ali, juntaram-se muitos dos que declaravam que jamais aceitariam como rei um homem de raça meio estrangeira, nascido em um país estranho. "Vinitharya é o seu verdadeiro nome," diziam. "Que ele volte para a terra a que pertence!"

NOTAS

1 "treze reis" é um erro onde deve ser "catorze reis".

2 Isso foi quase exatamente mantido na abertura do Apêndice A da Primeira Edição, até a menção ao *Akallabêth*, mas *O Livro dos Reis e Regentes* foi separado em duas obras que não se afirmava terem sido perdidas. (A antiga abertura do Apêndice A foi substituída, na Segunda Edição, por um texto completamente novo e a *Nota sobre os Registros do Condado* foi acrescentada ao final do Prólogo.)

O texto publicado na época continuava assim:

> De Gimli sem dúvida derivaram as informações a respeito dos Anãos de Moria, pois ele permaneceu muito ligado tanto a Peregrin quanto a Meriadoc. Mas, ao que parece, apenas de Meriadoc derivaram os contos da Casa de Eorl; pois ele voltou a Rohan muitas vezes e conta-se que aprendeu o idioma da Marca. Nesse assunto, a autoridade de Holdwine é frequentemente mencionada, mas esse parece ter sido o nome que o próprio Meriadoc recebeu em Rohan. Algumas das notas e contos, no entanto, foram claramente acrescentados por outras mãos em épocas posteriores, após o passamento do Rei Elessar.
>
> Muito desse saber aparece na forma de notas à narrativa principal e, nesses casos, geralmente se o incluiu nela; mas o material adicional é muito extenso, ainda que seja frequentemente exposto de forma breve e analística. Apenas uma seleção dele é apresentado aqui, novamente muito reduzido, mas com o mesmo objetivo que os compiladores originais parecem ter tido: ilustrar a história da Guerra do Anel e suas origens e completar algumas lacunas no relato principal.

A ausência, no presente texto, às menções a Gimli e Meriadoc como fontes possivelmente sugere que meu pai ainda não havia decidido incluir seções acerca de Rohan e dos Anãos nesse Apêndice (embora existissem breves textos intitulados *A Casa de Eorl* e *Da Raça de Durin*).

3 Faltava, nessa versão, o relato da grande coluna branca erguida acima do porto de Umbar em memória do aportamento de Ar-Pharazôn na Segunda Era (RR, p. 1488). O nome do Rei de Rhovanion era Vinitharya; isso foi corrigido, no texto datilografado, para Vidugavia, e o nome Vinitharya se tornou o de Eldakar na juventude.

4 No alto da página em que esse relato começa, meu pai escreveu, naquele momento ou depois, "Anal-hobbit da Contenda-das-Famílias".

5 Depois das palavras "Muitas das pessoas que ainda restavam em Ithilien abandonaram-na", o texto III continua: "Foi neste momento que o Rei Eärnil entregou Isengard para Saruman". Isso está em conformidade com a afirmação no texto C 4 do Conto dos Anos, no registro c.2000: ver p. 287 e nota 26, e 305–6 p. 251.

6 Em duas versões anteriores do texto IV, a conclusão do trecho foi estendida, sendo que, na primeira, lia-se:

> Portanto, para Elrond, todas as sortes da Guerra do Anel trariam pesar: fugir com sua parentela da ruína e da conquista da Sombra, ou separar-se de Arwen para sempre. Pois ou Aragorn pereceria (e ele o amava não menos do que a seus filhos), ou desposaria Arwen, sua filha, quando reconquistasse sua herança, conforme a condição que o próprio Elrond impusera quando o amor deles foi primeiro revelado. (Ver III.252, 256).

7 O uso quase exclusivo que meu pai fez da máquina de escrever nessa época dificulta em muito a elucidação da história textual. Seu método natural de composição manuscrita estava inibido e ele constantemente re-datilografava porções das páginas sem numerá-las.

8 As aspas indicavam "excertos reais dos anais e contos mais longos que se encontram no Livro Vermelho".

9 Nesse texto, meu pai voltou a usar *k* em vez de *c*.

(II) O CONTO DE ARAGORN E ARWEN

Dos textos de *Aragorn e Arwen*, o mais antigo na sucessão é muito claramente também o primeiro que de fato foi escrito sobre o conto. Ele não era "uma parte do conto", como veio a ser chamado no Apêndice A, e foi, na verdade, concebido de maneira muito diferente. Trata-se de um manuscrito descuidado e muito corrigido que chamarei de **A** e uma parte dele está datilografada (não de maneira separada, mas partindo do manuscrito e retornando a ele nas mesmas páginas). A menos que essa peculiaridade em si sugira que ele seja contemporâneo ao trabalho tardio nos Apêndices, parece não haver evidência clara e certa de sua data relativa; mas sua peculiar história subsequente talvez indique que ele já existia havia algum tempo quando meu pai estava trabalhando na narrativa dos Reinos no Exílio descrita na seção anterior.

O manuscrito, que leva o título *De Aragorn e Arwen Undómiel*, começa assim:

Nos dias posteriores da última era [> Antes que os Dias Antigos estivessem terminados],[1] antes da Guerra do Anel, havia um homem chamado Dirhael [> Dirhoel], e sua esposa era Evorwen [> Ivorwen], filha de Gilbarad, e eles moravam em um baluarte oculto nos ermos de Eriador; pois eram do antigo povo dos Dúnedain, que outrora foram reis de homens, mas agora estavam imersos em dias obscurecidos. Dirhael [> Dirhoel] e sua esposa eram de alta linhagem, sendo do sangue de Isildur, ainda que não da linhagem direta dos Herdeiros. Ambos enxergavam muitas coisas no futuro. Sua filha era Gilrain, uma bela donzela, destemida e forte como todas as mulheres daquela gente. Arathorn, filho de Arador que era Chefe dos Dúnedain do Norte, buscou casar-se com ela.

Arathorn era um homem sisudo de idade adulta; pois os Herdeiros de Isildur, sendo homens de vida longa (até mesmo oito vintenas de anos e mais) que viajavam muito e amiúde enfrentavam grandes perigos, não tinham o costume de se casar até que tivessem laborado muito no mundo. Mas Gilrain era mais jovem do que a idade na qual as mulheres dos Dúnedain soíam casar-se; e ela não desejava ainda ser esposa, e buscou o conselho dos seus pais. Então, Dírhael falou: "Arathorn é um homem poderoso, e será Senhor dos Dúnedain mais cedo do que os homens creem, mas também logo não será mais senhor; pois previ que terá vida curta"." Mas Evorwen disse: "Pode bem ser que sim, mas se esses dois se casarem, seu filho há de ser grande entre os grandes nesta era do mundo e há de levar os Dúnedain para fora das sombras"."

Assim, Gilrain consentiu e casou-se com Arathorn; e veio a acontecer que, após um ano, Arador foi apanhado por trols e morto nos Morros Frios, e Arathorn tornou-se Senhor dos Dúnedain; e de novo após um ano, sua esposa lhe deu um filho, e chamaram-no

Aragorn. E Aragorn, sendo agora o filho do Herdeiro de Isildur, foi com sua mãe morar na Casa de Elrond em Imladris, pois esse era o costume naqueles dias, e Elrond estava de posse dos legados dos Dúnedain, sendo os principais os fragmentos da espada de Elendil, que viera para a Terra-média de Númenor quando de sua queda. Em sua infância, Arathorn também fora criado naquela casa e era amigo de Elladan e Elrohir, os filhos de Elrond, e amiúde saía para caçar com eles. Ora, os filhos de Elrond não caçavam feras selvagens, mas perseguiam Orques onde quer que pudessem encontrá-los; e isso faziam por conta de Celebrían, sua mãe, filha de Galadriel.

Certa vez, havia muito tempo, enquanto ela atravessava as Montanhas para visitar sua mãe na Terra de Lórien, Orques emboscaram a estrada e ela foi levada cativa por eles e atormentada; e, embora tenha sido resgatada por Elrond e seus filhos, e levada para casa e cuidada, e as feridas de seu corpo, curadas, ela jazia sob uma grande nuvem de medo e não mais amava a Terra-média; até que, por fim, Elrond atendeu sua súplica e ela passou para os Portos Cinzentos e foi para o Oeste para nunca mais voltar.

Assim ocorreu que, quando Aragorn tinha apenas dois anos de idade, Arathorn saiu em cavalgada com os filhos de Elrond e lutou com Orques que haviam feito uma incursão em Eriador e foi morto, pois uma flecha-órquica lhe perfurou o olho; e assim ele de fato demonstrou ter vida curta para alguém de sua raça, tendo não mais do que sessenta invernos quando tombou.

Mas o filho, Aragorn, tornou-se assim prematuramente Chefe dos Dúnedain, e foi criado na Casa de Elrond, e lá foi amado por todos, e Elrond era um pai para ele. Aprumado e alto ele cresceu, com cinzentos olhos perspicazes e austeros, e era intrépido, valente e forte no temperamento, e ávido por aprender todo o saber de Elfos e Homens.

E quando ainda era jovem, mas também forte, partiu com Elladan e Elrohir e aprendeu muito de caçada e de guerra, e muitos segredos dos ermos. Mas nada sabia de sua própria ascendência, pois sua mãe não lhe falava dessas coisas, nem ninguém naquela Casa; e era a pedido de Elrond que esses assuntos eram mantidos em segredo. Pois havia àquela época uma Sombra no Leste que se rastejava por muitas terras e enchia os Sábios de maus pressentimentos, pois haviam descoberto que esta era de fato a sombra de

Sauron, o Senhor Sombrio que retornara à Terra-média, e que ele desejava encontrar o Um Anel que Isildur tomara, e buscava saber se algum herdeiro de Isildur ainda vivia sobre a terra; e os espiões de Sauron eram muitos.

Mas, afinal, quando Aragorn tinha vinte anos de idade, ocorreu que ele voltou a Imladris ...

Deixo o manuscrito original nesse ponto, pois é o bastante para mostrar a natureza de sua relação com o texto publicado: este último marcado por uma redução geral, uma compressão do que foi mantido e a omissão de passagens alusivas, notavelmente a história de Celebrían.[2] Mas, como será visto, a razão para isso não foi — pelo menos não primariamente — resultado de uma visão crítica assumida por meu pai quanto à narração do conto, mas, sim, do uso que pensou em fazer do conto mais tarde.

A partir desse ponto, a versão final não contradiz o texto original e, de fato, é mais parecido com ele do que na parte que acabo de citar,[3] até o ponto em que Aragorn e Arwen se comprometem sobre a colina de Kerin Amroth (RR, p. 1507); logo após isso, contudo, o texto diverge completamente.

E, ali, no alto daquela colina, olharam para o leste na direção da sombra e para o oeste na direção do crepúsculo, e empenharam-se um com o outro e estavam contentes. E, contudo, muitos anos ainda havia entre eles.[4]

Pois quando Elrond soube da decisão da filha, não a proibiu; mas disse a Aragorn: "Não até que tenhas atingido plena estatura te casarás com Arwen Undómiel, e ela não há de ser noiva de ninguém menos que um rei tanto de Gondor quanto de Arnor."

Mas os dias se obscureceram na Terra-média à medida que o poder de Sauron crescia e, em Mordor, a Torre Sombria de Barad-dûr se erguia cada vez mais alta e forte. E embora Aragorn e Arwen às vezes se reencontrassem brevemente, seus dias estavam cindidos. Pois o tempo se passou então até a Guerra do Anel no final daquela era do mundo ...

Depois disso há uma longa passagem (mais de 500 palavras, com uma parte rejeitada e substituída por uma nova versão) em que a história da guerra é contada em resumo: fala de Mithrandir e dos Pequenos, das dúvidas dos Sábios, dos Espectros-do-Anel, da Comitiva do Anel e da demanda do Portador-do-Anel; e depois, mais expressamente, de Aragorn, das Sendas dos Mortos, dos Campos de Pelennor, da batalha diante do Morannon e sua coroação junto aos portões de Minas Tirith. Ao fim, o conto se encaminha rapidamente para a conclusão:

E quando tudo isso foi feito, Elrond saiu de Imladris e Galadriel, de Lórien, e eles levavam consigo Arwen Undómiel, Vespestrela de seu povo. E ela fez a escolha de Lúthien, tornar-se mortal e permanecer na Terra-média, e casou-se com Aragorn, filho de Arathorn, Rei de Gondor e Arnor, e era Rainha e Senhora de Elfos e Homens.

Assim terminou a Terceira Era. E, no entanto, conta-se que o mais amargo entre todos os pesares daquela era foi a despedida de Arwen e Elrond. Pois foram separados pelo Mar e por uma sina além do fim do mundo. Pois quando o Grande Anel foi desfeito, os Três Anéis dos Elfos finaram-se também, e Elrond finalmente cansou-se da Terra-média e partiu em busca de Celebrían, e jamais voltou. Mas Arwen tornou-se uma mulher mortal e, no entanto, não era sua sorte morrer antes de perder tudo o que ganhara. Pois embora tenha vivido com Aragorn por cinco vintenas de anos e grande tenha sido a glória deles juntos, finalmente ele disse adeus e deitou-se, e morreu antes que a velhice o emasculasse. Mas ela deixou a cidade e seus filhos, e foi-se embora para a terra de Lórien, e ali morou a sós sob as árvores que murchavam: pois Galadriel também partira e Lórien estava definhando. E então, por fim, conta-se que ela se deitou para repousar em Kerin Amroth; e estava ali seu verde túmulo, até que todo o mundo fosse mudado, e todos os dias de sua vida fossem totalmente esquecidos pelos homens que vieram depois, e elanor e nifredil não florescessem mais a leste do Mar.[5]

Esse manuscrito inicial foi seguido por uma cópia datilografada bem-feita (**B**), na qual apenas poucas e pequenas alterações foram introduzidas.[6] Mas toda a parte final dele, a partir do início do relato sobre a Guerra do Anel e suas origens, foi excluída e meu pai anexou ao texto novas páginas nas quais ampliou esse relato a quase o dobro do tamanho original. A maior parte dessa nova versão foi então novamente reescrita de forma ainda mais comprida e anexada como um adendo ao texto datilografado. Tornou-se agora muito menos um resumo do que era inicialmente, e a sua função na obra como um todo é vista claramente. "Era o papel de Aragorn," meu pai escreveu, "conforme Elrond previu, ser o principal Capitão do Oeste e, por sua sabedoria — mais do que por sua bravura —, reparar o passado e a insensatez de seu ancestral Isildur". Cito uma parte do texto em sua forma final.

Assim começou a Guerra do Anel; e os fragmentos da espada de Elendil foram forjados outra vez, e Aragorn, filho de Arathorn, ergueu-se e cumpriu seu papel, e sua bravura e sabedoria foram reveladas aos Homens. Canções foram feitas mais tarde em Gondor e Arnor sobre suas façanhas naqueles dias que foram lembradas por muito tempo, mas que não estão inteiramente contadas aqui. Não era sua incumbência levar o fardo do Anel, mas ser um líder nas batalhas pelas quais o Olho de Sauron se voltou para longe de sua própria terra e do perigo secreto que se arrastava em sua direção no escuro. De fato, conta-se que Sauron acreditava que o Senhor Aragorn, herdeiro de Isildur, encontrara o Anel e o tomara para si, tal como seu antepassado fizera, e erguia-se agora para desafiar o tirano de Mordor e se colocar em seu lugar.

Mas não foi assim, e principalmente nisto Aragorn revelou sua força; pois embora o Anel de fato tivesse chegado ao seu alcance, não o tomou e recusou-se a manejar seu maligno poder, mas deixou-o para o juízo de Elrond e para o Portador que ele designou. Pois o duro conselho de Elrond foi que, ainda que sua necessidade parecesse desesperada e a hora, demasiado tardia, assim mesmo o Anel deveria ser levado em segredo, se possível, à terra do Inimigo, e lá atirado no fogo do Monte da Perdição em Mordor, onde fora feito. Aragorn guiou o Portador-do-Anel na longa e perigosa jornada desde Imladris, no Norte, até que ele se perdeu nas colinas selvagens e passou para além da possibilidade de ajuda dos seus amigos. Então, Aragorn voltou-se para a guerra e a defesa da Cidade de Gondor, Minas Tirith sobre o Anduin, o último bastião das terras ocidentais contra os exércitos de Sauron.

Durante todo esse tempo, enquanto o mundo se obscurecia e Aragorn estava longe em labor e perigo, Arwen permaneceu em Imladris; e lá, à distância, ela o vigiava em pensamento e, na esperança sob a Sombra, teceu-lhe um estandarte grande e régio, como poderia ser exibido apenas por quem reivindicasse o domínio dos

Númenóreanos e a herança de Elendil e Isildur. E este ela lhe enviou pelas mãos da gente dele, os últimos dos Dúnedain do Norte; e eles vieram até Aragorn na planície de Rohan, após as batalhas nas quais Saruman, o traidor, foi sobrepujado e Isengard, destruída, e entregaram a Aragorn o estandarte de Arwen e sua mensagem; pois ela lhe pediu que se atentasse para o perigo vindo do mar e que trilhasse as Sendas dos Mortos. Ora, era um caminho sob as Montanhas Brancas de Gondor que homem nenhum ousava trilhar por causa dos espectros sinistros dos Homens Esquecidos que o guardavam. Mas Aragorn ousou trilhar aquele caminho com a Companhia Cinzenta do Norte, e atravessou-o, e chegou às praias do mar sem ser visto por amigo ou inimigo. Assim, capturou os navios do Inimigo e subiu das profundezas pelas águas do Anduin ao socorro de Gondor na hora de seu desespero; pois a cidade de Minas Tirith estava cercada pelos exércitos de Mordor e perecendo em chamas. Então foi lutada e vencida, além da esperança, a grande batalha dos Campos de Pelennor, e o Senhor dos Cavaleiros Negros foi destruído; mas Aragorn desdobrou o estandarte de Arwen, e naquele dia os homens aclamaram Aragorn como rei pela primeira vez.

Ao fim desse relato sobre a importância decisiva de Aragorn na Guerra do Anel, o desenlace revisado da história no texto datilografado B termina com o adeus a Arwen no momento da sua morte quase exatamente como está no Apêndice A.[7] As páginas originais manuscritas nas quais meu pai primeiro escreveu essa inspirada passagem estão preservadas. Ele as escreveu tão rapidamente que, sem o texto posterior, quase nenhuma palavra seria interpretável.

O texto revisado em B se encerra com as palavras "Aqui termina o conto dos Dias Antigos". Meu pai alterou isso à mão, escrevendo "Aqui termina o Conto, e com o passamento da Vespestrela, tudo está dito sobre os dias Antigos".

Para recapitular brevemente, o texto datilografado B, conforme feito originalmente, era pouco mais do que uma versão clara do descuidado manuscrito original A. Sua última parte foi reescrita e expandida (o papel de Aragorn na Guerra do Anel e seu diálogo com Arwen no leito de morte) e incorporada no texto datilografado. Depois, meu pai datilografou outro texto (**C**), que era uma cópia limpa do texto conforme estava agora em B, muito do qual, na verdade, pouco necessário. Nesse estágio, portanto, nada da compressão e das pequenas mudanças de estilo que distinguem o manuscrito original da versão final no Apêndice A havia entrado. Ele ainda começava com "Antes que os Dias Antigos estivessem terminados", ainda incluía a história de Celebrían e, é claro, o importante elemento do papel de Aragorn na Guerra do Anel; em relação à versão final, faltava nele apenas a despedida de Aragorn e sua mãe Gilrain (RR, pp. 1508–9).

É difícil dizer como meu pai enxergava *Aragorn e Arwen* naquela época, quando ele sentiu claramente que chegara na forma final, ou onde deveria ser alocado. Ele despendeu muito esforço com a história de Aragorn que depois se perdeu. Encerrou-a de modo muito cabal: "Aqui termina o Conto, e com o passamento da Vespestrela, tudo está dito sobre os dias Antigos". Será possível que sua intenção fosse colocá-lo como elemento final de *O Senhor dos Anéis*?

A história subsequente é muito curiosa. Eu mencionei (p. 313-4) que, enquanto escrevia a narrativa do Reino do Norte, ele fez experimentos com a introdução da história de Aragorn e Arwen. Ela deveria seguir-se ao relato de como, quando o Rei Elessar vinha para o Norte, Hobbits do Condado o visitavam em sua casa em Annúminas (RR, p. 1483); e ela entra na página datilografada com brusquidão extraordinária (mesmo levando em conta o artifício usado para justificar tais transições de que havia supostos excertos de fontes escritas):

> … e alguns cavalgam para longe com ele e ficam em sua casa por quanto tempo querem. Mestre Samwise o Prefeito e o Thain Peregrin estiveram ali muitas vezes.
>
> Arador foi o avô do Rei. …

Pode parecer que meu pai não sabia o que fazer com a história ou, antes, talvez não soubesse o que seria possível fazer com ela. Mas foi neste ponto, muito estranhamente, que apareceram pela primeira vez a abreviação, a compressão e a "redução" estilística que distinguem a versão final de *Aragorn e Arwen* da versão original. O texto nessas páginas abandonadas de "Os Reinos no Exílio" é — mesmo que não exatamente em todos os pontos — o da história no Apêndice A.[8] Ele chegava apenas até as palavras "Ela não há de ser noiva de Homem menor que o Rei de Gondor e também

Arnor" (RR, p. 1508); mas, em notas manuscritas que o acompanham, meu pai esboçou uma redução da história do papel de Aragorn na Guerra do Anel para apenas algumas linhas, pois esse elemento na história original era, é claro, completamente incompatível com o lugar onde estava — o que pareceria, de todo modo, impróprio e insatisfatório. Ele obviamente pensou o mesmo. Mas é interessante ver que, no texto datilografado final do qual derivou a história como ela está no Apêndice A, no alto da primeira página ainda constam as palavras "Mestre Samwise o Prefeito e o Thain Peregrin estiveram ali muitas vezes", excluídas e substituídas por "Aqui segue-se uma parte do Conto de Aragorn e Arwen". "Uma parte", presumivelmente, porque muito havia sido eliminado.

Algumas mudanças foram feitas a essa última versão datilografada do conto, entre elas a substituição de *Amin* por *Estel* (ver nota 8) em todas as ocorrências e a introdução da partida de Gilraen de Valfenda (RR, pp. 1508–9) e sua despedida de Aragorn com as palavras *Onen i-Estel Edain, ú-chebin estel anim.*

Assim, o propósito original do conto de Aragorn e Arwen foi perdido; mas a verdadeira razão para isso foi a tentativa abandonada de inseri-lo dentro da história do Reino do Norte. Não sei dizer mais nada sobre esse estranho assunto.

NOTAS

1 Assim também Aragorn disse a Arwen em seu leito de morte, que era "o último rei dos Dias Antigos" (RR, p. 1510) e, no final do texto B da versão primária, "com o passamento da Vespestrela, tudo está dito sobre os dias Antigos" (p. 325). Ver p. 214 e nota 7.

2 Por outro lado, enquanto a ocultação da ascendência de Aragorn em sua juventude estava presente na versão original do conto, a atribuição a ele de outro nome (*Estel* na versão final, ver nota 8) não estava.

3 A distinção entre "thou" [tu] e "you" [vós] foi feita de maneira clara no manuscrito original, embora ocasionalmente confundida por descuido, e foi mantida e apurada no texto que se seguiu: assim, Aragorn usa "vós" com Elrond, e com Arwen no seu primeiro encontro, ao passo que Elrond e Arwen se dirigem a ele com "tu, ti".

4 Desse modo, as palavras que trocaram em Kerin Amroth, a respeito da Sombra e do Crepúsculo, não estavam ainda presentes; ver nota 6.

5 No texto publicado, as últimas frases foram colocadas no tempo presente. Mas, quando meu pai escreveu *Aragorn e Arwen,* ele não o concebia como uma citação de uma fonte antiga e não a colocou inteiramente entre aspas.

6 A esse texto foram inseridas, em um aditamento, as palavras de Aragorn e Arwen em Kerin Amroth (ver nota 4); mas, após as palavras de Arwen, o trecho se encerrava assim: "Pois grande era o seu amor pelo pai; mas Aragorn ainda não compreendia inteiramente suas palavras".

7 Havia algumas diferenças em relação à versão final. Quando Arwen falou da "dádiva de Eru Ilúvatar", amarga de se receber, Aragorn respondeu: "Amarga, é verdade. Mas não nos transtornemos na provação final, nós que outrora lutamos contra a Sombra. Com pesar devemos ir-nos, pois o pesar nos foi designado; e, em verdade, por meio do pesar não fazemos mais do que dizer que é bom aquilo que termina. Mas não vamos com desespero". Ele chamou a si mesmo de "o último Rei dos Dias Antigos" (ver nota 1) mas, quando estava morto, "por muito tempo jazeu ali, imagem do esplendor dos Reis de Homem em glória que não se turva antes do passamento dos Dias Antigos e da mudança do mundo": isso foi alterado, no texto datilografado, para "antes do rompimento do mundo". E, no momento de sua morte, Arwen não exclamou "Estel, Estel!", pois o nome que lhe foi dado na juventude ainda não surgira (ver notas 2 e 8).

8 Foi neste texto que o nome de Aragorn em Valfenda apareceu, mas aqui ele era *Amin* e não *Estel*, embora fosse igualmente traduzido como "Esperança". Aqui, o nome da mãe de Aragorn tornou-se *Gilraen* onde antes era *Gilrain*, e o pai de Ivorwen, Gilbarad, desapareceu.

(III) A CASA DE EORL

A história do Apêndice A II, *A Casa de Eorl*, não apresenta surpresas. Do período inicial do trabalho de meu pai nos Apêndices há três breves textos, aos quais me referirei como **I**, **II** e **III**, provavelmente escritos em célere sequência e, com o terceiro, ele evidentemente atingira uma formulação satisfatória de tudo o que desejava dizer dos governantes da Marca. Julgo eu que, depois disso, deixou-o de lado por muito tempo.

Aparentemente, os nomes dos Reis da Marca foram postos no papel pela primeira vez no curso da escrita do capítulo *O Último Debate*: quando Gimli, em sua história sobre as Sendas dos Mortos — na época alocada nesse ponto da narrativa —, falou do esqueleto em cota de malha junto à porta fechada e as palavras de Aragorn, "Aqui jaz Baldor, filho de Brego", meu pai interrompeu a história com a lista de nomes, à qual acrescentou datas pelo Registro-do-Condado (ver VIII. 479). Concluí que somente as datas de Fengel, Thengel e Théoden eram contemporâneas à elaboração do manuscrito, mas é um fato surpreendente que, já naquela época, as datas desses reis não eram muito diferentes das encontradas no Apêndice A (RR, p. 1520). Especialmente notável é o ano do nascimento de Théoden, R.C. 1328 = 2928. No texto I, ela permanece 2928 (tanto no I quanto no II, as datas ainda eram fornecidas pelo Registro-do-Condado, mas é mais conveniente convertê-las); e também no II, mas corrigida depois para 2948 (a data final). No rascunho manuscrito C 3 do Conto dos Anos, era 2928, mas, no C 4 (p. 293), era 2948. Isso basta para mostrar que esses textos iniciais de *A Casa de Eorl* eram contemporâneos aos textos do Conto dos Anos.

Nos primeiros dois textos, meu pai estava principalmente interessado na elaboração da cronologia em detalhe, e elas consistem apenas nos nomes dos reis e suas datas,[1] com notas acrescentadas a alguns deles. No texto I, escrito muito rapidamente em uma pequena folha, abaixo de Eorl estão mencionados o Campo de Celebrant e a outorga de Rohan, e está dito que ele começou a construção de Meduseld e morreu em batalha contra Lestenses no Descampado em 2545; de Brego, conta-se que os expulsou em 2546, completou Meduseld e morreu de desgosto por seu filho, Baldor, em 2570; sobre Aldor, o Velho, que foi ele quem "primeiro estabeleceu o Fano-da-Colina como forte-refúgio". Em uma nota sobre Helm, porém, é possível ver a primeira aparição do conto narrado no Apêndice A, escrito muito rapidamente e ainda incipiente:

> Em seus dias houve uma invasão de Terrapardenses vindos do oeste e, na Gondor Meridional, de piratas e de Lestenses e Orques. Em 2758, durante o Inverno Longo, refugiaram-se no Abismo de Helm.[2] Ambos os seus filhos, Háma e Haeleth, foram mortos (perdidos na neve). À sua morte, houve no reino um rei parvenu, Wulf, não da linhagem de Eorl [que] com a ajuda de Terrapardenses tentou tomar o trono. Por fim, Fréaláf, filho de sua irmã Hild e herdeiro mais próximo, saiu vitorioso e tornou-se rei. Uma nova linha de morros foi iniciada para simbolizar a quebra na linhagem direta.

Não há notas aos Reis da Segunda Linhagem, exceto Fengel, de quem se assinala que foi o filho mais novo de Folcwine, pois seus irmãos mais velhos, aqui chamados Folcwalda e Folcred, foram "mortos em batalha a serviço de Gondor contra Harad". A nota final no I afirma que Éomer era filho da irmã de Théoden, Théodwyn (que não aparece na narrativa), e que "ele se casou com Morwen, filha de Húrin de Gondor". Este é Húrin das Chaves, que estava no comando de Minas Tirith quando a hoste do Oeste cavalgou até o Portão Negro (RR, p. 1371); não penso que haja qualquer outra referência ao casamento de Éomer com a filha dele, que foi corrigida no texto para Lothíriel, filha do Príncipe Imrahil.

O segundo texto, II, era uma cópia limpa do I, quase sem mudanças no conteúdo além de detalhes de datas. Onde no texto I estava dito apenas que Eorl "nasceu no Norte", no texto II afirma-se que "nasceu na Terra de Iren no Norte". Esse nome foi excluído e substituído por *Éothéod*, e é muito provavelmente a primeira aparição do nome (também encontrado em ambos os textos do "Apêndice sobre Idiomas" original, pp. 54–5, §14). Ademais, agora se dizia de Éomer que ele se "tornou um grande rei e estendeu seu reino a oeste do Desfiladeiro de Rohan até as regiões entre o Isen e o Griságua, incluindo a Terra Parda".[3]

O último texto (III) deste período é um manuscrito belamente elaborado que começa com um breve relato da origem dos Rohirrim nos Homens de Éothéod e sua migração para o sul.

A Casa de Eorl

Eorl, o Jovem, foi senhor dos Homens de Éothéod. Essa terra ficava junto às fontes do Anduin, entre as serras superiores das Montanhas Nevoentas e as partes mais setentrionais de Trevamata. Para lá os Éothéod se deslocaram havia algumas centenas de anos desde terras mais ao sul no vale do Anduin. Eram na origem aparentados com os Beornings e os homens das bordas ocidentais da floresta; mas apreciavam mais as planícies e vastos campos, e se deleitavam com cavalos e todos os feitos de cavalaria. Nos dias de Garman, pai de Eorl, haviam-se multiplicado e eram um povo numeroso, um tanto confinados na terra em que habitavam.

No bismilésimo quingentésimo décimo ano da Terceira Era, um grande perigo ameaçava a terra de Gondor no Sul e homens selvagens do Leste assaltaram suas fronteiras setentrionais, aliando-se com Orques das montanhas. Os invasores assolaram e ocuparam Calenardon, as grandes planícies no norte do reino. O Regente de Gondor mandou buscar auxílio no norte, pois sempre houvera amizade entre os homens do vale do Anduin e o povo de Gondor. Ao saber de longe do apuro de Gondor, Eorl partiu com uma grande hoste de cavaleiros; e foi mormente por sua bravura e a bravura dos cavaleiros de Éothéod que a vitória foi alcançada. Na grande batalha do Campo de Celebrant, os Lestenses e Orques foram completamente derrotados e os cavaleiros de Eorl os perseguiram por sobre as planícies de Calenardon até que não restasse nenhum.

Cirion, Regente de Gondor, como recompensa deu Calenardon a Eorl e seu povo, e mandaram buscar no norte suas esposas, e seus filhos, e seus bens, e se estabeleceram naquela terra. Mudaram seu nome para Marca dos Cavaleiros e chamaram-se Eorlingas; mas em Gondor a terra foi chamada de Rohan, e seu povo, de Rohirrim (isto é, os Senhores-de-cavalos). Assim Eorl se tornou o primeiro Rei da Marca e escolheu como moradia uma colina verde diante dos pés das Montanhas Brancas que cercavam aquela terra pelo sul.

Essa é a origem da abertura, muito expandida, de *A Casa de Eorl* no Apêndice A (RR, pp. 1511–13). No restante do texto, a linhagem dos Reis da Marca, houve pouquíssimo desenvolvimento adicional: a história de Helm Mão-de-Martelo permaneceu, em conteúdo, exatamente como estava e nada de novo foi dito sobre nenhum dos reis, exceto Thengel, Théoden e Éomer. De Thengel, registra-se que ele se casou tarde e teve três filhas e um filho, mas sua longa estadia em Gondor (e o caráter de seu pai, Fengel, que levou a isso) ainda não surgira. A morte de Éomund, principal Marechal da Marca, em um ataque surpresa dos Orques em 3002 está registrado, com uma nota dizendo que os "Orques, nessa época, começaram a fazer frequentes incursões na Rohan oriental e a roubar cavalos", assim como o acolhimento de seus filhos, Éomer e Éowyn, na casa de Théoden. A nota a Théoden que entrou no texto III foi mantida quase sem alterações no Apêndice A.[4]

Uma longa nota foi então apendida a Éomer, com o mesmo trecho encontrado no Apêndice A (RR, p. 1522, rodapé) a respeito de Éowyn, "Senhora do Braço-de-Escudo", e a referência ao nome de Meriadoc, Holdwine, que lhe foi dado por Éomer; e a afirmação sobre a extensão do seu reino que aparece no texto II (pp. 329–30) foi reescrita: "Nos dias de Éomer, o reino foi estendido a oeste para além do Desfiladeiro de Rohan, até o Griságua e as praias entre esse rio e o Isen, e a norte até as fronteiras de Lórien, e seus homens e cavalos se multiplicaram excessivamente".

Não há qualquer outro escrito remanescente antes do texto datilografado final de *A Casa de Eorl*, a partir do qual derivou o texto no Apêndice A, exceto por uma única página datilografada. Trata-se da primeira página do texto, começando com "Eorl foi senhor dos Homens de Éothéod", e meu pai escreveu isso com a antiga versão III, incluída acima, diante dele; mas ele a expandiu praticamente à forma que tem no Apêndice A.[5] Ela inclui, contudo, o seguinte trecho (excluído no texto datilografado) após as palavras "os Cavaleiros os caçaram por sobre as planícies de Calenardhon":

> Na vanguarda do ataque, viram dois grandes cavaleiros, trajados de cinza, diferentes de todos os outros, e os Orques fugiram diante deles; mas, quando a batalha foi vencida, não se conseguiu encontrá-los, e ninguém sabia de onde vieram ou para onde foram. Mas em Valfenda registra-se que estes eram os filhos de Elrond, Elladan e Elrohir.[6]

Há também o fato curioso de que, onde o Apêndice A diz "Cirion ... deu Calenardhon entre o Anduin e o Isen a Eorl e seu povo", esse texto trazia (antes da correção) "Cirion ... deu Calenardhon e Dor Haeron entre o Entágua e o Isen para Eorl e seu povo". Não sei de nenhuma outra ocorrência desse nome ou de qualquer outra sugestão de que o nome Calenardhon se aplicava apenas à região a leste do Entágua.

O pai de Eorl ainda era chamado Garman, como na antiga versão III (p. 330) e esse nome aparecia no texto final, onde foi corrigido para Léod.

Novamente, é possível e de fato provável que essa página sobreviveu, por alguma razão, de um rascunho completo, ou mais completo, que se perdeu; pois, caso nenhum texto tenha se perdido, teríamos que concluir que meu pai compôs, *ab initio*, a narrativa inteira de *A Casa de Eorl* na máquina de escrever — com as histórias de Léod e do cavalo Felaróf, e de Helm Mão-de-Martelo — exatamente como está no Apêndice A.

NOTAS

1 Até Folcwine, o décimo quarto rei, as datas que constavam no I já eram quase as mesmas do Apêndice A, ainda que, em muitos casos, com uma diferença de um ano; foi somente nos últimos reis que houve grande mudança nas datas.

2 Cf. o registro no texto C 4 do Conto dos Anos, 2758–9 (p. 291): "Helm de Rohan refugia-se dos seus inimigos no Abismo de Helm nas Montanhas Brancas"; e também a nota ao Regente Beren em *Os Herdeiros de Elendil*, p. 253.

3 No texto II, o filho de Helm, Haeleth, tornou-se Haleth; e o décimo primeiro rei, Léof, foi substituído, provavelmente no momento da escrita, por Brytta (sobre isso, veja IX. 93 e nota 11). Os filhos de Folcwine (Folcwalda e Folcred no texto I) não eram nomeados no texto II, mas meu pai alterou Fengel para Fastred; depois, acrescentou os nomes dos filhos de Folcwine como Folcred e Fastred, e alterou o do rei para Felanath antes de finalmente revertê-lo para Fengel. No manuscrito C 4 do Conto dos Anos (p. 292, ano 2885), a morte dos filhos de Folcwine "a serviço de Gondor" está registrada e ali os seus nomes são Folcred e Fastred.

4 A nota a Théoden no texto III termina com a afirmação de que o seu único filho era Théodred, "cuja mãe, Elfhild do Eastfolde, morreu no parto", e um registro da morte de Théodred em batalha contra Saruman. O nome de Théoden, *Ednew* ("Renovado"), é dado aqui na forma inglesa antiga *Edníwe* e Minas Tirith é chamada de *Mundberg* (embora o texto II tenha *Mundburg*: quanto a isso, ver VII. 529, nota 7 e VIII. 421–2, nota 9).

5 Na lista de Reis da Marca da Primeira Edição, não havia notas ao décimo primeiro, décimo segundo e décimo terceiro reis, Brytta, Walda e Folca.

6 Cf. p. 290, ano 2510.

(IV) O POVO DE DURIN

O texto original de meu pai que se tornaria a seção *O Povo de Durin* no Apêndice A sobreviveu: um manuscrito breve e claro, elaborado em papel de rascunho e intitulado *Da Linhagem de Durin*, acompanhado por uma árvore genealógica que é parte do texto. Foi corrigido em alguns pontos e um trecho substancial foi acrescentado; essas alterações foram feitas, imagino, durante ou logo após a elaboração do manuscrito. Eu incluo esse texto na íntegra, com as alterações indicadas nos lugares em que têm alguma importância.

Durin era o nome de um dos pais de toda a raça dos Anãos. Nas profundezas do tempo e no começo daquele povo, ele chegou a Azanulbizar, o Vale do Riacho-escuro, e nas cavernas acima de

Kibil-nâla [> Kheled-zâram],[1] o Espelhágua, no leste das Montanhas Nevoentas, ele fez sua morada, onde estiveram mais tarde as Minas de Moria, renomadas nas canções. Ali viveu por muito tempo: por tanto tempo que em toda a parte era conhecido como Durin, o Imortal. Afinal, contudo, morreu de fato, antes que terminassem os Dias Antigos, e seu túmulo foi em Moria; mas sua linhagem jamais se interrompeu, de pai para filho, e frequentemente [> três vezes][2] nasceu um herdeiro em sua casa tão parecido com seu Ancestral que recebeu o nome de Durin, deveras considerado pelos Anãos como o Imortal que retornara. Foi após o fim da Primeira Era que o grande poder e fortuna de Moria começou, pois foi enriquecida por muita gente e muito saber e ofício, quando as antigas cidades de Nogrod e Belegost foram arruinadas na mudança do mundo ocidental e na derrota de Morgoth. E aconteceu que / no ápice da glória de Moria [> no meio da Terceira Era, enquanto a riqueza de Moria ainda não diminuíra], Durin era o nome do seu rei, o segundo desde o Ancestral que ostentara esse título. E os Anãos escavaram fundo nos seus dias, sempre buscando *mithril*, o metal sem preço que era encontrado naquelas minas apenas, embaixo de Barazinbar, a poderosa Montanha do Chifre-vermelho. Mas assim despertaram do sono um ser de terror que estivera oculto nos fundamentos do mundo, e que era um Balrog de Morgoth. E Durin foi morto pelo Balrog e, depois dele, seu filho Náin foi morto, e passou a glória de Moria, e seu povo foi destruído ou fugiu para longe. Em sua maioria eles passaram para o Norte; mas Thráin, filho de Náin, o rei por herança, veio ter em Erebor, a Montanha Solitária, perto das bordas orientais de Trevamata, e estabeleceu seu reino por um tempo.

Mas seu neto Glóin [> seu filho Thorin] mudou-se e abandonou Erebor, e foi ao longínquo Norte, onde a maior parte de seu povo agora morava. Mas aconteceu que dragões se ergueram e se multiplicaram no Norte, e travaram guerra com os Anãos e saquearam suas obras e sua riqueza; e muitos dos Anãos fugiram novamente para o sul e para o leste. E Thrór, filho de Dáin, trineto de Thráin, retornou a Erebor e tornou-se Rei-sob-a-Montanha, e prosperou muito, tendo a amizade de todos os que habitavam nas redondezas, fossem Elfos ou Homens ou os pássaros e feras daquela terra.

Mas Smaug, o Dourado, ouviu rumores do tesouro dele e acometeu-o inesperadamente, e desceu em chamas sobre a Montanha, e destruiu toda aquela região, e entrou nos salões profundos dos Anãos e se deitou ali sobre um leito de ouro. / E conta-se alhures como os Anãos foram vingados, [> Do saque e do incêndio Thrór escapou e, estando agora sem lar, retornou a Moria, mas lá foi morto no escuro por um Orque. Seu filho Thráin e seu neto Thorin reuniram então a gente dispersa da raça de Durin e travaram guerra com os Orques das Montanhas Nevoentas em vingança por Thrór. Saíram vitoriosos, mas seu povo foi tão reduzido que não podiam e não ousavam entrar novamente em Moria. Dáin, seu parente, partiu para as Colinas de Ferro, mas Thráin e Thorin tornaram-se vagantes. Conta-se que Thráin era o dono do último dos Sete Anéis dos Senhores-anânicos de outrora, mas foi capturado pelo Feiticeiro e levado para Dol Guldur e lá morreu em tormento. Conta-se alhures das andanças de Thorin Escudo-de-carvalho, último da linhagem direta de Durin,[3] em busca de vingança e reparação da sua fortuna; e como, com a ajuda de Gandalf, o Cinzento, acabou de fato sendo vingado,][4] e Smaug foi morto e, depois da Batalha dos Cinco Exércitos, a realeza sob a Montanha foi restaurada. Contudo, Thorin Escudo-de-carvalho, neto de Thrór, foi morto naquela batalha, e a linhagem direta foi quebrada, e a coroa passou para Dáin, parente de Thorin. E a linhagem de Dáin e a riqueza e renome da realeza perduraram em Erebor até que o mundo envelhecesse e os dias dos Anãos estivessem acabados.

Nesse texto e na tabela genealógica que o acompanha (e que eu redesenhei aqui), vê-se que foi feito um avanço importante em relação ao texto C 4 do Conto dos Anos, onde se dizia, no ano 2590, que Thrór "fundou o reino de Erebor" (p. 290): como eu disse em uma nota a esse registro, "a história dos ancestrais de Thrór ainda não surgira".[5] Aquela história está presente aqui, mas ainda não exatamente na forma final, pois os nomes dos "reis do povo de Durin" na tabela genealógica em questão são Thorin I : Glóin : Dáin I, enquanto na tabela do Apêndice A são Thorin I : Glóin : Óin : Náin II : Dáin I, de modo que, no presente texto, Thrór é chamado de "trineto de Thráin [I]". Enquanto a história estava nessa etapa, as correções e acréscimos foram feitos ao texto C 4: ver p. 307, *Os Anãos*.

Vários nomes encontrados na genealogia posterior estão ausentes aqui, como Frór, irmão de Thrór e Frerin, irmão de Thorin

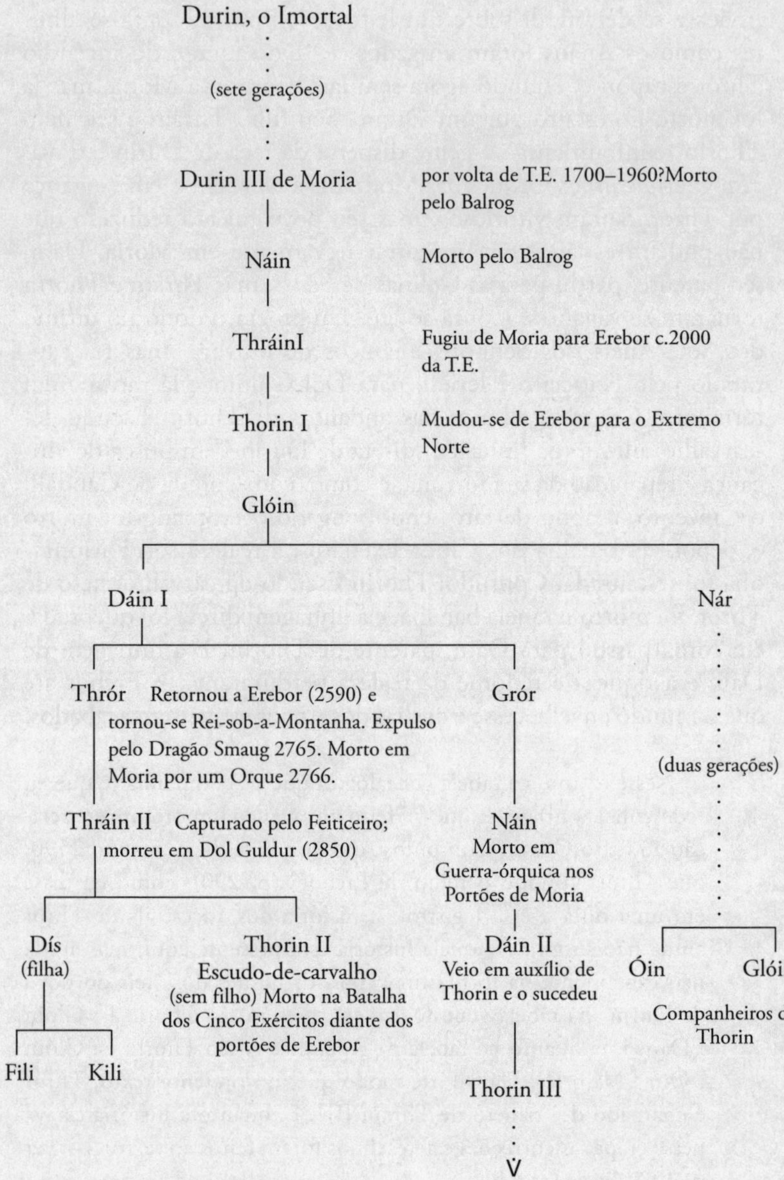
Durin, o Imortal
(sete gerações)
Durin III de Moria
por volta de T.E. 1700–1960?Morto pelo Balrog
Náin
Morto pelo Balrog
ThráinI
Fugiu de Moria para Erebor c.2000 da T.E.
Thorin I
Mudou-se de Erebor para o Extremo Norte
Glóin
Dáin I
Nár
Thrór
Retornou a Erebor (2590) e tornou-se Rei-sob-a-Montanha. Expulso pelo Dragão Smaug 2765. Morto em Moria por um Orque 2766.
Grór
(duas gerações)
Thráin II
Capturado pelo Feiticeiro; morreu em Dol Guldur (2850)
Náin
Morto em Guerra-órquica nos Portões de Moria
Dís
(filha)
Thorin II
Escudo-de-carvalho
(sem filho) Morto na Batalha dos Cinco Exércitos diante dos portões de Erebor
Dáin II
Veio em auxílio de Thorin e o sucedeu
Óin
Glóin
Companheiros de Thorin
Fili
Kili
Thorin III

Escudo-de-carvalho; o mais notável é que o irmão de Dáin I não é Borin, mas Nár (e de seus descendentes apenas Óin e Glóin são mostrados). Nár era o nome do único companheiro de Thrór em sua malfadada jornada a Moria (RR, pp. 1525–27), que trouxe a Thráin as notícias do assassinato de seu pai por Azog; ele é chamado de "velho", mas não há indicação de que fosse tio de Thrór. Uma vez que *Nár* é um nome-anânico em Nórdico Antigo (ele ocorre no Völuspá) e como não há evidência de que a história da morte de Thrór já tivesse surgido (exceto, é claro, pelo fato de ele ter sido morto por um Orque em Moria), parece improvável que haja qualquer conexão entre os dois. — Também há de se notar que, enquanto Thorin III aparece, Durin, o Último, não.

A esse texto seguiu-se uma segunda versão, um manuscrito bem elaborado e quase sem correções com o título *Da Raça de Durin*, muito semelhante na aparência ao texto III de *A Casa de Eorl* (p. 330) e provavelmente contemporâneo a ele. Meu pai manteve o texto tão parecido com o original (corrigido e ampliado) que eu imagino que tenha se seguido imediatamente ou, no máximo, após um curto intervalo.

O trecho acrescentado à primeira versão foi levemente completado e aperfeiçoado, mas a única diferença digna de nota aqui está nas frases após as palavras "travaram guerra com os Orques das Montanhas Nevoentas em vingança por Thrór", que agora diziam: "Longa e mortífera foi aquela guerra e combatida, em sua maior parte, em lugares escuros sob a terra; e, por fim, os Anãos conquistaram vitória, e na Batalha diante do Portão de Moria dez mil Orques foram mortos. Mas os Anãos sofreram também dolorosa perda e sua gente estava agora tão reduzida que Thráin não ousou entrar em Moria, e seu povo se dispersou novamente". Contudo, a única diferença realmente significativa em relação à primeira versão está na frase final, que se tornou:

> E a linhagem de Dáin prosperou e a riqueza e renome da realeza foram renovadas, até que surgiu novamente pela última vez um herdeiro daquela Casa que ostentou o nome de Durin, e ele retornou a Moria; e houve luz de novo em lugares profundos, e o tinir de martelos e o tanger de harpas, até que o mundo envelhecesse e os Anãos minguassem, e os dias da raça de Durin estivessem acabados.

Foi aqui, portanto, que "Durin, o Último" surgiu, e dele se diz que retornou de Erebor para Moria e a reestabeleceu (como se conta na tabela genealógica que acompanha o texto). A isso meu pai nunca mais se referiu novamente. Como observou Robert Foster em *The Complete Guide to Middle-earth* [O Guia Completo da Terra-média], "Não há referência a uma recolonização de Khazad-dûm na Quarta Era, apesar da morte do Balrog". É impossível descobrir se meu pai de fato rejeitou essa ideia ou se ela simplesmente se "perdeu" na pressa com que os Apêndices foram finalmente preparados para publicação. O fato de ele não ter feito qualquer referência a "Durin VII e Último", embora ele apareça na genealogia do Apêndice A, é um possível indício em favor da segunda hipótese.

Há duas cópias da tabela genealógica acompanhando a segunda versão, mas são essencialmente iguais: meu pai fez a segunda simplesmente porque não havia deixado espaço o bastante na primeira e os nomes do lado direito tiveram que ser espremidos — assim como os outros manuscritos "finalizados" daquela época, ele claramente pretendia que este estivesse em formato publicável do jeito que se encontrava ou, pelo menos, em um formato a partir do qual uma versão datilografada perfeitamente exata pudesse ser feita. Nessas tabelas, fez pouco mais do que copiar a versão anterior (p. 336), mas há algumas diferenças. Ele manteve as "sete gerações" entre Durin, o Imortal e Durin III de Moria, mas cuidadosamente apagou "sete" e substituiu por "doze" (posteriormente alterado a lápis para "muitas"). O nome Nár do irmão de Dáin I foi substituído por Borin e, onde a tabela original assinala apenas "duas gerações" entre Nár e Óin e Glóin, esse espaço foi preenchido aqui como na tabela final, com Fundin, pai de Balin e Dwalin, e Gróin, pai de Óin e Glóin; mas um espaço em branco foi deixado para Farin, filho de Borin. As notas e datas da tabela original permanecem as mesmas, sem acréscimos que mereçam ser registrados, exceto por "Balin retornou a Moria e lá morreu (2994)", e consta a mesma nota acerca de Ori, Nori, Dori, Bifur, Bofur e Bombur que aparece na genealogia final. Thorin III é agora chamado de "Elmo-de-Pedra" e "Durin, o Último" é mostrado como seu filho, que "restabeleceu o Reino de Moria"; abaixo de seu nome há uma seta pontilhada (igual à que está abaixo de Thorin III na tabela original), indicando descendentes não nomeados.

Não há qualquer outro escrito sobre esse assunto que sobrevive do período inicial do trabalho nos Apêndices. Contudo, diferentemente da situação textual nos casos da Linhagem do Norte dos Reinos no Exílio e de *A Casa de Eorl*, nos quais as versões finais datilografadas quase não têm antecedentes (ver pp. 213–4, 231–2), uma parte substancial de *O Povo de Durin* sobrevive em um rascunho datilografado que leva diretamente ao texto enviado ao prelo. Nesse rascunho, meu pai de fato alcançou uma versão que exigiu pouco trabalho adicional, mas ela só foi atingida após muita reelaboração enquanto datilografava.[6] Isso reforça, penso, a extrema improbabilidade de que aqueles outros textos tenham surgido de uma vez só em uma forma que precisasse de poucas alterações; e, portanto, corrobora a conclusão de que muito do rascunho feito mais tarde na máquina de escrever se perdeu.

De toda forma, neste caso, a perda do rascunho datilografado teria feito pouco além de distorcer alguns detalhes do desenvolvimento textual; teria privado esta história apenas do nome anânico *Zigilnâd* para o Veio-de-Prata (cf. *Zirak-zigil*, "Pico-de-Prata", VII. 210–11, nota 22) — surpreendente por si só, tendo em vista o *Kibil-nâla* em *O Senhor dos Anéis* (ver nota 1).

O rascunho datilografado, contudo, tornou-se um manuscrito descuidado, embora ainda se aproximasse da versão final (RR, pp. 1530–31), falando da grande incineração dos mortos ao final da Batalha de Azanulbizar e da partida de Thráin e Thorin Escudo-de-carvalho para a Terra Parda e, depois, para um novo lar no exílio nas Montanhas Azuis, onde prosperaram, embora forçados a trabalhar com ferro. Essa seção se encerra, como no texto publicado, com "Mas, como Thrór dissera, o Anel precisava de ouro para gerar ouro, e desse metal precioso, ou de qualquer outro, eles tinham pouco ou nada". Meu pai traçou aqui uma linha, como se o texto estivesse completo; mas a menção ao Anel de Thráin o levou a dizer algo a mais sobre isso. A partir desse ponto, o manuscrito se torna descuidado e, conforme avançava, ele escrevia tão rápido que mal — e com muita dificuldade — se consegue ler; também a partir desse ponto o texto publicado logo se desvia completamente dele.

Esse Anel era o último dos Sete. Pode bem ser que Sauron sabia dele e que os singulares infortúnios de sua Casa fossem devidos a isso. Pois foram-se os dias em que ele trazia ganhos, mas, em vez disso, exigia pagamento, e possuí-lo trouxe apenas o ódio de Sauron. Pois os Anãos provaram-se difíceis de domar. Eram demasiado refratários, feitos com o propósito de resistir a tais investidas de maligno desígnio e poder e, apesar de poderem ser mortos ou abatidos, não podiam ser transformados em sombras ou escravos de qualquer outra vontade; e pela mesma razão suas vidas eram pouco afetadas, para viverem mais ou menos por causa do Anel.[7] Tanto mais Sauron os odiava. Contudo, cada um dos donos mantinha seu anel em segredo a menos que o entregasse; e embora os que lhe eram próximos sem dúvida suspeitassem, ninguém sabia com certeza que Thráin tinha o Anel.

Em parte devido ao próprio poder do Anel, portanto, Thráin, após alguns anos, tornou-se inquieto e descontente. Não conseguia tirar o pensamento de ouro e gemas da cabeça. Por fim, quando não conseguia mais suportá-lo, seu coração se voltou novamente a Erebor e ele resolveu voltar. Disse pouco a Thorin do que tinha no coração. Mas com Balin e Dwalin e alguns outros ele se ergueu, se despediu e partiu (2841).

Pouco se sabe, de fato, do que lhe aconteceu depois. Parece (pelo que se soube depois) que, assim que partiu com poucos companheiros (e certamente depois de ter, afinal, voltado a Rhovanion), foi caçado pelos emissários de Sauron. Lobos o perseguiram, Orques o atocaiaram, aves malignas ensombraram sua trilha, e quanto mais tentava rumar ao norte, mais era refreado. Em uma noite escura, ao sul do Lis e nas beiras de Trevamata, desapareceu do acampamento e, após longa busca em vão, seus companheiros perderam a esperança (e retornaram a Thorin). Só muito depois ficou-se sabendo que ele fora apanhado vivo e levado aos fossos de Dol Guldur (2845). Ali foi atormentado e o Anel, tirado dele; e ali por fim (2850) ele morreu.[8]

Assim, pareceria que Moria se acabara e também a linhagem de Durin. Após o saque de Erebor, Thorin Escudo-de-carvalho não tinha mais do que 24 anos (e ainda não proveitoso para guerra, de acordo com o costume-anânico); mas tinha 53 em Nanduhirion, e lá combateu na vanguarda do assalto. Mas, como se contou, o primeiro assalto foi rechaçado e Thráin e Thorin foram forçados a se refugiar em uma mata que crescia no vale, não longe de Kheledzâram, antes do grande incêndio. Ali tombaram Frerin, filho de Thráin, e Fundin, seu primo, e muitos outros, e Thráin e

Thorin foram feridos. O escudo de Thorin se fendeu e ele o jogou fora e, cortando com um machado um ramo de carvalho, segurou-o na mão esquerda para desviar os golpes dos seus inimigos ou empunhando-o como maça. Desse modo obteve seu nome, ou também porque, em memória disso, a partir de então sempre levou nas costas um escudo feito de carvalho sem cor ou emblema, e jurou fazer isso até que fosse aclamado novamente rei.[9]

Quando Thráin partiu, Thorin tinha 95 anos, um grande anão de postura altiva e plena virilidade. Talvez porque estivesse livre do Anel, Thorin permaneceu muito tempo nas Ered Luin, laborando, e viajando, e acumulando tanta riqueza quando conseguia, até que seu povo tivesse belas casas nas colinas e não estivesse [? insatisfeito], embora em suas canções falassem sempre da Montanha Solitária e da riqueza e bem-aventurança do Grande Salão e da luz da Pedra Arken. Mas os anos se passaram e as brasas do seu coração começaram a se inflamar enquanto Thorin remoía as injustiças de sua casa e seu povo. Lembrava também que Thrór depositara nele a dívida da vingança contra Smaug.

Mas Erebor era longe e seu povo, poucos apenas; e tinha pouca esperança de que Dáin Pé-de-Ferro ajudaria em qualquer investida contra o dragão. Pois Thorin sempre pensava à maneira de seus régios antepassados, pensando em forças e armas e os acasos de guerra, enquanto seu martelo golpeava o ferro rubro em sua forja.

Foi neste ponto que Mithrandir entrou na história da Casa de Durin. Ele antes se preocupara pouco com Anãos. Era amigo dos de boa vontade e gostava bastante dos exilados do Povo de Durin que viviam no oeste. Mas certa vez ocorreu de Mithrandir estar indo para o oeste por Eriador (viajando para ver Cirdan, talvez, ou para visitar o Condado, no qual não estivera havia alguns anos) quando topou com Thorin Escudo-de-carvalho indo pelo mesmo caminho, e eles conversaram muito pela estrada e em Bri, onde descansaram.

Pela manhã Mithrandir disse a Thorin: "Pensei muito durante a noite. Agora, se te parece bom, voltarei contigo para casa por um tempo e continuaremos a conversa com mais privacidade." Desse encontro decorreram muitos eventos de grande importância no assunto da Guerra do Anel. De fato, levou ao achamento do Anel e ao envolvimento do povo do Condado e aos meios pelos quais o Anel foi, por fim, destruído. Por esse motivo, muitos supuseram que tudo isso Mithrandir planejou e previu. Acreditamos, porém, que não foi assim. Pois Frodo escreveu este trecho na primeira cópia do Livro Vermelho que, devido ao comprimento, não foi incluído no conto da Guerra: Foram dias felizes aqueles quando, após a coroação, moramos na bela casa em Minas Tirith com Gandalf…

Incluí o texto até esse ponto para deixar mais clara do que deixei — ou, na verdade, do que era capaz de deixar — na seção *A Demanda de Erebor* nos *Contos Inacabados* a maneira como meu pai originalmente introduziu a história de Gandalf e Thorin e a escolha de Bilbo para a jornada até a Montanha Solitária no apêndice sobre o *Povo de Durin*. Naquela época, eu não tinha conhecimento desse texto e só recentemente juntei suas partes desmembradas, sem que tivesse percebido o que eram. Eu presumia que o manuscrito que em *Contos Inacabados* chamei de "A" era o texto original; mas a história que continua a partir do ponto em que a deixei acima foi a primeira expressão de meu pai dessa ideia, e o texto A era uma cópia (moderadamente) bem-feita, muito reescrita, ainda que não essencialmente alterada.[10]

Ele trabalhou bastante nessa história, mas ela "teve de ficar de fora", como afirmou anos depois (*Contos Inacabados*, p. 26). A partir do manuscrito A, ele desenvolveu o texto datilografado B (do qual longos extratos estão incluídos em *Contos Inacabados*), e B foi claramente elaborado para se encaixar no texto de *O Povo de Durin* conforme ele existia na época (ver *Contos Inacabados*, pp. 433–4).[11] Não vou seguir aqui a evolução dos textos na expressão e estrutura, mas incluo duas notas que pertencem ao manuscrito original. A primeira mostra os pensamentos iniciais de meu pai sobre a história antes de escrevê-la.

A partir de 2842, Thorin vive no exílio, mas uma boa quantidade do Povo de Durin se junta a ele nas Ered Luin. Estão reduzidos à pobreza (pois as minas estão exauridas) e viajam como artífices de metal. Thorin começa a pensar na vingança contra Smaug e na recuperação de sua riqueza, mas consegue apenas imaginar isso em termos bélicos — uma reunião de toda a sua gente e uma tentativa de matar Smaug. Mas isso é difícil de fazer. As Colinas de Ferro são muito distantes e o Povo de Durin está amplamente disperso em outros lugares.

Gandalf agora intervém. (Já que sua ação levou, afinal, ao achamento do Anel e ao bem-sucedido papel desempenhado pelos Hobbits na sua destruição, muitos supõem que tudo isso foi conscientemente planejado por ele. Provavelmente não. Ele mesmo diria que estava "orientado", ou que estava "destinado" a tomar esse curso, ou que foi "escolhido".[12] Gandalf tinha corpo, de carne [? real], e, portanto, sua visão estava obscurecida: majoritariamente (pelo menos antes de sua "morte"), ele precisava agir como as pessoas comuns, usando a razão e princípios de certo e errado.) Seus propósitos conscientes e imediatos eram, provavelmente, muitos. Mormente estratégicos. Ele sabe que é Sauron em Dol Guldur.[13] Sabendo da situação em Gondor, pode muito bem ter receado a reocupação de Mordor (mas não ainda). Agora, está preocupado com Lórien e Valfenda — Sauron certamente prosseguirá para a guerra. A presença de Smaug e o desalento dos Homens no Norte tornam provável um ataque na direção de Angmar e contra Valfenda. Ademais, ele conhecia e aprovava o Povo de Durin. E também gostava muito do povo do Condado e apreciava ..... Bilbo. Ele queria que o povo do Condado fosse "instruído"[14] antes que viessem dias malignos e escolheu Bilbo (solteiro) como um instrumento.

> Na segunda passagem, ele estava refletindo sobre questões que surgiam do encontro de Gandalf com o moribundo Thráin em Dol Guldur.

"Teu plano é grandioso e vem de dias passados. Se desejas reconquistar tua riqueza ou qualquer parte dela, terás de ir tu mesmo — com um pequeno grupo de teus parentes e seguidores mais fiéis." [*Riscado:* Ele então revela a Thorin que] Por que então ele não revelou (ou muito antes) a Thorin que havia encontrado Thráin em Dol Guldur? Duas respostas. Ele não o havia encontrado [Thorin] e nem mesmo sabia onde ele estava. Desde 2850, sua principal preocupação era com Dol Guldur (Saruman) e o Conselho. Ele não estivera no oeste havia muito tempo (*Hobbit*, p. 29. O Velho Tûk morreu em 2920, então Gandalf em 2942 estava há 22 anos sem ir ao Condado e, naquela ocasião, é provável que muito rapidamente).[15] Ele provavelmente não sabia quem era o Anão em Dol Guldur, já que o 7º Anel não daria uma pista (os Anãos mantinham a posse de Anéis muito em segredo), e Thráin não sabia seu próprio nome (*Hobbit*, p. 52). Foi provavelmente apenas pela conversa com Thorin que ele adivinhou — e, caracteristicamente, apresentou a evidência no momento adequado.

Na versão mais antiga da história (e também no segundo texto A), Gandalf não fez menção ao seu encontro com Thráin em Dol Guldur até o finalzinho do texto, respondendo a uma pergunta de Merry sobre o mapa e a chave; e meu pai claramente introduziu o assunto quando o problema discutido nessa nota apareceu.

"Mas sobre aquele mapa e aquela chave," disse Merry. "Provaram-se úteis, mas você nunca disse nada a Thorin sobre isso de antemão. Ora, deve tê-los guardado consigo por 100 anos sem uma palavra!"

"Guardei," disse Gandalf, "quase. 91 anos, para ser exato. Mas asseguro-lhe que eu dificilmente poderia ter feito outra coisa. Thráin não sabia seu próprio nome quando o encontrei; e eu certamente não sabia o dele. Com que força de resistência ele mantivera escondidos a chave e o mapa em seus tormentos, não sei. Pode ser que, uma vez que obteve o Anel, Sauron não mais o importunou, deixando-o delirar e morrer. Mas, é claro, o mapa me dizia que a chave tinha algo a ver com Erebor. Mas estava ao largo das minhas preocupações na época. E por muito tempo depois eu me preocupei com outros assuntos, com Saruman e sua estranha relutância em perturbar Sauron em Dol Guldur. Foi só depois que encontrei e conversei com Thorin que subitamente adivinhei quem o Anão moribundo deveria ser. Ora, ora, depois disso, escondi as coisas até o último momento. Elas inverteram a balança e começaram a fazer Thorin aceitar a ideia."[16]

No meio de outros materiais de *O Povo de Durin* estão muitas versões da tabela genealógica, começando com uma associada ao rascunho datilografado na qual a forma original (ver pp. 335–8) ainda foi mantida, com apenas cinco gerações entre Durin VI (anteriormente Durin III) e Thrór. O (primeiro) acréscimo de Óin e Náin II se deu quando meu pai formulou um padrão específico de envelhecimento e duração de vida em uma página intitulada "Notas sobre a Cronologia da Linhagem de Durin", da qual eu cito alguns extratos, muito levemente editados por razões de clareza.

Anãos de diferentes "estirpes" variam na longevidade. A raça de Durin era na origem longeva (especialmente aqueles chamados Durin), mas, como a maioria dos outros povos, tornaram-se menos durante a Terceira Era. Sua idade média (a menos que encontrassem uma morte violenta) era de cerca de 250 anos, e raramente muito menos do que isso, embora pudessem ocasionalmente ultrapassar bastante (até 300).[17] Um Anão de 300 anos era quase tão raro e velho quanto um Homem de 100.

Os Anãos permaneciam jovens — eram, por exemplo, considerados demasiado imaturos para trabalhos pesados ou combate — até que tivessem 30 anos ou mais ou menos isso (Dáin II era muito jovem em 2799 (32) e matar Azog foi uma grande façanha). Após isso, eles endureciam e assumiam uma aparência adulta (para os padrões humanos) muito rapidamente. Aos quarenta anos, todos os Anãos se pareciam muito em idade, até que alcançavam o que consideravam a velhice, por volta dos 240. Começavam então a rapidamente envelhecer, ganhar rugas e ficar grisalhos (a calvície era desconhecida entre eles), a menos que estivessem destinados à longevidade, caso no qual o processo era retardado. Praticamente o único problema físico de que sofriam (eram singularmente imunes a doenças que afetavam Homens e Pequenos) era corpulência. Em circunstâncias prósperas, muitos ficavam bem gordos com 200 anos ou menos, e não conseguiam fazer muita coisa depois disso (exceto comer). De outro modo, a "velhice" não durava muito mais do que dez anos e, digamos, dos 40, ou pouco antes, até cerca de 240 (duzentos anos), a capacidade de labutar (e de lutar) da maioria dos Anãos era igualmente grande.

A isso segue-se a informação atribuída a Gimli a respeito das mulheres-anãs que sobreviveu no Apêndice A (RR, p. 1536). Não há diferença de conteúdo no presente texto, exceto por afirmações de que elas nunca são forçadas a se casar contra a vontade (o que "seria, é claro, impossível") e de que têm barbas. Essa última informação também é dada na revisão de 1951 do *Quenta Silmarillion* (XI. 253, §5).

Conta-se então que os Anãos se casam tarde, raramente antes dos noventa anos de idade ou mais,[18] que têm poucos filhos (quatro filhos era algo raro), e continua:

A eles são devotados, amiúde ferozmente: isto é, eles podem tratá-los com aparente severidade (especialmente pelo desejo de assegurar que cresçam resistentes, intrépidos e inflexíveis), mas os defendem com todo o seu poder, e ressentem-se das injúrias a eles ainda mais do que a si próprios. Isso é igualmente verdade para a atitude dos filhos em relação aos pais. Por uma injúria ao pai, um Anão pode passar a vida buscando vingança. Já que os "reis" ou chefes das linhagens são tidos como "pais" do grupo todo, há de se compreender por que toda a Raça de Durin se uniu e se organizou para vingar Thrór.

Finalmente, há uma observação sobre a ausência de registro a respeito das mulheres dos Anãos:

Raramente são nomeadas em genealogias. Elas se unem às famílias de seus maridos. Mas se for notado que um filho é cerca de 110 anos mais novo que seu pai, isso geralmente indica que há uma filha mais velha. A irmã de Thorin, Dís, é nomeada simplesmente devido à nobre morte de seus filhos, Fili e Kili, em defesa de Thorin II. O sentimento de afeição pelos filhos da irmã era forte em todos os povos da Terceira Era, mas menos entre os Anãos do que entre Homens ou Elfos, em meio aos quais ele era muito forte.

A passagem que conclui o Apêndice A, sobre Gimli e Legolas, derivou do antigo texto do Conto dos Anos (p. 298) que a essa altura fora, é claro, abandonado.

NOTAS

1 Uma vez que *Kheled-zâram* e *Kibil-nâla* como os nomes anânicos do Espelhágua e do Veio-de-Prata entraram cedo na história da escrita de *O Senhor dos Anéis* (ver VII. 202, 210), parece claro que, nesse ponto, o nome *Kibil-nâla* para o Espelhágua foi um deslize sem importância e é improvável que tenha qualquer ligação com a curiosa aparição do nome *Zigilnâd* para o Veio-de-Prata no rascunho datilografado de *O Povo de Durin* (p. 339).

2 "três vezes": o Durin que foi morto pelo Balrog em Moria é chamado, na tabela genealógica que acompanha o texto, de "Durin III".

3 Thorin Escudo-de-carvalho não era o "último da linhagem direta de Durin"; sem dúvida, meu pai quis dizer que ele era o último na descendência ininterrupta dos reis de pai para filho (cf. "a linhagem direta foi quebrada" algumas linhas abaixo).

4 Esse acréscimo foi escrito descuidadamente nas margens, com várias correções, e o trecho de "Saíram vitoriosos …" até "Dáin, seu parente, partiu para as Colinas de Ferro" foi posto no tempo presente.

5 O ponto de partida para a extensão da linhagem além de Thrór parece ter sido a explicação de meu pai para as palavras no Mapa de Thrór em *O Hobbit* ("Aqui outrora Thrain foi Rei sob a Montanha") como se referindo não a Thráin filho de Thrór, mas a um ancestral remoto também chamado Thráin: ver VII. 193.

6 O método de composição de meu pai nessa época era continuar a datilografar, sem excluir nada, conforme as frases se desenvolviam. Um caso característico, ainda que extremo, é visto nas palavras de Dáin para Thráin ao final da Batalha de Azanulbizar:

> Somente eu passei vi olhei através da Sombra do Portão. Além da Sombra ela ainda te aguarda. O mundo precisa mudar e precisa chegar outro poder que não o nosso, Ruína de DurinantesOutro poder precisa chegar que não o nosso precisa chegar, antes Khazad--dûmPovo de Durin caminhe outra vez em

Ao riscar palavras que não queria e colocar orientações no texto datilografado, ele acabou produzindo o trecho da forma que está no Apêndice A (RR, pp. 1529–30).

7 Em um rascunho dessa passagem, meu pai escreveu nesse ponto o seguinte, que não foi repetido: "O Portador-do-Anel tornava-se rico especialmente em ouro: isto é, seus negócios lhe traziam riqueza de acordo com o que ele negociava: se era chumbo, chumbo, se era prata, prata, se eram gemas, então gemas mais abundantes e de maior tamanho e valor".

8 Foi aqui que a história de como Thráin chegou a Dol Guldur foi contada pela primeira vez.

9 A morte de Frerin e Fundin e a retirada para a mata onde Thorin cortou o ramo de carvalho do qual obteve seu nome (RR, pp. 1527–28 e rodapé) não haviam sido mencionadas no rascunho datilografado do relato da Batalha de Azanulbizar. A história de que Thorin carregava um escudo de carvalho não pintado desapareceu.

10 O tom e o efeito total da versão original, conforme meu pai a escrevinhou, são muito diferentes dos encontrados nos textos subsequentes, nos quais a expressão se torna um pouco mais reservada. Para dar um único exemplo, quando Thorin (posteriormente Glóin) zombou "daqueles simplórios absurdos lá do Condado" (cf. *Contos Inacabados*, p. 442), Gandalf retorquiu: "Tu não sabes muito sobre aquela gente, Thorin. Se tu os consideras a todos simplórios porque te pagam seja lá o que pedes por teus cascalhos de ferro e não barganham demais como alguns Homens, tu estás errado. Ora, sei de um que penso ser justamente o companheiro para ti. Honesto, sensato e nem um pouco precipitado — e corajoso".

11 O texto A começa com as palavras "Pela manhã Thorin disse a Mithrandir ..." e continua como na terceira versão B (*Contos Inacabados*, p. 435): aqui, foi Thorin que convidou Gandalf a ir até seu lar nas Montanhas Azuis, enquanto no primeiro texto (p. 350) foi Gandalf quem o propôs. Não sei por que o texto A teria começado neste ponto.

12 Há aqui um redirecionamento: "ver SdA I 65/71" (leia "70"), que já estava, portanto, no prelo.

13 Daqui derivou um trecho na versão mais antiga da história:

> "Ora, então suponho que eu tenha sido 'escolhido'. Mas, até onde sabia, tive minhas razões para fazer o que fiz. Não te desconcertes se eu disser que a principal delas na minha mente não tinha relação contigo: foi, bem, 'estratégica'. Quando encontrei Thorin em Bri, sabia há muito que Sauron se erguera novamente em Dol Guldur, e todo dia esperava que ele se revelasse."

14 "Instruído" é a palavra que Gandalf usou na versão original do trecho do texto B incluído em *Contos Inacabados*, pp. 438–9.

> "Em 2941 eu já via que as Terras Ocidentais viveriam situações muito ruins de novo, mais cedo ou mais tarde. De um tipo bem diferente. E eu queria que o povo do Condado sobrevivesse a elas, se possível. Mas, para isso, achei que eles gostariam de algo a mais do que tiveram antes. Como posso dizer — esse tipo clânico de sentimento familiar vigoroso e obstinado não era o bastante. Eles haviam se tornado um tanto provincianos, esquecendo suas próprias histórias, esquecendo seus próprios primórdios, esquecendo o pouco que tinham conhecido da grandeza e do perigo do mundo — ou dos aliados que tinham nele. Não estava enterrada fundo, mas estava sendo sepultada: a lembrança do elevado, e nobre, e belo. Em suma, eles precisavam de instrução! Atrevo-me a dizer que ele foi 'escolhido' e eu fui escolhido para escolhê-lo, mas selecionei Bilbo como um instrumento. Não dá para instruir um povo inteiro de uma vez!"

15 A referência é à primeira aparição de Gandalf em *O Hobbit*: "Ele não tinha passado por aquelas partes sob A Colina por anos e anos, não desde que seu amigo, o Velho Tûk, tinha morrido, e os hobbits quase haviam se esquecido de sua aparência". — Quanto à data de "A Demanda de Erebor" incluída aqui, 2942, ver a Nota abaixo.

16 Foi somente no texto B de *A Demanda de Erebor* que o relato de Gandalf sobre seu encontro com Thráin em Dol Guldur foi colocado antes na narrativa (ver *Contos Inacabados*, p. 429), embora mesmo naquela versão Gandalf retornou ao assunto no final (*ibid.*, p. 446).

[17] Há de se notar na tabela genealógica que a duração da vida de todos os "reis do Povo de Durin" de Thráin I a Náin II variava apenas entre 247 e 256 anos, e nenhum Anão na tabela passou disso, exceto Borin (261) e Dwalin, que viveu até a avançadíssima idade de 340 (a data de sua morte aparece em todos os textos posteriores da tabela, embora a primeira a fornecer datas pareça — é difícil decifrar os números — assinalá-lo como tendo 251 anos de idade à sua morte).

[18] Na tabela genealógica, todos os "reis do Povo de Durin" de Náin I até Thorin Escudo-de-carvalho nasceram ou 101 ou 102 anos (em um caso, 100) anos após seus pais.

Nota sobre a data da Demanda de Erebor

Em meio aos papéis associados ao manuscrito original da história, meu pai escreveu algumas notas intituladas "Datas já fixadas em narrativas *publicadas* são as seguintes:"

> Bilbo nasceu 2891 (1291). Foi visitado em 2942 por Thorin II, já que naquele outono ele tinha 51 (*Senhor dos Anéis*, Capítulo I): portanto, a Batalha dos Cinco Exércitos foi no mesmo ano, e Thorin II morreu ali.
>
> Thráin deve ter "ido embora" (para buscar Erebor) em 2842 ("fez cem anos", *Hobbit*, p. 51). (Assim, presume-se que, após ficar vagando, foi apanhado em 2845 e morreu nas masmorras em 2850.)
>
> Diz-se que Dáin II (SdA, I p. 332) "ultrapassou os 250 anos" em 3018. Então ele tinha, digamos, 251, portanto nasceu em 2767 [a data fornecida na genealogia, RR, p. 1535].

No Conto dos Anos (p. 292), meu pai havia colocado o nascimento de Bilbo em 2891, e referiu-se a ela aqui como uma data "fixada em narrativa publicada" (o volume *A Sociedade do Anel* foi publicado em julho de 1954 e *As Duas Torres*, em novembro). Mas sem o Volume III, a data é fixada da seguinte maneira: Frodo deixou Bolsão em setembro de 3018 (a carta de Gandalf que ele finalmente recebeu em Bri estava datada do "Dia do Meio-do-verão, Ano 1418 do Condado") e ele foi embora no seu quinquagésimo aniversário (SA, p. 124), que foi dezessete anos depois da festa de despedida de Bilbo (quando Frodo tinha 33 anos); a data da festa era, portanto, 3001. Mas era o 111º aniversário de Bilbo e, portanto, ele nasceu em... 2890. Parece ser possível explicar isso apenas como um simples erro de cálculo da parte de meu pai, o qual ele nunca checou, — ou melhor, nunca havia checado até agora, pois em outra nota no meio desses papéis ele repassou as evidências e chegou à data 2890 do nascimento de Bilbo e, assim, 2941 da visita de Thorin a ele em Bolsão. Essa nova data fora alcançada na época em que a primeira versão de *A Demanda de Erebor* foi escrita.

PARTE DOIS

ESCRITOS TARDIOS

ESCRITOS TARDIOS

É uma conveniência muito grande nessa história majoritariamente sem datas que meu pai tenha recebido da Allen and Unwin certa quantidade de papéis de rascunho, cujo lado em branco ele usou para muitos de seus trabalhos tardios; pois esses papéis consistiam em notas de publicação e muitas das páginas têm datas: algumas de 1967, a grande maioria de 1968 e algumas de 1970. Essas datas nos fornecem, é claro, apenas um *terminus a quo*: no caso, por exemplo, de um longo ensaio sobre os nomes dos rios e colinas dos faróis de Gondor (muito utilizado em *Contos Inacabados*), páginas datadas de 1967 foram usadas, mas pode-se demonstrar por razões distintas e inteiramente certas que o trabalho foi escrito depois de junho de 1969. Foi esse o período de *O Desastre dos Campos de Lis*, *Cirion e Eorl* e *As Batalhas dos Vaus do Isen*, que publiquei em *Contos Inacabados*.

Foi também uma época em que meu pai se motivou a escrever extensivamente, com uma visão mais geral, sobre os idiomas e povos da Terceira Era e suas interrelações, muito entrelaçados com discussões sobre a etimologia de nomes. Fiz bastante uso desse material na seção *A História de Galadriel e Celeborn* (e em outros lugares) em *Contos Inacabados*; mas eu precisava, é claro, relacioná-lo com a estrutura e conteúdo daquele livro e a única maneira de fazer isso, tendo em vista a natureza extremamente difusa e digressiva da escrita de meu pai, foi extraindo as passagens relevantes. Neste livro, incluo dois dos mais substanciais desses "ensaios", dos quais fiz pouco uso em *Contos Inacabados*.

O primeiro deles, *De Anãos e Homens*, surgiu, como disse meu pai, "de uma reflexão sobre o Livro de Mazarbul" (isto é, de suas representações das folhas queimadas e danificadas que não foram publicadas até depois de sua morte) e da inscrição na tumba de Balin em Moria, mas foi parar muito além do seu ponto de partida.

Desse ensaio eu excluí as duas passagens que foram usadas em *Contos Inacabados*, o relato sobre os Drúedain e sobre o encontro dos marinheiros númenóreanos com os Homens de Eriador no ano 600 da Segunda Era (ver pp. 372–3, 377–8). O segundo ensaio, que chamei de *O Xibolete de Fëanor*, é de natureza muito diferente, como será visto, e dele apenas uma passagem sobre Galadriel foi utilizada em *Contos Inacabados*; incluí também um longo excurso sobre os nomes dos descendentes de Finwë, Rei dos Ñoldor, que foi a palavra final — ou, de toda forma, a última — de meu pai sobre muitos dos grandes nomes das lendas élficas, e que eu usei no *Silmarillion* publicado. Também incluí um terceiro texto, que chamei de *O Problema de Ros*; depois deles estão alguns de seus últimos escritos, provavelmente do último ano de sua vida (p. 445).

Algo precisa ser dito sobre esses ensaios "histórico-filológicos". Com exceção do último, que acabo de mencionar, eles foram elaborados em uma máquina de escrever. Esses textos são, de maneira muito clara, completamente elementares; não são desenvolvimentos ou refinamentos de versões anteriores e não foram eles mesmos desenvolvidos ou refinados posteriormente. As ideias, os novos desvios da narrativa, formulações históricas e construções etimológicas aparecem aqui pela primeira vez em forma escrita — o que não quer dizer, é claro, que não estivessem sendo gestados há muito tempo —, e essencialmente nessa forma eles permanecem. Obviamente esses textos nunca foram concluídos e com frequência terminam em notas e rabiscos caóticos e ilegíveis ou ininteligíveis. Parte da escrita era decididamente experimental: um exemplo notável é o texto que chamei de *O Problema de Ros*, sobre o qual meu pai escreveu "Quase tudo isso é falho" por causa de uma afirmação que apareceu publicada, mas que ele não tinha notado (ver pp. 438–9). Assim como naquele caso, quase todo esse trabalho era etimológico na inspiração, o que em larga medida explica sua natureza extremamente discursiva; pois em nenhuma área uma coisa leva a outra com mais rapidez do que na etimologia, a qual também, por natureza, sai de si mesma na tentativa de buscar explicações para além da evolução puramente linguística das formas. No ensaio sobre os nomes dos rios de Gondor, o nome do Gwathló levou a um relato sobre a vasta destruição das grandes florestas de Minhiriath e Enedwaith pelos construtores navais númenóreanos na Segunda Era e suas consequências (*Contos Inacabados*, pp. 353–57); no mesmo ensaio, do nome *Gilrain* surgiu o relato da lenda de Amroth e Nimrodel (*ibid.*, pp. 329–30).

Nos três textos incluídos aqui, há de se encontrar muitas coisas que são inteiramente "novas", tais como a longa estada do Povo de Bëor e do Povo de Hador em lados opostos do grande Mar Interior de Rhûn no curso de sua longa migração para o Oeste, ou a sombria lenda dos filhos gêmeos de Fëanor. Também há de se ver muitas coisas que contradizem o que já havia sido dito em escritos anteriores. Em minhas notas, não procurei fazer uma análise de todos os desvios desse tipo, reais ou aparentes, nem citar um sem-fim de referências de fases anteriores da História; mas chamei a atenção para as mais evidentes e surpreendentes dessas discrepâncias. Nessa época, meu pai continuou e intensificou sua prática de interpor notas no corpo do texto conforme iam surgindo e elas são abundantes e, frequentemente, substanciais. Nos textos a seguir, elas estão numeradas na mesma sequência das notas editoriais e coligidas ao final de cada um deles, sendo que as notas editoriais são diferenciadas por estarem entre colchetes.

10

De Anãos e Homens

Este longo ensaio não tem título, mas em uma página de capa meu pai escreveu:

> Um extenso comentário e história da relação entre os idiomas em *O Silmarillion* e *O Senhor dos Anéis*, surgindo de uma reflexão sobre o Livro de Mazarbul, mas na tentativa de clarificar e, onde for necessário, corrigir ou explicar as referências a tais assuntos dispersas em *O Senhor dos Anéis*, especialmente no Apêndice F e na fala de Faramir em SdA II.

A "fala de Faramir" é uma referência à conclusão do capítulo *A Janela para o Oeste* em *As Duas Torres*. A uma apressada sinopse do ensaio ele deu o título *Anãos e Homens*, o qual adotei.

O texto começou de forma manuscrita, mas após três páginas e meia torna-se datilografado até o fim (28 páginas no total). Foi escrito em papéis impressos fornecidos pela Allen and Unwin, dos quais a data mais recente é setembro de 1969. Uma parte do trabalho foi publicada em *Contos Inacabados*, Parte Quatro, Seção 1, *Os Drúedain*, mas, afora isso, pouco uso se fez dele naquele livro. Infelizmente, a primeira página do texto se perdeu (e já estava faltando quando recebi os papéis de meu pai) e recomeça no meio de uma frase em um trecho que discute o conhecimento da fala comum.

Em relação à primeira parte do ensaio, que se ocupa dos Anãos Barbas-longas, achei que seria útil incluir primeiro o que se diz acerca do idioma dos Anãos em duas importantes fontes precedentes. A seguinte se encontra no capítulo sobre os Anãos no *Quenta Silmarillion*, conforme revisado e expandido em 1951 (XI. 253, §6):

> A língua paterna dos Anãos o próprio Aulë engendrou para eles, e seus idiomas, assim, não possuem parentesco com aqueles dos

> Quendi. Os Anãos não ensinam de bom grado sua língua àqueles de outras raças; e no uso eles a tornaram áspera e intrincada, de modo que, daqueles poucos que os Anãos recebiam em plena amizade, um número ainda menor deles a aprendia bem. Mas eles próprios aprendiam depressa outras línguas, e em colóquio usam como podem a fala dos Elfos e dos Homens com os quais tratam. Porém, em segredo usavam apenas a sua própria língua, e essa (diz-se) demora a mudar; de modo que mesmo os seus reinos e suas casas separados por muito tempo e por longas distâncias podem, até hoje, compreender-se bem. Em dias antigos, os Naugrim habitavam em muitas montanhas da Terra-média, e lá encontraram Homens mortais (dizem eles) muito antes de os Eldar tomarem conhecimento deles; donde se afirma que das línguas dos Lestenses muitas exibem antes um parentesco com a fala-anânica do que com as falas dos Elfos.

A segunda passagem é do Apêndice F, *Anãos* (com a qual compare a versão original, p. 55, §15).

> Mas na Terceira Era ainda se encontrava amizade próxima, em muitos lugares, entre Homens e Anãos; e era conforme a natureza dos Anãos que, viajando, labutando e comerciando em todas as terras, como faziam após a destruição de suas antigas mansões, usassem as línguas dos Homens entre os quais habitavam. Porém em segredo (um segredo que, ao contrário dos Elfos, não revelavam de bom grado, mesmo aos amigos) usavam sua própria língua estranha, pouco mudada pelos anos; pois ela se tornara mais uma língua de saber que uma fala do berço, e eles a cultivavam e vigiavam como um tesouro do passado. Poucos de outras raças conseguiram aprendê-la. Nesta história ela só aparece nos nomes de lugares que Gimli revelou aos companheiros e no grito de batalha que ele pronunciou no cerco do Forte-da-Trombeta. Este, pelo menos, não era secreto, e fora ouvido em muitos campos desde que o mundo era jovem. "*Baruk Khazâd! Khazâd ai-mênu!*", "Machados dos Anãos! Os Anãos estão sobre vós!"
>
> No entanto, o nome do próprio Gimli e os nomes de toda a sua gente são de origem do Norte (dos Homens). Seus próprios nomes secretos e "internos", seus nomes verdadeiros, os Anãos

jamais revelaram a ninguém de outra raça. Nem mesmo os inscrevem em seus túmulos.

Segue-se o ensaio a que chamei *De Anãos e Homens*.

... somente ao falar com outros de diferente raça e idioma, a divergência poderia ser grande e a intercomunicação, imperfeita.[1] Mas esse não era sempre o caso: dependia da história dos povos em questão e seu relacionamento com os reinos númenóreanos. Por exemplo, entre os Rohirrim, deve ter havido pouquíssimos que não entendiam a fala comum e a maioria certamente a falava muito bem. A casa real e sem dúvida muitas outras famílias a falavam (e escreviam) com correção e familiaridade. Era de fato a língua nativa do Rei Théoden: ele nasceu em Gondor e seu pai, Thengel, usava a fala comum em seu próprio lar mesmo após seu retorno a Rohan.[2] Os Eldar a usavam com o cuidado e destreza que dispensavam a todos os assuntos linguísticos e, sendo longevos e de memória retentiva, de fato tendiam — em especial ao falar formalmente ou sobre assuntos importantes — a empregar uma linguagem um tanto arcaica.[3]

Os Anãos eram, em muitos sentidos, um caso especial. Tinham uma antiga língua própria que estimavam muitíssimo; e mesmo quando, como entre os Anãos Barbas-longas do Oeste, ela havia deixado de ser seu idioma nativo, tornando-se uma "linguagem livresca", foi cuidadosamente preservada e ensinada a todos os seus filhos em tenra idade. Servia, portanto, como uma *língua franca* entre todos os Anãos de todas as espécies; mas era também uma língua escrita empregada em todas as histórias e saberes importantes, e no registro de quaisquer assuntos não destinados a serem lidos por outras pessoas. O khuzdul (como a chamavam), em parte devido ao sigilo natural deles e em parte devido à sua dificuldade inerente,[4] de raro era aprendida por aqueles de outra raça.

Os Anãos, contudo, não eram linguistas habilidosos — na maioria das coisas eram inadaptáveis — e falavam com um sotaque "anânico" marcado. Ademais, nunca inventaram qualquer forma de escrita alfabética.[5] Rapidamente, contudo, reconheceram a utilidade dos sistemas élficos quando, afinal, amigaram-se o suficiente de quaisquer dos Eldar para aprendê-los. Isso ocorreu principalmente na associação próxima entre Eregion e Moria na Segunda

Era. Ora, em Eregion não apenas a escrita fëanoriana — que há muito se tornara um modo de escrita geralmente empregado (com diversas adaptações) entre todos os povos "letrados" em contato com os assentamentos númenóreanos[6] —, mas também o antigo alfabeto "rúnico" de Daeron, elaborado [> utilizado] pelos Sindar, era conhecido e usado. Sem dúvida, isso era devido à influência de Celebrimbor, um Sinda que avocava descendência de Daeron.[7] Apesar disso, até mesmo em Eregion as runas eram principalmente "tema de saber" e raramente eram usadas para assuntos informais. Contudo, elas atraíram o interesse dos Anãos; pois mesmo que os Anãos ainda vivessem em suas próprias mansões populosas, tais como Moria, particularmente, e partissem em jornadas apenas para visitar seus próprios parentes, eles tinham pouco contato com outros povos, exceto os vizinhos imediatos, e precisavam muito pouco da escrita; embora fossem afeitos a todos os tipos de inscrições gravadas em pedra. Para tais propósitos as runas eram convenientes, tendo sido originalmente criadas para isso.

Os Anãos Barbas-longas, portanto, adotaram as runas e as modificaram para seus próprios usos (especialmente para a expressão do khuzdul); e aderiram a elas até mesmo quando a Terceira Era estava avançada, quando haviam sido esquecidas pelos outros, exceto os mestres de saber entre Elfos e Homens. De fato, geralmente os que não tinham instrução supunham que elas haviam sido inventadas pelos Anãos, e eram em larga medida conhecidas como "letras-anânicas".[8]

Aqui estamos nos ocupando apenas da fala comum. Ora, a fala comum, quando escrita, tinha sido desde o início expressa com as letras fëanorianas.[9] Apenas ocasionalmente, e em inscrições não elaboradas com pena ou pincel, alguns dos Elfos de ascendência sindarin usavam as Runas de Daeron, e sua grafia dependia, então, dos usos já estabelecidos da escrita fëanoriana. Os Anãos haviam originalmente aprendido a fala comum de ouvido tão bem quanto conseguiram, e não tinham necessidade de escrevê-la; mas, na Terceira Era, foram obrigados, no curso de seus negócios e outros tratos com Homens e Elfos, a aprender a ler a fala comum, e muitos acharam conveniente aprender a escrevê-la de acordo com os costumes gerais do Oeste naquela época. Mas isso faziam apenas nos tratos com outros povos. Para seus próprios propósitos (como se disse), preferiam as runas e aderiam a elas.

Assim, em documentos como o Livro de Mazarbul — não "secretos", mas destinados primariamente aos Anãos e provavelmente com o objetivo de, mais tarde, fornecer material para crônicas[10] — eles usavam as runas. Mas a grafia era mesclada e irregular. Em geral, e intencionalmente, era uma transcrição em sinais rúnicos da grafia corrente da fala comum; mas era frequentemente "incorreta", devido à pressa e conhecimento imperfeito dos Anãos; e também misturada com numerosos casos de palavras grafadas foneticamente (de acordo com a pronúncia dos Anãos) — por exemplo, letras que na pronúncia coloquial da Terceira Era tardia deixaram de ter qualquer função eram omitidas às vezes.[11]

Na preparação de um exemplo do Livro de Mazarbul, ao confeccionar três páginas rasgadas e parcialmente ilegíveis,[12] segui o princípio geral* usado em todo lugar: a fala comum seria representada pelo inglês de hoje, literário ou coloquial conforme a exigência do caso. Consequentemente, o texto foi feito em inglês, grafado como atualmente, mas modificado como o poderia ser por alguém escrevendo apressadamente e cuja familiaridade com a forma escrita fosse imperfeita, e que também estivesse (na primeira e terceira páginas) transliterando o inglês para um alfabeto diferente — um que não empregasse, por exemplo, qualquer letra com mais de um valor distinto, de modo que a distribuição do inglês *k, c – c, s* foi reduzida para *k – s*; enquanto o uso das letras para *s* e *z* foi variável, já que o inglês frequentemente emprega o *s* = *z*. Ademais, visto que documentos desse tipo quase sempre mostram usos de letras ou formas que são peculiares e raramente ou nunca encontrados em outros lugares, algumas dessas características são também introduzidas: como os sinais para os pares vocálicos ingleses *ea*, *oa*, *ou* (independentemente dos seus sons).

Isso tudo está muito bem e talvez dê alguma ideia do tipo de texto que Gandalf estava tentando ler bastante às pressas na Câmara de Mazarbul. Também está em conformidade com o tratamento geral dos idiomas em *O Senhor dos Anéis*: apenas as verdadeiras palavras e nomes do período que estão em línguas élficas foram preservados na forma que supostamente teria sido a real.[13] Ademais, esse tratamento foi imposto porque, apesar do fato de

*Cf. RR, p. 1605, rodapé. [N.T.]

que a verdadeira fala comum foi rascunhada na estrutura e nos elementos fonéticos e várias palavras foram cunhadas, foi praticamente impossível traduzir até mesmo esses curtos excertos na real forma da época quando representados de forma visível. Mas, de fato, é logicamente uma extrapolação errônea do tratamento linguístico geral. Uma coisa é representar todos os diálogos da história em formas variantes do inglês: deve-se supor que isso seja feito pela "tradução" — pela memória de sons não registrados ou por documentos perdidos ou inéditos, expressamente ou não, sempre que isso for feito em qualquer narrativa que dê conta de tempos passados ou terras estrangeiras. Mas é uma coisa bem diferente fornecer fac-símiles ou representações *visíveis* de inscrições ou entalhes que supostamente datam dos acontecimentos na narrativa.[14]

O verdadeiro paralelo, neste caso, é um vislumbre de quenya no Adeus de Galadriel — seja em uma transcrição para nosso alfabeto (para tornar o estilo da língua mais facilmente apreciável) ou na escrita da época (como em *The Road Goes Ever On*) seguida de uma tradução. Visto que, como observado, não foi possível fornecer um texto da época na verdadeira fala comum, o único procedimento apropriado era oferecer uma tradução em inglês das palavras legíveis nas páginas apressadamente examinadas por Gandalf.[15] Isso foi feito no texto; e, na falta de uma construção da verdadeira fala comum que bastasse para que o texto pudesse estar na forma daquela época, isso é tudo o que se pode legitimamente fazer.

Uma dificuldade especial é aduzida pela inscrição no túmulo de Balin. Ela é eficaz onde está, dando uma ideia do estilo das runas quando cinzeladas com mais cuidado para um propósito solene e fornecendo um vislumbre de um idioma estranho; embora tudo o que é realmente necessário para a história são as seis linhas em I. 334[16] (com a tradução da inscrição em letras maiores e mais conspícuas). A representação real da inscrição, contudo, levou a alguns absurdos.[17]

Na inscrição, o emprego dos valores e formatos mais antigos e mais "corretos" do *Angerthas* em vez do tardio "modo de Erebor" não é absurdo (embora, possivelmente, uma elaboração desnecessária); está em conformidade com a história das runas esboçada no Apêndice E. As runas mais antigas seriam usadas para um propósito como esse, já que eram empregadas em Moria antes da fuga dos Anãos e apareceriam em outras inscrições do mesmo tipo — e Balin afirmava ser descendente e sucessor dos antigos Senhores de Moria. O uso do idioma-anânico (khuzdul) é possível em uma inscrição tão curta porque essa língua foi esboçada com algum detalhamento estrutural, ainda que com vocabulário bem reduzido. Mas os nomes *Balin* e *Fundin* são, nesse contexto, absurdos. Os Anãos, conforme afirmado em III. 411,[18] tinham nomes em sua própria língua; eles os usavam apenas entre si (em ocasiões solenes) e os mantinham em segredo absoluto de outros povos e, portanto, jamais os colocavam em escritas ou inscrições destinadas a estranhos ou que pudessem ser vistas por eles. Nos dias e nos lugares em que tratavam com seus avizinhados, seja a negócio ou por amizade, adotavam "nomes externos" por conveniência.[19] A forma desses nomes geralmente se adequava à estrutura da fala comum [> à estrutura da língua da qual eram derivados]. Com muita frequência, tinham significados reconhecíveis nessa língua ou eram nomes correntes nela; às vezes, eram nomes [> correntes nela, sendo nomes] usados por Homens das redondezas entre os quais habitavam e derivavam da língua humana local na qual talvez tivessem ainda um significado conhecido, embora esse frequentemente não fosse o caso [*essa frase foi riscada*].[20] Se os nomes que tinham significados eram escolhidos porque esses significados tinham alguma relação com os seus secretos nomes "internos" é algo que não pode ser determinado. Os nomes adotados poderiam ser e às vezes eram alterados — geralmente como consequência de algum acontecimento como a migração dos Anãos ou de seus amigos, separando-os.

O caso dos Anãos de Moria era um exemplo da adoção de nomes de línguas humanas do Norte e não da fala comum.[21] Talvez tivesse sido melhor, nesse caso, fornecê-los em suas formas reais. Mas ao levar a cabo a teoria (necessária para diminuir o peso de ter que inventar nomes em diferentes estilos de linguagem) de que os nomes derivados de idiomas e dialetos humanos do Oeste historicamente relacionados à fala comum deveriam ser representados por nomes encontrados (ou compostos por elementos encontrados) em línguas relacionadas ao inglês, os nomes anânicos foram retirados do nórdico: uma vez que a língua humana da qual foram adotados era intimamente relacionada à língua mais meridional da qual derivou o idioma de Rohan (representado pelo inglês antigo por conta da forma mais arcaica se comparado aos elementos na fala comum derivados das línguas da mesma família). Como consequência, nomes como *Balin* etc. não teriam aparecido em nenhuma inscrição da época que realmente usasse khuzdul.[22]

Relações entre os Anãos Barbas-longas e Homens[23]

Nas tradições anânicas da Terceira Era, os nomes dos lugares onde cada um dos Sete Ancestrais "despertara" eram lembrados; mas apenas dois deles eram conhecidos por Elfos e Homens do Oeste: o mais ocidental, o local de despertar dos ancestrais dos Barbas-de-fogo e dos Ancas-largas; e o do ancestral dos Barbas-longas,[24] o mais antigo a ser feito e a despertar. O primeiro local foi no norte das Ered Lindon, a grande muralha oriental de Beleriand da qual as Montanhas Azuis eram o remanescente da Segunda Era em diante; o segundo foi o Monte Gundabad (originalmente um nome khuzdul), que era, portanto, reverenciado pelos Anãos, e sua ocupação na Terceira Era pelos Orkes de Sauron era uma das razões principais para seu grande ódio pelos Orkes.[25] Os dois outros lugares ficavam a leste, a distâncias tão grandes ou maiores do que entre as Montanhas Azuis e Gundabad: a ascensão dos Punhos-de-ferro e Barbas-rijas, e dos Mechas-negras e Pés-de-pedra. Embora esses quatro pontos estivessem muito apartados, os Anãos de diferentes estirpes se comunicavam e nas eras antigas frequentemente faziam assembleias com emissários no Monte Gundabad. Em tempos de grande necessidade, mesmo os mais distantes enviavam ajuda a qualquer um de seu povo; como no caso da Guerra contra os Orkes (2793 a 2799 da Terceira Era). Ainda que relutassem em migrar e construir moradas ou "mansões" permanentes longe de seus lares originais, exceto sob grande pressão de inimigos ou após alguma catástrofe como a ruína de Beleriand, eram grandes e intrépidos viajantes, e habilidosos construtores de estradas; ademais, todas as estirpes partilhavam de um idioma comum.[26]

Mas em dias muito remotos, os Anãos eram reservados [*riscado:* — e nenhum mais dos que os Barbas-longas —] e tinham poucos tratos com os Elfos. No Oeste, ao final da Primeira Era, os negócios entre os Anãos das Ered Lindon e o Rei Thingol acabaram em desastre e na ruína de Doriath, e essa memória continuou a envenenar as relações entre Elfos e Anãos em eras posteriores. Naquela época, as migrações de Homens do Leste e do Sul haviam trazido desbravadores para Beleriand; mas eles não eram numerosos, embora mais para o leste em Eriador e Rhovanion (especialmente nas porções setentrionais) sua gente já devesse ter ocupado muito da terra. Lá, negócios entre Homens e os Barbas-longas devem ter se iniciado rapidamente. Pois os Barbas-longas, ainda que fossem os mais soberbos das sete estirpes, eram também os mais sábios e os que viam mais longe. Os Homens os consideravam com admiração e eram ávidos por aprender com eles; e os Barbas-longas tinham muito interesse em usar os Homens para seus próprios propósitos. Assim cresceu, naquelas regiões, a economia mais tarde característica dos negócios entre Anãos e Homens (incluindo Hobbits): os Homens tornaram-se os principais fornecedores de alimento — como pegureiros, pastores e lavradores — pelo que os Anãos trocavam trabalho como pedreiros, construtores de estradas, mineradores e artesãos, desde ferramentas úteis até artilharia e armamentos e muitas outras coisas de grande custo e destreza. Para grande lucro dos Anãos. Não apenas considerando-se horas de labor, se bem que em tempos antigos os Anãos devem ter obtido bens que eram produto de labuta maior e mais demorada do que as coisas ou serviços que davam em troca — antes que os Homens se tornassem mais sábios e desenvolvessem suas próprias habilidades. A principal vantagem para eles era a liberdade de prosseguir sem obstáculos com seu próprio trabalho e refinar suas artes, especialmente na metalurgia, rumo à prodigiosa habilidade que alcançaram antes do declínio e decadência dos Khazâd.

Esse sistema se desenvolveu lentamente e passou-se muito tempo até que os Barbas-longas sentissem qualquer necessidade de aprender a língua de seus avizinhados e menos ainda de adotar nomes pelos quais pudessem ser conhecidos individualmente por "forasteiros". Esse processo começou não no escambo ou no comércio, mas na guerra; pois os Barbas-longas se haviam espalhado para o sul pelos Vales do Anduin e construído sua principal "mansão" e baluarte em Moria; e também para o leste, até as Colinas de Ferro, onde as minas eram sua principal fonte de minério de ferro. Consideravam as Colinas de Ferro, as Ered Mithrin, e os vales orientais das Montanhas Nevoentas como sua própria terra. Mas estavam sob ataque dos Orkes de Morgoth. Durante a Guerra das Joias e o Cerco de Angband, quando Morgoth precisava de toda a sua força, esses ataques cessaram; mas, quando Morgoth caiu e Angband foi destruída, hostes de Orkes fugiram para o leste buscando abrigo. Estavam agora sem mestre e sem liderança geral, mas eram bem armados e muito numerosos, cruéis, selvagens e afoitos em assalto. Nas batalhas que se seguiram, os Anãos estavam em menor número e, ainda que fossem os guerreiros mais temidos de todos os Povos Falantes, ficaram contentes de fazer aliança com Homens.[27]

Os Homens com quem se associavam dessa forma eram, na maior parte, aparentados em raça e língua do alto e majoritariamente louro povo da "Casa de Hador", os mais renomados e numerosos dos Edain, que se aliaram aos Eldar na Guerra das Joias. Esses Homens, ao que parece, haviam rumado para o oeste até se depararem com a Grande Verdemata, e então se dividiram: alguns chegando ao Anduin e passando de lá para o norte, subindo os Vales; alguns passando entre as beiras setentrionais da Mata e as Ered Mithrin. Só uma pequena parte desse povo, já muito numeroso e dividido em muitas tribos, continuara então para Eriador e, assim, chegou finalmente a Beleriand. Era gente corajosa e leal, sincera, desafetos de Morgoth e seus serviçais; e a princípio olharam desconfiados para os Anãos, temendo que estivessem sob a Sombra (como diziam).[28] Mas contentaram-se com a aliança, pois eram mais vulneráveis aos ataques dos Orkes: viviam majoritariamente em herdades e vilas esparsas e, quando se reuniam em pequenos povoados, estes eram parcamente defendidos, no máximo por diques e cercas de madeira. Ademais, tinham armas leves, principalmente arcos, pois tinham pouco metal e os escassos ferreiros entre eles não possuíam grande habilidade. Essas coisas os Anãos remediaram em troca de um grande serviço que os Homens podiam oferecer. Eram domadores de feras e haviam aprendido a amestrar cavalos, e muitos eram habilidosos e destemidos cavaleiros.[29] Estes com frequência cavalgavam longe como batedores e vigiavam os movimentos dos seus inimigos; e se os Orkes ousassem se reunir a céu aberto para alguma grande incursão, eles juntavam grande força de arqueiros montados para cercá-los e destruí-los. Desse modo, a Aliança de Anãos e Homens no Norte veio cedo na Segunda Era a comandar grande força, célere no ataque e valorosa e bem protegida na defesa, e naquela região cresceu entre Anãos e Homens respeito e estima e, às vezes, amizade fervorosa.

Foi naquela época, quando os Anãos se associavam a Homens tanto na guerra quanto no ordenamento das terras que haviam apaziguado,[30] que os Barbas-longas adotaram a fala dos Homens para se comunicarem com eles. Não é que não se dispusessem a ensinar seu próprio idioma aos Homens com quem tinham especial amizade, mas os Homens o achavam difícil e eram lentos em aprender mais do que palavras isoladas, muitas das quais adaptaram e incorporaram à sua própria língua. Mas em um ponto os Barbas-longas eram tão rigidamente secretos quanto todos os outros Anãos. Por razões que nem Elfos e nem Homens entendiam completamente, eles não revelavam quaisquer nomes pessoais para gente de outra raça,[31] e mais tarde, quando haviam adquirido as artes da escrita, não permitiam que fossem entalhados ou escritos. Portanto, assumiam nomes de formas humanas[32] pelos quais pudessem ser conhecidos por seus aliados. Esse costume perdurou entre os Barbas-longas na Quarta Era e para além do alcance destas histórias. Parece que, quando conversavam com Homens com quem tinham amizade próxima e juntos falavam das histórias e memórias de seus povos, eles também davam nomes semelhantes aos Anãos lembrados nos seus anais muito antes do encontro de Anãos e Homens. Mas desses tempos antigos apenas um nome foi preservado na Terceira Era: *Durin*, o nome que deram ao ancestral primevo dos Barbas-longas e pelo qual era conhecido de Elfos e Homens. (Parece ter sido simplesmente uma palavra para "rei" na língua dos Homens do Norte da Segunda Era.)[33] Os nomes dos Barbas-longas não são de outra forma conhecidos em listas que remontam a muito antes da ruína de Moria (Khazad-dûm) em 1980 da Terceira Era; mas são todos do mesmo tipo, isto é, em uma língua humana "morta" há muito tempo.

Isso só pode ser explicado ao supor que esses nomes do início da Segunda Era haviam sido adotados pelos Anãos e preservados com tão pouca alteração quanto sua própria língua e continuaram a ser atribuídos (e frequentemente repetidos) por algo como quatro mil anos ou mais, desde que a Aliança foi destruída pelo poder de Sauron! Assim, eles logo se tornaram, para Homens que vieram depois, nomes especialmente anânicos;[34] e os Barbas-longas adquiriram um vocabulário de nomes tradicionais peculiares a eles, enquanto ainda mantinham seus reais nomes "internos" em absoluto segredo.

Mudanças muito grandes vieram a acontecer conforme a Segunda Era progredia. As primeiras naus dos Númenóreanos apareceram nas costas da Terra-média por volta de 600 da Segunda Era, mas nenhum rumor desse portento alcançou o longínquo Norte. Ao mesmo tempo, contudo, Sauron deixou de se esconder e revelou-se em bela forma. Por muito tempo, prestara pouca atenção a Anãos ou Homens e empenhou-se em conquistar a amizade e confiança dos Eldar. Mas lentamente ele se voltou novamente para a lealdade a Morgoth e começou a buscar o poder pela força, reorganizando e comandando os Orkes e outros seres malignos da Primeira Era, e secretamente construindo sua grande fortaleza na terra rodeada de montanhas no Sul que foi posteriormente conhecida como Mordor. A Segunda Era chegara apenas à metade de seu curso (c.1695 da Segunda Era) quando ele invadiu Eriador e destruiu Eregion, um pequeno reino estabelecido pelos Eldar que migraram da ruína de Beleriand e que haviam formado uma aliança também com os Barbas-longas de Moria. Isso marcou o fim da Aliança dos Barbas-longas com Homens do Norte. Pois embora Moria tenha permanecido inexpugnável por muitos séculos, os Orkes, reforçados e comandados por serviçais de Sauron, invadiram as montanhas novamente. Gundabad foi retomada, as Ered Mithrin foram infestadas e a comunicação entre Moria e as Colinas de Ferro, interrompida por um tempo. Os Homens da Aliança envolveram-se em guerra não apenas com Orkes, mas com Homens estrangeiros de um tipo maligno. Pois Sauron havia conquistado o domínio sobre muitas tribos selvagens no Leste (outrora corrompidas por Morgoth) e agora os instava a buscar terra e butim no Oeste. Quando a tempestade passou,[35] os Homens da antiga Aliança estavam reduzidos e dispersos e aqueles que permaneceram nas velhas regiões estavam empobrecidos e viviam mormente em cavernas ou nas beiras da Floresta.

Os mestres élficos do saber afirmavam que, em matéria de língua, as mudanças na fala (e em todos os modos de suas vidas) dos Povos Falantes eram muito mais vagarosas nos Dias Antigos do que se tornaram depois. O idioma dos Eldar mudava principalmente por seu desígnio; a dos Anãos resistia à mudança por sua própria vontade; as muitas línguas de Homens mudavam sem que se dessem conta na rápida passagem de suas gerações. Todas as coisas mudavam em Arda, até mesmo no Reino Abençoado dos Valar; mas lá a mudança era tão lenta que não se a podia observar (exceto, talvez, pelos Valar) em grandes lapsos de tempo. A mudança na língua dos Eldar, portanto, teria sido interrompida em Valinor;[36] mas nos seus dias iniciais os Eldar continuaram a ampliar e refinar sua língua, e alterá-la, mesmo em estrutura e sons. Tal mudança, contudo, para que permanecesse uniforme, exigia que os falantes permanecessem em contato. Assim aconteceu que as línguas dos Eldar que permaneceram na Terra-média divergiram tanto das línguas dos Altos Eldar de Valinor que os falantes de uma não podiam ser compreendidos pelos da outra; pois haviam sido separados por um grande período de tempo, durante o qual até mesmo o sindarin, a mais bem preservada de todas na Terra-média, fora sujeitada às mudanças fortuitas do passar dos anos, mudanças que os Teleri tinham muito menos interesse em refrear ou ordenar por seu desígnio do que os Ñoldor.

II

Os Atani e suas Línguas[37]

Os Homens entraram em Beleriand no tardar da Primeira Era. Aqueles dos quais nos ocupamos aqui e de cujas línguas alguns registros foram mais tarde preservados pertenciam majoritariamente a três povos, diferindo em fala e raça, mas conhecidos pelos Eldar conjuntamente como *Atani* (sindarin *Edain*).[38] Esses *Atani* eram a vanguarda de hostes muito maiores dos mesmos tipos que rumavam para oeste. Quando a Primeira Era terminou e Beleriand foi destruída e a maior parte dos Atani que sobreviveu havia passado sobre o mar para Númenor, sua gente retardatária estava ou em Eriador, alguns assentados, outros ainda vagando, ou então nunca atravessaram as Montanhas Nevoentas e estavam dispersos nas terras entre as Colinas de Ferro e o Mar de Rhûn a leste e a Grande Floresta, nas beiras da qual muitos já se haviam estabelecido a norte e leste.

Os Atani e seus parentes eram os descendentes dos povos que, nas Eras Sombrias, haviam resistido a Morgoth ou renunciado a ele e vagaram sempre para o oeste desde seus lares no longínquo Leste buscando o Grande Mar, do qual rumores distantes os haviam alcançado. Eles não sabiam que o próprio Morgoth havia deixado a Terra-média;[39] pois estavam sempre em guerra com os seres vis que ele havia gerado e especialmente com Homens que haviam feito dele o seu Deus e acreditavam que não lhe podiam prestar serviço mais aprazível do que destruir os "renegados" usando todo tipo de crueldade. Foi no Norte da Terra-média, parece, que os "renegados" sobreviveram em número suficiente para manter sua independência como povos corajosos e intrépidos; mas de seu passado eles preservaram apenas lendas e suas histórias orais não retrocediam muito além do que algumas gerações de Homens.

Quando suas vanguardas finalmente alcançaram Beleriand e as Costas do Oeste, ficaram aflitos. Pois não podiam prosseguir, mas não haviam encontrado paz, apenas terras imersas em guerra com o próprio Morgoth, que havia fugido de volta para a Terra-média. "Durante anos esquecidos", eles diziam, "nós vagamos, tentando escapar dos Domínios do Senhor Sombrio e de sua Sombra, apenas para encontrá-lo aqui diante de nós".[40] Contudo, sendo pessoas tanto corajosas quanto desesperadas, de pronto tornaram-se aliados dos Eldar e foram por eles instruídos e tornaram-se enobrecidos e desenvolvidos em conhecimento e em artes. Nos anos finais da Guerra das Joias, proveram muitos dos mais valorosos guerreiros e capitães nos exércitos dos reis élficos.

Os Atani eram três povos, independentes em organização e liderança, cada um diferindo dos outros em fala e também em forma e características físicas — se bem que todos revelassem traços de miscigenação no passado com Homens de outras espécies. Esses povos os Eldar chamaram de Povo de Bëor, Povo de Hador e Povo de Haleth, a partir dos nomes dos chefes que os comandaram quando chegaram pela primeira vez a Beleriand.[41] Os Homens do Povo de Bëor foram os primeiros a entrar em Beleriand — foram encontrados nos vales de Beleriand Leste pelo Rei Finrod, o Amigo dos Homens, pois haviam encontrado um caminho pelas Montanhas. Eram um povo diminuto, com não mais, diz-se, do que dois mil homens de plena estatura; e eram pouco e mal equipados, mas estavam habituados a agruras e jornadas penosas carregando grandes fardos, pois não tinham animais de carga. Não muito tempo depois, a primeira das três hostes do Povo de Hador subiu desde o sul e duas outras de força muito parecida a seguiram antes do outono daquele ano. Eram um povo mais numeroso; cada hoste era tão grande quanto todo o Povo de Bëor e estavam melhor armados e equipados; ademais, tinham muitos cavalos e alguns asnos e pequenos rebanhos de ovelhas e cabras. Haviam cruzado Eriador e alcançado os sopés orientais das Montanhas (Ered Lindon) um ano ou mais antes de todos os outros, mas não tentaram encontrar quaisquer passagens e se afastaram, procurando uma estrada que contornasse as Montanhas, as quais, conforme relataram seus batedores montados, tornavam-se cada vez mais baixas conforme avançavam para o sul. Alguns anos mais tarde, quando o outro povo havia se assentado, o terceiro povo dos Atani entrou em Beleriand.[42] Eram provavelmente mais numerosos do que o Povo de Bëor, mas nenhuma contagem precisa jamais foi feita; pois chegaram secretamente em pequenos grupos e se esconderam nas matas de Ossiriand, onde os Elfos não lhes demonstraram amizade. Ademais, havia contenda entre si mesmos; e Morgoth, agora ciente da chegada de Homens hostis a Beleriand, enviou seus serviçais para atormentá-los. Aqueles que acabaram rumando para o oeste e estabeleceram amizade e aliança com os Eldar eram chamados de Povo de Haleth, pois Haleth era o nome da chefe que os conduziu para as matas a norte de Doriath, onde lhes foi permitido morar.

O Povo de Hador sempre foi o maior em número dentre os Atani e em renome (exceto apenas por Beren, filho de Barahir, descendente de Bëor). Era, na maior parte, um povo alto, com cabelos cor de linho ou dourados e olhos azul-acinzentados, mas não poucos entre eles tinham cabelos escuros, embora todos fossem de pele clara.[43]

Apesar disso, eram aparentados do Povo de Bëor, como se demonstrava por sua fala. Não era necessário qualquer saber de idiomas para notar que suas línguas eram intimamente relacionadas, pois embora só pudessem compreender uns aos outros com dificuldade, tinham muitas palavras em comum. Os mestres élficos do saber[44] eram da opinião de que ambas as línguas descendiam de uma que divergira (devido a alguma separação entre as pessoas que a falavam) no curso de mil anos, talvez, durante a mudança mais lenta na Primeira Era.[45] Contudo, esse tempo pode muito bem ter sido menor e a mudança, acelerada por uma miscigenação de povos; pois a língua de Hador era, aparentemente, menos alterada e mais uniforme em estilo, ao passo que a língua de Bëor continha muitos elementos que eram de caráter forâneo. Esse contraste na fala estava provavelmente ligado às diferenças físicas observáveis entre os dois povos. Havia homens e mulheres de cabelos claros entre o Povo de Bëor, mas a maioria tinha cabelos castanhos (combinando geralmente com olhos castanhos) e muitos eram de pele menos clara, alguns sendo, de fato, tisnados. Homens da altura do Povo de Hador eram raros entre eles e a maioria era mais espadaúda e de compleição mais pesada.[46] Em associação com os Eldar, especialmente com os seguidores do Rei Finrod, tornaram-se tão desenvolvidos em artes e modos quanto o Povo de Hador, mas, se estes os superavam em rapidez de mente e corpo, em ousadia e nobre generosidade,[47] o Povo de Bëor era mais constante na resistência ao sofrimento e ao pesar, demoravam a chorar e a gargalhar; sua força não precisava de esperança que a sustentasse. Mas essas diferenças de corpo e mente tornaram-se menos marcadas conforme suas curtas gerações se passavam, pois os dois povos tornaram-se muito misturados por casamento e pelos desastres da Guerra.[48]

O Povo de Haleth era estranho aos demais Atani, pois falava um idioma forâneo; e, apesar de se unirem a eles em aliança com os Eldar, permaneciam como um povo separado. Entre si, mantinham-se fiéis a seu próprio idioma e, embora aprendessem por necessidade o sindarin para se comunicarem com os Eldar e os demais Atani, muitos falavam essa língua com hesitação, e alguns dentre os que raramente ultrapassavam os limites de suas próprias florestas não a usavam em absoluto.[49] Não adotavam de bom grado objetos ou costumes novos e mantinham muitas práticas que pareciam estranhas aos Eldar e aos demais Atani, com quem pouco tratavam, salvo na guerra. No entanto, eram estimados como aliados leais e guerreiros temíveis, se bem que fossem pequenas as companhias que mandavam para combater fora de suas fronteiras. Pois eram, e permaneceram até seu fim, um povo diminuto, preocupado mormente em proteger suas próprias florestas, e destacavam-se no combate nos bosques. Na verdade, por muito tempo nem mesmo os Orks especialmente treinados para essa atividade ousavam aproximar-se de suas fronteiras. Uma das estranhas práticas mencionadas era que muitos de seus guerreiros eram mulheres, apesar de poucas irem a campo para lutar nas grandes batalhas. Esse costume era evidentemente antigo;[50] pois sua chefe Haleth era uma renomada amazona com uma seleta escolta de mulheres.

Neste ponto, um título está escrito à lápis no texto datilografado: III *Os Drúedain (Homens-Púkel)*; após isso não há mais divisões com subtítulos inseridos. Juntamente com o parágrafo conclusivo da seção II, incluído acima, o relato dos Drúedain que se segue foi publicado em *Contos Inacabados*, pp. 499–505, terminando com a história chamada *A Pedra Fiel*; e não há necessidade de repeti-lo aqui.[51] Ao final da história há um trecho contrastando Drûgs e Hobbits, o qual, uma vez que foi incluído de maneira resumida em *Contos Inacabados* (p. 506), está publicado aqui na íntegra; o presente texto continua, então, até o fim — ou melhor, até o abandono — do ensaio.

Esse longo relato sobre os Drúedain foi fornecido porque joga alguma luz nos Homens Selvagens que ainda sobreviviam à época da Guerra do Anel na extremidade oriental das Montanhas Brancas e no fato de Merry tê-los reconhecido como formas vivas dos Homens-Púkel esculpidos do Fano-da-Colina. A presença de membros da mesma raça entre os Edain em Beleriand, portanto, perfaz outra conexão retrospectiva entre *O Senhor dos Anéis* e *O Silmarillion* e possibilita a introdução de personagens algo semelhantes aos Hobbits de *O Senhor dos Anéis* em algumas das lendas da Primeira Era (por exemplo, o velho servidor (Sadog) de Húrin na lenda de Túrin).[52]

Os Drûgs, ou Homens-Púkel, contudo, não devem ser confundidos ou imaginados como uma mera variante do tema "hobbit". Eram bem diferentes em forma física e aparência. Sua altura média (1,2 metro) só era alcançada por Hobbits excepcionais; eram de constituição mais pesada e mais forte; e seus traços faciais eram desgraciosos (julgados pelos padrões humanos gerais). Fisicamente, partilhavam os rostos imberbes; mas, enquanto os cabelos da cabeça dos Hobbits eram abundantes (mas densos e encaracolados), os Drûgs tinham apenas cabelos esparsos e lisos na cabeça, e nenhum pelo nas pernas e nos pés. Em caráter e temperamento, eram às vezes risonhos e alegres, como os Hobbits, mas sua natureza possuía um lado mais sinistro, e eles podiam ser sardônicos e cruéis; e tinham, ou se lhes creditavam, poderes estranhos ou mágicos. (Os contos, tais como "A Pedra Fiel", que falam sobre como transferiam parte de seus "poderes" a seus artefatos, lembram-nos em miniatura a transferência do poder de Sauron às fundações de Barad-dûr e ao Anel Regente.)[53] Ademais, os Drûgs eram um povo frugal e se alimentava parcamente mesmo em épocas de paz e abundância, e nada bebia além de água. Sob alguns aspectos pareciam-se mais com os Anãos: na constituição, na estatura e na resistência (mas não nos cabelos); na habilidade de esculpir a pedra; no lado ríspido de seu caráter; e em seus "estranhos poderes". Mas as habilidades "mágicas" atribuídas aos Anãos eram bem diferentes; ademais, os Anãos eram muito mais ríspidos; e eram longevos, enquanto os Drúedain tinham vida curta em comparação com outras espécies de Homens.

Os Drûgs que se encontram nos contos da Primeira Era — vivendo junto do Povo de Haleth, que era um povo silvestre — contentavam-se em morar em tendas ou abrigos fragilmente construídos ao redor dos troncos de grandes árvores, pois eram uma raça resistente. Em seus antigos lares, de acordo com seus próprios contos, haviam usado cavernas nas montanhas, mas principalmente como depósitos e apenas ocupados como habitações e dormitórios em tempo severo. Tinham refúgios semelhantes em Beleriand para os quais todos, exceto os mais resistentes, se retiravam em épocas de tempestade e clima hostil; mas esses locais eram vigiados e nem mesmo seus amigos mais próximos dentre o Povo de Haleth eram bem-vindos ali.

Os Hobbits, por sua vez, eram em quase todos os aspectos Homens normais, mas de baixíssima estatura. Eram chamados "pequenos"; mas isso é uma referência à altura normal de homens de ascendência númenóreana e dos Eldar (especialmente os de ascendência ñoldorin), que aparentemente era cerca de 2,1 metros.[54] Sua altura nos períodos em questão era geralmente maior do que 0,9 metro para homens, embora pouquíssimos jamais excedessem 1,1 metro; mulheres raramente passavam dos três pés. Não eram tão numerosos ou variáveis quanto Homens comuns, mas evidentemente eram mais numerosos e adaptáveis a diferentes modos de vida e ambientes do que os Drûgs e, quando são vistos pela primeira vez nas histórias, já mostravam diferenças de cor, estatura e compleição, e nos seus modos de vida e preferências por diferentes tipos de terreno para morar (ver o Prólogo de *O Senhor dos Anéis*, p. 12).* Em seu passado sem registro, devem ter sido um povo primitivo, "selvagem" de fato,[55] mas quando nós os encontramos, haviam adquirido (em graus variados) muitas artes e costumes

*Edição brasileira: SA, pp. 44–6. [N.T.]

pelo contato com Homens e, em menor grau, com Anãos e Elfos. Reconheciam o parentesco próximo com Homens de estatura normal, ao passo que Anãos e Elfos, amigáveis ou hostis, eram-lhes estranhos e com quem suas relações eram intranquilas e nubladas por medo.[56] A afirmação de Bilbo (*O Senhor dos Anéis* I. 162)[*†57] de que a coabitação do Povo Grande e do Povo Pequeno em um assentamento em Bri era peculiar e não encontrada em qualquer outro lugar era provavelmente verdade na sua época (o final da Terceira Era);[58] mas parece que, na verdade, os Hobbits haviam gostado de morar junto ou próximo do Povo Grande de natureza amigável, que os protegia com sua força maior de muitos perigos e inimigos e de outros Homens hostis, e recebiam muitos serviços em troca. Pois é notável que os Hobbits ocidentais não preservaram vestígio ou memória de qualquer língua própria. A língua que falavam quando entraram em Eriador foi evidentemente adotada de Homens dos Vales do Anduin (aparentados dos Atani, / em particular aqueles da Casa de Bëor [> das Casas de Hador e de Bëor]); e, após adotarem a fala comum, conservaram muitas palavras daquela origem. Isso indica uma ligação próxima com o Povo Grande, ainda que a rápida adoção da fala comum em Eriador[59] mostre que os Hobbits eram particularmente adaptáveis nesse aspecto. O mesmo se pode dizer da divergência dos Grados, que se haviam associado a Homens de tipo diferente antes de chegarem ao Condado.

A vaga tradição preservada pelos Hobbits do Condado dizia que eles outrora viveram em terras junto a um Grande Rio, mas há muito as haviam deixado e trilharam seu caminho atravessando ou contornando altas montanhas, quando não mais se sentiram em paz em seus lares devido à multiplicação do Povo Grande e a uma sombra de medo que se havia abatido sobre a Floresta. Isso evidentemente reflete as atribulações de Gondor no início da Terceira Era. O aumento no número de Homens não era o incremento normal daqueles com quem viviam em amizade, mas o aumento contínuo de invasores do Leste, refreados por Gondor mais ao sul, mas que no Norte, para além da jurisdição do Reino, atormentavam os antigos habitantes "atânicos" e até mesmo ocupavam a Floresta

[*]Edição brasileira: SA, p. 231. [N.T.]

em alguns locais e a atravessavam rumo ao vale do Anduin. Mas a sombra da qual a tradição falava não era causada apenas pela invasão humana. Claramente os Hobbits haviam sentido — mesmo antes de os Magos ou os Eldar tomarem completa ciência disso — o despertar de Sauron e sua ocupação de Dol Guldur.[60]

Quanto às relações entre as diferentes espécies de Homens em Eriador e Rhovanion e os Atani e outros Homens vistos nas lendas da Primeira Era e da Guerra das Joias, ver *O Senhor dos Anéis* II. 286–7 [no capítulo *A Janela para o Oeste*].* Ali, Faramir relata brevemente a classificação da época em Gondor dos Homens em três espécies: Altos Homens, ou Númenóreanos (de ascendência mais ou menos pura); Homens Médios; e Homens da Escuridão. "Homens da Escuridão" era um termo genérico aplicado a todos aqueles que eram hostis aos Reinos e que eram (ou pareciam ser, em Gondor) movidos por algo maior do que a cobiça humana por conquistas e saques, um ódio fanático pelos Altos Homens e seus aliados, tidos como inimigos de seus deuses. O termo não levava em conta diferenças de raça, cultura ou língua. A respeito dos Homens Médios, Faramir falava principalmente dos Rohirrim, o único povo desse tipo bem conhecido em Gondor na sua época, e atribuía a eles verdadeira descendência direta do Povo de Hador na Primeira Era. Essa era uma crença geral em Gondor naquela época,[61] e se a tomava como uma explicação (para conforto do orgulho númenóreano) para a outorga de tão grande parte do Reino ao povo de Eorl.

O termo "Homens Médios", contudo, tinha origem antiga. Foi criado na Segunda Era pelos Númenóreanos quando começaram a estabelecer portos e assentamentos nas costas ocidentais da Terra--média. Surgiu entre os colonizadores no Norte (entre Pelargir e o Golfo de Lûn), nos dias de Ar-Adûnakhôr; pois os colonizadores dessa região haviam se recusado a tomar parte na rebelião contra os Valar e foram reforçados por muitos exilados dos Fiéis que fugiram da perseguição dele e dos Reis de Númenor que vieram depois. Foi, portanto, modelada na classificação dos Elfos pelos Atani: os Altos Elfos (ou Elfos da Luz) eram os Ñoldor que retornaram em exílio do Extremo Oeste; os Elfos Médios eram

*Edição brasileira: DT, p. 971. [N.T.]

os Sindar, que, apesar de parentes próximos dos Altos Elfos, permaneceram na Terra-média e nunca viram a luz de Aman; e os Elfos Escuros eram aqueles que nunca fizeram a jornada para as Costas Ocidentais e não desejavam contemplar Aman. Não era o mesmo que as classificações feitas pelos Elfos, que não são de interesse aqui exceto pela observação de que usavam "Elfos Escuros" ou "Elfos da Escuridão", mas isso não implicava em absoluto qualquer maldade ou subordinação a Morgoth: referia-se apenas à ignorância da "luz de Aman" e incluía os Sindar. Aqueles que nunca fizeram a jornada para as Costas do Oeste eram chamados de "os Que Recusam" (*Avari*). Há dúvidas sobre se qualquer um dos Avari jamais alcançou Beleriand[62] ou se eram de fato conhecidos pelos Númenóreanos.

Nos dias dos primeiros assentamentos de Númenor, havia muitos Homens de diferentes espécies em Eriador e Rhovanion, mas, na sua maioria, moravam longe das costas. As regiões de Forlindon e Harlindon eram habitadas por Elfos e constituíam a principal porção do reino de Gil-galad, que a norte do Golfo de Lûn se estendia a ponto de abarcar as terras a leste das Montanhas Azuis e a oeste do Rio Lûn até a confluência do Pequeno Lûn.[63] (Além desse ponto era território anânico.)[64] Ao sul do Lûn, não possuía fronteiras claras, mas as Colinas das Torres (como foram posteriormente chamadas) eram mantidas como posto avançado.[65] Minhiriath e a metade ocidental de Enedhwaith entre o Griságua e o Isen ainda eram cobertas de densa floresta.[66] As praias da Baía de Belfalas ainda estavam em grande medida desertas, à exceção de um porto e uma pequena povoação de Elfos na foz da confluência do Morthond e do Ringló.[67] Mas muito tempo se passou até que os colonizadores númenóreanos nos arredores das Fozes do Anduin se aventurassem ao norte de seu grande porto em Pelargir e travassem contato com Homens que viviam nos vales de ambos os lados das Montanhas Brancas. O seu termo "Homens Médios", portanto, era originalmente aplicado a Homens de Eriador, os mais ocidentais dos Humanos na Segunda Era, e conhecidos dos Elfos do reino de Gil-galad.[68] Naquela época, havia muitos homens em Eriador, principalmente, ao que parece, aparentados na origem ao Povo de Bëor, ainda que alguns fossem aparentados do Povo de Hador. Viviam em torno do Lago Vesperturvo, nas Colinas do Norte e nas Colinas do Vento, e também nas terras entre eles até o Brandevin, a oeste do qual frequentemente vagavam, apesar de não habitarem ali. Eram amigáveis aos Elfos, embora os considerassem com admiração e amizades próximas entre eles fossem raras. Ademais, temiam o Mar e não se dispunham a olhar para ele. (Sem dúvida, rumores do seu terror e da destruição da Terra além das Montanhas (Beleriand) os haviam alcançado e alguns de seus ancestrais talvez tenham sido de fato fugitivos dos Atani que não deixaram a Terra-média, mas escaparam rumo ao leste.)

Assim veio a acontecer que o termo númenóreano "Homens Médios" foi confundido em sua aplicação. Seu principal critério era a amizade em relação ao Oeste (a Elfos e a Númenóreanos), mas era, na verdade, geralmente empregado apenas para Homens cuja estatura e aparência eram semelhantes às dos Númenóreanos, embora essa distinção mais importante quanto à "amizade" não se restringisse historicamente às pessoas de um único tipo racial. Era uma marca de todas as espécies de Homens que descendiam daqueles que abjuraram a Sombra de Morgoth e seus serviçais e viandaram rumo ao oeste para escapar dela — e certamente incluía ambas as raças de estatura menor, Drûgs e Hobbits. Ademais, deve-se dizer que a "inimizade" aos Númenóreanos e seus aliados nem sempre se devia à Sombra, mas, em dias posteriores, às ações dos próprios Númenóreanos. Assim, muitos dos habitantes-da-floresta das terras costeiras ao sul das Ered Luin, especialmente em Minhiriath, eram da gente do Povo de Haleth, como historiadores posteriormente reconheceram; mas tornaram-se inimigos ferrenhos dos Númenóreanos por conta de seu tratamento cruel e devastação das florestas,[69] e esse ódio permaneceu sem se apaziguar nos seus descendentes, fazendo com que eles se juntassem a quaisquer inimigos de Númenor. Na Terceira Era, seus sobreviventes eram o povo conhecido em Rohan como Terrapardenses.

Havia também a questão da língua. Foi seiscentos anos após a partida dos sobreviventes dos Atani, que cruzaram o mar até Númenor, que pela primeira vez um navio tornou a vir do Oeste à Terra-média, e subiu pelo Golfo de Lûn.[70]

A história que se segue, relatando os encontros dos marinheiros Númenóreanos com doze Homens de Eriador nas Colinas das Torres, o reconhecimento mútuo de um parentesco antigo e a descoberta de que seus idiomas, embora profundamente alterados, tinham uma origem comum, foi incluída em *Contos Inacabados*, pp. 292–93.[71] Seguindo a conclusão daquele excerto (que termina com as palavras "descobriram que compartilhavam muitíssimas palavras ainda claramente reconhecíveis, e outras que, com atenção, podiam ser entendidas; e conseguiram manter uma conversa hesitante sobre assuntos simples") o ensaio continua com o seguinte.

Assim aconteceu que um parentesco de língua, ainda que somente reconhecível após convívio próximo, foi percebido pelos Númenóreanos como sendo uma das marcas dos "Homens-médios".[72]

Os mestres do saber de dias posteriores afirmavam que as línguas de Homens na Terra-média, pelo menos aquelas dos Homens "sem sombra", mudaram com menos rapidez antes do fim da Segunda Era e da alteração do mundo na Queda de Númenor. Enquanto em Númenor, devido à longevidade dos Atani, ela mudara ainda mais lentamente. Quando do primeiro encontro dos Marinheiros com os Homens da Eriador ocidental, fazia apenas seiscentos anos desde que os Atani haviam cruzado o mar e o adûnaico que falavam mal deve ter mudado; mas mil anos ou mais se passaram desde que os Atani que alcançaram Beleriand se haviam separado de sua gente. Contudo, mesmo agora em um mundo mais mutável, línguas que estão separadas há quinze centenas de anos ou mais podem ser reconhecidas como aparentadas por aqueles não versados na história de idiomas.

Conforme os longos anos se passaram, a situação mudou. O antigo adûnaico de Númenor se degradou pelo tempo — e pelo descaso. Pois devido à desastrosa história de Númenor, ele não era mais honrado pelos "Fiéis" que controlavam todas as Terras Costeiras de Lûn a Pelargir. Pois os idiomas élficos foram proscritos pelos Reis rebeldes e somente o adûnaico tinha permissão para ser usado, e muitos dos livros antigos em quenya ou sindarin foram destruídos. Os Fiéis, portanto, usavam o sindarin e nessa língua criaram todos os nomes novos de lugares que atribuíram na Terra-média.[73] O adûnaico foi entregue a mudanças e corrupções negligenciadas, sendo a língua da vida cotidiana e o único idioma dos iletrados. Todos os homens de alta linhagem e todos os que eram ensinados a ler e escrever usavam sindarin, até mesmo como um idioma cotidiano entre si mesmos. Conta-se que, em algumas famílias, o sindarin tornou-se o idioma nativo e a língua vulgar de origem adûnaica era aprendida apenas casualmente conforme a necessidade.[74] O sindarin não era, contudo, ensinado a estrangeiros, tanto porque era tido como uma marca de ascendência númenóreana quanto porque se provou difícil de aprender — muito mais do que o "idioma vulgar". Assim, aconteceu que, conforme os assentamentos númenóreanos aumentavam em poder e extensão e travavam contato com Homens da Terra-média — muitos dos quais passaram para o domínio númenóreano e incrementaram sua população —, o "idioma vulgar" começou a se espalhar por toda parte como uma *língua franca* entre povos de muitas espécies diferentes. Esse processo começou no findar da Segunda Era, mas ganhou importância geral principalmente após a Queda e o estabelecimento dos "Reinos no Exílio" em Arnor e Gondor. Esses reinos adentraram fundo na Terra-média e seus reis eram reconhecidos como soberanos para além de suas fronteiras. Assim, no Norte e no Oeste, todas as terras entre as Ered Luin e o Griságua e o Fontegris[75] tornaram-se regiões de influência númenóreana, nas quais o "idioma vulgar" tornou-se corrente em larga medida. No Sul e no Leste, Mordor permaneceu impenetrável; mas embora a extensão de Gondor fosse obstruída dessa maneira, era mais populosa e poderosa do que Arnor. As fronteiras do antigo reino abarcavam todas as terras assinaladas em mapas do final da Terceira Era como Gondor, Anórien, Ithilien, Ithilien do Sul e Rohan (antes chamada de Calenardhon) a oeste do Entágua.[76] Sobre a sua extensão no auge do poder, entre os reinados de Hyarmendacil I e Rómendacil II (1015 a 1366 da Terceira Era), ver *O Senhor dos Anéis*, Apêndice A, p. 325.*[77] As vastas terras entre o Anduin e o Mar de Rhûn jamais foram, contudo, efetivamente assentadas ou ocupadas e a única fronteira norte verdadeira do Reino a leste do Anduin era formada pelas Emyn Muil e os pântanos ao sul e leste delas. A influência númenóreana, no entanto, alongava-se muito além até mesmo dessas divisas estendidas, subindo os Vales do Anduin até suas nascentes e alcançando as terras a leste da Floresta, entre o Rio Celon[78] (Rápido) e o Rio Carnen (Rubrágua).

Dentro das divisas originais dos Reinos, a "fala vulgar" logo se tornou corrente e, por fim, a língua nativa de quase todos os

*Edição brasileira: RR, p. 1485. [N.T.]

habitantes de quaisquer origens e imigrantes que tinham permissão para se estabelecer no interior das fronteiras a adotaram. Seus falantes em geral a chamavam de westron (na verdade *adûni* e, em sindarin, *annúnaid*). Mas ela se disseminou muito além das divisas dos Reinos — inicialmente no trato com "os povos dos Reinos" e, depois, como uma "fala comum", conveniente para o colóquio entre povos que preservavam numerosas línguas próprias. Assim, Elfos e Anãos a usavam nos negócios entre si e com Homens.

O texto se encerra abruptamente aqui (sem ponto final após a última palavra, embora isso talvez não seja significativo), no meio de uma página.

NOTAS

1 Um caso notável é a conversa entre Ghân, chefe dos Homens Selvagens, e Théoden. Provavelmente poucos, ou nenhum, dos Homens Selvagens além de Ghân empregavam a fala comum e ele tinha apenas um vocabulário limitado de palavras utilizadas conforme os hábitos de sua fala nativa.

2 Após Thengel, os Reis e seus descendentes também conheciam o idioma sindarin — a língua dos nobres em Gondor. [Cf. Apêndice A (II), na lista dos Reis da Marca, acerca da estadia de Thengel em Gondor. Conta-se ali que, após seu retorno a Rohan, "a fala de Gondor era usada em sua casa e nem todos consideravam isso bom."]

3 O efeito nos falantes contemporâneos da fala comum de Gondor seria comparável ao que sentiríamos caso um estrangeiro, tanto erudito quanto habilidoso linguista, empregasse fluentemente, ao ser cortês ou ao lidar com assuntos elevados, um inglês de, digamos, 1600 d.C., mas adaptado à nossa pronúncia contemporânea.

4 Estruturalmente e gramaticalmente, diferia muito de todas as outras línguas do Oeste naquela época; embora tivesse algumas características em comum com o adûnaico, a antiga língua "nativa" de Númenor. Isso deu origem à (provável) teoria de que, no passado sem registro, algumas das línguas de Homens — incluindo a língua do elemento dominante dos Atani da qual o adûnaico derivou — haviam sido influenciadas pelo khuzdul.

5 Conta-se que tinham seu próprio sistema complexo de escrita e gravação pictográfica ou ideográfica. Mas este eles mantinham resolutamente em segredo.

6 Inclusive por seus inimigos, como Sauron e seus altos serviçais, os quais, de fato, eram parcialmente de origem númenóreana.

7 [Assim como Gil-galad, Celebrimbor foi um personagem que apareceu primeiro em *O Senhor dos Anéis* e cuja origem meu pai mudou repetidamente. A primeira afirmação sobre o assunto está em um texto pós-*Senhor dos Anéis*, *Acerca de Galadriel e Celeborn*, onde se diz (cf. *Contos Inacabados*, pp. 319–20):

> Galadriel e Celeborn tinham em sua companhia um artesão noldorin chamado Celebrimbor. Era de origem noldorin e um dos sobreviventes de Gondolin, onde fora um dos maiores artífices de Turgon — mas adquiriu assim certa mácula de soberba e uma obsessão quase "anânica" pelos ofícios.

Ele reaparece como joalheiro de Gondolin no texto *A Elessar* (ver *Contos Inacabados*, p. 338 em diante); mas, ao lado do trecho acima mencionado em *Acerca de Galadriel e Celeborn*, meu pai observou que era melhor "fazer dele um descendente de Fëanor". Assim, na Segunda Edição (1966) de *O Senhor dos Anéis*, ao final das notas introdutórias ao Conto dos Anos da Segunda Era, ele acrescentou a seguinte afirmação: "Celebrimbor foi Senhor de Eregion e o maior dos seus artífices; ele descendia de Fëanor".

Em um de seus exemplares de *O Retorno do Rei*, ele sublinhou o nome *Fëanor* nessa frase e escreveu as duas seguintes notas na página oposta (penso que o início da primeira delas queira dizer: "Qual então era sua linhagem? Ele deve ter descendido de um dos filhos de Fëanor de cuja progênie nada foi dito").

> Como poderia ser? Os únicos descendentes de Fëanor eram seus sete filhos, seis dos quais alcançaram Beleriand. Até agora nada foi dito de suas esposas e filhos. Parece provável que *Celebrinbaur* (do-punho-de-prata, > *Celebrimbor*) era filho de Curufin, mas, apesar de herdar suas habilidades, era um Elfo de temperamento completamente distinto (sua mãe recusara-se a tomar parte na rebelião de Fëanor e permaneceu em Aman com o povo de Finarphin). Durante a estada deles em Nargothrond como refugiados, ele passou a amar Finrod e ^ sua esposa, e ficou horrorizado com a postura de seu pai e não quis ir com ele. Mais tarde, tornou-se um grande amigo de Celeborn e Galadriel.

A segunda nota diz:

> Maedros, o mais velho, parece não ter se casado, e também os dois mais novos (gêmeos, um dos quais por maligno infortúnio foi queimado junto com os navios); Celegorm também, já que tramou tomar Lúthien como esposa. Mas Curufin, o mais querido por seu pai e principal herdeiro das suas habilidades, casou-se e teve um filho que veio consigo para o exílio, embora sua (não nomeada) esposa não. Outros que se casaram eram Maelor e Caranthir.

Quanto à forma *Maelor* em vez de *Maglor*, ver X. 225, §41. A referência na primeira dessas notas à esposa de Finrod Felagund é notável, já que muito antes, nos *Anais Cinzentos*, aparecera a história de que Felagund não tinha esposa e que "aquela a quem ele amara fora Amárië dos Vanyar, e ela não teve permissão de seguir com ele para o exílio". Na verdade, essa história havia sido abandonada, ou esquecida, mas ela retornaria: ver a nota a Gil-galad, p. 416.

As observações sobre Celebrimbor, filho de Curufin, foram a base das passagens introduzidas editorialmente no *Silmarillion* publicado, p. 241 (ver V. 360) e em *Dos Anéis de Poder, ibid.*, p. 375. Mas em escritos tardios (1968 ou posterior) a propósito das palavras eldarin para "mão", meu pai disse o seguinte:

> O eldarin comum tinha uma base KWAR "comprimir, apertar, espremer". Um derivativo era **kwāra* : quenya *quár*, telerin *pār*, sindarin *paur*. Pode-se traduzir isso como "punho", embora seu emprego principal fosse em referência à mão bem fechada usada como ferramenta ou instrumento de ofício em vez do "punho" usado para esmurrar. Cf. o nome *Celebrin-baur* > *Celebrimbor*. Era uma forma sindarinizada do nome telerin *Telperimpar* (quenya *Tyelpinquar*). Era um nome frequente entre os Teleri que, além da navegação e construção naval, também eram renomados prateiros. O famoso Celebrimbor, heroico defensor de Eregion na guerra da Segunda Era contra Sauron, era um Teler, um dos três Teleri que acompanharam Celeborn no exílio. Era um grande artífice de prata e foi para Eregion atraído pelos rumores do maravilhoso metal encontrado em Moria, a prata-de-Moria, à qual ele deu o nome de *mithril*. No trabalho com ela, tornou-se rival dos Anãos ou, antes, um igual, pois havia grande amizade entre os Anãos de Moria e Celebrimbor e eles compartilhavam suas habilidades e segredos-de-ofício. Do mesmo modo, *Tegilbor* era usado para alguém habilidoso na caligrafia (*tegil* era uma forma sindarinizada do quenya *tekil* "pena", desconhecida dos Sindar até a chegada dos Ñoldor).

Quando meu pai escreveu isso, ele ignorou o acréscimo ao Apêndice B da Segunda Edição que dizia que Celebrimbor "descendia de Fëanor"; sem dúvida havia esquecido que essa teoria já aparecera publicada, pois, caso tivesse lembrado, certamente teria se sentido vinculado a ela. — Quanto à afirmação de que Celebrimbor era "um dos três Teleri que acompanharam Celeborn no exílio", ver *Contos Inacabados*, pp. 314–6.

Contudo, no presente ensaio, mais ou menos contemporâneo às palavras eldarin recém mencionadas para "mão", uma explicação radicalmente distinta para a origem de Celebrimbor é fornecida: "um Sinda que avocava descendência de Daeron".]

8 Contudo, elas não apareciam nas inscrições no Portão Oeste de Moria. Os Anãos diziam que era em consideração aos Elfos que as letras fëanorianas haviam sido usadas naquele portão, já que ele se abria para seu país e

era principalmente usada por eles. Mas os Portões Leste, que se acabaram na guerra contra os Orkes, costumavam abrir-se para o vasto mundo e eram menos amigáveis. Haviam ostentado inscrições rúnicas em vários idiomas: feitiços de proibição e exclusão em khuzdul e comandos de que todos os que não tinham a permissão do Senhor de Moria deveriam partir, escritos em quenya, sindarin, na fala comum, nas línguas de Rohan, de Valle e da Terra Parda.

[Na margem, ao lado do parágrafo no texto, neste ponto, meu pai escreveu a lápis:

> N.B. Elrond realmente diz em *O Hobbit* que as runas foram *inventadas* pelos Anãos e escritas com penas de prata. Elrond era meio-elfo e um mestre de saber e história. Portanto, devemos ou tolerar essa discrepância ou modificar a história das runas, tornando o *Angerthas Moria* majoritariamente um trabalho de invenção anânica.

Em notas associadas a este ensaio, vê-se que ele estava cogitando o segundo caminho, considerando a possibilidade de que realmente os Anãos Barbas-longas haviam sido os criadores originais das runas; e que foi deles que Daeron derivou a ideia, mas, como as primeiras runas não estavam bem organizadas (e diferiam de uma mansão dos Anãos para outra), ele as ordenou em um sistema lógico.

Mas, é claro, no Apêndice E (II) ele já havia afirmado muito explicitamente a origem das runas: "As cirth foram primeiramente criadas em Beleriand pelos Sindar". Foi Daeron de Doriath que desenvolveu a "forma mais rica e mais ordenada" das cirth, o Alfabeto de Daeron, e seu uso em Eregion levou à sua adoção pelos Anãos de Moria, donde o nome *Angerthas Moria*. Assim, a inconsistência — se houvesse inconsistência — não poderia ser removida; mas, na verdade, não havia. Foram as "runas-da-lua" que Elrond declarou (ao final do capítulo *Um Pouco de Descanso*) terem sido inventadas pelos Anãos e escritas por eles com penas de prata, e não as runas como uma forma alfabética — como meu pai, por fim, percebeu aliviado. Eu menciono tudo isso para ilustrar sua intensa preocupação em evitar discrepâncias e inconsistências, mesmo que, neste caso, sua ansiedade fosse infundada. — Para um relato mais antigo acerca da origem das runas, ver VII. 532–6.]

9 [Neste ponto o texto escrito à mão termina e recomeça em forma datilografada.]

10 Conforme as coisas desandaram em Moria e mesmo a esperança de escaparem vivos se extinguia, as últimas páginas do Livro só podem ter sido escritas na expectativa de que o Livro pudesse ser encontrado mais tarde por amigos e os informasse do destino de Balin e sua expedição precipitada a Moria — o que de fato aconteceu.

11 Casos incluíam a redução de consoantes duplas (longas) para consoantes simples medialmente em posição intervocálica, ou a alteração de consoantes em

certas combinações. Ambos são exemplificados pela palavra coloquial da Terceira Era *tunas*, "guarda", isto é, um grupo de homens agindo como guardas. Era um derivado do radical TUD "vigia, guarda" + *nas* "pessoas": um grupo organizado ou ajuntamento de pessoas com alguma função. Mas *tudnas*, embora frequentemente mantido na grafia "correta", fora alterado para *tunnas* e era frequentemente assim escrito: *tunas*, que ocorreu na primeira linha das três páginas preservadas, estava "incorreto" e representava a forma coloquial. (A propósito, esse *nas* é provavelmente um exemplo dos numerosos empréstimos do élfico que já se encontravam no adûnaico e que aumentaram na fala comum dos Reinos. É provavelmente < quenya *nossë* ou sindarin *nos*, "gente, família". O *o* breve do élfico tornou-se *a* em tais empréstimos.)

12 [As três páginas foram reproduzidas em *Pictures by J. R. R. Tolkien*, 1979, n. 23 (segunda edição, 1992, n. 24).]

13 Exceção feita a algumas palavras em uma forma degradada da língua negra; a alguns topônimos ou nomes pessoais (não interpretados); ao grito de guerra dos Anãos. Ademais, a alguns topônimos cuja origem e significado estão supostamente esquecidos; e a um ou dois nomes pessoais de mesmo tipo (ver Apêndice F, p. 407) {edição brasileira: RR, p. 1616}).

14 O fragmento de Amenartas estava na língua grega (traduzida por Andrew Lang) do período do qual supostamente sobreviveu e não em inglês grafado como poderia ter sido em letras gregas. [Quanto ao fragmento de Amenartas, ver o capítulo 3 de *She* {*Ela*}, de H. Rider Haggard.]

15 A primeira canção de Galadriel é tratada desta forma: fornecida apenas em tradução (assim como todas as suas outras falas nos diálogos). Isso porque, neste caso, houve uma tentativa de tradução poética, representando até onde foi possível os artifícios métricos do original — uma composição planejada, feita sem dúvida muito antes da vinda de Frodo e independente da chegada do Um Anel em Lórien. Por outro lado, o Adeus destinou-se diretamente a Frodo e foi uma expressão improvisada em estilo ritmicamente livre, refletindo o aumento esmagador de seu arrependimento e anseio, além do seu desespero pessoal após ter sobrevivido à terrível tentação. Ele foi traduzido com precisão. Deve-se presumir que a interpretação da primeira canção foi muito mais livre para permitir a representação das características métricas. (Na época, ficou provado que foi a abnegação de Galadriel ao orgulho, a confiança em seus próprios poderes e sua absoluta recusa a aumentá-los ilegitimamente que lhe conferiu uma nau para levá-la de volta ao lar.) [Cf. o trecho de uma carta de 1967 de meu pai citada em *Contos Inacabados*, p. 310; *Cartas* n. 297, ao final.]

16 [É uma referência às seis últimas linhas (incluindo uma interpretação do que está escrito no túmulo) do capítulo *Uma Jornada no Escuro*, começando com "'Estas são Runas de Daeron, como se usavam antigamente em Moria,' disse Gandalf". As seis linhas aparecem sozinhas nessa página da edição inglesa de capa dura em três volumes de *O Senhor dos Anéis*. {Edição brasileira: SA, p. 450}]

17 Possivelmente notados por aqueles de mente mais linguística ou histórica; embora eu não tenha recebido comentários sobre isso.

18 [É uma referência ao final do Apêndice F, I ("o nome do próprio Gimli ..."), citado acima, p. 296.*]

19 Em dias posteriores, quando o próprio khuzdûl se tornara apenas uma língua de aprendizado e os Anãos haviam adotado a fala comum ou algum idioma local dos Homens, eles naturalmente empregavam esses nomes "externos" também para todos os propósitos coloquiais. [*Khuzdûl*, neste caso, está grafado com um acento circunflexo na segunda vogal.]

20 [Ao mesmo tempo em que as alterações mostradas foram feitas ao texto desse trecho, meu pai escreveu na margem: "Mas sobre isso ver abaixo — derivaram de uma língua humana há muito extinta no Norte." Ver pp. 365–6 e nota 23 abaixo.]

21 As referências (no Apêndice A [começo de III, *O Povo de Durin*]) às lendas da origem dos Anãos da estirpe conhecida como Barbas-longas (khuzdul *Sigin-tarâg*, traduzido em quenya como *Andafangar*, sindarin *Anfangrim*) e suas renomadas "mansões" mais tarde em Khazad-dûm (Moria) são curtas demais para clarificar a situação linguística. As "profundezas do tempo" não se referem (é claro) ao tempo geológico — dos quais apenas os Eldar tinham lendas, derivadas e transmutadas das informações que seus mestres do saber receberam dos Valar. Eles fazem referência a lendas das Eras do Despertar e do surgimento dos Povos Falantes: primeiro os Elfos, segundo os Anãos (conforme eles afirmavam) e terceiro os Homens. Ao contrário de Elfos e Homens, os Anãos nas lendas aparentam ter surgido no Norte da Terra-média. [Essa nota prossegue da seguinte forma, mas a continuação foi subsequentemente excluída.] O ponto mais ocidental, o local de nascimento ou despertar do ancestral dos Barbas-longas era, nas tradições da Terceira Era, um vale nas Ered Mithrin. Mas isso foi em dias muito remotos. Muito antes que as migrações dos Homens desde o Leste alcançassem as regiões do Noroeste. E, de novo, passou-se muito tempo até que os Anãos — dos quais os Barbas-longas aparentemente eram os mais reservados e menos interessados em tratar com Elfos ou Homens — sentissem qualquer necessidade de aprender as línguas de seus avizinhados e menos ainda de assumir nomes pelos quais pudessem ser conhecidos por "forasteiros".

22 [O argumento de meu pai era que *Balin* e *Fundin* são nomes reais em nórdico antigo usados como "tradução" em *O Senhor dos Anéis*. O que ele deveria ter feito em uma representação visual da inscrição tumular era usar não os seus nomes "internos" em khuzdul, evidentemente, mas os seus nomes "externos" *reais* que, no texto de *O Senhor dos Anéis*, são representados por *Balin* e *Fundin*.]

23 [Aparentemente, foi quando meu pai alcançou este ponto no ensaio que ele fez as alterações ao texto na p. 363 com a observação marginal incluída na nota 20 e excluiu a parte final da nota 21.]

*Edição brasileira: RR, p. 1614. [N.T.]

24 Somente ele não tinha companheiros; cf. "ele dormiu a sós" (III. 352). [A referência é ao começo do Apêndice A, III.* A passagem no texto é difícil de interpretar. Meu pai se refere aqui a quatro locais de despertar dos Sete Ancestrais dos Anãos: aqueles dos "ancestrais dos Barbas-de-fogo e dos Ancas-largas", "do ancestral dos Barbas-longas", "dos Punhos-de-ferro e Barbas-rijas" e dos "Mechas-negras e Pés-de-pedra". (Nenhum dos nomes das seis outras estirpes dos Anãos jamais apareceu antes. Uma vez que os ancestrais dos Barbas-de-fogo e dos Ancas-largas despertaram nas Ered Lindon, deve-se presumir que essas estirpes eram os Anãos de Nogrod e Belegost.) Parece que aqui ele estava se referindo a Durin ter "dormido a sós", contrastando com as outras estirpes, cujos Pais foram postos para dormir em pares. Se for esse o caso, é uma concepção diferente daquela mencionada em XI. 262-3, na qual Ilúvatar "ordenou que Aulë colocasse os pais dos Anãos separadamente em lugares profundos, cada qual com sua companheira, exceto Durin, o mais velho, que não possuía uma". Sobre as "companheiras" dos Pais dos Anãos, veja XI. 260-63. — Na margem do texto datilografado, meu pai escreveu posteriormente (ao lado da presente nota): "Ele vagou muito após o despertar: seu povo era de Anãos que se juntaram a ele de outras estirpes a oeste e a leste"; e, no alto da página, sugeriu que a lenda da Feitura dos Anãos deveria ser alterada (de fato, muito radicalmente alterada) para uma forma em que os Anãos fossem postos para dormir próximo aos Pais.]

25 [Na conclusão rejeitada da nota 21, o local do despertar do ancestral dos Barbas-longas era "um vale nas Ered Mithrin" (as Montanhas Cinzentas no extremo Norte). Não houve, é claro, qualquer referência anterior a essa antiga importância do Monte Gundabad. A montanha apareceu originalmente no capítulo *As Nuvens Desabam* em *O Hobbit*, onde se diz que os Gobelins "marcharam e se reuniram em monte e vale, seguindo sempre por túneis ou no escuro, até que, em volta e debaixo da grande montanha de Gundabad do Norte, onde ficava a capital deles, uma vasta hoste se ajuntou"; e aparece no mapa das Terras-selváticas em *O Hobbit* como uma grande massa isolada na extremidade setentrional das Montanhas Nevoentas no ponto onde as Montanhas Cinzentas avançavam em sua direção. Em *O Senhor dos Anéis*, Apêndice A (III), Gundabad aparece no relato da Guerra dos Anãos e dos Orques na Terceira Era tardia, quando os Anãos "assaltaram e saquearam um a um todos os baluartes dos Orques que conseguiram [encontrar] de Gundabad até o Lis" (a palavra "encontrar" foi erroneamente excluída na Segunda Edição {e restaurada na edição de 2004}).]

26 De acordo com suas lendas, o seu criador, Aulë, o Vala, a fizera para eles e a ensinara aos Sete Pais antes que fossem postos para dormir até chegar o tempo de seu despertar. Após o despertar, essa língua (como todas as línguas e todas

*Edição brasileira: RR, p. 1523. [N.T.]

as outras coisas em Arda) mudou com o tempo e divergiu em mansões muito apartadas. Mas a mudança era tão lenta e a divergência, tão pequena que, mesmo na Terceira Era, a conversa entre todos os Anãos em seu próprio idioma era fácil. Como diziam, a mudança no khuzdul, se comparada com o idioma dos Elfos e, mais ainda, com os idiomas de Homens, era "como o desgaste da rocha dura comparado ao derreter da neve".

27 Os Anãos se multiplicavam lentamente; mas os Homens, em tempos de prosperidade e paz, mais rapidamente até que os Elfos.

28 Pois haviam encontrado alguns longe no Leste que eram de mente maligna. [Isso é uma nota posterior a lápis. Na página anterior do texto datilografado, meu pai escreveu ao mesmo tempo, sem indicação de referência ao texto, mas talvez em decorrência da menção (p. 363) do despertar das estirpes orientais dos Anãos: "Ai! Parece provável que (como aconteceu mais tarde com os Homens) os Anãos das mansões no extremo leste (e alguns das mais próximas?) tenham sido acometidos pela Sombra de Morgoth e se tornado malignos".]

29 Nenhum Anão jamais montava um cavalo de bom grado, e nenhum jamais criou animais, nem mesmo cães.

30 Por um tempo. Os Númenóreanos ainda não haviam aparecido nas praias da Terra-média e as fundações de Barad-dûr ainda não haviam sido construídas. Foi um período breve nos anais sombrios da Segunda Era e, no entanto, por muitas vidas de Homens os Barbas-longas controlaram as Ered Mithrin, Erebor e as Colinas de Ferro, e todo o lado leste das Montanhas Nevoentas chegando até as fronteiras de Lórien; ao passo que os Homens do Norte viviam em todas as terras adjacentes descendo ao sul até a Grande Estrada dos Anãos que cortava a Floresta (a Velha Estrada da Floresta era seus remanescentes arruinados na Terceira Era) e então voltando-se para nordeste até as Colinas de Ferro. [Assim como muita coisa nesse relato, a origem da Velha Estrada da Floresta a partir da "Grande Estrada dos Anãos" que, após atravessar Verdemata, a Grande, levava às Colinas de Ferro, nunca foi vista anteriormente.]

31 Somente os nomes pessoais de indivíduos. O nome da sua raça e os nomes de suas famílias e de suas mansões eles não escondiam.

32 Fossem nomes humanos verdadeiros, correntes entre os Homens do Norte, ou nomes compostos pelos mesmos métodos a partir de elementos do idioma humano, ou nomes sem significado que eram simplesmente feitos de sons usados por Homens e combinados de maneiras naturais à fala deles.

33 [Pode parecer que meu pai está escrevendo aqui como se *Durin* fosse o nome humano "real" do Pai dos Barbas-longas; mas, evidentemente, é um nome derivado do nórdico antigo e, portanto, uma "tradução".]

34 Algo semelhante ao modo com que as "runas" de origem élfica eram amplamente consideradas por Homens na Terceira Era como um modo de escrita anânico.

35 Sauron foi derrotado pelos Númenóreanos e empurrado de volta a Mordor, e por muito tempo não mais importunou o Oeste, enquanto secretamente estendia seus domínios para o leste.

36 Ainda que as mudanças e divergência que já haviam ocorrido antes de deixarem a Terra-média perdurassem — tal como a divergência entre a fala dos Teleri e a dos Ñoldor.

37 [Este título e o da seção seguinte, assim como seus números, foram escritos posteriormente a lápis. O título da seção I se perdeu junto com a primeira página do ensaio.]

38 Conta-se que o nome derivou de *atan* "homem, ser humano, distinto de criaturas", uma palavra empregada pela gente que os Eldar primeiro encontraram em Beleriand. Essa palavra foi tomada de empréstimo e adaptada ao quenya e ao sindarin; mas, posteriormente, quando Homens de outros tipos se tornaram conhecidos dos Eldar, ela se restringiu a Homens dos Três Povos que haviam se tornado aliados dos Eldar em Beleriand.

[Um rascunho datilografado da página do ensaio em que essa segunda seção começa foi preservado (embora sem o título ou número da seção, ver nota 37): nesse rascunho, a presente nota começa do mesmo modo, mas diverge após as palavras "adaptada ao quenya e ao sindarin", desta forma:

> Era, contudo, associada pelos Eldar à sua própria palavra *atar (adar)*, "pai", e frequentemente traduzida como "Pais de Homens", embora esse título, *atanatar* por extenso, pertencia propriamente apenas aos líderes e chefes dos povos quando de sua entrada em Beleriand. Em sindarin, *adan* ainda era com frequência empregada para "homem", especialmente em nomes prefixados de raças, como em *Dúnadan*, plural *Dúnedain*, "Homens do Oeste", Númenóreanos; *Drû-edain*, "Homens selvagens".

A afirmação aqui de que *Atani* derivou de uma palavra na língua bëoriana, *atan* "homem", contradiz o que foi dito no capítulo *Da Vinda dos Homens para o Oeste* acrescentado ao *Quenta Silmarillion*, XI. 269, nota de rodapé: "*Atani* era o nome dado aos Homens em Valinor, no saber que contava de sua vinda; de acordo com os Eldar, significava 'Segundos', pois a gente dos Homens era os segundos dos Filhos de Ilúvatar"; cf. *Quendi e Eldar*, XI. 465, onde essencialmente o mesmo é dito (a criação do nome *Atani* é ali atribuída aos Ñoldor em Valinor).]

39 [Isso se refere ao cativeiro de Morgoth em Aman. Ver X. 508, nota 3.]

40 [Cf. as palavras de Andreth, X. 376 e de Bereg e Amlach, XI. 270, §18.]

41 [Haleth não era o nome da chefe que comandou o Povo de Haleth quando eles chegaram pela primeira vez a Beleriand: ver XI. 272-3 e a árvore genealógica, XI. 290. Mas isso provavelmente não é significativo, tendo em vista o que se diz no final do parágrafo: essas pessoas eram chamadas de "Povo de Haleth, pois Haleth era o nome da chefe que os conduziu para as matas a norte de Doriath, onde lhes foi permitido morar". Por outro lado, a afirmação de que Hador era

o nome do chefe que liderou o Povo de Hador para Beleriand parece ignorar a história muito ampliada e alterada que entrara no capítulo *Da Vinda dos Homens para o Oeste* (cf. nota 38), de acordo com a qual foi Marach que liderou aquele povo pelas Montanhas e Hador propriamente dito, embora tenha dado seu nome ao povo, era um descendente de Marach na quarta geração (ver XI. 268 -270 e a árvore genealógica, XI. 286). Naquela obra, a divisão do Povo de Hador em três hostes, mencionadas um pouco adiante no presente parágrafo, não aparece — na verdade, está dito (XI. 268 §10) que Bëor contou a Felagund que "são um povo numeroso e, mesmo assim, mantêm-se juntos e seguem devagar, sendo todos regidos por um só chefe, a quem chamam de Marach".]

42 [Em outros relatos, o Povo de Haleth foi a segunda gente dos Edain a entrar em Beleriand e não a última; assim, em QS §127 (V. 328), quando Haleth ainda era Haleth, o Caçador e não fora ainda transformado na Senhora Haleth, "Depois de Bëor veio Haleth, pai de Hundor, e mais uma vez, um pouco mais tarde, veio Hador, o de Cabelos Dourados" e, em *Da Vinda dos Homens para o Oeste* §13 (XI. 269), "Primeiro vieram os Haladin ... Contudo, no ano seguinte, Marach levou seu povo a atravessar as Montanhas". Naquele texto (§10), Bëor disse a Finrod que as pessoas de Marach "estavam à nossa frente na marcha para o oeste, mas passamos por eles", e não há indicação da história contada aqui de que eles alcançaram Eredlindon antes que todos os Edain, mas de que, buscando "um caminho pelas Montanhas", eles "[subiram] desde o sul" até Beleriand. — De contendas internas ao Povo de Haleth, mencionadas algumas linhas adiante nesse parágrafo, não há qualquer referência anterior.]

43 Sem dúvida isso era devido à miscigenação com Homens de outro tipo no passado; e foi observado que o cabelo escuro era característico em famílias que tinham mais habilidade e interesse em ofícios e saber.

44 Com um conhecimento da língua do Povo de Bëor que posteriormente se perdeu, exceto por alguns nomes de pessoas e lugares e algumas palavras ou expressões preservadas em lendas. Uma das palavras comuns era *atan*. [Compare a última frase com a nota 38.]

45 [Isso talvez possa ser comparado ao que meu pai escreveu em outro lugar nessa época (pp. 440–1, nota 13) a respeito do longo período durante o qual os "Bëorianos" e os "Hadorianos" se separaram no curso de sua migração para o oeste e habitaram em lados opostos de um grande mar interior.]

46 Beren, o Renomado, tinha cabelos louro-acastanhados e olhos cinzentos; era mais alto do que a maioria de sua gente, mas tinha ombros largos e membros muito fortes.

47 Os Eldar diziam, e lembravam nas canções que ainda cantavam em dias posteriores, que não era fácil distingui-los dos Eldar — não enquanto durava sua juventude, cujo rápido desvanecer era para os Eldar um pesar e um mistério.

48 [Esse relato do Povo de Bëor e do Povo de Hador pode talvez ser comparado à descrição que meu pai escreveu muitos anos antes no *Quenta Silmarillion*, V. 329, §130.]

49 [Quanto à mudança na relação entre as três línguas dos Atani, segundo a qual o idioma do Povo de Haleth substituiu o do Povo de Hador como sendo a língua isolada das demais, ver p. 436 e nota 4.]

50 Não em decorrência de sua situação especial em Beleriand, e talvez mais uma causa de seu reduzido número do que resultado disso. Multiplicavam-se muito mais devagar que os demais Atani, pouco mais do que bastava para repor as perdas da guerra; no entanto muitas de suas mulheres (que eram menos numerosas que os homens) permaneciam solteiras.

51 [Com exceção de algumas leves e majoritariamente desnecessárias alterações ao texto original (que em nenhum caso alteram o sentido) há alguns pontos a se mencionar sobre o texto publicado nos *Contos Inacabados*. (1) A grafia de *Orke(s)* foi alterada para *Orque(s)* e a do rio Taiglin, para Teiglin (ver XI. 228, 372-73). (2) Um trecho sobre a afeição dos Drûgs por fungos comestíveis foi omitido em razão de uma nota à lápis de meu pai, ao lado dele: "Excluir tudo isso sobre fungos. Parecido demais com os Hobbits" (a referência, logicamente, é a Frodo e aos cogumelos do Fazendeiro Magote). Ele vinha depois do relato sobre o conhecimento dos Drûgs acerca de plantas, e diz o seguinte:

> Para espanto de Elfos e outros Homens, eles comiam fungos com prazer, muitos dos quais pareciam aos outros repugnantes e perigosos; alguns tipos de que gostavam especialmente eles cultivavam próximo às suas moradas. Os Eldar não comiam tais coisas. O Povo de Haleth, ensinado pelos Drúedain, fazia algum uso deles quando necessitavam; e, se fossem convidados, comiam o que lhes fosse servido por cortesia e sem medo. Os outros Atani os evitavam, exceto em situações de grande fome ou quando se perdiam no ermo, pois poucos dentre eles tinham o conhecimento para distinguir os saudáveis dos venenosos, e os menos sábios os chamavam de plantas-órquicas e supunham que tivessem sido amaldiçoadas e conspurcadas por Morgoth.]

52 [Ver *Contos Inacabados*, p. 510, nota 8. Em outros lugares, o nome do serviçal de Húrin é *Sador*, não *Sadog*.]

53 [Essa frase está citada em *Contos Inacabados*, p. 511, nota 11.]

54 Ver a discussão sobre as medidas lineares e como se igualam às nossas medidas na lenda de *O Desastre dos Campos de Lis*. [Essa discussão (que, junto com o trabalho em si, data do período muito tardio — 1968 ou depois) encontra-se em *Contos Inacabados*, p. 381 em diante, onde uma nota sobre a estatura dos Hobbits também foi incluída.]

55 No sentido original de "selvagem"; por natureza, eram de índole gentil, não cruel e nem vingativa.

56 De tipos diferentes: achavam que os Anãos tinham o temperamento incerto e eram perigosos se aborrecidos; viam os Elfos com espanto e os evitavam. Mesmo no Condado na Terceira Era, onde os Elfos eram vistos mais frequentemente

do que em outras regiões onde os Hobbits moravam ou haviam morado, a maioria do povo do Condado não tratava com eles. "Eles vagam pela Terra-média," diziam, "mas suas mentes e seus corações não estão aí".

57 ["Em nenhum outro lugar do mundo encontrava-se esse peculiar (mas excelente) arranjo": início do capítulo *Na Estalagem do Pônei Empinado*. Essa observação é aqui atribuída a Bilbo como o autor derradeiro do Livro Vermelho do Marco Ocidental.]

58 De fato, é provável que, naquela época, apenas em Bri e no Condado sobreviviam comunidades de Hobbits a oeste das Montanhas Nevoentas. Nada se sabe da situação em terras mais ao leste, das quais os Hobbits devem ter migrado em eras sem registro.

59 Quando entraram em Eriador (no início do segundo século da Terceira Era), os Homens já eram numerosos ali, tanto Númenóreanos quanto outros Homens aparentados dos Atani, além dos remanescentes de Homens de espécies malignas, hostis aos Reis. Mas a fala comum (de origem númenóreana) era de uso generalizado ali, mesmo após o declínio do Reino do Norte. Na época de Bilbo, grandes áreas de Eriador estavam desprovidas de Homens. A desolação começara na Grande Peste (logo após a ocupação do Condado pelos Hobbits) e foi acelerada pela queda final e desaparecimento do Reino do Norte. Durante a Peste, parece que as únicas comunidades de Hobbits a sobreviverem foram aquelas no extremo Noroeste em Bri e no Condado. [A frase de abertura desta nota, colocando a entrada dos Hobbits em Eriador "no início do segundo século da Terceira Era", é claramente um erro fortuito: presumivelmente, meu pai quis dizer "milênio" em vez de "século" (no Apêndice B, a data da chegada dos Pés-Peludos é fornecida no registro 1050 da Terceira Era e a dos Cascalvas e Grados, 1150).]

60 As invasões sem dúvida eram também causadas em grande parte por Sauron; pois os "Lestenses" eram majoritariamente Homens de tipo cruel e maligno, descendentes daqueles que haviam servido e cultuado Sauron antes de sua derrota no fim da Segunda Era.

61 Embora as tradições nativas dos Rohirrim não conservassem qualquer memória da antiga guerra em Beleriand, eles aceitavam essa crença, que muito contribuía para reforçar sua amizade com Gondor e sua inquebrável lealdade ao Juramento de Eorl e Cirion. [Em relação a essa nota e à passagem correspondente no texto, meu pai escreveu na margem do datiloscrito:

> Talvez tenha sido verdade quanto aos Homens na Terra-média vistos pela primeira vez pelos Númenóreanos que retornaram (ver abaixo); mas outros Homens do Norte que se assemelhavam a eles em feições e temperamento só podem ter sido aparentados na medida em que descendiam de povos dos quais os Atani haviam sido a vanguarda.]

62 [Em *Quendi e Eldar* (XI. 455), há uma referência a Elfos Avari "que haviam surgido aos poucos em Beleriand em grupos pequenos e secretos vindos do

Sul", e a raros casos de um Avar "que se unisse ou fosse admitido entre os Sindar"; enquanto naquele ensaio Eöl de Nan Elmoth era um Avar (XI. 490 e nota 33).]

63 [O Pequeno Lûn foi assinalado pela primeira vez no terceiro e último dos mapas gerais de meu pai do Oeste da Terra-média (aquele no qual o meu próprio mapa original publicado com *O Senhor dos Anéis* baseou-se fortemente), mas essa parece ser a primeira vez que ele foi nomeado.]

64 [Compare essa afirmação de que a região além da confluência do Pequeno Lûn era "território anânico" com o Apêndice A (I, iii), onde se diz que Arvedui, último rei de Arthedain, "se escondeu nos túneis das antigas minas dos Anãos perto da ponta extrema das Montanhas".]

65 O povo de Gil-galad era majoritariamente ñoldorin; embora na Segunda Era os Elfos de Harlindon fossem principalmente sindarin e a região fosse um feudo sob o governo de Celeborn. [Na nota introdutória aos anais da Segunda Era no Apêndice B, diz-se que "Em Lindon, ao sul do Lûn, habitou por algum tempo Celeborn, parente de Thingol"; ver *Contos Inacabados*, p. 316 e nota 2, onde se menciona a presente nota.]

66 [Ver *Contos Inacabados*, pp. 354–7 (excerto de um ensaio tardio sobre os nomes dos rios e das colinas dos faróis de Gondor). — O nome foi datilografado *Enedwaith* e o *h* foi acrescido subsequentemente, mas mais adiante neste ensaio (nota 76), a forma datilografada foi *Enedhwaith*, assim como no ensaio recém mencionado sobre os nomes dos rios, embora nos excertos de *Contos Inacabados* eu tenha colocado *Enedwaith* por conformidade com textos publicados.]

67 Este, de acordo com as tradições de Dol Amroth, fora estabelecido por Sindar navegantes dos portos ocidentais de Beleriand, que fugiram em três pequenos navios quando o poderio de Morgoth sobrepujou os Eldar e os Atani; mas foi depois aumentado por aventureiros dos Elfos Silvestres, que vieram descendo o Anduin em busca do Mar. Os Elfos Silvestres eram Elfos Médios de acordo com a classificação númenóreana, embora desconhecidos dos Atani até dias posteriores: pois eles eram como os Teleri Sindar, mas retardatários nas companhias mais atrasadas que nunca cruzaram as Montanhas Nevoentas e fundaram pequenos reinos nos dois lados dos Vales do Anduin. (Dentre eles, Lórien e o reino de Thranduil em Trevamata eram sobreviventes na Terceira Era.) Mas eles nunca se livraram totalmente de uma inquietação e de um anseio pelo Mar que às vezes impelia alguns deles a vagar longe de suas casas. [Quanto a esse porto (Edhellond), ver *Contos Inacabados*, pp. 335–36 e a nota 18 na p. 346.]

68 As primeiras navegações dos Númenóreanos rumo à Terra-média foram para as terras de Gil-galad, com quem seu grande marinheiro Aldarion estabeleceu uma aliança.

69 Conforme o poderio de Númenor se ocupava cada vez mais de grandes esquadras, para as quais sua própria terra não conseguia prover madeira o suficiente sem se exaurir, a derrubada de árvores e o transporte de madeira para seus estaleiros em Númenor ou na costa da Terra-média (especialmente em Lond

Daer, o Grande Porto na foz do Griságua) tornaram-se inconsequentes. [Ver *Contos Inacabados*, pp. 355–6 sobre a derrubada de árvores pelos Númenóreanos em Minhiriath e Enedhwaith. Não há qualquer indicação em outro lugar acerca do parentesco entre os habitantes-da-floresta daquelas regiões e o Povo de Haleth (ver também a nota 72 abaixo). Compare a frase seguinte no texto, "Na Terceira Era, seus sobreviventes eram o povo conhecido em Rohan como Terrapardenses", com *Contos Inacabados*, p. 356: "De Enedwaith [as pessoas nativas fugindo dos Númenóreanos] refugiaram-se nas montanhas a leste, onde mais tarde foi a Terra Parda".]

70 [Essa foi a viagem de Vëantur, o Númenóreano, avô de Aldarion, o Marinheiro: ver *Contos Inacabados*, pp. 237, 240–41.]

71 [Às palavras no texto publicado de *Contos Inacabados* "como se se dirigissem a amigos e parentes depois de longa separação", há uma nota no ensaio que eu não incluí:

> Os Atani haviam aprendido o idioma sindarin em Beleriand e a maioria deles, especialmente os homens elevados e os eruditos, falavam-na com familiaridade, mesmo entre si: mas sempre como uma língua aprendida, ensinada na tenra infância; sua língua nativa permaneceu o adûnaico, a língua humana do Povo de Hador (exceto em alguns distritos do oeste da Ilha, onde o povo rústico usava um dialeto bëoriano). Desse modo, o sindarin que empregavam permaneceu sem alteração por muitas vidas de Homens.

Compare isso com *Contos Inacabados*, p. 294, nota 20. Não sei como a menção aqui a "um dialeto bëoriano" que sobreviveu no oeste de Númenor deve se relacionar com a perda total da língua do Povo de Bëor aludida na nota 44; ver também a p. 436 e nota 5.]

72 Essa talvez tenha sido uma das razões pelas quais os Númenóreanos não conseguiram reconhecer o Povo-da-floresta de Minhiriath como "parentes" e os confundiram com Homens da Sombra; pois, como foi observado, a língua nativa do Povo de Haleth não era relacionada à língua dos Povos de Hador e Bëor.

73 E os nomes que adotavam dos habitantes mais antigos eles geralmente alteravam para se adequar ao estilo do sindarin. Os nomes de pessoas também eram quase todos em forma sindarin, salvo alguns que descendiam de lendas dos Atani da Primeira Era.

74 Tornou-se assim, naturalmente, um tanto corrompido em relação ao verdadeiro sindarin dos Elfos, mas isso era refreado pelo fato de que o sindarin era tido em alta estima e ensinado nas escolas de acordo com as formas e estrutura gramatical de dias antigos.

75 O Reino-élfico se apequenou nas guerras contra Sauron e devido ao estabelecimento de Imladris, e não mais se estendia a leste das Ered Luin.

[76] Enedhwaith (ou Ermo Central) era compartilhada pelos Reinos do Norte e do Sul, mas nunca foi colonizada por Númenóreanos devido à hostilidade dos Gwathuirim (Terrapardenses), exceto na cidade fortificada e porto em torno da grande ponte sobre o Griságua em Tharbad. [O nome *Gwathuirim* dos Terrapardenses nunca apareceu anteriormente.]

[77] [Diz-se no Apêndice A (I, iv) que, no auge do poder, o reino de Gondor "estendia-se então rumo ao norte até o campo de Celebrant" e uma longa nota no ensaio, neste ponto, começando com "Mas por 'campo de Celebrant', leia-se 'Campo de Celebrant'", é uma exposição sobre a importância desse último nome (*Parth Celebrant*). Essa nota está incluída em *Contos Inacabados*, pp. 352–53.]

[78] [O Rio Rápido é chamado *Celduin* no Apêndice A, III (RR, p. 1524). *Celon* era o rio que, na Primeira Era, nascia no Monte de Himring e corria através de Nan Elmoth para se juntar ao Aros; e, uma vez que *Celduin* como o nome do Rio Rápido aparece no texto muito tardio *Cirion e Eorl* (*Contos Inacabados*, p. 387), *Celon* aqui é presumivelmente nada além de uma confusão fortuita dos nomes.]

11

O Xibolete de Fëanor

Com um excurso acerca dos nomes dos descendentes de Finwë

Em todos os últimos escritos de meu pai, a história linguística estava muito entrelaçada com a história de pessoas e povos, e pode-se ver que muito do que ele narrou surgiu na busca por explicações de fatos ou anomalias linguísticas. O exemplo mais notável disso é o ensaio seguinte, nascido de suas considerações acerca de um problema de fonologia histórica, que registra como a diferença na pronúncia de um único elemento consonantal em quenya desempenhou papel significativo na contenda dos príncipes noldorin em Valinor. Ele não tem título, mas eu o chamei de *O Xibolete de Fëanor*, uma vez que meu pai usou essa palavra em determinado ponto do ensaio (p. 400).

Assim como *De Anãos e Homens*, foi escrito — datilografado em toda a sua extensão — em papéis fornecidos pela Allen and Unwin, neste caso majoritariamente em cópias de uma nota de publicação de fevereiro de 1968; e, assim como naquele ensaio, há uma profusão de notas que foram entremeadas ao corpo do texto durante o processo de composição. Anexado a ele está um longo excurso (metade do comprimento do ensaio que o originou) sobre os nomes dos descendentes de Finwë e eu o incluí também; mas eliminei tanto de *O Xibolete de Fëanor* em si quanto desse excurso várias notas, algumas delas compridas, de natureza fonológica técnica. O trabalho não foi terminado, pois meu pai não alcançou, como era sua intenção, a discussão dos nomes dos Filhos de Fëanor; mas o material rascunhado que existe dessa parte está posto no final do texto. Todas as notas numeradas, minhas e de meu pai, estão coligidas da p. 422 em diante.

Este trabalho quase não foi utilizado em *Contos Inacabados*, exceto por um trecho a respeito de Galadriel, que foi repetido aqui em seu contexto original; mas elementos dele foram usados no *Silmarillion* publicado.

O Xibolete de Fëanor

O caso da alteração no quenya de þ para s[1]

A história dos Eldar está agora fixada e a adoção do sindarin pelos Ñoldor Exilados não pode ser alterada. Uma vez que o sindarin fazia muito uso do *þ*,* a alteração *þ* > *s* deve ter ocorrido no quenya ñoldorin em Valinor, antes da rebelião e do exílio dos Ñoldor, embora não necessariamente muito antes (pela contagem valinoriana do tempo). A alteração, portanto, não pode ser explicada como um desenvolvimento (isto é, uma substituição sonora de um *þ* não familiar por *s*) no quenya da Terceira Era: nem por causa dos próprios Elfos, já que *þ* lhes era familiar, nem de pessoas como os eruditos númenóreanos em Gondor, já que *þ* ocorria na fala comum, bem como no sindarin que ainda era usado como língua falada entre as classes altas, especialmente em Minas Tirith.

O uso por parte de Galadriel, conforme relatado em *O Senhor dos Anéis*, deve, portanto, ser normal. Contudo, não é um obstáculo para o uso de *þ* na representação do quenya-livresco clássico — pré-Exílico ou pós-Exílico — em gramáticas, dicionários ou transcrições. É, na verdade, desejável, uma vez que o *þ* mais antigo sempre se manteve distinto do *s* original na escrita. Em condições de Exílio — que tornaram necessária a reescrita, de cabeça, de muitos trabalhos de saber e canções pré-Exílicas[2] —, isso pressupõe uma memória ininterrupta do som *þ* e dos lugares em que ele ocorria anteriormente; provavelmente também a aversão, da parte dos eruditos, pela mudança para *s* no quenya coloquial. De toda forma, é impossível acreditar que qualquer um dos Ñoldor alguma vez deixou de ser familiar ao som *þ* propriamente dito. Em Valinor, eles moravam entre os Vanyar (Ingwi) e os Teleri (Lindar),[3] com quem se comunicavam e, às vezes, se casavam. Os Vanyar falavam praticamente a mesma língua (quenya) e preservavam o *þ* no uso cotidiano; os Teleri falavam uma língua intimamente relacionada e ainda inteligível em larga medida aos Ñoldor,[4] e ela também empregava *þ*. Os Ñoldor eram, mesmo se comparados aos outros Eldar, linguistas talentosos e, se *þ* não ocorresse na língua que aprendiam na infância — o que só poderia

*Letra pronunciada como o *th* na palavra inglesa"think". [N.T.]

ser o caso das gerações mais novas a saírem de Aman —, eles não teriam qualquer dificuldade em adquiri-lo.

A mudança *þ* > *s* deve, portanto, ter sido uma alteração consciente e deliberada, acordada e aceita por uma maioria dos Ñoldor, seja lá como se iniciou, após a separação de suas moradas das dos Vanyar. Deve ter ocorrido após o nascimento de Míriel, mas (provavelmente) antes do nascimento de Fëanor. A conexão especial dessas duas pessoas com a mudança e sua história posterior requer alguma consideração.

A alteração foi generalizada, baseada primariamente no "gosto" e teoria fonéticos, mas não se tornara ainda universal. Foi combatida pelos mestres do saber,[5] os quais afirmavam que o dano que essa assimilação faria confundindo radicais e seus derivados, anteriormente distintos em som e sentido, ainda não fora suficientemente considerado. O principal dos mestres do saber linguístico à época era Fëanor. Ele insistia que *þ* era a pronúncia verdadeira de todos os que se importavam com sua língua ou que a entendiam completamente. Contudo, para além de gosto e sabedoria linguísticas, ele tinha outros motivos. Era o primogênito dos filhos de Finwë e filho único de sua primeira esposa, Míriel. Ela era uma Elda ñoldorin de compleição esbelta e graciosa e de disposição gentil, ainda que, como se descobriu mais tarde em assuntos muito mais sérios, podia demonstrar uma obstinação extrema que aconselhamento ou ordens só tornariam mais inflexível. Tinha uma bela voz e uma enunciação delicada e clara, embora falasse rapidamente e se orgulhasse dessa habilidade. Seu principal talento, contudo, era uma prodigiosa destreza manual. Ela a empregava no bordado, o qual, embora feito com o que até os Eldar consideravam grande velocidade, era mais fino e mais intrincado do que qualquer um antes visto. Ela era, portanto, chamada de *Þerindë* (Costureira) — um nome que ela de fato já havia recebido como "nome-materno".[6] Ela aderia à pronúncia *þ* (que ainda era usual na sua infância) e desejava que toda a sua parentela também aderisse, pelo menos na pronúncia de seu nome.

Fëanor amava muito a mãe, embora, salvo pela obstinação, seus caracteres fossem muito diferentes. Ele não era gentil. Era soberbo e árdego, e recebia a oposição à sua vontade não com a firmeza silenciosa de sua mãe, mas com feroz ressentimento. Era inquieto em mente e corpo, ainda que, como Míriel, pudesse tornar-se completamente absorto em trabalhos da mais fina destreza de mão; mas deixava muitas coisas inacabadas. Fëanáro era seu nome-materno, que Míriel lhe deu em reconhecimento ao seu caráter impetuoso (significava "espírito de fogo"). Enquanto viveu, ela fazia muito com gentil conselho para abrandá-lo e refreá-lo.[7] Sua morte foi um pesar duradouro para Fëanor e, tanto diretamente quanto pelas consequências, uma causa maior de sua desastrosa influência posterior na história dos Ñoldor.

A morte de Míriel Þerindë — morte de um Elda "imortal" na terra sem-morte de Aman — era um assunto de grave ansiedade aos Valar, o primeiro presságio da Sombra que estava por se abater em Valinor. A questão de Finwë e Míriel e o julgamento que os Valar após longo debate finalmente proferiram sobre ela está contada alhures.[8] Somente os pontos que podem explicar a conduta de Fëanor são aqui relembrados. A morte de Míriel foi de livre vontade: ela abandonou seu corpo e seu *fëa* foi para os Salões da Espera, enquanto o corpo jazia como se adormecido em um jardim. Dissera que estava cansada em corpo e espírito e desejava paz. A causa de seu cansaço ela acreditava ter sido dar à luz Fëanor, grande em mente e corpo além da medida dos Eldar. Sua exaustão ela suportara até que ele atingisse plena estatura, mas não mais podia suportá-la.

Os Valar e todos os Eldar estavam pesarosos pela tristeza de Finwë, mas não desalentados: todas as coisas podiam ser curadas em Aman e, quando estivessem repousados, seu *fëa* e o corpo poderiam ser reunidos e retornar à alegria da vida no Reino Abençoado. Mas Míriel estava relutante e a todas as súplicas de seu marido e seus parentes que lhes eram reportadas, e aos solenes conselhos dos Valar, nada dizia além de "ainda não". A cada vez que era abordada, tornava-se mais firme em sua determinação até que, por fim, nada mais se dispunha a ouvir, dizendo apenas: "Desejo paz. Deixai-me em paz aqui! Não retornarei. Essa é minha vontade".

Assim os Valar se viram diante da única coisa que não podiam mudar ou curar: a livre vontade de um dos Filhos de Eru, a quem lhes era ilícito coagir — e, neste caso, inútil, já que a força não conseguiria alcançar o propósito. E, após alguns anos, depararam-se com outra séria perplexidade. Quando se tornou claro, afinal, que Míriel jamais retornaria por vontade própria à vida no corpo dentro de qualquer período de tempo que pudesse lhe dar esperança, a tristeza de Finwë tornou-se amargurada. Abandonou as longas vigílias junto ao seu corpo adormecido e buscou retomar sua própria vida; mas vagou solitário por toda parte e não encontrava alegria em nada do que fazia.

Havia uma bela senhora dos Vanyar, Indis da Casa de Ingwë. Ela sempre amara Finwë em seu coração, desde os dias em que os Vanyar e os Ñoldor moravam próximos. Em uma de suas andanças, Finwë a encontrou novamente nas encostas interiores de Oiolossë, a Montanha de Manwë e Varda; e seu semblante estava iluminado pela luz dourada de Laurelin que brilhava lá embaixo na planície de Ezellohar.[9] Naquela hora, Finwë percebeu nos olhos dela o amor que anteriormente lhe fora ocultado. Assim veio a passar que Finwë e Indis desejaram se casar, e Finwë buscou o conselho dos Valar.

O longo debate que tiveram sobre o assunto pode ser descrito brevemente. Estavam obrigados a escolher entre dois caminhos: condenar Finwë ao luto eterno por sua esposa, ou permitir a um dos Eldar tomar uma segunda esposa. O primeiro parecia uma injustiça cruel e contrário à natureza dos Eldar. O segundo eles haviam considerado ilícito e alguns ainda eram dessa opinião.[10] Ao fim do Debate, o casamento de Finwë e Indis foi sancionado. Julgou-se que o luto de Finwë era injusto e, ao persistir em sua recusa a retornar, Míriel perdera todos os direitos que tinha neste caso; pois ou ela estava agora apta a aceitar a cura de seu corpo pelos Valar, ou então seu *fëa* estava mortalmente enfermo e além do poder deles, e ela estava de fato "morta", não mais capaz de tornar-se novamente um membro vivo da gente dos Eldar.

"Assim ela deverá permanecer até o fim do mundo. Pois a partir do momento em que Finwë e Indis se juntarem em matrimônio, toda mudança e escolha futuras ser-lhe-ão tiradas e ela nunca mais terá permissão para tomar forma corpórea. Seu presente corpo rapidamente murchará e desvanecer-se-á, e os Valar não o restaurarão. Pois nenhum dos Eldar pode ter duas esposas vivas no mundo." Essas foram as palavras de Manwë e uma resposta às dúvidas que alguns haviam tido. Pois era sabido por todos os Valar que apenas eles tinham o poder de curar ou restaurar o corpo para abrigar novamente um *fëa* que, nos acasos posteriores do mundo, deveria ser despojado; mas que a Manwë também foi outorgado o direito de recusar o retorno do *fëa*.

Durante o tempo de seu pesar, Finwë encontrara pouco conforto em Fëanor. Ele por um tempo também mantivera vigília junto ao corpo de sua mãe, mas logo se tornou outra vez completamente absorto em seus próprios trabalhos e desígnios. Quando a questão de Finwë e Indis surgiu, ficou perturbado e cheio de raiva e ressentimento; ainda que não se tenha registro de ele ter participado do Debate ou se atentado às razões apresentadas para o veredicto ou aos seus termos, exceto por um ponto: que Míriel estava condenada a permanecer para sempre desencarnada, de modo que ele nunca mais poderia visitá-la ou falar com ela, a menos que ele mesmo viesse a morrer.[11] Isso o afligiu e ele se ressentiu da felicidade de Finwë e Indis, e era hostil aos filhos deles mesmo antes de terem nascido.

Como essa disposição perversa cresceu e se inflamou nos anos que se seguiram é o assunto principal da primeira parte de *O Silmarillion*: o Obscurecer de Valinor. Na contenda e confusão de lealdades naquela época, esta questão aparentemente trivial — a mudança de *þ* para *s* — se enredou para acrimoniá-las e para o prejuízo duradouro do idioma quenya. Se a paz tivesse se mantido, sem dúvida o conselho de Fëanor — com o qual todos os outros mestres do saber concordavam privada ou abertamente — teria prevalecido. Mas uma opinião sobre a qual certamente tinha razão foi rejeitada por conta das tolices e feitos malignos nos quais ele mais tarde incorreu. Fez dela uma questão pessoal: ele e seus filhos aderiram ao *þ* e exigiam que todos os que lhes fossem sinceros em apoio fizessem o mesmo. Portanto, os que se ressentiam de sua arrogância, e mais ainda aqueles cujo apoio mais tarde se tornou ódio, rejeitaram o seu xibolete.

Indis era uma Vanya, e poder-se-ia pensar que, pelo menos nesse ponto, ela teria agradado a Fëanor, já que os Vanyar aderiam ao *þ*. Contudo, Indis adotou *s*. Não para depreciar Míriel, como Fëanor acreditava, mas em lealdade a Finwë. Porque após a rejeição de Míriel por suas súplicas, Finwë aceitou a mudança (que se tornara agora quase universal em meio ao seu povo), ainda que, em deferência a Míriel, houvesse aderido ao *þ* enquanto ela viveu. Portando, Indis falou: "Juntei-me ao povo dos Ñoldor e falarei como eles falam." Assim veio a acontecer que, para Fëanor, a rejeição do *þ* tornou-se um símbolo da rejeição a Míriel e a si mesmo, seu filho, o principal dentre os Ñoldor depois de Finwë. Conforme sua soberba aumentava e seu temperamento se obscurecia, ele imaginou que isso fosse um "complô" dos Valar, incitados por medo de seus poderes, para despojá-lo e entregar a liderança dos Ñoldor àqueles mais submissos. Assim, Fëanor se chamava de "Filho de *Þerindë*", e quando os seus filhos, na infância, perguntavam porque seus parentes na casa de Finwë usavam *s* em vez de *þ*, ele respondia: "Não dá atenção! Nós falamos como é correto e como o próprio Rei Finwë falava antes de ser desencaminhado. Somos seus herdeiros por direito e a casa mais antiga. Deixa que falem *sá-sí*, caso não saibam falar melhor."

Assim, não há dúvidas de que a maioria dos Exilados pronunciava *s* em vez de *þ* na fala cotidiana; pois na época (após Morgoth ter provocado o assassinato de Finwë), Fëanor foi privado de sua liderança e a maior parte dos Ñoldor que abandonou Valinor marchou sob o comando de Fingolfin, o primogênito de Indis. Fingolfin saiu ao pai: alto, de cabelos escuros e orgulhoso, como a maioria dos Ñoldor, e no fim, a despeito da inimizade entre ele e Fëanor, juntou-se com intento absoluto à rebelião e ao exílio, embora continuasse a reivindicar a soberania sobre todos os Ñoldor.

O caso de Galadriel e seu irmão Finrod é um pouco diferente.[12] Eram filhos de Finarfin, o segundo filho de Indis. Ele era semelhante à sua mãe em mente e corpo e possuía o cabelo dourado dos Vanyar, seu temperamento nobre e gentil e seu amor pelos Valar. Mantinha-se tanto quanto podia afastado da contenda de seus irmãos e de sua alienação dos Valar, e muitas vezes buscou a paz entre os Teleri, cuja língua aprendera. Casou-se com Eärwen, filha do Rei Olwë, e assim seus filhos eram aparentados com o Rei Elwë Þindikollo[13] (em sindarin, Elu Thingol) de Doriath em Beleriand, pois este era irmão de Olwë; e esse parentesco influenciou sua decisão de participarem do Exílio, e mais tarde em Beleriand demonstrou ser de grande importância. Finrod saíra ao pai no belo rosto e cabelos dourados, bem como no coração nobre e generoso, apesar de apresentar a extrema coragem dos Ñoldor e, na juventude, sua impaciência e inquietação; e de sua mãe telerin herdara também o amor pelo mar e sonhos com terras longínquas que jamais vira. Galadriel era a maior dos Ñoldor, a não ser talvez por Fëanor, se bem que fosse mais sábia que ele, e sua sabedoria aumentava com os longos anos.

Seu nome-materno era Nerwen, "donzela-homem", e ela atingiu uma altura além da medida até mesmo das mulheres dos

Ñoldor; era forte de corpo, mente e vontade, rivalizando tanto com os sábios como com os atletas dos Eldar nos dias da juventude destes. Era considerada bela mesmo entre os Eldar, e seu cabelo era tido como maravilha sem par. Era dourado como o cabelo de seu pai e de sua ancestral Indis, porém mais rico e mais radiante, pois seu ouro continha alguma lembrança da prata estelar de sua mãe; e os Eldar diziam que a luz das Duas Árvores, Laurelin e Telperion, havia sido apanhada em seus cachos. Muitos pensavam que foi essa expressão que deu primeiro a Fëanor a ideia de aprisionar e misturar a luz das Árvores que mais tarde tomou forma em suas mãos como as Silmarils. Pois Fëanor contemplava o cabelo de Galadriel com maravilha e deleite. Três vezes implorou por um cacho, mas Galadriel não lhe deu nem mesmo um fio de cabelo. Esses dois parentes, os maiores dentre os Eldar de Valinor,[14] ficaram sendo inimigos para sempre.

Galadriel nasceu na bem-aventurança de Valinor, mas não passou muito tempo, pela contagem do Reino Abençoado, até que esta minguasse; e daquele ponto em diante ela não teve paz interior. Pois naqueles tempos difíceis, em meio à contenda dos Ñoldor, ela era arrastada de um lado para o outro. Era orgulhosa, forte e voluntariosa, assim como todos os descendentes de Finwë, salvo Finarfin; e como seu irmão Finrod, o mais próximo ao seu coração de toda a família, tinha sonhos de terras longínquas e domínios que poderiam lhe pertencer, para governá-los como quisesse, sem tutela. Porém ainda mais fundo habitava nela o nobre e generoso espírito (*órë*) dos Vanyar, bem como uma reverência pelos Valar que não podia esquecer. Desde os primeiros anos, tinha um maravilhoso dom de penetrar na mente alheia, mas julgava os outros com compaixão e compreensão, e a ninguém negava sua boa vontade, à única exceção de Fëanor. Nele, ela percebia uma escuridão que odiava e temia, embora não se desse conta de que a sombra do mesmo mal recaíra sobre a mente de todos os Ñoldor, e sobre a sua própria.

Assim aconteceu que, quando se desvaneceu a luz de Valinor, para sempre, como pensavam os Ñoldor, ela se uniu à rebelião contra os Valar que os mandavam ficar; e, uma vez que pôs os pés nesse caminho, não quis voltar atrás e rejeitou a última mensagem dos Valar, incorrendo, assim, na Sentença de Mandos. Mesmo após o implacável ataque aos Teleri e o rapto de seus navios, apesar de ter lutado ferozmente contra Fëanor em defesa da família de sua mãe, ela não recuou. Seu orgulho recusava-se a permitir que retornasse derrotada, suplicante por perdão; agora, porém, ela ardia com o desejo de seguir Fëanor, irada, a quaisquer terras às quais ele chegasse e de frustrá-lo de todas as maneiras que pudesse. O orgulho ainda a movia quando, ao final dos Dias Antigos, após a última derrocada de Morgoth, ela recusou o perdão dos Valar para todos os que o haviam combatido, e permaneceu na Terra-média. Somente depois de se passarem mais duas longas eras, quando finalmente tudo o que desejara na juventude lhe chegou às mãos, o Anel do Poder e o domínio da Terra-média com o qual sonhara, foi que sua sabedoria se tornou plena e ela tudo rejeitou. E, ao passar por esse último teste, partiu para sempre da Terra-média.

A mudança para *s* tornara-se generalizada entre os Ñoldor muito antes do nascimento de Galadriel e lhe era, sem dúvida, familiar. Seu pai Finarfin, contudo, amava os Vanyar (o povo de sua mãe) e os Teleri, e na sua casa usava-se *þ*, mas Finarfin não era movido por Fëanor nem para um lado, nem para outro, fazendo como bem entendia. Está claro, contudo, que a oposição a Fëanor logo se tornou um motivo dominante para Galadriel, e seu orgulho não se moldava no desejo de ser diferente de seu próprio povo. Assim, ainda que soubesse bem a história de seu idioma e todas as razões dos mestres do saber, ela certamente usava *s* em sua própria fala cotidiana. Seu Lamento — proferido antes de ela saber do perdão (e, de fato, honraria) que os Valar lhe concederam — remonta aos dias de sua juventude em Valinor e à escuridão dos anos de Exílio em que o Reino Abençoado ficou fechado para todos os Ñoldor na Terra-média. Seja lá o que tenha feito depois, quando Fëanor e todos os seus filhos haviam perecido e o quenya se tornara uma língua de saber conhecida e empregada apenas pelos remanescentes minguantes dos Altos Elfos (de ascendência ñoldorin), nessa canção ela certamente teria usado *s*.

O *s* era, com certeza, usado em Beleriand por quase todos os Ñoldor.[15] E nessa forma (embora com o conhecimento de sua história e a diferença na grafia) o quenya foi passado dos mestres do saber para os Atani, de modo que, na Terra-média, ela perdurou entre os eruditos e foi uma fonte de nomes elevados e nobres em Valfenda e em Gondor na Quarta Era.

Esse ensaio é seguido por três "notas". A Nota 1 é um desenvolvimento substancial das palavras no ensaio (p. 397) "A alteração foi … baseada primariamente no 'gosto' e teoria fonéticos", e foi aqui omitida. A Nota 2, incluída abaixo, é um relato sobre a atribuição de nomes élficos que difere em alguns aspectos importantes do mais antigo e muito mais complexo relato em *Leis e Costumes entre os Eldar*, X. 265-8. A Nota 3 é a longa exposição sobre os nomes dos descendentes de Finwë.

Nota sobre Nomes-maternos

Os Eldar em Valinor tinham, como regra, dois nomes próprios, ou *essi*. O primeiro a ser dado era o nome-paterno, recebido no nascimento. Normalmente lembrava o nome do pai, assemelhando-se a ele em sentido ou forma; às vezes era simplesmente o nome do pai, ao qual algum prefixo distintivo poderia ser acrescido depois, no caso de um filho, quando fosse adulto. O nome-materno era dado mais tarde, frequentemente após alguns anos, pela mãe; mas às vezes era dado logo após o nascimento. Pois as mães dos Eldar tinham o dom de enxergar profundamente os caracteres e as habilidades dos seus filhos, e muitas possuíam também o dom da previsão profética.

Além disso, qualquer Elda podia adquirir um *epessë* ("pós-nome"), não necessariamente dado pela sua própria família, um apelido — geralmente dado como título de admiração ou honra. Mais tarde, alguns dos exilados deram nomes a si próprios, como disfarces ou em referência a suas próprias façanhas e história pessoal: tais nomes eram chamados *kilmessi*, "autonomes" (literalmente "nomes de escolha pessoal").[16]

Os "nomes verdadeiros" continuavam sendo os dois primeiros, mas em canções ou histórias posteriores, qualquer um dos quatro poderia se tornar o nome geralmente usado e reconhecido. Os nomes verdadeiros não eram, contudo, esquecidos pelos escribas e mestres do saber ou pelos poetas, e podiam muitas vezes ser inseridos sem comentários. A essa dificuldade — como se mostrou para aqueles que, em dias posteriores, tentaram usar e adaptar tradições élficas da Primeira Era como pano de fundo para as lendas dos seus próprios heróis da época e seus descendentes[17] — foi acrescida a alteração dos nomes em quenya dos Ñoldor após terem se estabelecido em Beleriand e adotado o idioma sindarin.

Os nomes dos descendentes de Finwë

Poucos dos nomes mais antigos dos Eldar estão registrados, exceto aqueles dos quatro líderes das hostes na Grande Jornada: *Ingwë* dos Vanyar; *Finwë* dos Ñoldor; e os irmãos *Elwë* e *Olwë* dos Teleri. Não é certeza que esses nomes tinham algum "significado", isto é, uma referência intencional ou conexão com outros radicais já existentes no eldarin primitivo; de todo modo, devem ter sido formados bem no início da história da fala élfica. Cada um consiste em um radical (*ing-*, *fin-*, *el-*, *ol*) seguido de um "sufixo" *-wë*. O sufixo aparece com frequência em outros nomes em quenya da Primeira Era, como *Voronwë*, geralmente, mas não exclusivamente, masculinos.[18] Os mestres do saber o explicavam como sendo não originalmente um sufixo — embora sobrevivesse em quenya somente como elemento final em nomes —, mas uma palavra antiga para "pessoa", derivada de um radical EWE. Como segundo elemento em um composto, assumia a forma *wē*; mas, como palavra independente, *ewē*, preservada em telerin como *evë* "uma pessoa, alguém (não nomeado)". Em quenya antigo, sobreviveu na forma *eo* (< *ew* + o sufixo pronominal *-ŏ̄* "uma pessoa, alguém"), mais tarde substituída por *námo*; também no adjetivo em quenya antigo *wéra*, quenya *véra* "pessoal, privado, próprio".

Os primeiros elementos foram frequentemente explicados mais tarde como sendo relacionados ao quenya *inga* "topo, ponto mais alto", usado adjetivalmente como prefixo, como em *ingaran* "alto rei", *ingor* "cume de uma montanha"; ao eldarin comum PHIN "cabelo", como em quenya *finë* "fio de cabelo", *findë* "cabelo, especialmente da cabeça", *finda* "que tem cabelo, de cabelo-"; e ao radical *el*, *elen* "estrela". Dentre elas, a mais provável é a relação com *inga*; pois os Vanyar eram considerados, e se consideravam, os líderes e principal gente dos Eldar, por serem os mais velhos; e chamavam-se a si mesmos de *Ingwer* — de fato, o título apropriado de seu rei era *Ingwë Ingweron* "chefe dos chefes". Os outros são duvidosos. Todos os Eldar tinham cabelos bonitos (e eram particularmente atraídos por cabelos de beleza excepcional), mas os Ñoldor não eram singularmente notáveis por este aspecto e não há referência ao fato de Finwë ter tido cabelos de excepcional comprimento, abundância ou beleza além da medida de seu povo.[19] Não se sabe nada que conecte Elwë mais intimamente às estrelas do que todos os outros Eldar; e o nome parece ter sido inventado para fazer par com Olwë, para o qual nenhum "significado" foi sugerido. OL, como um radical simples, parece não ter ocorrido em eldarin, embora apareça em alguns radicais "estendidos", como *olos/r* "sonho", *olob* "ramo" (quenya *olba*); nenhum dos quais parece ser antigo o bastante, ainda que adequados no sentido, para ter qualquer ligação com o nome do Ciriáran (rei marinheiro) dos Teleri de Valinor.[20]

Deve-se perceber que os nomes dos Eldar não eram necessariamente "significativos", ainda que compostos para se adequarem ao estilo e estrutura de suas línguas faladas; e que mesmo quando feitos, ou parcialmente feitos, de radicais com um significado, eles não eram necessariamente combinados de acordo com os métodos normais de composição observados em palavras comuns. E também que, quando os Eldar chegaram em Aman e lá se estabeleceram, já tinham uma longa história atrás de si e haviam desenvolvido costumes aos quais aderiam, e suas línguas haviam sido elaboradas e alteradas e estavam muito diferentes da sua fala primitiva como ela era antes da vinda de Oromë. Mas, como eram imortais — ou, dito de maneira mais correta, "indefinidamente longevos" —, vários dos Eldar mais velhos tinham nomes criados muito tempo antes e que não haviam sido alterados senão para acomodar os sons às mudanças observadas na sua língua quando comparada ao eldarin primitivo.

Essa acomodação era mormente de natureza "despercebida": isto é, os nomes pessoais, usados na fala cotidiana, seguiam as mudanças daquela língua — ainda que essas fossem reconhecidas e observadas. Por outro lado, as mudanças dos nomes em quenya dos Ñoldor para formas sindarin quando de seu estabelecimento em Beleriand, na Terra-média, foram artificiais e deliberadas. Foram feitas pelos próprios Ñoldor. Isso foi feito devido à sensibilidade dos Eldar em relação a línguas e seus estilos. Achavam absurdo e desagradável chamar pessoas viventes que falavam sindarin no dia a dia por nomes em um modo linguístico muito diferente.[21]

Os Ñoldor, é claro, entendiam completamente o estilo e o modo do sindarin, ainda que o aprendizado dessa língua difícil lhes fosse rápido; mas eles não necessariamente compreendiam os detalhes de sua relação com o quenya. A princípio, exceto pelas poucas palavras que as grandes mudanças na forma sindarin do telerin na Terra-média haviam deixado inalteradas ou claramente semelhantes, nenhum deles entendia ou se interessavam ainda pela história linguística. Foi nesse período inicial que se deu a tradução da maioria dos seus nomes em quenya. Como consequência, essas traduções, ainda que inteiramente de acordo com a forma e o estilo do sindarin, frequentemente eram imprecisas: isto é, nem sempre correspondiam exatamente no sentido e os elementos equacionados nem sempre eram realmente as formas mais próximas em sindarin dos elementos em quenya — às vezes, nem sequer eram historicamente relacionados, mesmo que fossem mais ou menos semelhantes no som.

No entanto, foi certamente o contato com o sindarin e a ampliação de sua experiência com a mudança linguística (especialmente as mutações muito mais rápidas e descontroladas observadas na Terra-média) que estimularam os estudos dos mestres do saber linguístico e foi em Beleriand que se desenvolveram teorias a respeito do eldarin primitivo e a relação entre seus descendentes conhecidos. Nisso o papel de Fëanor foi pequeno, exceto pelo fato de que seu próprio trabalho e suas teorias anteriores ao Exílio lançaram as bases sobre as quais seus sucessores construíram. Ele mesmo pereceu cedo demais na guerra contra Morgoth — em grande medida devido à sua imprudência — para fazer mais do que notar as diferenças entre os dialetos do sindarin setentrional (o único que teve tempo de aprender) e o ocidental.[22]

A erudição dos mestres do saber estava à disposição de todos os que se interessassem; mas, conforme a desesperançada guerra se arrastava e após os seus êxitos iniciais e enganosos levarem a derrotas e desastres, arruinando completamente os reinos élficos, cada vez menos Eldar tinham a oportunidade de adquirir qualquer tipo de "saber". Um relato dos anos do Cerco de Angband na forma de crônica daria a impressão de não haver espaço ou tempo para quaisquer das artes de paz; mas os anos eram longos e, de fato, havia intervalos tão longos quanto muitas vidas de Homens e locais seguros há muito defendidos em que os Altos Eldar no exílio labutaram para recuperar o que puderam da beleza e sabedoria de seu antigo lar. Toda paz e todos os baluartes acabaram sendo destruídos por Morgoth; mas se alguém quiser saber como se preservou da ruína algum saber ou tesouro, isto pode ser respondido: do tesouro, pouco se preservou, e a perda de belas coisas, grandes ou pequenas, é incalculável; mas o saber dos Eldar não dependia de registros perecíveis, sendo armazenado nas vastas moradas de suas mentes.[23] Quando os Eldar faziam registros escritos, mesmo aqueles que nos pareceriam vultosos, eles apenas resumiam, por assim dizer, para o emprego de outros cujo saber talvez fosse em outros campos do conhecimento,[24] assuntos que eram mantidos sem turvação e em detalhes intrincados nas suas mentes.

Seguem-se alguns dos principais nomes de Finwë e seus descendentes.

1. *Finwë* de quem não se tem registro de nenhum outro nome, exceto pelo título *Ñoldóran* "Rei dos Ñoldor". Sua primeira esposa era *Míriel* (primeiro nome) *Þerindë* (nome-materno). Os nomes dos parentes dela não estão registrados. Seus nomes não foram traduzidos. Sua segunda esposa era *Indis*, que significa "grande ou valorosa mulher". Nenhum outro nome está registrado. Diz-se que ela era filha da irmã do Rei Ingwë.

2. O único filho de Míriel foi mais tarde chamado geralmente de *Fëanor*. Seu primeiro nome era *Finwë (minya)*, posteriormente ampliado para *Kurufinwë* quando seus talentos se desenvolveram. Em quenya, seu nome-materno conforme dado por Míriel era *Fëanáro* "espírito de fogo". *Fëanor* é a forma usada quase sempre em histórias e lendas, mas, da maneira como está, é apenas meio sindarizada: a forma genuinamente sindarin era *Faenor*; a forma *Fëanor* (o *ë* é apenas um artifício da transcrição, não necessário no original) provavelmente surgiu por confusão de escribas, especialmente em documentos escritos em quenya, no qual *ea* era frequente, mas *ae* não ocorria normalmente.[25]

3. Finwë teve quatro filhos com Indis: a filha *Findis*, um filho, a filha *Írimë* e outro filho.[26] *Findis* é um amálgama dos nomes dos pais. Pouco se diz dela em *O Silmarillion*. Ela não foi para o exílio, mas partiu com sua mãe após o assassinato de Finwë e viveram entre os Vanyar em luto até o momento em que pareceu adequado a Manwë restaurar Finwë à vida.[27] Sua segunda filha foi chamada de *Írien*[28] e o seu nome-materno era *Lalwendë* (donzela risonha). Por esse nome, ou sua forma reduzida *Lalwen*, ela era geralmente conhecida. Foi para o exílio com seu irmão Fingolfin, que lhe era o mais querido de toda a parentela; mas o seu nome não foi alterado, já que *Lalwen* adequava-se bastante bem ao estilo do sindarin.[29]

Aos filhos, Finwë deu seu próprio nome, como fizera com Fëanor. Talvez isso tenha sido feito para asseverar a reivindicação deles como seus filhos legítimos, iguais nesse aspecto ao seu primogênito *Kurufinwë Fayanáro*, mas não havia intenção de despertar a discórdia entre os irmãos, já que nada nos julgamentos dos Valar prejudicou em absoluto o lugar e os direitos de Fëanor como filho mais velho. Nada, de fato, jamais foi feito para prejudicá-los, exceto pelo próprio Fëanor; e, a despeito de tudo o que aconteceu depois, o seu primogênito continuou sendo o mais próximo do coração de Finwë.

Assim como a Fëanor, Finwë mais tarde acrescentou prefixos aos nomes deles: o mais velho ele chamou *Ñolofinwë* e o mais novo, *Arafinwë*. *Ñolo* era o radical de palavras associadas a sabedoria,[30] e *Ara*, *ar-*, uma forma prefixada do radical *Ara-* "nobre". Fëanor sentiu-se ofendido tanto pelo uso do nome de seu pai pelos dois irmãos mais novos quanto pelos prefixos que lhes foram acrescidos; pois seu orgulho estava crescendo e nublando sua razão: achava-se não apenas o maior mestre em *Kurwë* (o que era verdade), mas também em *Ñolmë* (o que não era verdade, salvo em matéria de língua), e certamente o mais nobre dos filhos de Finwë (o que talvez se demonstrasse verdade, caso ele não tivesse se tornado o mais soberbo e arrogante).

Os Ñoldor no exílio, como regra, escolhiam apenas um dos seus nomes para dar forma em sindarin; geralmente era o nome que cada um preferia (por várias razões), embora a facilidade na "tradução" e a sua adequação ao estilo do sindarin também fossem consideradas.

Quanto a *Fëanor*, *Faenor*, ver acima. *Ñolofinwë* (um dos primeiros a serem alterados) recebeu a forma *Fingolfin*, ou seja, *Finwë Ñolofinwë* recebeu um estilo sindarin no som e foi combinado em um único nome. Um procedimento muito incomum e não imitado em nenhum outro nome.[31] Não era uma tradução. O elemento quenya *ñolo-* meramente tomou sua forma equivalente em sindarin, *gol*. *Finwë* foi simplesmente reduzido para *fin* em ambos os locais; assim produziu-se um nome bem ao estilo sindarin, mas sem significado nessa língua. (Se *Finwë* fosse tratado como uma palavra nesse formato, caso tivesse ocorrido antigamente no sindarin, seria *Finu* — mas *Fim* no dialeto setentrional, como em *Curufim.*)[32] Fingolfin prefixara o nome Finwë, tornando-o Ñolofinwë, antes de os Exilados alcançarem a Terra-média. Isso foi feito em conformidade com sua reivindicação da chefia de todos os Ñoldor após a morte de Finwë e enfureceu Fëanor[33] de tal forma que sem dúvida foi uma das razões para sua traição ao abandonar Fingolfin e sumir com todas as naus. No caso de Finarfin, a prefixação foi feita por Finrod somente após a morte de Fingolfin em combate singular contra Morgoth. Os Ñoldor então se dividiram em reinos separados sob o comando de Fingon, filho de Fingolfin; Turgon, seu irmão mais novo; Maedros, filho de Fëanor e Finrod, filho de Arfin. E o séquito de Finrod se tornara o maior.

4.Os filhos de Fingolfin. A esposa de Fingolfin, *Anairë*, recusou-se a deixar Aman, principalmente por sua amizade com Eärwen, esposa de Arafinwë (embora ela fosse uma Ñoldo, e não uma dos Teleri). Mas todos os seus filhos se foram com o pai deles: *Findekáno*, *Turukáno*, *Arakáno* e *Írissë*, sua filha e terceira descendente; ela estava sob a proteção de Turukáno, que a amava muito, e de *Elenwë*, esposa dele.[34] Findekáno não tinha esposa ou filhos;[35] e nem Arakáno.

Esses eram provavelmente nomes-paternos, embora *Arakáno* fosse o nome-materno de Fingolfin. *Káno* significava "comandante" em quenya, geralmente como o título de um chefe menor, especialmente agindo como imediato de outro de mais alta posição.[36] A sindarização desses nomes para *Fingon* e *Turgon* demonstra conhecimento das mudanças fonológicas que distinguiam o sindarin do telerin, mas não leva o sentido em conta. Se realmente tivessem sido antigos nomes sindarin, teriam, à época da vinda dos Exilados, assumido as formas *Fingon* e *Turgon*, mas não teriam os mesmos significados do quenya, caso fossem interpretáveis. Possivelmente, teriam passado o sentido de "Clamor-das-madeixas" e "Clamor-mestre" [ver nota 36]. Mas isso não era de grande importância, já que antigos nomes em sindarin àquela época haviam se obscurecido por mutações fonológicas e eram compreendidos como nomes não passíveis de análise. No que diz respeito a *Findekáno / Fingon*, pode-se notar que o primeiro elemento era certamente o quenya *findë* "cabelo" — uma mecha ou trança de cabelo[37] (cf. *findessë*, o cabelo de uma cabeça, o cabelo de uma pessoa no todo), mas isso não é prova conclusiva de que o nome *Finwë* derivasse desse radical ou que se cogitasse essa derivação.

Teria bastado para Fingolfin dar a seu primogênito um nome que começasse com *fin-* como "eco" do nome ancestral e, caso isso também fosse particularmente aplicável, seria aprovado como uma boa invenção. No caso de Fingon era adequado: ele usava seus longos cabelos escuros em grandes tranças enastradas de ouro.

Arakáno era o mais alto dos irmãos e o mais impetuoso, mas seu nome nunca foi alterado para uma forma sindarin, pois ele pereceu na primeira batalha da hoste de Fingolfin com os Orkes, a Batalha de Lammoth (mas a forma sindarin *Argon* foi frequentemente atribuída mais tarde como nome próprio por Ñoldor e Sindar em memória de sua bravura).[38]

Írissë, que sempre seguia o povo de Turgon, era chamada *Íreth*,[39] com a substituição pelo sindarin *-eth* (< *-ittā*), frequente em nomes femininos no lugar do quenya *-issë*. Elenwë, sua mãe, não tinha nome em sindarin, pois nunca alcançou Beleriand. Ela pereceu na travessia do Gelo; e Turgon, depois disso, tornou-se implacável em sua inimizade a Fëanor e os filhos. Tinha ele mesmo chegado perto da morte nas águas pungentes quando tentou salvá-la e a sua filha *Itaril*, atirada no mar cruel pelo desintegrar de gelo ameaçador. Salvou Itaril;[40] mas o corpo de Elenwë foi coberto pelo gelo que desabou.

Itaril, ou *Itarillë* na forma mais longa, foi a única descendente na terceira geração depois de Finwë a partir com os Exilados, salvo apenas por Arothir, filho de Angrod, irmão de Finrod.[41] Ambos têm renome nas lendas do *Silmarillion*; mas Itaril teve um grande destino, pois era mãe de Ardamir Eärendil. A forma de seu nome em sindarin era *Idril*, mas isso também era apenas uma alteração formal, pois nenhum dos radicais em quenya contidos em seu nome eram encontrados em sindarin.[42]

5.Os filhos de Finarfin. Chamavam-se: *Findaráto Ingoldo*; *Angaráto*; *Aikanáro* e *Nerwendë Artanis*, de cognome *Alatáriel*. A esposa de *Angaráto* chamava-se *Eldalótë* e seu filho, *Artaher*. O mais renomado desses descendentes eram o primeiro e a quarta (a única filha), e apenas os nomes-maternos desses dois são lembrados. Os nomes em forma sindarin pelos quais foram geralmente chamados em lendas e canções posteriores eram *Finrod*, *Angrod* (com a esposa *Eðellos* e o filho *Arothir*), *Aegnor* e *Galadriel*.

Os nomes *Findaráto* e *Angaráto* eram telerin na forma (pois Finarfin falava a língua do povo de sua esposa); e eles se mostraram fáceis de verter para o sindarin tanto na forma como no sentido, devido à relação próxima entre o telerin de Aman e a língua de sua gente, os Sindar de Beleriand, apesar das grandes mudanças que ela sofrera na Terra-média. (*Artafindë* e *Artanga* teriam sido suas formas mais naturais em quenya, sendo *arta-* o equivalente prefixal de *aráta-*, como em *Artanis* e *Artaher*.)[43] A ordem dos elementos em compostos, especialmente nomes próprios, permaneceu bastante livre em todas as três línguas eldarin; mas o quenya preferia a (antiga) ordem na qual radicais adjetivais vinham antes, enquanto em telerin e sindarin os elementos adjetivais com frequência eram colocados em segundo lugar, especialmente em nomes criados tardiamente, de acordo com a alocação usual dos adjetivos no falar corriqueiro dessas línguas. No entanto, em nomes que terminavam com palavras antigas que se referiam a status, patente, profissão, raça ou clã e assim por diante, o elemento adjetival, mesmo em sindarin, seguindo modelos antigos, poderia ser colocado primeiro. O nome em quenya *Artaher* (radical *artahēr-*), "nobre senhor", foi corretamente sindarizado como *Arothir*.

Eðellos foi traduzido para *Eldalótë* de acordo com o sentido: "Flor-élfica". *Angaráto* tornou-se naturalmente *Angrod*. É provável que ambos os irmãos tenham inicialmente recebido o nome *Aráto*, diferenciado mais tarde. O *Find-* em *Findaráto* referia-se aos cabelos, mas neste caso aos cabelos dourados dessa família, herdados de Indis. O *Ang-* em *Angaráto* vinha do eldarin comum *angā* "ferro" (quenya e telerin *anga*, sindarin *ang*). Angrod muito cedo desenvolveu mãos de grande força e recebeu o *epessë Angamaitë*, "das mãos-de-ferro", de modo que Finarfin usou *ang-* como um prefixo diferencial.

Aikanáro era chamado de *Ambaráto* por seu pai. A forma sindarin teria sido *Amrod*; mas, para distinguir de *Angrod*, e também porque ele o preferia, usava o seu nome-materno[44] (o qual, contudo, foi dado em quenya e não telerin). *Aika-nār-* significava "fero fogo". Era em parte um nome "profético"; pois ele era renomado como um dos mais valorosos guerreiros, muito temido pelos Orkes: na ira ou na batalha, a luz de seus olhos era como chama, ainda que de outro modo fosse um espírito generoso e nobre. Mas, no início de sua juventude, podia-se observar a luz inflamada; e seu cabelo era notável: dourado com o de seus irmãos e irmã, mas forte e rijo, subindo de sua cabeça como chamas. A forma sindarin que adotou, *Aegnor*, não era, contudo, sindarin verdadeiro. Não havia adjetivo em sindarin que correspondesse ao quenya *aika*, "fero, terrível, bravio", mas *aeg* seria sua forma caso ocorresse.[45]

Galadriel foi escolhido por Artanis ("mulher nobre") para ser seu nome sindarin; pois este era o mais belo dentre seus nomes e, ainda que fosse um *epessë*, fora dado a ela por seu amado, Teleporno dos Teleri, com quem se casou depois em Beleriand.[46] Do modo como ele o atribuiu em telerin, era *Alatāriel(lë)*. A forma quenyarizada aparece como *Altariel*, ainda que, verdadeiramente, teria sido *Ñaltariel*. Foi vertido de maneira eufônica e correta para o sindarin como *Galadriel*. O nome era derivado do radical ÑAL em eldarin comum, "brilho por reflexo"; **ñalatā* "refulgência, reflexo cintilante" (de joias, vidro ou metais polidos, ou água) > quenya *ñalta*, telerin *alata*, sindarin *galad* + o radical do eldarin comum RIG, "enrolar, trançar", **rīgā* "grinalda, festão"; quenya e telerin *ría*, sindarin *rî*, quenya e telerin *riellë*, *-ríel* "uma donzela coroada com uma grinalda festiva". O significado completo, = "donzela coroada com grinalda de brilhante resplendor", foi dado em referência aos cabelos de Galadriel. *Galad* também ocorre no *epessë* de Ereinion ("rebento de reis") pelo qual ele é principalmente lembrado em lendas, *Gil-galad* "estrela de radiância": foi o último rei dos Eldar na Terra-média e o último descendente masculino de Finwë[47] exceto por Elrond, o Meio-Elfo. O *epessë* lhe foi dado porque seu elmo e cota de malha, e seu escudo recoberto de prata e adornado com um emblema de estrelas brancas refulgiam ao longe como uma estrela à luz do sol ou da lua e podiam ser vistos por olhos élficos a grande distância, caso ele estivesse em um ponto elevado.

Há outros descendentes de Finwë lembrados nas lendas que podem ser notados aqui, embora seus nomes tenham sido atribuídos em sindarin ou quenya em épocas posteriores — quando o sindarin era a língua cotidiana dos Ñoldor — e eles não apresentem os problemas de tradução ou de ajuste mais formal que se encontram nos nomes em quenya dados antes do Exílio.

Itarildë (Idril)[48] filha de Turgon, era mãe de Eärendil; mas o pai dele era um Homem dos Atani, da Casa de Hador: Tuor, filho de Huor.[49] Eärendil era, portanto, o segundo dos Pereldar (Meios-elfos),[50] o mais velho sendo Dior, filho de Beren e Lúthien Tinúviel, filha do Rei Elu Thingol. Seus nomes foram, contudo, dados em quenya; pois Turgon, após fundar a cidade secreta de

Gondolin, restabelecera o quenya como fala cotidiana de sua casa. Eärendil era o seu nome-paterno, e o seu nome-materno era *Ardamírë*. Neste caso, ambos os nomes eram "proféticos". Tuor, em sua longa jornada pelas costas ocidentais de Beleriand, após escapar do cativeiro, fora visitado pelo próprio grande Vala Ulmo, e Ulmo o orientara a buscar Gondolin, prevendo que, se ele a encontrasse, lá teria um filho que seria renomado para sempre como marinheiro.[51] Por mais improvável que isso parecesse a Tuor, já que nem os Atani e nem os Ñoldor tinham qualquer amor pelo mar ou por navios, ele nomeou seu filho em quenya como "amante do mar". Mais puramente profético foi o nome *Ardamírë*, "Joia do Mundo"; pois Itarildë não conseguia prever com a mente em vigília a estranha sina que acabou dando a Eärendil a posse da Silmaril e permitiu que seu navio passasse por todas as sombras e perigos que à época defendiam Aman de qualquer aproximação desde a Terra-média. Esses nomes não receberam versões em sindarin nas lendas,[52] se bem que escritores sindarin às vezes explicassem que eles significavam *mír n'Arðon* e *Seron Aearon*. Pelo casamento de Eärendil com Elwing, filha de Dior, filho de Beren, as linhagens dos Pereldar (Pereðil) foram unidas. Elros e Elrond eram os filhos de Eärendil. Elros tornou-se o primeiro rei de Númenor (com o título em quenya *Tar-Minyatur*, "alto primeiro-rei"). Elrond foi recebido na companhia dos Eldar e com a duração de vida deles, e tornou-se escudeiro e alferes de Ereinion Gil-galad. Em dias posteriores, quando se casou com Celebrían, filha de Galadriel e Celeborn, as duas linhagens vindas de Finwë, de Fingolfin e Finarfin, uniram-se e tiveram continuidade em Arwen, sua filha.[53]

Os nomes *Elros* e *Elrond*, os últimos dos descendentes de Finwë nascidos nos Dias Antigos, foram compostos de modo a lembrar o nome de sua mãe, *Elwing*. O significado de *wing* é incerto, já que ele não ocorre em nenhum outro nome próprio, nem nos registros do sindarin ou do quenya. Alguns dos mestres do saber — lembrando que, após seu retorno a uma segunda vida, Beren e Lúthien viveram em Ossiriand[54] e que lá Dior morou após a queda de Doriath, em meio aos Elfos Verdes daquele país silvestre — presumiam que *wing* fosse uma palavra no idioma dos Elfos Verdes; mas pouco se preservou daquele idioma após a destruição de Beleriand, e a interpretação de *wing* como "espuma, borrifo" como o da água que é soprada pelo vento ou que cai abruptamente nas rochas é apenas uma suposição provável. Ela é corroborada, contudo, pelo fato de que Ossiriand era uma terra cortada por sete rios (como seu nome indica) e de que eles desciam íngremes e muito rapidamente das Montanhas de Ered Lindon. Ao lado de uma grande queda-d'água, chamada em sindarin de *Lanthir Lamath* ("queda-d'água das vozes que ecoam"), Dior tinha sua morada. Ademais, o nome *Elros* (em quenya *Elerossë*) significa "espuma de estrelas", isto é, espuma iluminada pelas estrelas.[55]

As notas numeradas ao texto precedente encontram-se da p. 422 em diante, mas as seguintes notas editoriais sobre Gil-galad e Felagund são mais convenientemente colocadas aqui.

A Parentela de Gil-galad

Meu pai originalmente supunha que Gil-galad fosse o filho de Felagund, Rei de Nargothrond. Isso provavelmente é encontrado pela primeira vez em uma revisão ao texto QdN II de *A Queda de Númenor* (V. 45); mas continuou sendo a sua convicção até depois de finalizado *O Senhor dos Anéis*, como se vê pelo importante e antigo texto do Conto dos Anos (p. 214) e por *Dos Anéis de Poder*, onde, no texto publicado (*O Silmarillion*, p. 374), *Fingon* é uma alteração editorial de *Felagund.* Em acréscimos de data incerta feitos ao *Quenta Silmarillion* (XI. 296–7), conta-se que Felagund mandou sua esposa e seu filho Gil-galad de Nargothrond para os Portos das Falas pela segurança deles. Deve-se observar também que, no texto do Conto dos Anos que acabo de mencionar, Gil-galad não era apenas filho de Felagund, mas também Galadriel era irmã de Gil-galad (e, portanto, filha de Felagund): ver pp. 215 e 228 nota 10.

Contudo, nos *Anais Cinzentos* de 1951 (XI. 59–60, §108) surgiu a noção de que Felagund não tinha esposa, pois a Vanya Amárië que ele amava não recebera permissão para deixar Aman.

Deve-se aqui dizer algo sobre Orodreth, filho de Finarfin e irmão de Felagund, que se tornou o segundo Rei de Nargothrond (sobre os indícios do declínio na importância de Orodreth em fases anteriores do legendário, veja III. 112, 291; V. 284; e *Contos Inacabados*, p. 346, nota 20). Nas tabelas genealógicas dos descendentes de Finwë — que podem ser datadas de 1959, mas que meu pai ainda estava usando e alterando quando escreveu o excurso a *O Xibolete de Fëanor* (ver nota 26) —, pode-se traçar a curiosa história de Orodreth. Posto da maneira mais concisa possível, Finrod (Felagund) inicialmente tinha um filho chamado *Artanáro Rhodothir* (contradizendo, portanto, a história nos *Anais Cinzentos* de que ele não tinha esposa), segundo Rei de Nargothrond e pai de Finduilas. Assim, "Orodreth" foi agora empurrado uma geração para baixo, tornando-se filho de Finrod em vez de seu irmão. Na etapa seguinte, meu pai (aparentemente se lembrando da história nos *Anais Cinzentos*) observou que Finrod "não tinha filhos (deixou sua esposa em Aman)", e mudou Artanáro Rhodothir para que se tornasse, ainda na mesma geração, o filho do irmão de Finrod, Angrod (que, junto com Aegnor, tinha domínio sobre as terras altas de Dorthonion e foi morto na Batalha das Chamas Repentinas).

O nome do filho de Angrod (ainda preservando a identidade de "Orodreth") foi então alterado de *Artanáro* para *Artaresto*. Em uma nota isolada nas genealogias, escrita muito rapidamente, mas ainda assim datada — agosto de 1965 —, meu pai sugeriu que a melhor solução para o problema da parentela de Gil-galad era colocá-lo como "filho de Orodreth", que recebe aqui o nome em quenya *Artaresto*, e continuou:

> Finrod deixou sua esposa em Valinor e não tinha filhos no exílio. O filho de Angrod era Artaresto, que era amado por Finrod e escapou quando Angrod foi morto, e morou junto de Finrod. Finrod fez dele o seu "regente" e ele o sucedeu em Nargothrond. Seu nome em sindarin era *Rodreth* (alterado para *Orodreth* por conta de seu amor pelas montanhas .. .. Seus filhos eram Finduilas e Artanáro = Rodnor, posteriormente chamado Gil-galad. (Sua mãe era uma dama sindarin do Norte. Ela chamou seu filho de Gil-galad.) Rodnor Gil-galad escapou e acabou chegando à Foz do Sirion e tornou-se Rei dos Ñoldor ali.

As palavras que não consigo ler aparentemente contêm uma preposição e um nome próprio, e este poderia ser *Faroth* (os Altos Faroth a oeste do rio Narog). — Na última das tabelas genealógicas surge *Artanáro (Rodnor) chamado de Gil-galad*, com a observação de que "ele escapou e morou na Foz do Sirion". A única alteração adicional foi a rejeição do nome *Artaresto*, substituído por *Artaher*, sindarin *Arothir*; e, assim, no excurso (nota 23), Arothir [Orodreth] é chamado de "parente e regente" de Finrod e (nota 47) Gil-galad é "filho de Arothir, sobrinho de Finrod". A genealogia final ficou da seguinte maneira:

Finrod Felagund — Angrod

Angrod
|
Artaher/Arothir [Orodreth]
|
Artanáro/Rodnor/Gil-galad

Uma vez que Finduilas permaneceu sem correção na última das árvores genealógicas como sendo filha de Arothir, ela acabou se tornando irmã de Gil-galad.

Não há dúvidas de que essa foi a última palavra de meu pai sobre o assunto; mas nada dessa concepção tardia e radicalmente alterada jamais tocou as narrativas existentes e foi obviamente impossível introduzi-la no *Silmarillion* publicado. No entanto, teria sido muito melhor ter deixado a parentela de Gil-galad obscura.

Devo mencionar também que, no texto publicado de *Aldarion e Erendis* (*Contos Inacabados*, p. 273), a carta de Gil-galad para Tar-Meneldur se inicia com "Ereinion Gil-galad, filho de Fingon", mas o original diz "Finellach Gil-galad da Casa de Finarfin" (*Finellach* foi uma alteração de *Finhelach*, por sua vez alterado de *Finlachen*). Quanto ao nome *Ereinion*, ver p. 413 e nota 47. Igualmente, no texto *Uma Descrição da Ilha de Númenor* (*Contos Inacabados*, p. 233), coloquei "Rei Gil-galad de Lindon" onde no original havia "Rei Finellach Gil-galad de Lindon"; mantive, contudo, as palavras "à sua parenta Galadriel", já que Fingon e Galadriel eram primos de primeiro grau. Não há vestígio entre as muitas notas e indicações escritas nas tabelas genealógicas de alguma proposta de que Gil-galad descendesse de Finarfin; mas, de toda forma, *Aldarion e Erendis* e o texto intimamente relacionado da *Descrição de Númenor* precederam um tanto (inclino-me agora a datá-los de cerca de 1960) a transformação de Gil-galad em neto de Angrod com o nome Artanáro Rodnor, que aparece inicialmente como uma nova decisão na nota de agosto de 1965 incluída acima. Uma análise muito mais detida desse material reconhecidamente complexo do que eu tinha feito vinte anos atrás deixa claro que Gil-galad como filho de Fingon (ver XI. 72, 298) foi uma ideia efêmera.

A origem anânica do nome Felagund

Em meio às notas que acompanham as genealogias élficas e datadas de dezembro de 1959 (ver nota 26), o seguinte deve ser registrado. Mencionei (XI. 222) que ao lado do nome *Felagund*, no capítulo *Do Cerco de Angband* no *Quenta Silmarillion* (onde se dizia que "os Gnomos do Norte, de início em chiste, chamaram-no ... de Felagund, ou 'senhor de cavernas'") meu pai observou no texto datilografado tardio: "Esse na verdade era um nome anânico; pois Nargothrond fora feita pela primeira vez pelos Anãos, como é recontado mais tarde". A afirmação nas notas de 1959 é a seguinte:

> O nome *Felagund* era de origem anânica. Finrod teve ajuda dos Anãos para ampliar a fortaleza subterrânea de Nargothrond. Supõe-se que originalmente foi um salão dos Anãos-miúdos (*Nibinnogs*), mas os Anãos Grandes os desprezavam e não tinham compunção em esbulhá-los — daí o ódio especial de Mîm pelos Elfos — particularmente por grande recompensa. Finrod trouxera mais tesouros de Túna do que qualquer um dos demais príncipes.
>
> *Felagund:* Anânico √*felek* pedra talhada, *felak* uma ferramenta como um cinzel de lâmina larga ou uma cabeça de machado sem o cabo para cortar pedras; usar essa ferramenta. √*gunud* equivalente do eldarin *s-rot*:[56] *gundu*, salão subterrâneo. *felakgundu*, *felaggundu* "escavador de caverna". Esse nome foi dado devido à habilidade de Finrod no cinzelamento mais moderado de pedras. Ele talhou muitos dos adornos dos pilares e paredes de Nargothrond. Tinha orgulho do nome. Mas era frequentemente eldarizado por outros para *Felagon*, como se tivesse a mesma terminação (**-kānō*) de *Fingon*, *Turgon*; e o primeiro elemento era associado ao sindarin *fael* "de mente justa, justo, generoso", quenya *faila* (? de √*phaya* "espírito", formação adjetival com o sentido de "com um bom *fëa* ou um *fëa* dominante").

Essa nota é a base para a breve afirmação no índice do *Silmarillion* publicado, verbete *Felagund*.

Os nomes dos Filhos de Fëanor com a lenda do destino de Amrod

Meu pai não atingiu o seu propósito de fornecer no "excurso" um relato dos nomes dos Filhos de Fëanor (ver nota 32), mas algumas páginas de rascunhos iniciais sobrevivem. O texto começa de maneira legível a tinta, mas, ao final da lista de "nomes-maternos", muda para caneta esferográfica, e a lenda de Amrod e Amras seria demasiadamente ilegível para reproduzir caso meu pai não tivesse repassado o texto e glosado as piores partes de modo mais claro. Há muitas notas etimológicas experimentais que foram aqui omitidas sobre as palavras eldarin referentes à cor vermelha e ao cobre, e sobre os nomes dos irmãos gêmeos. Na primeira lista, acrescentei os nomes sindarin por clareza.

(1) [Maedros] *Nelyafinwë* "Finwë terceiro" em sucessão.[57] *(Nelyo)*
(2) [Maglor] *Kanafinwë* "de voz potente ou ?autoritária". *(Káno)*[58]
(3) [Celegorm] *Turkafinwë* "forte, poderoso (em corpo)". *(Tu^r^ko)*
(4) [Curufin] *Kurufinwë* o nome do próprio Fëanor; dado a este que era seu filho favorito porque somente ele demonstrou em alguma medida o mesmo temperamento e talentos. Também lembrava muito Fëanor nas feições. *(Kurvo)*
(5) [Caranthir] *Morifinwë* "moreno" — tinha os cabelos escuros como seu avô. *(Moryo)*
(6) [Amrod] *Pityafinwë* "Pequeno Finwë". *(Pityo)*[59]
(7) [Amras] *Telufinwë* "Último Finwë". *(Telvo)*[60]

Os seus "nomes-maternos" estão registrados (embora nunca usados na narrativa) como:

(1) *Maitimo* "o bem-formado": tinha bela forma corporal. Mas ele e os mais novos herdaram o raro cabelo ruivo-acastanhado da família de Nerdanel. O *epessë* do pai dela era *rusco* "raposa". Assim, o *epessë* de Maitimo, dado por seus irmãos e outros familiares, era *Russandol* "cabeça-de-cobre".[61]
(2) *Makalaurë* De significado incerto. Geralmente interpretado (e considerado um nome-materno "profético") como "ouro na forja". Se for o caso, provavelmente é uma referência poética à sua habilidade na harpa, cujo som era "de ouro" (*laurë* era uma palavra para luz ou cor dourada, nunca usada para o metal).
(3) *Tyelkormo* "que se ergue de súbito". Quenya *tyelka* "apressado". Possivelmente em referência a seu temperamento

impulsivo e seu hábito de dar um salto quando se enfurecia subitamente.

(4) *Atarinkë* "pequeno pai" — em referência à sua semelhança física com Fëanor, semelhança que mais tarde se descobriu ser também de mente.

(5) *Carnistir* "face-rubra" — tinha os cabelos (castanho) escuros, mas a tez corada de sua mãe.

(6) *Ambarto*[62]

(7) *Ambarussa*

A intenção era, evidentemente, que esses dois nomes [dos] gêmeos *(i·Wenyn)* começassem de maneira semelhante. *Ambarussa* "cimo-castanho-avermelhado" devia referir-se a seu cabelo: o primeiro e o último filho de Nerdanel tinham o cabelo avermelhado da família dela. Em torno do nome Ambarto [> Umbarto] — que se esperaria começar com um elemento com o mesmo sentido de (7) — giraram muitas lendas e discussões. A mais autêntica parece ser a seguinte:

Os dois gêmeos eram ruivos. Nerdanel deu a ambos o nome *Ambarussa* — pois eram muito parecidos e continuaram sendo enquanto viveram. Quando Fëanor suplicou que seus nomes deveriam ao menos ser diferentes, Nerdanel olhou de maneira estranha e, depois de um tempo, disse: "Então que um deles se chame [*Ambarto* >] *Umbarto*, mas qual dos dois, o tempo decidirá."

Fëanor perturbou-se por esse nome ominoso ("Fadado"), e alterou-o para *Ambarto* — ou, em algumas versões, pensou que Nerdanel dissera *Ambarto*, usando o primeiro elemento de *Ambarussa* (isto é, *amba* + quenya *arta* "exaltado, elevado"). Mas Nerdanel disse: "*Umbarto* eu falei; mas faz como desejares. Não fará diferença".

Posteriormente, conforme Fëanor se tornava cada vez mais feroz e violento, e se rebelou contra os Valar, Nerdanel, após muito se empenhar para mudar seu humor, alienou-se. (Sua parentela era devotada a Aulë, que aconselhara seu pai a não tomar parte na rebelião. "No fim, só levará Fëanor e todos os seus filhos à morte.") Ela se retirou para a casa de seu pai; mas, quando ficou claro que Fëanor e seus filhos deixariam Valinor para sempre, foi até ele antes de a hoste iniciar sua marcha para o norte e implorou a Fëanor que deixasse os dois mais novos, os gêmeos, ou um deles pelo menos. Ele respondeu: "Se fosses uma esposa verdadeira, como eras até ser ludibriada por Aulë, ficarias com todos eles, pois tu virias conosco. Se me abandonares, abandonas também todos os nossos filhos. Pois estão decididos a partir com o pai." E Nerdanel então enfureceu-se e respondeu: "Não vais ficar com todos eles. Pelo menos um jamais pisará na Terra-média." "Leva teus maus agouros aos Valar, que se deleitarão com eles," disse Fëanor. "Eu os desafio". E assim se despediram.

Ora, conta-se como Fëanor roubou as naus dos Teleri e, renegando a fidelidade com Fingolfin e com todos os que lhe eram fiéis, navegou neles até a Terra-média, deixando o restante da sua hoste para que fizesse o caminho a pé com grande esforço e perdas. As naus foram ancoradas longe da costa, no Estreito de Drengist, e toda a hoste de Fëanor desembarcou e acampou ali.

Durante a noite, Fëanor, cheio de malícia, acordou Curufin e com ele e alguns dos mais próximos a Fëanor em obediência foi até as naus e incendiou todas; e o céu escuro ficou vermelho como uma aurora terrível. Todo o acampamento acordou e Fëanor disse ao retornar: "Agora pelo menos estou certo de que nenhum covarde ou traidor entre nós será capaz de levar de volta um navio que seja para socorro de Fingolfin e seu povo." Mas todos, exceto alguns, estavam desalentados, pois havia muitas coisas a bordo que ainda não haviam trazido para terra e as naus teriam sido úteis para outras jornadas. Ainda estavam muito ao norte e tencionavam navegar para o sul para algum porto melhor.

Pela manhã, a hoste foi reunida, mas, dos sete filhos de Fëanor, apenas seis foram encontrados. Então Ambarussa (6) empalideceu de medo. "Não despertastes então Ambarussa, meu irmão (a quem chamastes de Ambarto)?" disse. "Ele não quis vir à praia para dormir (falou-me) em desconforto." Mas pensa-se (e Fëanor sem dúvida suspeitou disto também) que estava na mente de Ambarto navegar de volta com sua nau [?posteriormente] e juntar-se a Nerdanel; pois ficara muito [?chocado][63] com o feito de seu pai.[64]

"Aquela nau eu destruí primeiro", disse Fëanor (escondendo sua própria desolação). "Então com razão destes o nome ao mais novo dos vossos filhos," disse Ambarussa, "e *Umbarto*, 'o Fadado', era a forma verdadeira. Violento e vate vos tornastes." E depois disso ninguém mais ousou falar novamente desse assunto a Fëanor.[65]

Quanto à menção, em uma nota ao texto datilogragado dos *Anais de Aman*, à história da morte de um dos irmãos gêmeos no incêndio dos navios em Losgar, ver X. 162, §162; e para o relato de Nerdanel e seu afastamento de Fëanor na reescrita tardia do *Quenta Silmarillion*, ver X. 331-2, 339.

O material acerca dos nomes dos irmãos gêmeos é confuso e confunde, claramente porque foi somente à medida que meu pai trabalhava neles que a estranha e sinistra história surgiu. Parece-me muito provável que, quando ele deu os nomes-maternos *(6) Ambarto* e *(7) Ambarussa*, ela ainda não tinha surgido, e nem quando ele começou a nota que segue a lista de nomes-maternos, dizendo que "o primeiro e o último filho de Nerdanel tinham o cabelo avermelhado da família dela" — isto é, Maedros com a alcunha de *Russandol* e o mais novo dos gêmeos *Ambarussa* (Amras).

Penso que a história surgiu inicialmente com as palavras "A mais autêntica parece ser a seguinte: Os dois gêmeos eram ruivos. Nerdanel deu a ambos o nome *Ambarussa* ..." Foi aí, sem dúvida, que meu pai alterou o nome *Ambarto* para *Umbarto* na lista e inverteu os nomes dos gêmeos (ver nota 62), para que *Ambarussa* se tornasse o mais velho dos dois e *Ambarto/Umbarto*, o mais novo dos filhos de Fëanor, como o é na lenda contada aqui.

No alto da primeira página deste texto a respeito dos nomes dos Filhos de Fëanor, meu pai escreveu, quando a história já ganhara existência:

> Todos os filhos, exceto Curufin, preferiam seus nomes-maternos e depois foram para sempre lembrados por eles. Os gêmeos chamavam um ao outro de *Ambarussa*. [?Ninguém] usava o nome *Ambarto/Umbarto*. Os gêmeos continuaram parecidos, mas o mais velho tornou-se mais moreno de cabelo, e era mais querido pelo pai. Após a infância [?não se podia mais] confundi-los. ...

Na lenda, portanto, "Ambarussa (6)" perguntou a Fëanor se ele não havia despertado "Ambarussa, meu irmão" antes de incendiar as naus.

NOTAS

1 [Esse subtítulo deriva da frase e abertura do ensaio, que é, na verdade, "O caso de *þ* > *s* é mais difícil". Não fui capaz de descobrir a que isso se refere. O texto datilografado sobrevive como um conjunto separado, paginado consecutivamente de A a T.]

2 Poucas dessas obras poderiam ter sido levadas de Valinor, e menos ainda teriam sobrevivido à jornada para a Terra-média; mas a memória dos mestres do saber era prodigiosa e precisa.

3 [O termo *Ingwi* não parece ter sido usado desde o *Lhammas* dos anos 1930, no qual "*Ingwelindar* ou *Ingwi*" aparece como o nome da casa e do povo de Ingwë, o principal do Primeiro Clã dos Elfos (então chamados de *Lindar*), V. 200. Para a aplicação muito posterior do termo *Lindar*, ver XI. 460-1.]

4 Sem estudo especial. Mas muitos dos Ñoldor sabiam falar telerin e vice-versa. De fato, havia alguns empréstimos de uma língua para a outra; dentre os quais o mais notável era o uso generalizado da forma telerin *telpë* "prata", no lugar do quenya puro *tyelpë*. [Quanto à substituição por *telpë*, ver *Contos Inacabados*, p. 361.]

5 Eles continuaram a deplorá-lo e puderam insistir mais tarde que a distinção entre o *þ* mais antigo e *s* deveria pelo menos ser sempre mantida na escrita.

6 [Ver a Nota sobre Nomes-maternos ao final do ensaio, p.404. Não se diz em nenhum outro lugar que *Serindë* era o "nome-materno" de Míriel.]

7 [Afirmara-se muitas vezes nos textos do *Quenta Silmarillion* tardio que *Fëanáro* era um "nome de introspecção" dado a ele por Míriel quando nasceu; ademais, na primeira vez que a história de Míriel apareceu, seu espírito passou para Mandos logo após Fëanor nascer e é dito explicitamente em*Leis e Costumes entre os Eldar* que ele nunca viu a mãe (X. 268). A história agora foi completamente alterada nesse aspecto: Míriel lhe deu esse nome "em reconhecimento ao seu caráter impetuoso"; "enquanto viveu, ela fazia muito com gentil conselho para abrandá-lo e refreá-lo"; e, subsequentemente, "sua exaustão ela suportara até que ele atingisse plena estatura, mas não mais podia suportá-la". Após a "morte" de Míriel, ou partida, "ele por um tempo também mantivera vigília junto ao corpo de sua mãe, mas logo se tornou outra vez completamente absorto em seus próprios trabalhos e desígnios" (p. 400).]

8 [Um relato completo de outros textos que falam desse assunto está incluído em X. 254-7, 277-9, 285-331. Esses textos são bem anteriores ao presente ensaio (ver X. 363), que não é em absoluto inteiramente congruente com eles.]

9 [Em outros lugares, *Ezellohar* é o nome não da planície, mas do Teso Verdejante sobre o qual cresciam as Duas Árvores (X. 94 etc.); ao passo que, em *Quendi e Eldar* (XI. 479, 481), diz-se que *Korollairë* é uma tradução do nome valarin *Ezellohar*, do qual o primeiro elemento *ezel*, *ezella* significava "verde". Mas talvez por "a planície de Ezellohar" meu pai quis dizer "a planície na qual se situava o teso de Ezellohar".]

10 Duvidando que um teste de apenas alguns anos pudesse demonstrar que a vontade de qualquer um dos Filhos fosse fixa de maneira inamovível; e prevendo que o descumprimento da lei traria consequências maléficas.

11 Morte por livre vontade, como a de Míriel, estava além de sua compreensão. Morte por violência ele pensava ser impossível em Aman; embora, como se conta em *O Silmarillion*, provou-se o contrário.

12 [Com uma necessária alteração na frase de abertura, o seguinte trecho, até "e, ao passar por esse último teste, partiu para sempre da Terra-média" na p. 403, foi publicado em *Contos Inacabados*, pp. 311–13 — já que é de grande importância na história de Galadriel — mas sem indicação do seu contexto: parece, portanto, desejável incluí-lo novamente aqui.]

13 [O nome de Elwë, *Þindikollo* (em outros lugares *Sindikollo*, *Sindicollo*), foi omitido no texto de *Contos Inacabados*.]

14 Que, junto com a maior de todos os Eldar, Lúthien Tinúviel, filha de Elu Thingol, são o assunto principal das lendas e histórias dos Elfos.

15 Nem sequer é certeza de que todos os filhos de Fëanor continuaram a usar *þ* após a morte dele e a reparação da contenda pela renomada façanha de Fingon, filho de Fingolfin, ao resgatar Maedhros [> Maedros] dos tormentos de Morgoth.

16 [O relato completamente diferente dos "Nomes Escolhidos" em *Leis e Costumes entre os Eldar* (X. 265-6) parece ter sido abandonado.]

17 Como se vê em *O Silmarillion*. Esse não é um título ou obra eldarin. É uma compilação, provavelmente feita em Númenor, que inclui (em prosa) os quatro grandes contos ou lais dos heróis dos Atani, dentre os quais "Os Filhos de Húrin" foi provavelmente composto já em Beleriand na Primeira Era, mas é necessariamente precedido por um relato de Fëanor e da feitura das Silmarils. No entanto, todas são obras "de Homens". [Compare isso com X. 450 e a nota 17 na p. 460 deste livro.]

18 Notavelmente em *Manwë*, o nome em quenya do "Rei Antigo", o principal dos Valar. Diz-se que esse nome tinha a mesma idade que os nomes *Ingwë* etc., e que continha o elemento valarin *aman*, *man* "abençoado, sagrado", ensinado por Oromë e, é claro, sem relação com o elemento interrogativo do eldarin *ma*, *man*. [Ver XI. 479.]

19 Tinha cabelos negros, mas brilhantes olhos cinza-azulados.

20 A conexão com o telerin *vola* "um vagalhão, onda longa", feita às vezes pelos próprios Teleri, não era uma "etimologia" séria, mas uma espécie de trocadilho; pois o nome do rei não era normalmente *Volwë* (eldarin comum **wolwē*), mas Olwë em telerin, assim como em quenya; e o *w* não era suprimido antes de *o* em telerin como era em quenya. Ademais, a relação dos Teleri com a navegação se desenvolveu muito depois de Olwë receber seu nome.

21 Coisa diversa ocorria em histórias escritas (que de todo modo eram compostas pelos Ñoldor majoritariamente em quenya). Além disso, os nomes dos "estrangeiros" que não viviam em Beleriand e de raro eram mencionados em conversas cotidianas geralmente eram preservados sem alteração. Assim, os nomes dos Valar, que eles haviam criados em Valinor, não eram alterados, via de regra, quer se adequassem ao estilo sindarin ou não. Os Sindar sabiam pouco dos Valar e não tinham nomes para nenhum deles, salvo Oromë (que fora visto e era conhecido por todos os Eldar); e Manwë e Varda, de cuja eminência foram instruídos por Oromë; e o Grande Inimigo a quem os Ñoldor chamavam Melkor. Para Oromë um nome fora criado em eldarin primitivo (lembrando o som de

sua grande trompa) do qual *Oromë* era a forma em quenya, embora em sindarin havia se tornado *Araw* e pelos Sindar ele foi posteriormente chamado com mais frequência de (*Aran*) *Tauron*, "o (rei) mateiro". Manwë e Varda eles conheciam apenas pelos nomes "Rei Antigo" e "Rainha-das-Estrelas": *Aran Einior* e *Elbereth*. Chamavam Melkor de *Morgoth*, "o Inimigo Sombrio", recusando-se a empregar a forma sindarin para *Melkor*: *Belegûr*, "aquele que se alevanta em poder", exceto (mas raramente) na forma deliberadamente alterada *Belegurth*, "Grande Morte". Esses nomes — *Tauron*, *Aran Einior*, *Elbereth* e *Morgoth* — foram adotados pelos Ñoldor e eram usados quando falavam sindarin.

[Quanto à associação do nome *Oromë* com o de sua grande trompa, ver XI. 480–1. — Os nomes *Belegûr* e *Belegurth* foram mencionados no índice remissivo do *Silmarillion* publicado que, nesses casos, derivam da presente nota. Muitos anos antes, *Belegor* é encontrado como um nome efêmero para Morgoth em *A Balada dos Filhos de Húrin* (III. 32, nota 22).]

22 Os seus filhos estavam demasiadamente ocupados com guerra e contendas para dar atenção a tais assuntos, exceto por Maglor, que era poeta, e Curufin, seu quarto filho e favorito, a quem deu seu próprio nome; mas Curufin interessava-se mormente pela língua estrangeira dos Anãos, sendo o único dos Ñoldor a conquistar sua amizade. Foi dele que os mestres do saber obtiveram o conhecimento que conseguiram sobre o khuzdûl.

23 Nem eram os "mestres do saber" uma guilda distinta de gentis escribas prontamente incinerados por Orkes de Angband sobre piras de livros. Eram, na maior parte, como Fëanor, os maiores, os reis, príncipes e guerreiros, tais como os valorosos capitães de Gondolin, ou Finrod de Nargothrond e Rodothir [> Arothir], seu parente e regente. [Quanto a Arothir, ver a nota sobre a parentela de Gil-galad, pp. 415–17.]

24 E como um seguro contra sua própria morte. Pois livros eram feitos apenas em locais fortificados numa época em que a morte em batalha era algo provável de acontecer a qualquer um dos Eldar, mas ainda não se acreditava que Morgoth pudesse jamais capturar ou destruir suas fortalezas.

25 [Em um acréscimo aos *Anais de Aman*, o primeiro nome de Fëanor é dado como "Minyon, Primeiro-gerado" (X. 115); em *Leis e Costumes entre os Eldar*, seu primeiro nome era *Finwë*, na segunda versão *Finwion* (X. 268 e nota 20). Para referências anteriores a *Kurufinwë*, ver o índice remissivo ao Volume X (*Curufinwë*); e compare a menção aqui à forma *Faenor* com X. 268, nota de rodapé.]

26 [Em *A Guerra das Joias*, mencionei um conjunto de genealogias élficas muito parecidas com as árvores dos Edain incluídas naquele livro: ver XI.281, onde observei que as genealogias élficas eram seguidas de notas explicitamente relacionadas a elas e datadas de dezembro de 1959. Essas genealogias se ocupam quase exclusivamente dos descendentes de Finwë e estão dispostas em quatro tabelas separadas, todas aparentemente da mesma época e demonstrando o mesmo tipo de desenvolvimento em etapas que se vê nas tabelas das casas dos

Edain. Pelo menos oito anos, e provavelmente mais, as separam do presente "excurso", cuja datação está fixada a não antes de fevereiro de 1968; mas meu pai claramente as tinha diante de si quando o escreveu, e alterações feitas à mais recente das quatro tabelas estão em conformidade com afirmações feitas neste excurso. Em todas essas tabelas ainda há três filhas de Finwë e Indis: *Findis*, *Faniel* e *Írimë* (ver X. 256, 292 e X. 319, onde *Finvain* aparece em vez de *Írimë*), e nenhuma correção foi feita. No excurso, *Faniel* desapareceu e a filha mais nova aparece como *Írimë* e *Írien* (ver nota 28).]

27 Se é que ele o fez. Pouco se ouviu na Terra-média acerca de Aman depois da partida dos Ñoldor. Os que voltaram para lá não mais retornaram desde a mudança do mundo. Iam muito para Númenor nos primeiros dias, mas pouco do saber e histórias de Númenor sobreviveu à sua Queda. [Compare as palavras no texto neste ponto, a respeito de Indis, com *Leis e Costumes entre os Eldar* (X. 304 e nota 17), onde Finwë, em Mandos, disse a Vairë: "Mas ela se separou de mim sem que houvesse morte. Fazia muitos anos que eu não a via, e, quando o Maculador me golpeou, eu estava sozinho. ... Pouco conforto eu haveria de lhe trazer, se voltasse."]

28 [É estranho que meu pai tenha dado o nome da segunda filha de Finwë tanto como *Írimë* quanto como *Írien* no espaço de algumas linhas. Possivelmente, ele pretendia escrever *Írien* na primeira ocorrência, mas inadvertidamente escreveu *Írimë*, o nome encontrado em todas as genealogias (nota 26).]

29 Mas o equivalente verdadeiro em sindarin era *Glađwen* (radical eldarin comum *g-lada-* > quenya *lala-*, telerin *glada*, sindarin *glađ-*).

30 "Sabedoria" — mas não no sentido de "sagacidade, juízo prudente (baseado na experiência e em conhecimento o suficiente)"; "Conhecimento" seria mais próximo, ou "Filosofia", nas suas aplicações mais antigas que incluíam a Ciência. *Ñolmë* era, portanto, distinta de *Kurwë* "habilidade técnica e invenção", embora não necessariamente praticada por pessoas diferentes. O radical aparecia em quenya (língua na qual era principalmente usada) em formas desenvolvidas a partir do eldarin comum *ñgol-*, *ñgōlo-*, com ou sem o *ñ* silábico: como em **Ñgolodō* > quenya *Noldo* (telerin *golodo*, sindarin *golođ*) — os Ñoldor haviam sido desde as épocas mais remotas muitíssimo eminentes e preocupados com esse tipo de "sabedoria"; *ñolmë*, uma área do saber (ciência etc.); *Ingolë (ñgōlē)*, Ciência/Filosofia como um todo; *ñolmo*, uma pessoa sábia; *ingólemo*, alguém com grande conhecimento, um "mago".* Essa última palavra era, contudo, arcaica e aplicava-se apenas aos grandes sábios dentre os Eldar em Valinor (tais como Rúmil). Os magos da Terceira Era — emissários dos Valar — eram chamados *Istari*, "Os que sabem".

A forma *Ingoldo* merece ser notada: é uma versão de *Ñoldo* com *ñ* silábico e, estando na forma extensa e mais dignificada, equivale mais ou menos

*Cf. *Contos Inacabados* p. 513, rodapé. [N. T.]

a "*o* Ñoldo, alguém eminente daquela gente". Era o nome-materno de Arafinwë [Finarfin] e, assim como o nome *Arakáno* "alto chefe" que Indis deu a Nolofinwë [Fingolfin], era tido como "profético". Eärwen deu esse nome [Ingoldo] a seu primogênito Artafindë (Finrod) e assim ele era geralmente chamado pelos irmãos e irmã, que o estimavam e amavam. Nunca foi sindarizado (a forma teria sido *Angoloð*). O nome se disseminou de sua parentela para muitos outros que o honravam, especialmente os Homens (Atani), de quem era o maior amigo dentre os Eldar. Assim, posteriormente tornou-se um nome próprio frequente em Númenor, e continuou a sê-lo em Gondor, se bem que reduzido na fala comum para *Ingold*. Um Ingold aparece em *O Senhor dos Anéis* como o líder da guarda no Portão Norte da Pelennor de Gondor.

[Em textos mais antigos (ver X. 321, nota 10) o nome *Ingoldo* era o nome-materno de Ñolofinwë (Fingolfin), "indicando que ele vinha tanto da parentela dos Ingar quanto dos Ñoldor"; ao passo que o nome-materno de Arafinwë (Finarfin) era *Ingalaurë* "pois ele tinha os cabelos dourados do povo de sua mãe". Exceto pela primeira, as tabelas genealógicas dão a Fingolfin e Finarfin os nomes-maternos *Arakáno* e *Ingoldo*, como aqui.]

31 Exceto por *Finarfin* como nome de seu irmão mais novo. Esse também foi o único nome de um Ñoldo que não partiu para o Exílio a receber uma forma sindarin. Isso porque os filhos de Arafinwë tinham uma posição especial entre os exilados, especialmente em relação ao Rei Thingol de Doriath, seu parente, e com frequência os Sindar se referiam a eles coletivamente como "os filhos de Finarfin" ou *Nothrim* [> *Nost*] *Finarfin*, "a casa/família de Finarfin".

32 [Nesse ponto do texto há uma referência catafórica para uma discussão sobre os nomes dos Filhos de Fëanor, mas ela não foi alcançada no texto datilografado antes que ele fosse abandonado; ver p. 418 em diante.]

33 Como ele afirmou, com alguma justiça: "A reivindicação de meu irmão baseia-se somente em um decreto dos Valar; mas que valor tem isso para aqueles que os rejeitaram e buscam escapar de sua terra-cativeiro?" Mas Fingolfin respondeu: "Não rejeitei os Valar, nem a sua autoridade em todas as questões em que lhes é justo usá-la. Mas se aos Eldar foi concedida livre escolha para deixar a Terra-média e ir para Aman, e se a aceitaram devido ao encanto e ventura dessa terra, então sua livre escolha para deixá-la, tendo ela se tornado sombria e profana, e retornar à Terra-média não pode ser tirada. Ademais, tenho uma incumbência na Terra-média, vingar o sangue de meu pai que está sobre Morgoth, a quem os Valar deixaram à solta entre nós. Fëanor busca, antes, seus tesouros roubados."

[Nesse ponto, o texto diz que Fingolfin reivindicou ser "chefe de todos os Ñoldor após a morte de Finwë", e a mesma coisa foi afirmada no ensaio propriamente dito (p. 401). Todos os textos concordam que, após Fëanor ser banido de Tirion e depois da partida de Finwë com ele para Formenos, Fingolfin governou os Ñoldor em Tirion; e foi dito no *Quenta Silmarillion* (ver IV. 113, V. 278) que posteriormente, quando a Fuga dos Ñoldor teve início, aqueles de Tirion "não renunciariam ao reinado de Fingolfin". Por outro lado, na história final dos eventos que levaram à Fuga, quando Fëanor e Fingolfin tornaram-se meios-irmãos, reconciliaram-se "em palavra" diante do trono de Manwë no fatídico festival; e naquela reconciliação, Fingolfin disse a Fëanor: "Tu hás de liderar, e eu seguirei" (ver X. 244, 349).]

34 [Quanto a *Anairë*, esposa de Fingolfin, e *Elenwë*, esposa de Turgon, ver XI. 390, §12; e quanto a *Arakáno*, sindarin *Argon*, ver nota 38.]

35 [Em todas as tabelas genealógicas, o nome em quenya de Fingon é *Finicáno*, exceto na última, em que é *Findicáno* (alterado para *Findecáno*). Todas as tabelas assinalam que ele tinha uma esposa, ainda que não nomeada; na primeira, há dois descendentes nomeados, *Ernis* e *Finbor*, sendo que *Ernis* subsequentemente tornou-se *Erien*, mas foram excluídos na tabela final, com a observação de que Fingon "não tinha filhos ou esposa".]

36 Era um derivativo do eldarin comum KAN "gritar, chamar em voz alta", que se desenvolveu em significados divergentes (como "call" [chamar] em inglês ou o radical germânico *hait-*) dependendo dos propósitos para os quais se usaria um tom de voz alto: por exemplo, para fazer um juramento, um voto ou promessa; para anunciar importantes notícias ou mensagens e ordenamentos; para emitir ordens e comandos pessoalmente; para "chamar" — nomear algo ou alguém que se deseje, para convocar; chamar uma pessoa por seu nome, nomear. Nem todos eles eram encontrados em qualquer um dos idiomas tardios (quenya, telerin, sindarin). Em quenya, o sentido de *comandar* tornara-se o usual: emitir ordens em pessoa, seja por autoridade outorgada ou pela própria; quando se aplicava a coisas, significava *exigir*, *requerer*. Em linguagem arcaica, a forma agente mais antiga e simples, **kānō* > *káno*, ainda tinha o sentido de "aquele que grita, ou arauto", e *kanwa* "um anúncio", assim como "uma ordem" — posteriormente, *terkáno* (alguém *por meio* de quem ordens e anúncios são feitos) era empregado para "arauto". Em telerin, *cāno* significava "arauto" e o verbo *can-* era majoritariamente usado no sentido de "gritar, chamar", mas também "convocar ou nomear uma pessoa". Em sindarin, *can-* era usado para "gritar, berrar, chamar", com as implicações exigidas pelo contexto; nunca significava "ordenar" e nem "nomear"; *caun* (**kānā*) significava "grito, clamor", geralmente na forma plural *conath* quando se referia a muitas vozes, frequentemente aplicada à lamentação (embora não como no inglês "cry" [chorar, levar a lágrimas]): cf. *naergon* "lamento aflito".

37 Eldarin comum **phini-* "um único fio de cabelo"; **phindē* "uma mecha"; sindarin *fin; find, finn-*.

38 Quando o ataque dos Orkes atingiu a hoste de surpresa conforme marchavam para o sul e as fileiras dos Eldar estavam cedendo, ele saltou à frente e abriu a golpes um caminho pelos inimigos, intimidados por sua estatura e pela terrível luz de seus olhos, até que chegou ao capitão-Orke e o abateu. Então, ainda que tenha sido ele mesmo cercado e morto, os Orkes se desesperaram e os Ñoldor os perseguiram e massacraram.

[O terceiro filho de Fingolfin, Arakáno (Argon), surgiu ao longo da composição das genealogias. Uma nota à lápis na última das quatro tabelas diz que ele morreu no combate em Alqualondë; isso foi riscado e meu pai observou que uma história preferível seria ele ter perecido no Gelo. É curioso que esse terceiro filho, de quem nunca houve sequer menção, entrou (ao que parece) sem uma história e a maneira de sua morte foi alterada duas vezes antes do notável surgimento aqui da "primeira batalha da hoste de Fingolfin com os Orkes, a Batalha de Lammoth", na qual ele tombou. No relato dos *Anais Cinzentos* (XI. 45), Fingolfin, após a passagem do Helkaraxë, "marchou do Norte sem oposição pelos recônditos do reino de Morgoth, e passou por Dor-Daedeloth, e seus inimigos esconderam-se sob a terra"; ao passo que, na presente nota, sua hoste foi atacada em Lammoth "de surpresa conforme marchavam para o sul" (veja o mapa em XI. 225).]

39 [Todas as tabelas genealógicas dão o nome da filha de Fingolfin como *Írissë (Írith)*; na última delas, *Írith* foi alterado para *Íreth*, a forma encontrada aqui, mas, ainda mais tarde, ambos os nomes foram excluídos e substituídos por *(Ar) Feiniel* "Dama Branca" (quanto a isso, ver XI. 382–3, e 490 com a nota 34).

Há uma estranha confusão nesse parágrafo. Mais acima, meu pai afirmara que Írissë "estava sob a proteção de" seu irmão Turukáno (Turgon) e a esposa dele, Elenwë; mas aqui Írissë é a *filha* de Elenwë, que pereceu no Gelo. Não é possível retificar isso substituindo pelo nome correto (*Anairë* no lugar de *Elenwë* ou *Itaril* em vez de *Írissë*, *Íreth*) porque ele estava explicitamente escrevendo de Elenwë e explicitamente escrevendo de Írissë.]

40 [Não há menção anterior a Turgon ter salvado sua filha Idril Celebrindal da morte no Helkaraxë.]

41 [Arothir foi mencionado anteriormente (nota 23) como "parente e regente" de Finrod; ver também nota 47.]

42 (1) *it* em *itila* "cintilante, tremeluzente", e *íta* "um clarão", verbo *ita-* "cintilar". (2) *ril-* "luz brilhante": cf. *silmaril(lë)*, o nome dado por Fëanor às suas três Joias. A primeira palavra era aplicada especialmente à luz brilhante dos olhos que era uma marca de todos os Altos Eldar que alguma vez habitaram em Valinor e que, em eras posteriores, ocasionalmente reaparecia nos seus descendentes entre homens mortais, seja de Itaril ou Lúthien.

43 **arat-* era uma forma estendida do radical *ara-* "nobre". O derivativo *arātā* era muito usado como adjetivo em telerin e sindarin (telerin *arāta*, sindarin *arod*). Em quenya, tornara-se uma palavra especializada e empregada principalmente em *Aratar*, "os Sublimes", os Nove dos principais Valar. Contudo, ainda era usado em nomes nobres.

44 [Na p. 411, meu pai disse que, dos filhos de Finarfin, o nome-materno só era lembrado nos casos de Finrod (*Ingoldo*) e Galadriel (*Nerwendë*); ele deixou de mencionar *Aikanáro*.]

45 O quenya *aika* derivava de um radical em eldarin comum GAYA "espanto, pavor"; mas a forma adjetiva **gayakā*, da qual descendeu *aika*, não se preservou

em telerin ou sindarin. Outros derivados eram **gāyā*, "terror, grande medo": telerin *gāia*, sindarin *goe*, quenya *áya*. Os adjetivos formados a partir dele, telerin *gāialā*, sindarin *goeol*, substituíram o quenya *aika*. Em um nome desse tipo em sindarin, o mais natural seria usar o substantivo, resultando em *goenaur* > *Goenor*. Ademais, **Gayar-*, "o Aterrorizador", o nome criado para o Mar, o vasto e aterrorizante Grande Mar do Oeste, quando os Eldar primeiro chegaram às suas costas: quenya *Eär*, *Eären*, telerin *gaiar*; sindarin *gaear*, *gae(a) ron*, *Belegaer*. Essa palavra também é encontrada no nome quenya *Eärendil*, o marinheiro (amante do mar); ver p. 414.

O radical adquiriu em quenya um sentido especialmente elevado e nobre — exceto em *eär*, se bem que esse também fosse majestoso em sua vastidão e poder; e *aika*, ainda que raramente fosse aplicado a seres malignos. Portanto, o quenya *áya* significava, antes, "espanto" em vez de "medo", profunda reverência e sensação da própria pequenez na presença de seres ou pessoas majestosas e poderosas. O adjetivo *aira* era o equivalente mais próximo de "sagrado"; e o substantivo *airë*, o mais próximo de "santidade". *Airë* era usado pelos Eldar como título ao se dirigirem aos Valar e aos Máyar superiores. Dirigiam-se a Varda como *Airë Tári* (Cf. o Lamento de Galadriel, onde se diz que as estrelas estremeciam ao som de sua voz sacra e régia: a forma prosaica ou normal teria sido *tintilar lirinen ómaryo Airë-tário*.) Essa alteração, ainda que fosse possível ocorrer (como aconteceu com nossa palavra "awe"*) sem influência externa, era considerada pelos mestres do saber como tendo sido influenciada parcialmente pela língua valarin, na qual *ayanu-* era o nome dos Espíritos da primeira criação de Eru. [Com a última frase dessa nota, compare XI. 479.]

46 [Quanto à notável alteração pela qual Celeborn (Teleporno) tornou-se um elfo telerin de Aman, ver *Contos Inacabados*, pp. 360–62, onde a presente passagem é mencionada. A etimologia de *Galadriel* que se segue no texto foi usada para o relato sobre o nome no Apêndice de *O Silmarillion*, verbete *kal-*.]

47 Ele era filho de Arothir, sobrinho de Finrod. [Ver a nota sobre a parentela de Gil-galad, p. 415 em diante. — Deste trabalho derivou o nome *Ereinion* de Gil-galad, introduzido em *O Silmarillion*.]

48 [Anteriormente (p. 411), o nome era *Itarillë*; *Itarildë* aparece nas três primeiras tabelas genealógicas, mas a quarta diz *Itarillë*.]

49 Esses nomes foram dados na língua daquela gente dos Atani (Edain) — mas adaptados ao sindarin — da qual majoritariamente descendeu o adûnaico, ou a língua nativa atânica de Númenor. Não há tentativa aqui de explicá-los.

50 [O termo *Pereldar*, "Meios-eldar", foi originalmente usado para os Nandor, ou Danas (ver V. 236, 254), mas é aqui empregado do mesmo modo que a forma

*A palavra *awe* em inglês pode ter tanto o significado de *temor*, *pavor*, quanto de *admiração*, *espanto*. [N.T.]

sindarin *Peredhil* no Apêndice A (I, i) acerca de Elrond e Elros; cf. *i·Pheredhil*, p. 312, *Pereðil*, p. 414.]

51 [No relato das palavras de Ulmo a Tuor na costa em Vinyamar, no *Conto de Tuor* mais tardio, o Vala de fato aludiu profeticamente a Eärendil, mas de maneira muito mais velada e misteriosa: "Mas não é apenas por teu valor que te envio, mas sim para trazeres ao mundo uma esperança além da tua visão e uma luz que há de penetrar as trevas" (*Contos Inacabados*, p. 52).]

52 Formas influenciadas pelo sindarin em manuscritos, tais como *Aerendil*, *Aerennel* etc., eram fortuitas e acidentais.

53 Quando Aragorn, descendente de Elros por uma longa linhagem, casou-se com Arwen na terceira união de Homens e Elfos, as linhagens de todos os Três Reis dos Altos Elfos (Eldar) — Ingwë, Finwë, e Olwë e Elwë — se uniram e somente por essa união foram preservadas na Terra-média. Uma vez que Lúthien era a mais nobre e a mais bela de todos os Filhos de Eru lembrados na história antiga, os descendentes dessa união foram chamados de "os filhos de Lúthien". O mundo envelheceu em longos anos desde aquela época, mas pode ser que sua linhagem ainda não tenha terminado. (Lúthien, pelo lado de sua mãe, Melian, também descendia dos Máyar, o povo dos Valar, cujo ser começou antes que o mundo fosse feito. Somente Melian de todos esses espíritos assumiu uma forma corpórea, não apenas como vestimenta, mas como morada permanente em forma e poderes, à semelhança dos corpos dos Elfos. Isso ela fez por amor a Elwë; e teve permissão sem dúvida porque essa união já fora prevista no começo das coisas e foi tecida no *Amarth* do mundo, quando Eru primeiro concebeu o ser de seus filhos, Elfos e Homens, como se conta (à maneira e de acordo o entendimento dos seus filhos) no mito que é chamado A Música dos Ainur.)

[Como se diz nesse ponto do texto, Arwen descendia de Finwë tanto pela linhagem de Fingolfin (via Elrond) quanto pela linhagem de Finarfin (via Celebrían); mas ela também era descendente de Elwë (Thingol) pela mãe de Elrond, Elwing, e pela mãe de Galadriel, Eärwen, filha de Olwë de Alqualondë. Ela não descendia diretamente de Ingwë, mas sua antepassada Indis era (em textos antigos) irmã de Ingwë (X. 318-9 etc.), ou (na presente obra, p. 408), filha da irmã dele. É difícil saber o que meu pai tinha em mente quando escreveu a abertura desta nota.]

54 Até que morreram como os Homens mortais, de acordo com o decreto dos Valar, e deixaram este mundo para sempre.

55 [Aqui o texto datilografado é interrompido, mas não no pé da página; e neste ponto meu pai escreveu:

> Alterar isso para: *Wing*. Essa palavra, que segundo a explicação dos mestres do saber significava "espuma, borrifo", só ocorre de fato em dois nomes da lenda de Eärendil: *Elwing*, o nome de sua esposa,

e (em quenya) *Vingilótë* (traduzido em adûnaico como *Rothinzil*), "Flor-de-Espuma", o nome da nau de Eärendil. A palavra não é de outro modo conhecida em quenya ou sindarin — e nem em telerin, a despeito de seu amplo vocabulário de palavras marítimas. Havia uma tradição de que a palavra teria vindo da língua dos Elfos Verdes de Ossiriand.]

56 [Em outro lugar dessas notas, o radical *rot*, *s-rot* recebe o significado de "cavar, escavar, fazer túnel", originando o quenya *hróta* "habitação subterrânea, caverna artificial ou salão esculpido na pedra", *rotto* "pequena gruta ou túnel".]

57 ["Finwë terceiro": seu avô era *Finwë* e seu pai, *Kurufinwë*, inicialmente chamado também de *Finwë* (p. 408).]

58 [*Káno:* ver nota 36.]

59 [O *P* de *Pityafinwë* foi alterado para *N*, mas não na forma abreviada *Pityo*.]

60 [*Pityafinwë* e *Telufinwë* estão entre parênteses com as palavras "Gêmeos *Gwenyn*".]

61 [Em uma página separada escrita ao mesmo tempo há uma nota sobre o pai de Nerdanel (esposa de Fëanor);

> O pai de Nerdanel era um "Aulendil" [> "Aulendur"], e tornou-se um grande artífice de metais. Amava o cobre e o tinha em mais alta conta que ouro. Seu nome era [*espaço; anotado depois a lápis* Sarmo?], mas era mais conhecido como *Urundil* "amante-do-cobre". Costumava usar uma faixa de cobre em torno da cabeça. Seus cabelos não eram tão escuros ou negros como os da maioria dos Ñoldor, mas castanhos, e havia neles reflexos de vermelho acobreado. Dentre os sete filhos de Nerdanel, o mais velho e os gêmeos (algo muito raro entre os Eldar) tinham os cabelos assim. O mais velho também usava um diadema de cobre.

Uma nota está apendida a *Aulendur*:

> "Serviçal de Aulë": isto é, alguém devotado a esse Vala. Era usado especialmente às pessoas, ou famílias, entre os Ñoldor que de fato estavam a serviço de Aulë e, em troca, recebiam dele instrução.

Uma segunda nota nessa página comenta o nome *Urundil*:

> √RUN "vermelho, incandescente", mais frequentemente usado para coisas como brasas, donde o adjetivo *runya*, sindarin *ruin* "vermelho 'fogo'". Os Eldar tinham palavras para alguns metais porque, sob a instrução de Oromë, haviam criado armas contra os serviçais de Morgoth, especialmente durante a Marcha, mas as únicas que

aparecem em todas as línguas eldarin eram ferro, cobre, ouro e prata (ANGA, URUN, MALAT, KYELEP).

Anteriormente, o pai de Nerdanel, o grande ferreiro, fora nomeado *Mahtan* (ver X. 332, 337) e assim ele foi chamado no *Silmarillion* publicado. Para afirmações mais antigas a respeito do armamento dos Eldar na Grande Jornada, ver X. 336-7, 341.]

62 [*Ambarto* foi alterado para *Umbarto* e as posições de Umbarto e Ambarussa foram invertidas: ver p. 422.]

63 ["chocado" é uma interpretação incerta de meu próprio pai da palavra ilegível.]

64 [O feito de seu pai: o roubo desleal de todas as naus telerianas para a travessia dos Fëanorianos até a Terra-média.]

65 [O texto termina com breves observações sobre a "sindarização" dos nomes quenya dos Filhos de Fëanor, mas elas são demasiadamente velozes, elípticas e ilegíveis para serem reproduzidas. Pode-se mencionar, contudo, que há uma explicação de que o sindarin *Maedros* contém elementos do nome-materno de Nelyafinwë *Maitimo* (eldarin comum *magit-* "formoso", sindarin *maed*) e do seu *epessë Russandol* (eldarin comum *russā*, sindarin *ross*); e também que a forma sindarin de *Ambarussa* (numerado 6, isto é, o gêmeo mais velho) é aqui *Amros* e não *Amras*.]

12

O PROBLEMA DE *ROS*

Em seus últimos anos, meu pai deu extrema importância a encontrar explicações, em termos histórico-linguísticos, para nomes que remontavam a um período muito primitivo do "legendário" (veja, por exemplo, a discussão dele dos nomes muito antigos *Isfin* e *Eöl* em XI. 381–2, 385) e, caso esses nomes tivessem aparecido publicados, sentia-se vinculado a eles e esforçava-se muito para criar etimologias que estivessem em consonância com o desenvolvimento histórico ora minuciosamente refinado do quenya e do sindarin. O mais penoso de todos foi o caso do nome *Elros* e outros associados a ele seja na forma ou pela conexão nas lendas; mas, de forma igualmente característica, seus escritos sobre esse assunto contêm muitas observações interessantes para além dos detalhes de história fonológica: pois a história linguística e o "legendário" tornavam-se cada vez menos dissociáveis.

No longo excurso sobre os nomes dos descendentes de Finwë incluído no capítulo anterior, ele dissera (p. 414) que *Elros* e *Elrond* foram "compostos de modo a lembrar o nome de sua mãe, *Elwing*" e observara que o elemento *wing* ocorre apenas nesse nome e no da nau de Eärendil, *Vingilótë* (pp. 431–2, nota 55): ele fez referência a uma especulação dos mestres do saber de que *wing* era uma palavra do idioma dos Elfos-verdes de Ossiriand, cujo significado suspeitava-se, com certa probabilidade, ser "espuma, borrifo". Ele afirmou ali sem hesitação que o nome *Elros* significa "espuma de estrelas" (iluminada pelas estrelas), *Elerossë* em quenya (mas anteriormente, em *Quendi e Eldar* (XI. 496), havia dito que o significado era "brilho-de-estrelas", enquanto *Elrond* significava "domo-de-estrelas", como no presente ensaio).

Mas essa não foi a última de suas especulações sobre o assunto e há diversos textos datilografados que retornam ao problema (todos eles do mesmo período, 1968 ou posterior, como *O Xibolete de*

Fëanor, mas certamente depois desse trabalho). O mais notável deles eu incluo na íntegra. Não tem título, mas começa com uma nota definindo o conteúdo:

> A melhor solução para a dificuldade apresentada pelo nome *Elros*, fixado pelas menções em *O Senhor dos Anéis*, e os nomes dos filhos de Fëanor: *Maedros*, o mais velho, e *Amros*, agora proposto como sendo o nome de ambos os gêmeos (sexto e sétimo) — ao qual está acostada uma história que é desejável manter.

> Essa é uma referência ao manuscrito muito descuidado (anexado à lista de nomes-paternos e nomes-maternos dos Filhos de Fëanor) no qual se conta a extraordinária história dos irmãos gêmeos (pp. 419–22); quanto à forma *Amros* (e não *Amras*), ver p. 433, nota 65.
>
> O texto foi datilografado muito rapidamente (com a quantidade usual de notas entremeadas, dentre as quais há duas de grande interesse) e exigiu certa edição, muito pequena, pelo bem da clareza.

Supunha-se que um *-ros*, em *Elros* (quando foi adotado), continha um radical sindarin **ross-* formado de uma base ROS "aspersão, borrifo" (como o que se espalha com o vento de uma fonte, cascata ou de ondas se quebrando).[1] O outro *-ros* supostamente é uma palavra para cor, referindo-se ao cabelo vermelho, vermelho-acastanhado do primeiro, sexto e sétimo filhos de Fëanor, herdados por eles de seu avô materno, pai de Nerdanel, esposa de Fëanor, um grande artífice devotado ao Vala Aulë.

É difícil aceitar esses dois elementos homófonos — de significados não conectados, de fato não conectáveis — conforme usados em nomes sindarin ou sindarizados.[2] É também uma infelicidade que o primeiro pareça tão reminiscente do latim *rōs* ["orvalho"] ou do grego *drosos*, e esse último próximo demais a conhecidas palavras modernas europeias relacionadas a "vermelho": como o latim *russus*, italiano *rosso*, inglês *russet*, *rust* etc. Contudo, as línguas élficas estão inevitavelmente repletas de tais reminiscências, de modo que isso é um empecilho menor.

Solução proposta. Associar o nome *Elros* com o de sua mãe, *Elwing*: ambos contêm elementos finais que são isolados na nomenclatura do legendário (ver nota a *wing* na discussão sobre a sindarização dos nomes heroicos ñoldorin).[3] Mas, em vez de derivá-los do nandorin (ou élfico-verde) de Ossiriand, seria um aperfeiçoamento derivá-los dos idiomas dos Homens: a língua de Beren, pai de Dior; tanto **ros* quanto **wing* poderiam, portanto, ser removidos do eldarin. O adûnaico de Númenor derivou principalmente do idioma do povo mais poderoso e numeroso da "Casa de Hador". Tinha relação com a fala do povo de Bëor que primeiro entrou em Beleriand (provavelmente tão relacionada quanto o quenya ñoldorin era do telerin de Valinor): a comunicação entre os dois povos era possível, mas imperfeita, principalmente devido a mudanças fonéticas no dialeto bëoriano. A língua do Povo de Haleth, até onde se a conhecia posteriormente, parece não ter tido relação (a não ser na remota origem) e ser ininteligível aos outros dois povos.[4]

O povo de Bëor continuou a falar seu próprio idioma entre si com bastante pureza, embora muitas palavras do sindarin tenham sido tomadas de empréstimo e adaptadas por eles.[5] Essa era, evidentemente, a língua nativa de Beren, descendente na linhagem direta de Bëor, o Velho. Ele falava o sindarin de alguma maneira (provavelmente derivada do sindarin do Norte); mas seu uso hesitante e dialetal ofendeu os ouvidos do Rei Thingol.[6] Contudo, foi dito na lenda de Beren e Lúthien que Lúthien aprendeu o idioma nativo de Beren durante suas longas jornadas juntos, e o usou para sempre em suas conversas posteriores com ele. Não muito antes de finalmente voltarem às fronteiras de Doriath, ele lhe perguntou por que fazia isso, já que o próprio idioma dela era mais rico e mais bonito. Ela então silenciou e seus olhos pareciam olhar para muito longe antes de responder: "Por quê? Porque hei de abandonar-te ou, do contrário, abandonar meu próprio povo e tornar-me uma dentre os filhos de Homens. E como jamais te abandonarei, devo aprender a fala da tua gente, e minha." Conta-se que Dior, filho deles, falava ambos os idiomas: o de seu pai e o de sua mãe, o sindarin de Doriath. Pois ele disse: "Eu sou o primeiro dos *Pereðil* (Meio-Elfos); mas sou também herdeiro do Rei Elwë, o *Eluchíl*."[7]

Ele deu a seu filho mais velho o nome de *Eluréd*, que se afirma ter o mesmo significado, mas terminando com a palavra bëoriana *rêda* "herdeiro"; ao segundo filho, deu o nome de *Elurín*,[8] mas à sua filha, o nome de *Elwing*. Pois nascera numa clara noite de estrelas, cuja luz chamejava nos borrifos da queda-d'água ao lado da qual sua casa foi construída.[9] A palavra *wing* era bëoriana, significando chuva fina ou borrifo de fontes e quedas-d'água levado pelo vento; mas ele adjungiu isso ao élfico *el-* "estrela" em vez de à palavra bëoriana,[10] porque era mais bonita e combinava também com o nome dos irmãos dela: acreditava-se que o nome *Elwë* (sindarin *Elu*) fosse — e provavelmente era — derivado de *el* "estrela".[11]

Eluréd e Elurín, antes de chegarem à idade adulta, foram mortos pelos filhos de Fëanor[12] no último e mais abominável feito ocasionado pela maldição que o ímpio juramento de Fëanor deitou sobre eles. Mas Elwing salvou-se e fugiu com a Silmaril para os portos dos Eldar sobreviventes nas Fozes do Sirion. Ali casou-se mais tarde com Eärendil e, assim, uniu as duas linhagens meio-élficas. A seus filhos deu os nomes *Elros* e *Elrond*; e, à maneira de seus irmãos, o primeiro terminava com uma palavra bëoriana e o segundo, élfica. *Elros* de fato era próximo em significado ao seu próprio nome: continha a palavra bëoriana para "espuma" e a crista branca das ondas:[13] *rôs*. A forma mais antiga [era] *roth (róþ)*. Ela era usada em canções e lendas adûnaicas sobre a chegada dos Atani a Númenor, como tradução para o nome da nau de Eärendil. Esta eles chamavam de *Rothinzil*.[14] Ademais, em Númenor, o primeiro rei deles usualmente era chamado *Elroth*. A palavra *wing(a)* não era conhecida em adûnaico. Talvez tenha sido uma invenção do Povo Menor,[15] pois em suas costas escarpadas existiram quedas-d'água, ao passo que nas terras silvestres do Povo Maior, que desciam em encostas suaves, não havia nenhuma.

Desse modo também se pode explicar o nome que Eärendil deu a seu navio no qual ele conseguiu, afinal, passar por sobre o Grande Mar. Ele mesmo o chamou de *Wingalótë*, que estava em quenya como seus próprios nomes; pois o quenya era sua fala na infância, já que na casa do pai de sua mãe, Turakáno (Turgon), Rei de Gondolin, aquela fala era de uso cotidiano.[16] Mas *Vinga-* não era uma palavra em quenya: era uma forma quenyarizada da palavra bëoriana *wing* que aparecia em *Elwing*, o nome de sua esposa. A versão dada a esse nome em sindarin era *Gwingloth*, mas, como dito acima, foi traduzida no adûnaico de Númenor como *Rothinzil*.

Nos portos de refúgio, quando a conquista de Morgoth estava quase completa, ouvia-se vários idiomas. Não apenas o sindarin, que era principalmente usado, mas também o seu dialeto setentrional; e, entre os Homens dos Atani, alguns empregavam ainda suas falas humanas; e de todas elas Eärendil tinha algum conhecimento. Conta-se que, diante de Manwë, ele falou a mensagem de Elfos e Homens primeiro em sindarin, já que poderia representar todos aqueles dos súplices que haviam sobrevivido à guerra com Morgoth; mas repetiu-a em quenya, já que era a língua dos Ñoldor, os únicos que estavam sob a interdição dos Valar; e acrescentou uma súplica nas línguas humanas de Hador e Bëor,[17] alegando que eles não estavam sob a interdição e haviam prestado auxílio aos Eldar somente na sua guerra contra Morgoth, o inimigo dos Valar. Pois os Atani não se haviam rebelado contra os Valar; rejeitaram Morgoth e fugiram para o Oeste buscando os Valar como representantes do Uno. Esse apelo Manwë aceitou e apenas uma voz expressou a dúvida que estava no coração de todos os Valar. Disse Mandos: "No entanto, são descendentes de Homens, os quais rejeitaram o próprio Uno. É uma semente maligna que pode crescer outra vez. Pois ainda que nós, sob Eru, tenhamos o poder de retornar à Terra-média e lançar Morgoth para fora do Reino de Arda, não podemos destruir todo o mal que ele plantou e nem sair à cata de todos os seus serviçais — a menos que devastássemos o Reino inteiro e déssemos fim a toda vida dentro dele; e isso não podemos fazer."

Os nomes *Elros* e *Elrond* que Elwing deu a seus filhos eram tidos como proféticos, como muitos nomes-maternos entre os Eldar.[18] Pois após a Última Batalha e a derrota de Morgoth, quando os Valar deram a Elros e Elrond a escolha de pertencer à gente dos Elfos ou à dos Homens, foi Elros quem cruzou o Mar até Númenor seguindo a estrela de Eärendil; enquanto Elrond permaneceu em meio aos Elfos e levou adiante a linhagem do Rei Elwë.[19] Ora, *Elrond* era uma palavra para o firmamento, o domo estrelado que aparentava ser como um teto de Arda; e foi dado por Elwing em memória do grande Salão do Trono de Elwë no meio de sua fortaleza de Menegroth, que era chamada de *Menelrond*,[20] porque pelas artes e auxílio de Melian, seu teto arqueado fora adornado com prata e gemas engastadas na ordem e forma das estrelas do grande Domo de Valmar[21] em Aman, de onde Melian viera.

Mas ai! Essa explicação chocou-se com um pequeno fato que meu pai não percebera; e isso foi fatal. Ele observou no texto que "quase tudo isso é falho", por causa do nome *Cair Andros* (um nome sindarin, como quase todos os topônimos de Gondor), a ilha no Anduin a norte de Minas Tirith, da qual se diz no Apêndice A (RR, p. 1498, nota de rodapé) que "significa 'Nau da Espuma--longa'; pois a ilha tinha a forma de um grande navio, com proa alta apontando para o norte, contra a qual a espuma branca do Anduin se quebrava em rochas afiadas". Assim, ele foi forçado a aceitar que o elemento *-ros* em *Elros* deveria ser o mesmo que em *Cair Andros*, a palavra deveria ser eldarin, e não atânica (bëoriana) e não poderia haver relação histórica entre ele e o adûnaico númenóreano *Rothinzil*.[22]

Evidentemente, há outra nota depois desta, na qual se vê que ele ainda mantinha a visão de que a palavra *wing* ("espuma, borrifo") era de origem bëoriana; e, ainda que observasse que o nome Wingalótë [> Wingelótë] para a nau de Eärendil não aparecera publicado, assinalou que "deve ser mantido, já que está conectado com o nome *Elwing* e, na intenção, foi composto para lembrar e 'explicar' o nome do navio de Wade, Guingelot".[23] Quanto a *Guingelot* e *Wingelot*, ver minha discussão em III. 172–5 (na qual eu deixei passar essa notável afirmação). A respeito de *wing*, ele afirmou novamente que Eärendil nomeou seu navio em quenya, já que essa língua fora a de sua infância, e pretendia que seu significado fosse "Flor-de-espuma"; mas ele adotou o elemento *wing* do nome de sua esposa, Elwing. Este nome lhe fora dado por seu pai, Dior, que conhecia o idioma bëoriano (cf. p. 433).[24]

NOTAS

1 [Cf. as *Etimologias*, V. 467, radical ROS[1], "destilar, gotejar": quenya *rossë* "chuva fina, orvalho", noldorin *rhoss* "chuva", também visto em *Celebros* "Chuva de Prata" (quando *Celebros* era o nome da queda-d'água e não do riacho, XI. 185-6).]

2 [Acrescentado na margem: "Embora *Maedros* tenha sido estabelecido há tanto tempo que seria difícil alterá-lo". Em uma nota posterior, contudo, meu pai afirmou que alteraria *Maedros* para *Maedron*.]

3 [Ver pp. 431–2, nota 55.]

4 Essa era a razão — além da sua admiração pelos Eldar — pela qual os chefes, anciões e homens e mulheres sábias dos Atani aprenderam o sindarin. A língua halethiana já estava desaparecendo antes da época de Túrin e finalmente pereceu após Húrin, em sua ira, destruir a pequena terra e povo. [Cf. *De Anãos e Homens*, pp. 369–71 e nota 49. No capítulo *Da Vinda dos Homens para o Oeste*, acrescentado ao *Quenta Silmarillion*, Felagund soube por Bëor que

os Haladin (o Povo de Haleth) "fala[m] a mesa língua que nós", enquanto o Povo de Marach (os "Hadorianos") eram "de uma fala diferente" (XI. 268, §10). Isso foi alterado no *Silmarillion* publicado: ver XI. 277. — Compare o que se diz aqui sobre o declínio da língua "halethiana" com *As Andanças de Húrin* (XI. 344 e nota 41): "a antiga língua da Gente, que então não estava em uso diário".]

[5] Não necessariamente restritas a nomes de coisas que não [eram] anteriormente conhecidas. Na nomenclatura de gerações posteriores, pode-se observar a assimilação aos modos eldarin e o uso de alguns elementos frequentemente encontrados em nomes eldarin. [Foi afirmado diversas vezes que os "Bëorianos" abandonaram sua própria língua em Beleriand: ver V. 328 (nota de rodapé), XI. 249–50, 267 (primeira nota de rodapé), 277; *Contos Inacabados*, p. 294, nota 20.]

[6] Ele [Thingol] tinha pouco amor pelos Sindar setentrionais que, nas regiões próximas a Angband, haviam caído sob o domínio de Morgoth e foram acusados de servi-lo e fornecer-lhe espiões às vezes. O sindarin usado pelos Filhos de Fëanor também era do dialeto setentrional; e eles eram odiados em Doriath.

[7] [*Eluchíl* (Herdeiro de Thingol): ver XI. 424.]

[8] "Lembrança de Elu": contendo o sindarin *rîn*, do eldarin comum *rēnē* < base REN "lembrar, ter em mente". [Esses nomes, *Eluréd* e *Elurín* substituem *Eldún* e *Elrún* (originalmente *Elboron* e *Elbereth*); e a história de que os filhos de Dior eram gêmeos havia sido abandonada (ver XI. 362, 423–4). Dessa passagem e nota derivaram os nomes no *Silmarillion* publicado e as afirmações sobre eles no índice.]

[9] [Cf. *O Xibolete de Fëanor*, p. 415: "Ao lado de uma grande queda-d'água, chamada em sindarin de *Lanthir Lamath* ('queda d'água das vozes que ecoam'), Dior tinha sua morada". Dessas passagens derivou a referência no *Silmarillion* publicado (p. 314).]

[10] Da qual não se tem registro, mas que era provavelmente semelhante ao adûnaico *azar*. [Em *Os Documentos do Clube Notion*, IX. , diz-se que o nome adûnaico de Eärendil, *Azrubêl*, era "formado a partir de *azar*, "mar", e da raiz bel-" (*azra*, IX. 514).]

[11] [Essa opinião é mencionada em *O Xibolete de Fëanor* (pp. 405–6), mas tida como improvável.]

[12] [A história original era de que os filhos de Dior "foram mortos pelos homens malignos da hoste de Maidros" (ver IV. 360). Subsequentemente, eles "foram capturados pelos homens malignos do séquito de Maidros, e foram deixados para morrer de fome nas matas" (V. 170); em uma versão do Conto dos Anos, os perpetradores foram "os cruéis serviçais de Celegorn" (XI. 426).]

[13] Os Atani nunca tinham visto o Grande Mar antes de chegarem, afinal, a Beleriand; mas, de acordo com suas próprias lendas e histórias, o Povo de Hador por muito tempo habitara, durante sua migração para o oeste, junto às praias de um mar largo demais para se enxergar do outro lado; não tinha marés,

mas era acometido por grandes tempestades. Somente depois de terem desenvolvido a arte de construir barcos foi que as pessoas posteriormente conhecidas como Povo de Hador descobriram que uma parte da sua hoste, da qual haviam se separado, chegara ao mesmo mar antes deles e habitara nos sopés das altas colinas na direção sudoeste, enquanto eles [o Povo de Hador] viviam no nordeste, nas matas que ali chegavam perto das praias. Estavam, portanto, separados por cerca de 320 quilômetros, indo pela água; e não se encontravam ou trocavam notícias com frequência. Seus idiomas já se haviam separado, com a rapidez das falas de Homens nos "Dias Não Escritos", e continuaram a se separar; embora eles permanecessem amigos de parentesco reconhecido, unidos por seu ódio e medo do Senhor Sombrio (Morgoth), contra o qual se haviam rebelado. Apesar disso, não sabiam que o Povo Menor havia fugido da ameaça dos Serviçais do Escuro e continuado rumo ao oeste, enquanto eles permaneciam escondidos em suas matas, e assim, sob o seu líder Bëor, acabaram alcançando Beleriand muitos anos antes deles.

[Nunca houve, evidentemente, qualquer vestígio ou sinal anterior dessa história sobre a longa estadia dos "Bëorianos" e dos "Hadorianos" ("o Povo de Marach", um nome não mencionado neste ensaio, ver pp. 388–9, nota 41) junto às praias de um grande mar interior. Nesse relato sobre suas moradas, meu pai primeiro escreveu "sudeste" e "noroeste", mudando-os de imediato; e essa particularidade sugere que ele tinha uma imagem geográfica específica em mente. Este certamente deve ser o Mar de Rhûn, onde — as características remontam ao Primeiro Mapa de *O Senhor dos Anéis*, VII. 360 — há colinas na região sudoeste e uma floresta avançando rumo às praias do nordeste; ademais, a distância de duzentas milhas que atravessa o mar está em conformidade com o mapa. — É dito aqui que os "Bëorianos" alcançaram Beleriand "muitos anos" antes dos "Hadorianos". De acordo com o *Quenta Silmarillion* tardio, capítulo *Da Vinda dos Homens para o Oeste*, Felagund encontrou Bëor em Ossiriand em 310, e o Povo de Marach atravessou as Montanhas Azuis em 313 (XI. 269, §13 e comentário). Em *De Anãos e Homens* (p. 369), "a primeira das três hostes do Povo de Hador" chegou a Beleriand "não muito tempo depois" do Povo de Bëor, tendo de fato alcançado os sopés orientais das Ered Lindon antes dos outros clãs dos Edain. Naquele texto, menciona-se uma opinião de que um longo período de separação entre os dois povos explicaria a divergência de suas línguas a partir de um idioma comum original (p. 370 e nota 45).]

14 [O nome *Rothinzil*, "Flor da Espuma", apareceu em *A Submersão de Anadûnê*, IX. 429 (*Rôthinzil*).]

15 ["O Povo Menor": o Povo de Bëor. Essa frase se refere ao conteúdo da nota 13.]

16 Embora para a maioria do seu povo ela se houvesse transformado em uma língua de livros e, como os outros Ñoldor, eles usassem o sindarin no falar cotidiano. Assim, emergiram várias formas mescladas que, a rigor, não pertenciam a nenhuma das duas línguas. De fato, o nome da grande cidade de Turgon, pelo qual ficou mais conhecida nas lendas, *Gondolin(d)*, é um exemplo. Foi

dado por Turgon em quenya, *Ondolindë*, mas geralmente o seu povo o direcionava para o sindarin, no qual o eldarin **gon, *gondo* "pedra, rocha" mantivera o *g-* que se perdeu em quenya. [Ver XI. 248.]

17 A língua do Povo de Haleth não foi usada pois eles haviam perecido e não se reergueriam. E nem seu idioma seria ouvido novamente, a menos que a profecia de Andreth, a Mulher-sábia, se mostrasse verdadeira: que Túrin, na Última Batalha, haveria de retornar dos Mortos e, antes de deixar para sempre os Círculos do Mundo, haveria de desafiar o Grande Dragão de Morgoth, Ancalagon, o Negro, e dar-lhe o golpe fatal.

[Essa notável afirmação tem raízes longas, retrocedendo até a profecia ao fim do antigo *Conto de Turambar* (II. 142), onde se dizia que os Deuses da Morte (Fui e Vefántur) não se dispuseram a abrir suas portas para Túrin e Nienóri, que Úrin e Mavwin (Húrin e Morwen) foram até Mandos e que suas súplicas

> chegaram até mesmo a Manwë, e os Deuses tiveram piedade de seu fado infeliz, de modo que aqueles dois, Túrin e Nienóri, entraram em Fôs'Almir, o banho de flama, da mesma forma que Urwendi e suas donzelas o haviam feito em eras passadas antes do primeiro erguer do Sol, e assim todos os seus pesares e todas as suas máculas foram lavadas, e eles habitaram como Valar luzentes entre os sagrados, e agora o amor entre irmão e irmã é muito belo; mas Turambar há de estar, de fato, ao lado de Fionwë na Grande Vindita, e Melko e seus dracos hão de maldizer a espada do Mormakil.

No *Esboço da Mitologia* ou a "primeira versão do Silmarillion" dos anos 1920, a profecia com a qual ele acaba (IV.) declara que, quando Morgoth voltar e "a última batalha de todas" for lutada,

> Fionwë lutará contra Morgoth na planície de Valinor, e o espírito de Túrin estará ao lado dele; há de ser Túrin aquele que, com sua espada negra, matará Morgoth e assim os filhos de Húrin hão de ser vingados.

O desenvolvimento disso no *Quenta* (IV. 187) conta que, no dia da última batalha, nos campos de Valinor,

> Tulkas há de combater com Melko, e à sua direita há de estar Fionwë e à sua esquerda, Túrin Turambar, filho de Húrin, Conquistador do Destino; e há de ser a espada negra de Túrin a dar a Melko sua morte e fim definitivo; e assim hão de ser vingados os filhos de Húrin e todos os Homens.

E a passagem final do *Quenta*, a respeito da profecia da recuperação as Duas Árvores, termina com as seguintes palavras (*ibid.*):

> Mas dos Homens naquele dia a profecia não fala, exceto apenas de Túrin, e a ele nomeia entre os Deuses.

Esses trechos reaparecem na conclusão revisada do *Quenta* que pertence ao *Quenta Silmarillion* de 1937 (ver V. 388–9, 399–400), com duas alterações: na Última Batalha, conta-se que Túrin virá "dos salões de Mandos" e, na frase final sobre a profecia, diz-se que "Homem algum ela nomeia, salvo apenas Túrin, e a ele um lugar é dado entre os filhos dos Valar." Nas correções apressadas que meu pai fez muito tempo depois a essa conclusão (ver XI. 300-3), ele alterou "Túrin ... vindo dos salões de Mandos" para "Túrin ... retornado da Sina dos Homens no fim do mundo" e, ao lado da passagem conclusiva (incluindo a referência a Túrin como um "filho dos Valar"), ele colocou um grande X.

Outra referência se encontra nos *Anais de Aman* (X. 96, 102), onde se diz que a constelação Menelmakar (Órion) "era um signo de Túrin Turambar, que havia de vir ao mundo, e um prenúncio da Última Batalha que há de se dar no fim dos Dias"

Nessa última reaparição da misteriosa e flutuante ideia, a profecia é posta na boca de Andreth, a Mulher-sábia da Casa de Bëor: Túrin vai "retornar dos Mortos" antes de sua partida final e sua última façanha dentro dos Círculos do Mundo será matar o Grande Dragão, Ancalagon, o Negro. Andreth profetiza sobre a Última Batalha no final dos Dias Antigos (o sentido no qual o termo "Última Batalha" é empregado pouco depois neste texto, p. 438); mas em todos os textos iniciais (o *Quenta*, IV. 182; os *Anais de Beleriand*, IV. 362, V. 172; o *Quenta Silmarillion*, V. 395) foi Eärendil quem destruiu Ancalagon.]

18 Não há registro de outros nomes deles; pois Eärendil estava quase sempre no mar em muitas viagens infrutíferas e ambos os seus filhos nasceram na sua ausência.

19 E também a de Turgon; embora ele preferisse a de Elwë, que não estava sob a interdição imposta aos Exilados.

20 *Menelrond*: "domo-dos-céus".

21 [Quanto ao Domo de Varda acima de Valinor, ver X. 464-8.]

22 [Outra observação no meio desses papéis deriva a palavra adûnaica *roth* (como em *Rothinzil*) de um radical RUTH, "não originalmente ligado a espuma. Seu sentido básico era 'cicatriz, incisão, sulco' e originava palavras para arado e lavra; quando aplicada a barcos, referia-se à sua marca na água, especialmente a água ondulante na proa (*obroth* 'sulco-dianteiro', enquanto o rastro era chamado de *nadroth* 'rabeira', ou *roth* suave)".]

23 [Ele também disse aqui que, embora *Rothinzil* não tivesse aparecido publicado, desejava mantê-lo.]

[24] [Essa explicação "bëoriana" para *wing* parece ter sido abandonada também, visto que, no que parece ser a última dessas discussões, meu pai disse que ambos os elementos em *Elwing* eram sindarin: ele propôs uma etimologia pela qual o quenya *wingë*, sindarin *gwing* "parecem estar relacionados" ao verbo em quenya *winta* "espalhar, ventanejar" (tanto transitivo quanto intransitivo), comparando o quenya *lassewinta* como variante de *lasselanta*, "queda das folhas, outono".]

13

Últimos escritos

De Glorfindel, Círdan e outros assuntos

Existe um pequeno grupo de manuscritos bastante tardios, preservados juntos, muito semelhantes na aparência e todos escritos no lado em branco de notas de publicação emitidas pela Allen and Unwin. São, em sua maioria, cópias da mesma nota, datada de 19 de janeiro de 1970 (que meu pai usou também para seu trabalho tardio na história de Maeglin, XI. 380), mas um desses escritos, como ele afirmou, desenvolveu-se a partir de uma resposta a um correspondente enviada em 9 de dezembro de 1972 e outro escrito foi datado por ele de 20 de novembro de 1972. Acredito ser muito provável que todo o grupo pertença a essa época, seu último ano de vida: ele morreu em 2 de setembro de 1973, aos oitenta e um anos. Há evidências claras de confusão (como ele afirmou em dado momento, "minha memória não é mais retentiva"), mas existem elementos aí que são de grande interesse e devem ser registrados.

Embora estivesse escrevendo à mão, ele manteve sua prática de entremear notas no corpo do texto, distinguindo-as com uma escrita diferente (itálica). Todas as notas numeradas, autorais e editoriais, estão coligidas ao final do capítulo.

GLORFINDEL

No verão de 1938, quando meu pai estava ponderando sobre *O Conselho de Elrond* em *O Senhor dos Anéis*, ele escreveu: "Glorfindel fala de seus ancestrais em Gondolin" (VI. 268). Mais de trinta anos depois, ele se voltou para a questão sobre se o Glorfindel de Gondolin e o Glorfindel de Valfenda eram de fato a mesma pessoa e essa questão se dividiu em duas discussões, juntamente com outros escritos breves ou fragmentários intimamente associados a elas. Vou me referir a elas como "*Glorfindel I*" e "*Glorfindel II*".

A primeira página de *Glorfindel I* está faltando e a segunda página começa com as palavras "como guardas ou assistentes". Prossegue desta forma:

Um Elfo que outrora conhecera a Terra-média e lutara nas longas guerras contra Melkor seria um companheiro eminentemente apropriado para Gandalf. Assim, poderíamos razoavelmente supor que Glorfindel (possivelmente parte de um grupo pequeno[1] ou, mais provavelmente, como único companheiro) aportou com Gandalf-Olórin por volta do ano 1000 da Terceira Era. Essa suposição certamente explicaria o ar de especial poder e a santidade que rodeia Glorfindel — note como o Rei-bruxo foge dele, enquanto todos os outros (como o Rei Eärnur), conquanto valentes, não conseguiram impelir seus cavalos a enfrentá-lo (Apêndice A (I, iv), RR, p. 331*). Pois, de acordo com relatos (quase sem relação com este caso) encontrados alhures acerca da natureza élfica e sua relação com os Valar, quando Glorfindel fosse morto seu espírito iria então para Mandos e seria julgado, e permaneceria nos Salões da Espera até que Manwë lhe concedesse permissão para sair. Os Elfos estavam destinados a ser, por natureza, "imortais", dentro dos limites desconhecidos da vida da Terra como um reino habitável, e sua desencarnação era algo doloroso. Era dever dos Valar, portanto, restituí-los, se fossem mortos, à vida encarnada, caso o desejassem — a menos que fosse por algum grave (e raro) motivo, tais como feitos de grande maldade, ou quaisquer atos de malícia pelos quais permanecessem resolutos em sua impenitência. Quando eram reencarnados, poderiam permanecer em Valinor ou retornar à Terra-média, se lá tivesse sido seu lar. Podemos, assim, supor razoavelmente que Glorfindel, depois da expiação ou perdão por seu papel na rebelião dos Ñoldor, foi liberado de Mandos e tornou-se ele mesmo novamente, mas permaneceu no Reino Abençoado — pois Gondolin fora destruída e todos, ou a maior parte, de sua gente havia perecido. Desse modo, podemos compreender o porquê de ele parecer uma figura tão poderosa e quase "angelical". Pois ele retornara à primeva inocência dos Primogênitos e depois viveu durante eras entre os Elfos que jamais se

*P. 1493 da edição brasileira. [N. T.]

rebelaram e na companhia dos Maiar:[2] dos últimos anos da Primeira Era, por toda a Segunda Era, até o fim do primeiro milênio da Terceira Era, antes de retornar à Terra-média.[3] É provável, de fato, que já em Valinor ele tivesse se tornado amigo e seguidor de Olórin. Até mesmo nos vislumbres mostrados em *O Senhor dos Anéis*, ele parece especialmente preocupado com Gandalf e foi um (o mais poderoso, ao que parece) dos enviados de Valfenda quando chegaram aos ouvidos de Elrond as inquietantes notícias de que Gandalf não havia reaparecido para guiar ou proteger o Portador-do-Anel.

> O segundo ensaio, *Glorfindel II*, é um texto de cinco páginas manuscritas que, sem dúvida, seguiu o primeiro após um curto intervalo; mas um pedaço de papel no qual meu pai apressadamente anotou algumas ideias sobre o assunto presumivelmente vem entre esses dois ensaios, pois ali ele afirmou que, enquanto Glorfindel talvez tivesse vindo com Gandalf, "parece muito mais provável que ele tenha sido enviado na crise da Segunda Era, quando Sauron invadiu Eriador, para auxiliar Elrond, e que, embora ele (ainda) não tivesse sido mencionado nos anais que registravam a derrota de Sauron, desempenhara um papel notável e heroico na guerra." Ao final dessa nota, ele escreveu as palavras "navio númenóreano", presumivelmente indicando como Glorfindel teria cruzado o Grande Mar.

Esse nome é, na verdade, derivado do trabalho mais antigo da mitologia: *A Queda de Gondolin*, escrita em 1916–1917, na qual a língua élfica que acabou se tornando aquela chamada de sindarin estava numa forma primitiva e desorganizada, e sua relação com o alto-élfico (ele mesmo muito primitivo) era ainda fortuita. O significado pretendido era "de Mecha-d'ouro"[4] e era o nome dado ao heroico "Gnomo" (Ñoldo), um chefe de Gondolin que, no passo de Cristhorn ("Fenda das Águias"), lutou contra um Balrog [> Demônio] e o matou à custa de sua própria vida.

Seu uso em *O Senhor dos Anéis* é um dos casos do emprego um tanto aleatório dos nomes encontrados nas lendas mais antigas, agora chamadas de *O Silmarillion*, que escaparam a reconsiderações na versão final publicada de *O Senhor dos Anéis*. Isso é lamentável, já que o nome é agora difícil de se adequar ao sindarin e não há possibilidade de ser quenyarin. Também na agora organizada mitologia, há dificuldades oriundas daquilo que se registra sobre Glorfindel em *O Senhor dos Anéis*, caso se suponha que o Glorfindel de Gondolin seja a mesma pessoa do Glorfindel de Valfenda.

Quanto ao primeiro: ele foi assassinado na Queda de Gondolin ao fim da Primeira Era e, se um chefe daquela cidade era necessariamente Ñoldo, um dos Senhores-élficos na hoste do Rei Turukáno (Turgon), então pelo menos quando *A Queda de Gondolin* foi escrita, certamente supunha-se que Glorfindel o era. Mas os Ñoldor em Beleriand eram exilados de Valinor, tendo se rebelado contra a autoridade de Manwë, senhor supremo dos Valar, e Turgon foi um dos apoiadores mais determinados e impenitentes da rebelião de Fëanor.[5] Não há como contornar isso. É dito em *O Silmarillion* que Gondolin foi construída e ocupada por um povo quase totalmente de origem ñoldorin.[6] Seria possível, ainda que inconsistente, supor que Glorfindel era um príncipe de origem sindarin que se juntara às hostes de Turgon, mas isso contradiria inteiramente o que se diz de Glorfindel em Valfenda, em *O Senhor dos Anéis*: especialmente em *A Sociedade do Anel*, p. 235,* onde se afirma que ele fora um dos "senhores dos Eldar de além dos mares mais longínquos ... que habitaram no Reino Abençoado". Os Sindar jamais haviam deixado a Terra-média.

Esse empecilho, muito mais sério do que o empecilho linguístico, pode ser examinado primeiro. De todo modo, o que à primeira vista pode parecer a solução mais simples deve ser abandonada, isto é, a hipótese de que estamos diante de uma mera repetição de nomes e que o Glorfindel de Gondolin e o Glorfindel de Valfenda eram pessoas distintas. A repetição de um nome tão notável, embora possível, não seria crível.[7] Nenhum outro personagem de relevo nas lendas élficas relatadas em *O Silmarillion* e *O Senhor dos Anéis* tem o mesmo nome de outra pessoa élfica importante. Ademais, há de se descobrir que aceitar a identidade do Glorfindel de antigamente e o da Terceira Era na verdade explicará o que se diz dele e beneficiará a história.

Quando Glorfindel de Gondolin foi morto, seu espírito, de acordo com as leis estabelecidas pelo Uno, seria obrigado a retornar

*Edição brasileira: SA, p. 324. [N.T.]

imediatamente à terra dos Valar. Ele então seguiria até Mandos para ser julgado e, depois, permaneceria nos "Salões da Espera" até que Manwë lhe concedesse permissão para sair. Os Elfos eram destinados a serem "imortais", ou seja, a não morrerem dentro dos limites desconhecidos decretados pelo Uno, que se estenderiam, no máximo, até o fim da vida da Terra como um reino habitável. A morte deles — por qualquer ferimento em seus corpos severo o bastante para a cura não ser possível — e a desencarnação de seus espíritos era um acontecimento "antinatural" e doloroso. Assim, era dever dos Valar, sob o comando do Uno, restituí-los à vida encarnada, se assim o desejassem. Mas essa "restituição" poderia ser adiada[8] por Manwë, caso o *fëa*, enquanto vivo, houvesse cometido atos malignos e se recusado a arrepender-se deles, ou caso ainda nutrisse malícia contra qualquer outra pessoa entre os vivos.

Ora, Glorfindel de Gondolin era um dos Ñoldor exilados, rebeldes contra a autoridade de Manwë, e estavam todos sob uma interdição imposta por ele: não poderiam retornar em forma corpórea ao Reino Abençoado. Manwë, contudo, não estava preso às suas próprias ordenanças e, sendo ainda o governante supremo do Reino de Arda, poderia deixá-las de lado quando julgasse adequado. É evidente, pelo que se diz de Glorfindel em *O Silmarillion* e *O Senhor dos Anéis*, que ele era um Elda de elevado e nobre espírito e pode-se presumir que, embora tivesse deixado Valinor com a hoste de Turgon, incorrendo, assim, na interdição, ele o fez de modo relutante devido ao parentesco com Turgon e fidelidade a ele, e que não desempenhou qualquer papel no fratricídio de Alqualondë.[9]

Mais importante: Glorfindel sacrificara sua vida defendendo os fugitivos dos destroços de Gondolin contra um Demônio vindo das Thangorodrim,[10] possibilitando que Tuor e Idril, filha de Turgon, e o filho deles, Eärendil, fugissem e buscassem refúgio nas Fozes do Sirion. Embora ele não pudesse saber da importância disso (e os teria defendido mesmo que fossem fugitivos de qualquer classe), esse feito foi de vital importância para os desígnios dos Valar.[11] É, portanto, inteiramente coerente com o projeto geral de *O Silmarillion* descrever a história subsequente de Glorfindel desta maneira. Após expiar qualquer culpa em que tivesse incorrido na rebelião, foi liberado de Mandos e Manwë o restituiu.[12] Voltou, então, a ser uma pessoa viva e encarnada, mas lhe foi permitido habitar no Reino Abençoado, pois reconquistara a primeva inocência e a graça dos Eldar. Permaneceu em Valinor por longos anos, junto aos Eldar que não se haviam rebelado e na companhia dos Maiar. A esses ele se tornara agora quase um igual, pois, embora fosse um encarnado (a quem era necessária uma forma corpórea não criada nem escolhida por ele mesmo), seu poder espiritual agigantara-se muito por seu autossacrifício. Em dado momento, provavelmente no início de sua permanência em Valinor, tornou-se seguidor e amigo de Olórin (Gandalf), de quem se diz, em *O Silmarillion*, que tinha um amor e preocupação especiais pelos Filhos de Eru.[13] É provável que Olórin, como era permitido a um dos Maiar, já tivesse visitado a Terra-média e se familiarizado não só com os Elfos sindarin e outros mais no interior da Terra-média, mas também com os Homens. Nada, contudo, é [> foi até agora] dito sobre isso.

Glorfindel permaneceu no Reino Abençoado sem dúvida por vontade própria, a princípio: Gondolin fora destruída e toda sua gente perecera, e estavam ainda nos Salões da Espera, inacessíveis aos vivos. Mas sua longa estadia durante os últimos anos da Primeira Era e pelo menos por muito tempo na Segunda Era certamente estava também de acordo com os desejos e desígnios de Manwë.

Quando Glorfindel retornou à Terra-média? Isso deve ter acontecido *antes* do final da Segunda Era, da "Mudança do Mundo" e da Submersão de Númenor, depois da qual nenhuma criatura encarnada viva, "humanoide" ou de espécies inferiores, poderia retornar do Reino Abençoado, o qual fora "removido dos Círculos do Mundo". Isso estava em conformidade com uma ordenança geral vinda do Próprio Eru e, embora até o final da Terceira Era, quando Eru decretou que o Domínio dos Homens deveria ter início, seja possível supor que Manwë tivesse recebido permissão de Eru para abrir uma exceção nesse caso, e que ele teria elaborado um meio de transportar Glorfindel para a Terra-média, isso é improvável e tornaria Glorfindel mais poderoso e importante do que parece adequado.

O melhor, portanto, é supor que Glorfindel retornou durante a Segunda Era, antes de a "sombra" cair sobre Númenor e enquanto os Númenóreanos ainda eram tidos pelos Eldar como aliados poderosos. O propósito de seu retorno deve ter sido guarnecer Gil-galad e Elrond, quando eles afinal perceberam o mal crescente das intenções de Sauron. Portanto, a volta deve ter ocorrido no mínimo em 1200 da Segunda Era, quando o próprio Sauron foi até Lindon e tentou enganar Gil-galad, mas foi rejeitado e dispensado.[14] Mas pode ter sido, talvez mais provavelmente, c.1600, o Ano do Horror, quando Barad-dûr foi completada e o Um Anel, forjado, e Celebrimbor afinal tomou ciência da armadilha na qual tinha caído. Pois, em 1200, embora estivesse tomado de apreensão, Gil-galad ainda se sentia forte e capaz de tratar Sauron com desprezo.[15] Ademais, àquela época, seus aliados númenóreanos estavam começando a construir robustos portos permanentes para seus grandes navios e muitos deles de fato haviam começado a fixar ali suas moradas. Em 1600, tornou-se claro para todos os líderes de Elfos e Homens (e Anãos) que era inevitável a guerra contra Sauron, agora desmascarado como novo Senhor Sombrio. Eles então começaram a se preparar para seu assalto e, sem dúvida, mensagens urgentes e súplicas pedindo por ajuda foram recebidas em Númenor (e em Valinor).[16]

O texto se encerra aqui, sem qualquer indicação de que estava inacabado, apesar de o "empecilho linguístico" aludido na p. 448 não ter sido retomado.

Uma discussão acerca da reencarnação élfica foi escrita na mesma época dos textos sobre Glorfindel. Sobrevive em duas versões, uma delas sendo um rascunho muito descuidado — de fato, escrito parcialmente no próprio manuscrito de *Glorfindel I* — da outra. Esse texto não está incluído aqui,[17] exceto pela conclusão, que fala sobre a crença dos Anãos no renascimento ou reaparecimento de seus Pais, mais notavelmente Durin. Incluo essa passagem da forma que está em seu rascunho original. Foi escrito com uma velocidade (com a pontuação omitida e formas variantes de frases se chocando) que a versão impressa não transmite em absoluto, mas é um registro de uma ideia emergente sobre um assunto do qual muito pouco se encontra em quaisquer outros escritos de meu pai.

É possível que essa falsa noção[18] estivesse ligada de alguma maneira às várias ideias estranhas que tanto os Elfos quanto os Homens tinham acerca dos Anãos e que eram, de fato, em grande parte derivadas do que os próprios Anãos lhes transmitiam. Pois os Anãos afirmavam que, de tempos em tempos, os espíritos dos Sete Pais de suas raças renasciam em seus clãs. Esse, notavelmente, era o caso da raça dos Barbas-longas, cujo primeiro ancestral chamava-se Durin, um nome que era adotado a intervalos por um de seus descendentes, mas por ninguém mais exceto aqueles em linhagem direta de descendência de Durin I. O mais velho dos Pais, Durin I, "despertou" nos primórdios da Primeira Era (supõe-se que logo após o despertar dos Homens) mas, na Segunda Era, vários outros Durins apareceram como Reis dos Barbas-longas (Anfangrim). Na Terceira Era, Durin VI foi morto por um Balrog, em 1980. Profetizou-se (pelos Anãos), quando Dáin Pé-de-Ferro assumiu o trono em 2941 da Terceira Era (após a Batalha dos Cinco Exércitos), que em sua linhagem direta um dia haveria de aparecer um Durin VII — mas que ele seria o último.[19] Sobre esses Durins, os Anãos relatavam que eles conservavam a memória de suas vidas passadas como Reis, de maneira tão real — e ainda assim tão incompleta, naturalmente — como se tivessem sido anos consecutivos na vida de uma única pessoa.[20]

De que modo isso acontecia os Elfos não sabiam; e nem estavam os Anãos dispostos a lhes falar muito mais sobre o assunto.[21] Mas os Elfos de Valinor conheciam um estranho conto de origens anânicas que os Ñoldor levaram à Terra-média, afirmando terem ouvido do próprio Aulë. Ele pode ser encontrado em meio às muitas questiúnculas em notas ou apêndices a *O Silmarillion* e não será narrado por inteiro aqui. Para o presente argumento, basta lembrar que o autor direto da raça anânica foi o Vala Aulë.[22]

> Aqui há uma breve versão da lenda da Criação dos Anãos, a qual omitirei. Meu pai escreveu no texto: "Não é lugar para contar a história de Aulë e dos Anãos".[23] A conclusão se segue:

Os Anãos acrescentam que, àquela época, Aulë também lhes conquistou este privilégio que os distinguia de Elfos e Homens: que o espírito de cada um dos Pais (tais como Durin), ao fim do longo período de vida concedido aos Anãos, deveria adormecer, mas permanecer em uma tumba de seu próprio corpo,[24] em repouso, e ali seu cansaço e todo ferimento que o tivesse acometido haveriam de ser reparados. E depois de longos anos ele haveria de se erguer e tomar novamente seu trono.[25]

A segunda versão é muito mais curta e, sobre a questão do "renascimento" dos Pais, diz apenas: "… o reaparecimento, com longos intervalos, da pessoa de um dos Pais dos Anãos, na linhagem de seus reis — por exemplo, e especialmente, Durin — provavelmente não é, ao examinarmos, uma questão de renascimento, mas de preservação do *corpo* de um antigo Rei Durin (por exemplo) ao qual seu espírito retornava de tempos em tempos. Mas as relações entre os Anãos e os Valar, especialmente o Vala Aulë, eram (ao que parece) bastante distintas daquelas de Elfos e Homens".

OS CINCO MAGOS

Outra breve discussão, intitulada "Nota sobre o aportamento dos Cinco Magos e suas funções e operações", surgiu das reflexões de meu pai acerca de Glorfindel, como se vê pelas palavras de abertura: "Seria Glorfindel na verdade um deles?". Ele observou que "evidentemente nunca se pretendeu que o fosse quando *O Senhor dos Anéis* foi escrito", acrescentando que não há possibilidade de alguns deles terem sido Eldar "da mais alta ordem de poder" em vez de Maiar. O texto então continua com a passagem incluída em *Contos Inacabados*, p. 522, que começa com "Temos de presumir que eles [os Istari] eram todos Maiar …"; mas, após as palavras que fecham a citação ("… escolhidos pelos Valar com essa intenção"), está escrito apenas "Saruman, o mais poderoso" e então o texto é interrompido, inacabado. Ao lado dessas últimas palavras há uma nota a lápis: "Radagast, um nome de origem humana (vale do Anduin) — mas não claramente interpretável agora" (ver *Contos Inacabados*, p. 516 e nota 4).

No verso da página há algumas notas que descrevi, em *Contos Inacabados*, como impossíveis de interpretar, mas que, examinando mais demoradamente, consegui decifrar em sua maioria. Em uma delas, lê-se o seguinte:

> Não há quaisquer nomes registrados dos dois magos. Eles nunca foram vistos ou conhecidos em terras a oeste de Mordor. Os magos não vieram ao mesmo tempo. É possível que Saruman, Gandalf e Radagast tenham vindo, mas é mais provável que Saruman, o chefe (e já muito ciente dessa posição), tenha chegado primeiro e sozinho. Gandalf e Radagast provavelmente vieram juntos, embora isso ainda não tenha sido dito. … (o que é mais provável)

... Glorfindel também encontrou Gandalf nos Portos. Da existência dos outros dois, somente Saruman, Gandalf e Radagast sabiam e, ao mencionar cinco em sua ira, Saruman estava revelando uma informação confidencial.

A referência da última frase é à resposta violenta de Saruman a Gandalf às portas de Orthanc, em que ele mencionou os "bastões dos Cinco Magos" (*As Duas Torres*, p. 845). Outra nota é ainda mais descuidada e difícil:

Os "outros dois" vieram muito antes, provavelmente ao mesmo tempo que Glorfindel, quando as coisas se tornaram muito perigosas na Segunda Era.[26] Glorfindel foi enviado para auxiliar Elrond e (embora não tenha sido dito ainda) foi preeminente na guerra em Eriador.[27] Mas os outros dois Istari foram enviados com um propósito distinto. Morinehtar e Rómestámo.[28] Matador-das-trevas e Ajudante-do-leste. Sua missão era cercar Sauron: levar ajuda às poucas tribos de Homens que se haviam rebelado contra o culto a Melkor, atiçar rebeliões ... e, após sua primeira queda, procurar seu esconderijo (algo em que falharam) e causar [? dissensão e desordem] em meio ao sombrio Leste ... Eles devem ter tido grande influência na história da Segunda e Terceira Eras, no enfraquecimento e desmantelamento das forças do Leste ... que de outra forma teriam, na Segunda e Terceira eras ... superado em número o Oeste.

Na citação deste texto em *Contos Inacabados* (p. 522), na altura das palavras "Dos outros dois nada se diz em obras publicadas, exceto a referência aos Cinco Magos na altercação entre Gandalf e Saruman", meu pai escreveu: "Uma nota feita sobre seus nomes e funções parece estar agora perdida, mas, à exceção de seus nomes, sua história geral e o efeito na história da Terceira Era estão claros". É concebível que ele estivesse pensando na narrativa rascunhada sobre a escolha dos Istari em um conselho dos Valar (*Contos Inacabados*, pp. 520–21), em que os Dois Magos (ou "os Magos Azuis", *Ithryn Luin*) foram chamados de Alatar e Pallando.

CÍRDAN

Esse breve manuscrito também está associado à discussão sobre Glorfindel: um rascunho descuidado dele pode ser encontrado no verso de uma das páginas do texto *Glorfindel II*.

Essa é a palavra sindarin para "Armador"[29] e descreve suas funções posteriores na história das Três Eras Iniciais; mas seu nome "próprio", isto é, seu nome original entre os Teleri, gente à qual pertencia, jamais é usado.[30] Diz-se nos Anais da Terceira Era (c.1000) que ele enxergava mais longe e mais fundo o futuro do que qualquer outro na Terra-média.[31] Isso não inclui os Istari (que vieram de Valinor), mas deve incluir até mesmo Elrond, Galadriel e Celeborn.

Círdan era um Elfo telerin, um dos mais elevados dentre os que não foram transportados a Valinor e ficaram conhecidos como Sindar, os Elfos-cinzentos;[32] era aparentado de Olwë, um dos dois reis dos Teleri e senhor daqueles que partiram pelo Grande Mar. Dessa maneira, ele era também aparentado de Elwë,[33] irmão mais velho de Olwë, reconhecido como Alto Rei de todos os Teleri em Beleriand, mesmo após ter se retirado para o reino guardado de Doriath. Mas Círdan e seu povo permaneceram distintos de muitas formas do resto dos Sindar. Conservaram o antigo nome Teleri (*Telir*, ou *Telerrim* na forma sindarin tardia)[34] e se mantiveram de diversas maneiras um povo à parte, falando, mesmo em dias posteriores, uma língua mais arcaica.[35] Os Ñoldor os chamavam de *Falmari*, "povo-das-ondas", e os outros Sindar os chamavam de *Falathrim*, "povo da costa espumante".[36]

Foi durante a longa espera dos Teleri pelo retorno da ilha flutuante, na qual os Vanyar e os Ñoldor haviam sido transportados pelo Grande Mar, que Círdan voltou sua mente e habilidades para a feitura de navios, pois ele e todos os outros Teleri se impacientavam. Ainda assim, diz-se que, por amor e fidelidade à sua gente, Círdan liderou aqueles que por mais tempo procuraram Elwë quando ele se perdeu e não chegou às costas para partir da Terra-média. Dessa forma, ele abriu mão de realizar seu maior desejo: contemplar o Reino Abençoado e lá reencontrar Olwë e sua própria gente mais próxima. Infelizmente, não alcançou as costas antes de já terem partido quase todos os Teleri do séquito de Olwë.

Diz-se que, após isso, permaneceu desolado olhando para o mar, e era noite, mas, ao longe, conseguiu ver um reflexo de luz sobre Eressëa antes que desaparecesse no Oeste. Bradou, então: "Seguirei aquela luz, sozinho se mais ninguém quiser me acompanhar, pois o navio que venho construindo está agora quase pronto." Mas, assim que disse isso, chegou a seu coração uma mensagem, que ele sabia vir dos Valar, embora em sua mente ele se lembrasse de uma voz falando em seu próprio idioma. E a voz o advertiu a não tentar esse perigoso feito, pois sua força e habilidade não seriam capazes de construir qualquer navio que pudesse desafiar os ventos e ondas do Grande Mar ainda por muitos longos anos. "Aguarda então esse tempo, pois, quando ele chegar, aí teu trabalho será da maior valia, e será lembrado em canção por muitas eras depois." "Eu obedeço", respondeu Círdan e lhe pareceu, então, que enxergou (talvez em visão) uma forma como de um barco branco, brilhando acima dele, que velejava rumo ao oeste pelo ar e, conforme diminuía à distância, assemelhava-se a uma estrela de tão grande brilho que lançava a sombra de Círdan sobre a praia onde se encontrava.

Como se percebe agora, era uma predição acerca do navio[37] que, com os ensinamentos de Círdan e sempre com seus conselhos e ajuda, Eärendil construiu, e no qual ele alcançou, afinal, as costas de Valinor. Daquela noite em diante, Círdan adquiriu previdência a respeito de todos os assuntos de importância, além da medida de todos os outros Elfos na Terra-média.

Esse texto é notável na medida em que, por um lado, nada é dito sobre a história e a importância de Círdan da maneira que aparece em outros lugares e, por outro lado, quase tudo que se diz aqui é único. Nos *Anais Cinzentos* (XI. 21, §14) é dito que:

> Ossë, portanto, persuadiu muitos a ficar em Beleriand, e quando o Rei Olwë e sua hoste embarcaram na ilha e atravessaram o Mar, eles continuaram a habitar as costas; e Ossë retornou para o meio deles, e continuou em amizade com eles. E ensinou-lhes a arte da construção de navios e da navegação; e tornaram-se uma gente de marinheiros, os primeiros da Terra-média ...

Mas a Ossë não se faz menção aqui; diz-se que a construção de navios nas costas de Beleriand começou nos longos anos durante os quais os Teleri aguardaram o retorno de Ulmo e, de fato, é descrita (ver nota 29) como a evolução de um ofício que já se desenvolvera entre os Teleri durante a Grande Jornada.

Outros elementos desse relato que não aparecem em qualquer outro lugar (além, é claro, da história do desejo de Círdan de cruzar o Mar até Valinor e sua visão do navio branco passando ao oeste acima dele pela noite) são que os Teleri se demoraram muito nas costas do Mar de Rhûn na Grande Jornada (nota 29; cf. pp. 440–1, nota 13); que Círdan era o líder daqueles que procuraram por Elwë Thingol, seu parente; e que Eärendil foi "aprendiz" de Círdan, que o auxiliou na construção de Vingilot.

NOTAS

1 Pode-se notar que *Galdor* é outro nome de semelhante tipo e período de origem, mas ele aparece como mensageiro de Círdan e é chamado Galdor dos Portos. *Galdor* apareceu também em *A Queda de Gondolin*, mas o nome tem uma forma mais simples e usual [do que *Glorfindel*] e poderia ser repetido. Mas, a menos que se afirme, em *A Queda de Gondolin*, que tenha sido morto, poder-se-ia supor razoavelmente que fossem a mesma pessoa, um dos Ñoldor que escaparam do cerco e da destruição, mas que fugiram para os Portos a oeste e não para as fozes do Sirion ao sul, como fez a maior parte dos remanescentes do povo de Gondolin, juntamente com Tuor, Idril e Eärendil. Em *O Conselho de Elrond*, é representado como sendo menos poderoso e muito menos sábio do que Glorfindel, de modo que evidentemente não retornara a Valinor, não fora purificado e nem reencarnado.

[Ver nota 3. — As palavras "o nome [Galdor] tem uma forma mais simples e usual [do que Glorfindel] e poderia ser repetido" indicam que, na primeira página perdida, meu pai havia discutido (como o faria no texto seguinte) a possibilidade de existirem duas pessoas distintas chamadas Glorfindel, concluindo que essa hipótese era improvável demais para ser cogitada. — "Mas, a menos que se afirme, em *A Queda de Gondolin*, que tenha sido morto": meu pai provavelmente estava com dificuldade para encontrar *A Queda de Gondolin* e, sem consultá-la, não podia dizer com certeza qual havia sido o destino de Galdor (isso, penso, foi o que ele quis dizer). Na verdade, Galdor não foi morto, mas, sim, liderou os fugitivos pelo passo de Cristhorn, enquanto Glorfindel vinha pela retaguarda (II. 231). Na "Lista de nomes de *A Queda de Gondolin*" (II. 260) é dito que ele foi para a foz do Sirion e que "habita ainda em Tol Eressëa". Era senhor do povo da Árvore em Gondolin e dele se disse no antigo conto que "era considerado o mais valente de todos os Gondothlim, salvo apenas Turgon" (II. 211).]

2 A ordem angelical à qual Gandalf pertencia originalmente: menores em poder e autoridade do que os Valar, mas de natureza idêntica: membros da primeira ordem de seres racionais criados que, caso aparecessem em formas visíveis ("humanoides" ou de outro tipo), eram autoencarnados, ou recebiam suas formas dos Valar [*acrescentado posteriormente*: e que podiam se mover/viajar simplesmente por um ato de vontade quando não trajados em corpo, o qual podiam assumir quando alcançavam os lugares que ... *(ilegível)*.]

3 Galdor, ao contrário, mesmo nos vislumbres que temos dele no Conselho, é claramente visto como uma pessoa inferior e muito menos sábia. Quer apareça

em *O Silmarillion* ou não, ele deve ser (como seu nome sugere) um Elfo sindarin que nunca deixou a Terra-média nem viu o Reino Abençoado, ou um dos Ñoldor que haviam sido exilados por rebelião e permanecera também na Terra-média, não tendo aceitado, pelo menos até o momento, o perdão dos Valar para retornar ao lar preparado para eles no Oeste, como recompensa por sua bravura contra Melkor. [A visão sobre Galdor exposta na nota 1 e nesta mal se justifica, considerando-se o relato de suas contribuições no Conselho de Elrond; e se ele era de fato Galdor de Gondolin, teve longas eras para adquirir sabedoria no agro mundo da Terra-média. Não há, contudo, razão para supor que, quando escreveu o capítulo *O Conselho de Elrond*, meu pai tenha associado Galdor dos Portos com Galdor de Gondolin.]

4 [Quanto à etimologia original de *Glorfindel* e as conexões etimológicas dos elementos do nome, ver II. 410.]

5 [Nos *Anais de Aman* (X. 144, §135), é dito que, após o Juramento dos Fëanorianos, "Fingolfin e Turgon, seu filho, portanto, falaram contra Fëanor e despertaram palavras ferozes". Contudo, mais adiante (X. 150, §156), quando se conta que, mesmo após vaticinada a Profecia do Norte, "todo o povo de Fingolfin ainda seguiu adiante", é dito que "Fingon e Turgon eram destemidos, e ardentes de coração, e avessos a abandonar qualquer tarefa na qual punham as mãos até o fim amargo, se amargo tivesse de ser."]

6 [A ideia original de que Gondolin era habitada somente por Ñoldor foi mudada em muitas alterações ao texto dos *Anais Cinzentos* (ver o Índice Remissivo de *A Guerra das Joias*, verbete *Gondolin*, referências a "população": de fato, afirma-se (XI. 61, §113) que quando Turgon mandou adiante todo o seu povo de Nivrost até Gondolin, eles constituíam "uma terça parte dos Noldor da Casa de Fingolfin e *uma hoste ainda maior dos Sindar*". A afirmação aqui de que Gondolin era "ocupada por um povo quase totalmente de origem ñoldorin" obviamente vai inteiramente contra essa concepção.]

7 [Na margem da página meu pai perguntou, na sequência: "Por que não?". A pergunta, contudo, parece ser respondida na frase seguinte do texto, em que a ênfase é claramente dada à palavra "élfica": "Nenhum outro personagem de relevo nas lendas *élficas* … tem o mesmo nome de outra pessoa *élfica* importante." Ficaria a critério dele, é verdade, alterar o nome de Glorfindel de Gondolin, que não havia aparecido em nenhum escrito publicado, mas ele não menciona essa possibilidade.]

8 Ou, nos casos mais graves (como o de Fëanor), negada e remetida ao Uno.

9 Embora ele [Glorfindel] ainda não tenha sido mencionado na porção não revisada de *O Silmarillion* que trata desse assunto, registra-se que muitos dos Noldor do séquito de Turgon de fato se afligiram com a decisão de seu rei e temiam que algum mal logo pudesse resultar dela. Na Terceira Hoste, a de Finarfin, eram tantos os que pensavam assim que, quando Finarfin ouviu a sentença final de Mandos e se arrependeu, a maior parte daquela hoste retornou a Valinor. Ainda assim, Finrod, filho de Finarfin, o mais nobre de todos

os Ñoldor nos contos de Beleriand, também partiu, pois Turgon fora escolhido senhor supremo das hostes ñoldorin.

[Nos *Anais de Aman* (X. 145, §138) não há qualquer sugestão de que Finrod (= Finarfin) liderava uma "Terceira Hoste" separadamente: "Assim, afinal, os Noldor saíram divididos em duas hostes. Fëanor e seus seguidores estavam na vanguarda; mas a maior hoste vinha atrás, sob comando de Fingolfin"; e o mesmo foi dito no *Quenta Silmarillion* (V. 278, §68, não alterado subsequentemente). Mas essa nota representa um extremo desvio da tradição na medida em que omite Fingolfin completamente. Isso, na verdade, já havia acontecido antes, no trabalho muito tardio de meu pai, do mesmo período, acerca da história de Maeglin, em que as relações são distorcidas por conta de uma genealogia defeituosa que transformou Turgon em filho de Finwë (XI. 395). Aqui, contudo, em uma história central de *O Silmarillion*, Turgon é chamado de "rei", e "senhor supremo das hostes ñoldorin" e Fingolfin desaparece. Não se deve pensar, é claro, que meu pai de fato tencionasse o rompimento catastrófico da estrutura narrativa que isso ocasionaria; e é tranquilizador ver que, em outra referência nesses papéis, Fingolfin reaparece.]

10 [Na margem, escrito ao mesmo tempo que o texto, meu pai observou: "O duelo entre Glorfindel e o Demônio pode precisar de revisão."]

11 Esse é um dos assuntos centrais de *O Silmarillion* e não precisa ser explicado aqui. Contudo, nessa parte de *O Silmarillion* até onde foi escrita, não se deve deixar a impressão de que Ulmo, preocupado mormente com a chegada de Tuor a Gondolin, tenha de qualquer maneira agido contrariamente à Interdição, contra Manwë ou sem seu conhecimento. [Meu pai talvez tivesse em mente as palavras de Ulmo a Tuor na costa de Vinyamar, em *Contos Inacabados*, p. 51]

12 Isso implica que Glorfindel era originalmente um Elda de grande estatura física e espiritual, uma figura nobre, e que sua culpa havia sido pequena, isto é, ele devia lealdade a Turgon e amava sua própria gente, e esses foram os únicos motivos pelos quais permaneceu com eles, muito embora estivesse pesaroso com a teimosia deles e temesse a sentença de Mandos.

13 [Cf. *Valaquenta* (*O Silmarillion*, p. 58): "Em dias que vieram depois, foi o amigo de todos os Filhos de Ilúvatar e tinha piedade de suas tristezas ..."]

14 Sem dúvida porque, àquela altura, Gil-galad havia descoberto que Sauron estava ocupado em Eregion, mas que secretamente começara a construir uma fortaleza em Mordor. (Talvez já fosse um nome élfico para aquela região, por conta do vulcão Orodruin e suas erupções — que não foram criados por Sauron, mas eram um vestígio dos trabalhos devastadores de Melkor na longa Primeira Era.) [Ver nota 15.]

15 [Essa passagem a respeito de Gil-galad e Sauron no ano 1200 da Segunda Era, com a afirmação expressa de que "o próprio Sauron foi até Lindon", parece conflitar com o que é dito em *Dos Anéis de Poder* (*O Silmarillion*, p. 375),

"Apenas a Lindon não vinha, pois Gil-galad e Elrond duvidavam dele e de sua bela aparência" e não o admitiam àquela terra.]

16 Pois os Valar estavam abertos a ouvir as súplicas daqueles na Terra-média, como sempre estiveram, exceto que nos dias sombrios da Interdição eles só se dispunham a ouvir uma única súplica dos Ñoldor: uma súplica de arrependimento implorando perdão.

17 [Aqui, meu pai discutiu novamente a ideia de que a reencarnação élfica poderia se dar pelo "renascimento" como criança e a rejeitou tão enfaticamente quanto o fizera na discussão intitulada "Reencarnação dos Elfos", X. 438-9. Tanto aqui como lá, os empecilhos físicos e psicológicos são tratados. Aqui, ele escreveu que essa ideia "deve ser abandonada ou, no mínimo, descrita como uma falsa noção, provavelmente de origem humana, por exemplo, já que praticamente toda a matéria de *O Silmarillion* está contida em mitos e lendas que passaram pelas mãos e mentes dos Homens e são (em diversos pontos) claramente influenciados pelo contato e confusão com os mitos, teorias e lendas de Homens" (cf. p. 424, nota 17). Minha discussão sobre esse assunto em X. 439 necessita ser corrigida. Eu afirmei ali que a ideia de que era possível ao *fëa* "sem-morada" reconstituir seu *hröa* a partir de sua memória havia se tornado a "visão firme e estável" de meu pai "sobre tal matéria", "pelo que se vê em escritos muito tardios sobre o tema da reencarnação de Glorfindel de Gondolin". Isso está errado. Essa última discussão da reencarnação élfica se refere apenas à "restauração" ou "reconstituição" do corpo antigo pelos Valar e não se faz menção à ideia de que isso poderia ser conseguido pelo "*fëa* sem-morada" operando de modo independente.]

18 [A "falsa noção" é a do renascimento élfico em forma de criança: ver nota 17.]

19 ["Durin VII e Último" é mostrado na tabela genealógica no RR, Apêndice A, III como descendente de Dáin Pé-de-Ferro. Nada se diz dele naquele Apêndice, mas ver p. 337 deste livro.]

20 E, ainda assim, é dito que sua memória dos dias longínquos era mais clara e completa.

21 Supõe-se que o fato de os Elfos chegarem a saber tanto (embora apenas num tempo em que o vigor de ambas as raças estava em declínio) se deva à amizade estranha e única que surgiu entre Gimli e Legolas. De fato, a maior parte das referências à história anânica em registros élficos está anotada com "assim disse Legolas".

22 Que era às vezes chamado de *Návatar*, e os Anãos, de *Aulëonnar*, "filhos de Aulë".

23 [Essa breve versão termina com estas palavras notáveis: "Mas Eru não lhes deu a imortalidade dos Elfos, mas vidas mais longas que as dos Homens. 'Eles hão de ser os terceiros filhos e mais semelhantes aos Homens, os segundos.'"]

24 Diz-se que a carne dos Anãos demorava muito mais para se decompor ou se corromper do que a dos Homens. (Os cadáveres élficos destituídos de seus espíritos rapidamente se desintegravam e desapareciam.)

25 [Uma nota ao final do texto, sem indicação de onde deveria ser inserida, diz o seguinte:] Que efeito isso teria na sucessão? Provavelmente esse "retorno" só ocorreria quando, por um acaso ou outro, o rei entronado não tivesse herdeiro. Os Anãos eram bastante improlíferos e isso sem dúvida acontecia com frequência.

26 [Essas notas estão em conformidade com o texto *Glorfindel II*, quando meu pai havia decidido que Glorfindel chegou à Terra-média na Segunda Era, provavelmente por volta do ano 1600 (p. 451).]

27 [Compare essa referência ao papel de Glorfindel na guerra em Eriador com a nota ao texto citada nas pp. 446–7.]

28 [Em outro lugar nesta página, esse nome está grafado *Róme(n)star*.]

29 Antes mesmo de chegarem em Beleriand, os Teleri haviam desenvolvido o ofício de fazer barcos; primeiramente balsas e, logo, barcos leves com remos feitos para imitarem as aves aquáticas, os quais usavam nos lagos próximos às suas primeiras moradas e, mais tarde, na Grande Jornada, atravessando rios ou, principalmente, durante sua longa permanência nas costas do "Mar de Rhûn", onde seus navios se tornaram maiores e mais fortes. Contudo, em todo esse labor, Círdan sempre fora o pioneiro, o mais inventivo e habilidoso. [Quanto à importância do Mar de Rhûn no contexto da Grande Jornada, ver XI. 213–4.]

30 Pengoloð é o único a mencionar uma tradição entre os Sindar de Doriath de que, em sua forma arcaica, era *Nōwē*, cujo significado original era incerto, assim como o de Olwë. [Quanto ao significado de *Olwë*, ver p. 406 e nota 20.]

31 [Cf. RR, Apêndice B (nota introdutória à Terceira Era): "Pois Círdan enxergava mais longe e mais fundo que qualquer outro na Terra-média" (dito quando de sua entrega de Narya, o Anel de Fogo, a Mithrandir) A afirmação feita aqui de que isso foi dito "nos Anais da Terceira Era (c.1000)" é confusa, mas presumivelmente deve ser relacionada ao que se diz na mesma passagem do Apêndice B, "Quando haviam passado cerca de mil anos ... os *Istari* ou Magos apareceram na Terra-média".]

32 Um nome em Quenya dado pelos Ñoldor exilados e aplicado principalmente à gente de Doriath, o povo de Elwë Manto-gris.

33 [O fato de Círdan ser parente de Elwë é mencionado em *Quendi e Eldar* (XI. 463 e nota 15).]

34 Esse é empregado como um termo geral para o dialeto teleriano do eldarin após as mudanças de longos anos em Beleriand, embora não fosse de desenvolvimento inteiramente uniforme.

35 [Cf. *Quendi e Eldar*, XI. 458: "Os *Eglain* se tornaram um povo algo apartado dos Elfos do interior e, na época da chegada dos Exilados, o seu idioma era diferente de muitas maneiras" (Os *Eglain* são o povo de Círdan.)]

36 [Quanto a *Falathrim*, ver *Quendi e Eldar*, XI. 456–7 e, quanto a *Falmari*, cf. X. 203, §27: "Os Elfos-do-mar, portanto, tornaram-se em Valinor, os Falmari, pois faziam música à beira das ondas que se quebravam".]

[37] *Vingilótë*, "Flor-de-borrifo". [Ao lado de "borrifo", meu pai em seguida escreveu "espuma" e também observou: "*wingë*, em sindarin *gwing*, é, mais corretamente, uma espuma voante ou borrifo que sopra das cristas das ondas": ver pp. 443–4, nota 24.]

PARTE TRÊS

ENSINAMENTOS DE PENGOLOĐ

14

Dangweth Pengoloð

Este trabalho — exemplo e registro da instrução de Ælfwine, o Marinheiro, por Pengoloð, o Sábio de Gondolin — existe em duas versões: a primeira ("**A**") é um texto claro e bem-feito e (além de uma importante exceção, ver nota 6) com pouquíssimas alterações feitas tanto no ato da escrita quanto subsequentemente; e a segunda ("**B**") é um esplêndido manuscrito iluminado cuja primeira página está reproduzida nas guardas deste livro. Esse último, juntamente com o breve texto *De Lembas*, foi acondicionado em um jornal de 5 de janeiro de 1960, no qual meu pai escreveu: "Dois itens do saber de Pengoloð" e também "*Danbeth* à questão. Como/Por que a língua élfica mudou? Origem do *Lembas*". Em uma pasta de papel-cartão que acondiciona o jornal, ele escreveu: "Itens de Pengoloð. §*Manen lambë Quendion ahyanë* Como a língua dos Elfos mudou? §*Mana i·coimas Eldaron* O que é o 'coimas' dos Eldar?"

Acima do *gw* de *Dangweth* no manuscrito iluminado, ele escreveu um *b* levemente a lápis; mas, em um pedaço isolado de papel encontrado com os dois textos, há alguns rabiscos dentre os quais estes são claros: "Manter *Dangweth* 'resposta' separado de *-beth* = *peth* 'palavra'"; "√*gweth* 'reportar, dar um relato de algo, informar sobre coisas desconhecidas ou que se gostaria de saber'"; e "*Ndangwetha* s[indarin] *Dangweth*".

O texto *Dangweth Pengoloð* não pode ser anterior a 1951 e, pela data do jornal (no qual ambos os textos são mencionados), não pode ser posterior ao final de 1959. Estou inclinado a colocá-lo mais para o início do que para o final da década; possivelmente o segundo manuscrito, B, deve ser associado às refinadas páginas manuscritas do Conto dos Anos da Primeira Era (ver X. 69-70).

A versão B segue a versão A realmente muito de perto em quase toda a extensão (o que é provavelmente um indicativo de sua proximidade temporal): algumas alterações muitíssimo pequenas espalhadas (mudanças menores na ordem das palavras e ocasionais alterações de vocabulário), com pouquíssimas diferenças mais significativas (ver as notas ao final do texto). Que este era um trabalho de importância para meu pai fica evidente pelo fato de ele o reescrever em um manuscrito de tamanha elegância; e um aspecto de seu pensamento aqui — a respeito da introdução consciente de mudanças pelos Eldar na base de um entendimento acerca da estrutura fonológica de sua língua como um todo — reapareceria anos depois em *O Xibolete de Fëanor* (ver p. 396 e nota 3 ao presente ensaio).

O texto que se segue é, evidentemente, o da Versão B, com a alteração de alguns sinais de pontuação para maior clareza.

Dangweth Pengoloð
a
Resposta
de
Pengolod
a Aelfwine, que o indagou como veio a passar que os idiomas dos Elfos mudaram e foram apartados

Ora me indagas, Ælfwine, sobre os idiomas dos Elfos, dizendo que muito te espantas ao descobrir que eles são diversos, de fato aparentados e, contudo, dessemelhantes; pois, vendo que não morrem e que suas memórias alcançam eras há muito passadas, não compreendes por que toda a raça dos Quendi não manteve a língua que tinham outrora em comum, uma só e a mesma entre todas as suas gentes. Mas vê! Ælfwine, dentro de Eä todas as coisas mudam, mesmo os Valar; pois em Eä percebemos o desenrolar de uma História conforme ela acontece: assim como um homem pode ler um grande livro e, quando termina de ler, ele está consumado e completo em sua mente, de acordo com a sua medida. Então, afinal, ele percebe que algo de belo que resistiu por muito tempo — como alguma montanha ou rio de renome, algum reino ou alguma grande cidade; ou então algum ser poderoso, como um rei, ou poeta, ou uma mulher de beleza e majestade, ou mesmo, talvez, um dos Senhores do Oeste — que esses todos são, se de fato forem, tudo o que se diz deles desde o início até o fim. Da nascente nas montanhas até as fozes do mar, tudo é o Sirion; e da primeira vez que brotou até desaparecer, quando a terra foi rompida na grande batalha, isso também é o Sirion e nada menos; embora nós, postos a contemplar a grande História, lendo linha a linha, possamos falar do rio mudando conforme flui e se alarga, ou morrendo ao transbordar ou ser devorado pelo mar. Sim, mesmo quando de sua primeira chegada a Eä desde o lado de Ilúvatar, e do jovem senhor dos Valar na alva ira de sua batalha com Melkor até o silente rei de anos incontáveis que se assenta sobre as alturas invisíveis de Oiolosse e que observa, mas não mais fala: tudo isso é ele a quem chamamos de Manwë.

Ora, em verdade uma grande árvore pode sobreviver a muitos Homens, e pode se lembrar da semente da qual brotou antes que todos os Homens que ora caminham na terra não fossem ainda nascidos, mas a casca na qual repousas tua mão e as folhas que te fazem sombra não são como era a semente, nem como há de ser a lenha seca que apodrece com o fungo ou acaba em chamas. E há outras árvores no entorno, cada qual diferente em tamanho e em forma, de acordo com os acasos de suas vidas, embora sejam todas aparentadas, rebentos de uma única árvore ainda mais velha, germinadas, portanto, de uma única semente de há muito tempo.[1] Imortais dentro de Eä são os Eldar, mas visto que, tal como Homens, eles habitam em formas que vêm de Eä, não são mais imutáveis do que as grandes árvores, nem nas formas que habitam e nem nas coisas que desejam ou conquistam por meio dessas formas. Por que então não haveriam de mudar na fala, da qual uma parte é feita com línguas e recebidas por ouvidos?

Foi dito por alguns entre nossos mestres do saber que, quanto a Homens, os mais velhos ensinam a seus filhos a sua fala e, então, logo partem, de sorte que suas vozes não são mais ouvidas e os filhos não têm lembrança do idioma de sua mocidade, salvo suas próprias memórias nubladas: portanto, em cada breve geração de Homens a mudança pode ser célere e desenfreada. Mas essa matéria parece-me menos simples. Esmaecidas de fato podem ser as memórias de Homens, mas digo-te, Ælfwine, mesmo que a memória que tens do teu próprio ser fosse clara como a do mais sábio dos Eldar, ainda assim, no curto lapso da tua vida, tua fala mudaria e, caso continuasses a viver com a vida dos Elfos, tanto mais ela mudaria, até que, olhando para trás, perceberias que, na tua mocidade, falavas um idioma alienígena.

Pois os Homens trocam tanto suas palavras velhas por novas quanto sua antiga maneira de falar por outra maneira no decurso de suas próprias vidas e não apenas no primeiro aprendizado da fala; e essa mudança decorre acima de tudo da própria mutabilidade de Eä; ou, se preferes, da natureza da fala, que está plenamente viva apenas quando nasce, mas quando a união do pensamento e do som cai no costume antigo e não se percebe mais os dois como dissociáveis, aí a palavra já está mortiça e sem gaúdio,[2] o som, esperando por algum novo pensamento, e o pensamento, sôfrego por um traje sonoro de novo padrão.

Mas à mutabilidade de Eä, ao enfaro pelo que não muda, à renovação da união: a essas três coisas, que são uma, os Eldar também estão sujeitos, na sua medida. Nisto, contudo, diferem dos Homens: estão sempre mais cônscios das palavras que falam. Como um prateiro talvez permaneça mais consciente que outros das ferramentas e recipientes que usa diariamente à sua mesa; ou um tecelão, da textura de seus indumentos. Ainda assim, isso resulta em mudança mais do que constância entre os Eldar; pois, sendo habilidosos e ávidos na arte, os Eldar prontamente fazem novas coisas, tanto por deleite de se contemplar, de se ouvir, ou sentir, ou para uso cotidiano: seja em recipientes ou trajes, ou na fala.

Um homem pode de fato trocar sua colher ou sua copa à vontade e não necessita pedir a ninguém que o aconselhe ou que siga sua escolha. Coisa diversa se passa, de fato, com palavras ou com os modos e mecanismos da fala. Deixe-o pensar em uma nova palavra, por mais fresca e bela que seja ao seu coração, ser-lhe-á de pouca utilidade em colóquio até que outros homens pensem de maneira semelhante ou se disponham a acatar sua invenção. Mas entre os Eldar há muitos ouvidos agudos e mentes sutis para ouvir e estimar tais invenções e, embora muitos sejam os padrões e mecanismos feitos de tal forma que se provam, ao fim, agradáveis somente a poucos, ou a um apenas, muitos outros são acolhidos e passam céleres de boca em boca, com riso ou deleite ou com pensamento solene — como talvez um gracejo novo ou um dito de sabedoria recém-descoberto circula entre homens de intelecto mais brilhante. Pois aos Eldar a criação da fala é a mais antiga das artes e a mais amada.

Logo, Ælfwine, eu te digo: por mais que a mudança que por muito tempo passa despercebida, como o crescer de uma árvore, fosse outrora realmente demorada em Aman antes do Nascer do Lua, e mesmo na Terra-média sob o Sono de Yavanna, muito mais morosa do que é agora entre os Homens, ainda assim em meio aos Eldar essa constância foi contrabalançada pelas mudanças que vêm do desejo e desígnio: muitas das quais, é verdade, diferem pouco no aspecto exterior daquelas de crescimento inadvertido. Assim, os Eldar às vezes trocavam os sons de sua fala por outros sons que lhes pareciam mais agradáveis, ou que ao menos fossem mais virentes. Mas isso não faziam a esmo. Pois os Eldar conhecem seu idioma, não só palavra por palavra, mas como um todo: conforme falam, sabem não apenas de que sons é tecida a palavra que pronunciam, mas de que sons e padrões sonoros se compõe toda a sua fala em dado momento.*[3] Portanto, nenhum dentre os Eldar mudaria os sons de uma única palavra, mas, antes, mudaria um determinado som em toda a estrutura da sua fala; nem traria a uma só palavra um som, ou união de sons, que não estivesse dantes presente, mas substituiria algum som anterior pelo novo som em todas as palavras que o contivessem — ou, se não em todas, em certa quantidade escolhida de acordo com suas formas e outros elementos, conforme é guiado por um novo padrão que tenha em mente. Da mesma forma que um tecelão pode mudar um fio de vermelho para azul, seja na trama inteira ou em tais partes adequadas ao novo padrão, mas não fortuitamente aqui e ali, e nem somente em um único canto.[4]

E vê! Ælfwine, essas mudanças diferem pouco de mudanças semelhantes que acometem as falas de Homens com o passar do tempo. Ora, quanto aos Eldar, sabemos que tais coisas foram feitas outrora por escolha, conscientemente, e os nomes daqueles que cunharam novas palavras ou que primeiro ensejaram grandes mudanças são ainda lembrados amiúde. Por essa razão os Eldar não acreditam que em verdade as mudanças nos idiomas de Homens são completamente inadvertidas; pois, perguntam eles,

*E eles são, na maior parte, em número diminuto, pois os Eldar, habilidosos em ofício, não são perdulários ou pródigos para pouco propósito, admirando num idioma mais o uso destro de alguns sons equilibrados do que uma profusão desordenada.

como surge a ordem e a harmonia que se vê com frequência em tais mudanças? Ou a habilidade tanto nos mecanismos que são substituídos quanto nos novos que os substituem? E alguns respondem que as mentes dos Homens estão meio adormecidas: e, com isso, não querem dizer que a parte que os Homens não notam e não conseguem explicar está dormitando, mas a outra parte. Outros — percebendo que em nada os Homens, e nomeadamente aqueles do Oeste,[5] lembram tanto os Eldar como na fala — respondem que a instrução que os Homens receberam dos Elfos em sua mocidade ainda opera como uma semente no escuro. Mas em tudo isso talvez estejam errados, Ælfwine, pois, apesar de todo o seu saber, de todas as coisas as que menos eles conhecem são as mentes dos Homens, e nem as compreendem.[6]

E para falar de memória, Ælfwine: no que diz respeito aos Elfos — pois não sei como é com Homens — isto que chamamos de *coirëa quenya*, a fala viva, é a língua pela qual pensamos e imaginamos; pois está para o nosso pensamento como o corpo está para nosso espírito, crescendo e mudando em conjunto em todos os dias de nosso ser.[7] A essa língua, portanto, transmitimos a um só tempo o que quer que rememoremos do passado, daquilo que ouvimos ou do que nós mesmos falamos. Se um Homem se lembra de algo que disse na infância, lembra-se dos acentos da infância que usou naquele momento há tanto tempo? Não sei. Mas certamente nós outros dos Quendi não nos lembramos. Podemos saber, de fato, de que maneira crianças ainda não habilidosas na fala e de que maneira os "plenifalantes", como os chamamos, falavam em tempos de antanho, mas isso é uma coisa separada das imagens da memória da vida e é um tema de saber. Pois temos muito saber a respeito das línguas de outrora, quer preservado em nossa mente, quer em escritos; mas não nos ouvimos falando novamente no passado, salvo com a linguagem que veste nosso pensamento no presente. Em verdade, pode ser que, no passado, tenhamos conversado com estranhos em um idioma alienígena, e lembremos o que então foi dito, mas não o idioma que empregamos. Do passado, é verdade, podemos rememorar os sons de um falar alienígena como rememoramos outros sons: o cantar de pássaros ou o murmurar da água; mas isso é apenas em algum clamor ou frase breve. Pois se o elóquio foi longo ou o tema, sutil, então o vestimos na língua viva de nosso presente pensamento e, se o narrássemos agora como foi falado, precisaríamos dar-lhe nova forma, como fosse um livro, nessoutra língua — se estiver ainda preservado no saber erudito. E, ainda assim, são as vozes alienígenas que escutamos usando palavras em nossa memória, e raramente a nós mesmos — ou, para falar de mim, nunca. É bem verdade que os Eldar prontamente aprendem a usar outros idiomas com destreza e demoram a esquecer qualquer um que tenham aprendido, mas estes permanecem da maneira em que foram aprendidos, como fossem escritos nas páginas imutáveis de um livro;*[8] enquanto a *coirëa quenya*, a língua do pensamento, cresce e vive por dentro, e cada novo estágio recobre o que veio antes, como a bolota e a muda se escondem dentro da árvore.

Portanto, Ælfwine, se considerares bem tudo o que te disse neste momento, não apenas o que está expresso às claras, mas também o que há aí para ser descoberto por pensamento, compreenderás que, conquanto mais conscientemente, conquanto mais lentamente, os idiomas dos Quendi mudam em uma maneira semelhante às mudanças de idiomas mortais. E que, caso um dos Eldar sobreviva talvez aos acasos de cinquenta mil dos seus anos, então a fala de sua infância estará apartada da fala do seu presente, como talvez o falar de uma cidade ou reino de Homens esteja apartado nos dias de sua majestade do idioma daqueles que o fundaram outrora.

Nesse último ponto também são nossas gentes parecidas. Por maior que seja a destreza dos Quendi em moldar as coisas à sua vontade e deleite, e superar os acasos de Eä, ainda assim eles não são como os Valar e, perto do poder do Mundo e do seu fado, são débeis e diminutos. Portanto, também para eles rupturas são rupturas, e amigos e parentes distantes permanecem distantes. Nem mesmo as Pedras Videntes dos artífices de outrora conseguiram unir completamente os que estavam apartados, e tanto elas quanto os mestres que podiam criá-las eram poucos. A mudança, portanto, deliberada ou indeliberada, não foi compartilhada mesmo em eras há muito passadas, e nem seguiu o mesmo curso exceto

*Salvo apenas no estranho caso de um povo inteiro aprender uma fala alienígena que eles depois incorporam no uso vivo e cotidiano e que então muda e cresce com eles, mas seu próprio idioma de antes morre ou torna-se apenas tema de saber. Só uma vez isso aconteceu na história dos Eldalië, quando os Exilados adotaram a fala de Beleriand, o idioma sindarin, e o noldorin foi preservado entre eles como uma língua de saber.

entre aqueles que se encontravam amiúde e tinham colóquio no labor e na alegria. Assim, mais rápida ou mais lenta, mas sempre inescapavelmente, as gentes muito afastadas dos Quendi afastaram-se também na fala: os Avari dos Eldar; e os Teleri dos outros Eldar; e os Sindar que habitaram na Terra-média dos Teleri que chegaram, afinal, em Aman; e os Exilados dos Noldor daqueles que permaneceram na terra dos Valar. E assim ainda ocorre na Terra-média.

E, no entanto, Ælfwine, há muito tempo a forma do Mundo foi mudada; e nós que ora habitamos no Antigo Oeste estamos removidos dos círculos do Mundo, e na memória reside a maior parte de nosso ser: de modo que ora preservamos mais do que criamos. Portanto, embora mesmo em Aman — além dos círculos de Arda, mas ainda assim em Eä — a mudança continue sempre, até o Fim, seja ela morosa a ponto de não ser percebida exceto após eras de tempo, apesar disso aqui, afinal, em Eressëa, nossos idiomas são constantes; e aqui, sobre um vasto mar de anos, falamos agora ainda, com pouca diferença, como falávamos — e também os que pereceram — nas guerras de Beleriand, quando a Sol era jovem.

Sin Quente Quendingoldo
Elendilenna

NOTAS

1 O final dessa frase, a partir de "rebentos de uma única árvore ainda mais velha", não consta na versão A.

2 Em A, "mortiça ou morta".

3 Na nota a *O Xibolete de Fëanor* que omiti (p. 404), meu pai escreveu:

> Os Eldar tinham uma compreensão instintiva da estrutura e sistema sonoro de sua fala como um todo e ela era incrementada ao serem educados; pois, de certa forma, todas as línguas eldarin foram línguas "inventadas", peças de arte, não apenas herdadas, mas também um material que despertava o interesse ativo de seus usuários e desafiava conscientemente seu próprio gosto e inventividade. Esse aspecto, é claro, ainda era proeminente em Valinor; embora na Terra-média houvesse minguado e o desenvolvimento do sindarin se houvesse tornado, muito antes da chegada dos exilados ñoldorin, mormente o produto de mudanças inadvertidas como os idiomas de Homens.

[4] A versão A possui aqui uma nota de rodapé omitida em B:

> Assim aconteceu quando o antigo nome *Banyai* foi alterado para *Vanyar*; isso foi feito apenas porque o som *b* foi alterado para *v* em toda a língua (salvo em certas sequências) — e essa mudança, registra-se, começou entre os Vanyar; ao passo que, para falar de muitos, o novo artifício, *r*, foi criado e adotado em todas as palavras de certo formato — e isso, conta-se, começou entre os Noldor.

[5] *namely* [*nomeadamente*] está sendo usado aqui no sentido original, mas há muito perdido, da palavra: "especialmente, acima de tudo". A frase não consta na versão A, que diz simplesmente: "Ou alguns respondem que a instrução ..."

[6] Aqui, a versão A, conforme escrita originalmente, se encaminha diretamente para os parágrafos conclusivos do *Dangweth*, desde "Mas nesse ponto pelo menos nossas gentes são parecidas ..." (p. 471) até o final, com as palavras "falamos agora ainda, com pouca diferença, como falavam os que lutaram em Beleriand quando a Sol era jovem". Esses parágrafos foram excluídos e todo o assunto de permeio (a partir de "E para falar de memória, Ælfwine ...") foi introduzido, antes que eles fossem retomados, um tanto alterados na expressão, mas não no conteúdo, e agora praticamente idênticos à forma na versão B.

[7] Essa frase, a partir de "pois está para o nosso pensamento ...", não consta na versão A.

[8] Essa nota de rodapé está ausente na versão A.

15

De Lembas

Quanto à ligação desta breve obra, que sobrevive em um único manuscrito, com o *Dangweth Pengoloð*, ver p. 465. É um texto belamente escrito de duas páginas, semelhante no estilo ao refinado manuscrito do *Dangweth*, o qual acompanha, mas não da mesma qualidade e em papel fino. Meu pai acrescentou algumas iluminuras no começo com caneta esferográfica vermelha e, com a mesma caneta, escreveu no alto da primeira página, acima do título *De Lembas*: "*Mana i·coimas in·Eldaron?*" *maquente Elendil* (a mesma pergunta que aparece na pasta de papel-cartão que acondiciona os dois textos, p. 465). Ao mesmo tempo, acrescentou aspas no começo e no fim do texto, mostrando que era a resposta de Pengoloð à pergunta de Ælfwine, "O que é o *coimas* dos Eldar?" Parece possível que esses acréscimos com caneta esferográfica tenham sido posteriores, para torná-lo um texto companheiro do *Dangweth*; mas não há, de todo modo, qualquer evidência de data além dos limites de 1951 e 1959 (p. 465).

De Lembas

"Este alimento somente os Eldar sabiam como fazer. Era feito para o conforto daqueles que tinham necessidade de partir em uma longa jornada no ermo ou dos ferimentos daqueles cuja vida estava em perigo. Somente esses tinham permissão para consumi-lo. Os Eldar não o davam a Homens, salvo apenas alguns a quem amavam, caso estivessem em grande necessidade.*

*Isso não era feito por cobiça ou ciumada, apesar de em momento algum na Terra-média ter havido grande reserva desse alimento; mas, sim, porque os Eldar receberam ordem de manter essa dádiva em seu próprio poder e não partilhá-la com os habitantes em terras mortais. Pois conta-se que, caso mortais comam muito desse pão, tornam-se cansados de sua mortalidade, desejando morar entre os Elfos, e ansiando pelos campos de Aman, aos quais não podem vir.

Dizem os Eldar que eles primeiro receberam esse alimento dos Valar no início dos seus dias na Grande Jornada. Pois era feito de um tipo de cereal que Yavanna produziu nos campos de Aman, e um pouco ela enviou a eles pelas mãos de Oromë para socorrê-los na longa marcha.

Como vinha de Yavanna, era a rainha ou a mais elevada dentre as mulheres-élficas de qualquer povo, grande ou pequeno, responsável por guardar e distribuir o *lembas*, por qual razão ela era chamada de *massánie* ou *besain*: a Senhora, ou provedora-do-pão.[1]

Ora, esse cereal continha em si a forte vida de Aman, a qual conseguia passar àqueles que tinham a necessidade e o direito de consumir o pão. Caso fosse semeado em qualquer estação, exceto na geada, logo brotava e crescia rapidamente, embora não medrasse à sombra de plantas da Terra-média e não suportasse os ventos que sopravam do Norte enquanto Morgoth habitou ali. No mais, precisava de apenas pouca luz solar para amadurar; pois rapidamente capturava e multiplicava todo o vigor de qualquer luz que incidisse sobre ele.

Os Eldar o cultivavam em terras vigiadas e clareiras ensolaradas; e ajuntavam uma a uma as suas grandes espigas doiradas à mão e não lhes deitavam qualquer lâmina metálica. O alvo caule era retirado da terra de maneira semelhante, e trançado em cestos[2] para a estocagem do grão: nenhum verme ou roedor tocava aquela palha brilhante, e podridão e mofo e outras pestes da Terra-média não a acometiam.

Da espiga até o pão ninguém tinha permissão de manusear esse grão, salvo aquelas mulheres-élficas chamadas *Yavannildi* (ou, pelos Sindar, as *Ivonwin*),[3] as donzelas de Yavanna; e a arte de fazer o *lembas*, que aprenderam dos Valar, era um segredo entre elas e assim permaneceu para sempre."

Lembas é o nome sindarin, e vem da forma mais antiga *lenn-mbass* "pão-de-jornada". Em quenya, era mais frequentemente chamado *coimas*, que é "pão-da-vida".[4]

Quente Quengoldo

NOTAS

1 Na história de Túrin, diz-se da dádiva de *lembas* de Melian para Beleg, o Arqueiro (*O Silmarillion*, p. 273), que estava "envolto em folhas de prata, e os fios que o amarravam estavam selados, nos nós, com o selo da Rainha, uma

camada de cera branca com a forma de uma única flor de Telperion; pois, de acordo com os costumes dos Eldalië, manter e oferecer o *lembas* cabia apenas à Rainha. Em nenhuma outra coisa Melian mostrou maior favor a Túrin do que nessa dádiva; pois os Eldar nunca antes tinham permitido que Homens usassem esse pão-de-viagem e raramente voltaram a fazê-lo".

Compare "*massánie* ou *besain*" com o verbete nas *Etimologias*, V. 450, radical MBAS "sovar": quenya *masta*, noldorin *bast*, "pão"; e também as palavras *lembas* e *coimas* explicadas ao final do presente texto como "pão-de-jornada" e "pão-da-vida". Acima do *ain* de *besain* está escrito de leve a lápis *oneth*, isto é, *besoneth*.

Ao usar aqui a palavra *Lady* [*Senhora*], meu pai sem dúvida estava pensando na sua origem em inglês antigo *hlǣf-dīġe*, da qual o primeiro elemento é *hlāf* (inglês moderno *loaf* [pão]) com mutação vocálica, e o segundo, um derivado do radical *dĭg-* "sovar" (ao qual a palavra *dough* [massa] está relacionada); cf. *lord* [*senhor*], originada de *hlāf-weard*, "guardião-do-pão".

2 *haulm* [caule]: a haste de plantas cultivadas que fica após as espigas ou vagens serem colhidas; *corn-leeps* [cestos]: *leep (leap)* é uma antiga palavra dialetal para um cesto (inglês antigo *lēap*).

3 *Ivonwin*: a forma noldorin (isto é, sindarin tardio) *Ivann* para *Yavanna* aparece nas *Etimologias*, V. 487, radical YAB "fruta, fruto".

4 Isso foi escrito ao mesmo tempo que o resto do manuscrito, mas de forma recuada, como está publicado, e foi mantido fora das aspas, as quais foram acrescentadas ao corpo do texto posteriormente. As palavras *Quente Quengoldo* ("Assim falou Pengoloð") também são contemporâneas à escrita.

PARTE QUATRO

CONTOS INACABADOS

16

A NOVA SOMBRA

Esta história, ou fragmento de uma história, está publicada agora pela primeira vez, embora sua existência seja conhecida há muito tempo.[1] A história textual não é complicada, embora surpreendentemente haja um bocado dela.

Primeiro, há um grupo de materiais manuscritos, começando em dois lados de uma folha contendo a abertura original da história: ela não vai além da lembrança do jovem (aqui chamado Egalmoth)[2] da reprimenda e do sermão que levou de Borlas[3] ao pegá-lo roubando maçãs de seu pomar quando era garoto. Há então um texto, que chamarei de "**A**", numa escrita veloz, mas clara, e isso se estende até o ponto final em que a história chegou (aqui também o nome do jovem é Egalmoth). Seguiu-se a ele um texto datilografado, original e carbono, "**B**", que segue o texto A bem de perto e termina no mesmo ponto: há várias pequenas alterações de expressão, mas nada que mude minimamente a narrativa (o jovem, contudo, é agora chamado Arthael). Há também um texto datilografado por um amanuense derivado de B e sem valor independente.[4]

Finalmente, há outro texto datilografado, "**C**", também com uma cópia em carbono, que só vai até o ponto na história em que o jovem — aqui chamado Saelon[5] — deixa Borlas no jardim, vasculhando "a mente para descobrir como essa estranha e alarmante conversa começara" (p. 487). Esse texto C trata B da mesma forma que B trata A: alterando a expressão (de maneira radical em alguns lugares), mas de forma alguma alterando a história e nem dando a ela novos rumos.

Parece estranho que meu pai tenha feito nada menos do que três versões, cada uma delas demonstrando atenção muito cuidadosa ao aperfeiçoamento do texto nos detalhes, sendo que a narrativa só percorrera uma curta distância. A evidência fornecida pelas máquinas de escrever utilizadas sugere, contudo, que C foi feito substancialmente depois. A máquina na qual B foi datilografado era a mesma que ele usou nos anos de 1950, antes de adquirir aquela à qual se faz menção em X. 363-4, enquanto a escrita itálica de A poderia, com alguma probabilidade, ser atribuída àquela época; mas a máquina de escrever usada para C foi a última que ele teve.[6]

Em sua *Biografia* (p. 310), Humphrey Carpenter afirmou que, em 1965, meu pai "encontrou um texto datilografado de 'A Nova Sombra', uma continuação de *O Senhor dos Anéis* que começara há muito tempo, mas abandonara após algumas páginas. ... Ficou acordado até as quatro da manhã, lendo e pensando a respeito". Não sei qual é a fonte dessa afirmação; mas evidências adicionais são fornecidas por um envelope com selo postal de 8 de janeiro de 1968 no verso do qual meu pai rabiscou um trecho a respeito de Borlas, dando maior desenvolvimento ao relato de suas circunstâncias na época em que a história começa (ver nota 14). Isso é evidência concreta de que ele ainda estava ponderando sobre *A Nova Sombra* até pelo menos 1968; e, como o trecho rascunhado aqui prosseguia a partir do ponto alcançado no texto datilografado C (ver nota 14), parece muito provável que C seja dessa época.

Da forma como as evidências estão, portanto, a obra original (representada pelo manuscrito A e pelo texto datilografado B) é dos anos 1950. Em uma carta de 13 de maio de 1964 (*Cartas* n. 256), ele escreveu:

> Iniciei uma história situada cerca de 100 anos após a Queda [de Sauron], mas acabou se mostrando tanto sinistra como deprimente. Visto que estamos lidando com Homens, é inevitável que devemos nos preocupar com a característica mais lamentável de sua natureza: sua rápida saciedade com o bem. De modo que o povo de Gondor, em tempos de paz, justiça e prosperidade, ficaria descontente e inquieto — enquanto os monarcas descendentes de Aragorn se tornariam apenas reis e governadores — como Denethor ou pior. Julguei que até mesmo em tão pouco tempo havia um afloramento de conspirações revolucionárias, ao redor de um centro de religião satânica secreta, enquanto meninos gondorianos estivessem brincando de ser Orques e andando por aí causando danos. Eu poderia ter escrito um "thriller" sobre a conspiração e sua descoberta e destruição — mas seria apenas isso. Não valeria a pena fazer.

A partir da evidência fornecida acima, contudo, parece que o seu interesse na história foi subsequentemente reacendido, chegando até mesmo a ponto de fazer uma nova (ainda que incompleta) versão do que ele havia escrito anos antes. Mas, em 1972, quinze meses antes de seu falecimento, ele escreveu ao amigo Douglas Carter (*Cartas* n. 338):

> Não escrevi nada além dos primeiros anos da Quarta Era. (Exceto o início de uma história que se referiria ao final do reinado de Eldarion, cerca de 100 anos após a morte de Aragorn. Então obviamente descobri que a Paz do Rei não teria histórias dignas de serem contadas; e suas guerras teriam pouco interesse depois da derrota de Sauron; mas que seria quase certo que uma inquietação apareceria por volta dessa época, devido (aparentemente) ao tédio inevitável dos Homens com o bem: haveria sociedades secretas praticando cultos sombrios e "cultos órquicos" entre os adolescentes.)

Para compor o texto que agora se segue, eu incluo a versão C — na qual o jovem sinistro tem o nome Saelon — até o ponto que ela alcança; e, desse ponto em diante, coloco o texto da versão B, alterando o nome de Arthael em B para Saelon.

A NOVA SOMBRA

Este conto se inicia nos dias de Eldarion, filho do Elessar de quem as histórias têm muito a contar. Cento e cinco anos se passaram desde a queda da Torre Sombria[7] e a história daquele tempo recebia agora pouca atenção da maioria das pessoas de Gondor, embora ainda vivessem algumas que conseguiam se lembrar da Guerra do Anel como uma sombra em sua tenra infância. Uma dessas pessoas era o velho Borlas de Pen-arduin. Era o filho mais novo de Beregond, o primeiro Capitão da Guarda do Príncipe Faramir, que havia se mudado da Cidade com seu senhor para as Emyn Arnen.[8]

"Fundo, de fato, vão as raízes do Mal", disse Borlas, "e a seiva negra é forte nelas. Essa árvore jamais será morta. Deixa que os homens a derrubem quantas vezes conseguirem, novos ramos brotarão tão logo virem as costas. Nem mesmo na Festa do Derrube se deve pendurar o machado na parede!"

"Decerto pensas que estás falando sábias palavras", disse Saelon. "Isso eu suponho pela tristeza na tua voz e pelo balançar da cabeça. Mas do que se trata isso tudo? Tua vida ainda parece boa o bastante para um homem idoso que agora já não parte em jornadas distantes. Onde encontraste um ramo de tua árvore sombria crescendo? Em teu próprio jardim?"

Borlas ergueu os olhos e, olhando atentamente para Saelon, perguntou-se de repente se este jovem, geralmente alegre e frequentemente meio zombeteiro, tinha mais na mente do que transparecia no rosto. Borlas não pretendera abrir o coração para ele, mas, sobrecarregado em pensamento, falara em voz alta, mais para si mesmo do que para o companheiro. Saelon não retornou o olhar. Estava cantarolando suavemente enquanto desbastava uma flauta de salgueiro verde com uma afiada faca para pregos.

Os dois estavam sentados em um caramanchão próximo à íngreme margem leste do Anduin, no ponto em que ele corria pelos sopés das colinas de Arnen. Estavam de fato no jardim de Borlas e sua casinha de pedra cinzenta podia ser vista através das árvores acima deles na encosta voltada para o oeste. Borlas olhou para o rio e para as árvores com suas folhas de junho, e depois para bem longe, para as torres da Cidade sob a luz do fim de tarde. "Não, não no meu jardim", disse pensativo.

"Então por que estás tão atribulado?", perguntou Saelon. "Se um homem tem um belo jardim com muros fortes, então ele tem tanto quanto qualquer homem pode governar para seu próprio prazer." Pausou. "Contanto que mantenha a força da vida dentro de si", acrescentou. "Quando ela falha, para que se preocupar com qualquer mal menor? Pois aí ele deve logo deixar seu jardim, afinal, e outros precisam vigiar as ervas daninhas."

Borlas suspirou, mas não respondeu, e Saelon continuou: "Mas há, é claro, alguns que não se contentam e até o fim da vida sobrecarregam seus corações por causa dos vizinhos, e da Cidade, e do Reino, e de todo o vasto mundo. Tu és um deles, Mestre Borlas, e sempre foste, desde que te conheci pela primeira vez, quando eu era um garoto que flagraste no teu pomar. Mesmo naquela época não te contentaste em deixar o mal quieto: dissuadir-me com uma surra ou fortificar teus cercados. Não. Ficaste entristecido e quiseste melhorar a mim. Trouxeste-me para dentro da tua casa e conversaste comigo.

"Lembro-me bem. 'Coisa de Orques', disseste repetidas vezes. 'Roubar fruta boa, ora, suponho que não seja nada além de coisa de garotos, caso estejam com fome ou caso seus pais sejam lenientes demais. Mas arrancar maçãs verdes para quebrá-las ou jogá-las fora! Isso é coisa de Orques. Como chegaste a tanto, rapaz?'

"*Coisa de Orques!* Fiquei com raiva disso, Mestre Borlas, e demasiado orgulhoso para responder, embora meu coração quisesse dizer, com palavras de criança: 'Se é errado um menino roubar uma maçã para comer, então é errado roubá-la para brincar. Mas não é mais errado. Não me fales de coisas de Orques, ou quem sabe eu te mostre algumas!'

"Foi um erro, Mestre Borlas. Pois eu ouvira contos dos Orques e seus feitos, mas nunca tive interesse até aquele momento. Voltaste meu pensamento para eles. Parei com os pequenos furtos (meu pai não era leniente demais), mas não me esqueci dos Orques. Comecei a sentir ódio e pensar na doçura da vingança. Brincávamos que éramos Orques, eu e meus amigos, e às vezes pensava: 'Será que devo juntar meu bando e cortar as árvores dele? Aí ele pensará que os Orques voltaram de verdade.' Mas isso foi há muito tempo", concluiu Saelon com um sorriso.

Borlas ficou estarrecido. Agora estava ouvindo confidências, e não fazendo. E havia algo inquietante no tom do jovem, algo que o fez se perguntar se, lá no fundo, tão fundo quanto as raízes das árvores sombrias, o ressentimento da infância não perdurava ainda. Sim, até mesmo no coração de Saelon, amigo de seu próprio filho, o jovem que, nos últimos anos, mostrara-lhe tanta gentileza em sua solidão.[9] De todo modo, decidiu não lhe dizer mais nada de seus próprios pensamentos.

"Ai!", disse ele, "todos cometemos erros. Não arrogarei sabedoria, jovem, exceto talvez o pouco dela que se colhe com o passar dos anos. E por causa dela sei bem da triste verdade que os bem-intencionados podem fazer mais mal do que aqueles que deixam as coisas estarem. Sinto muito agora pelo que disse, se despertou o ódio no teu coração. Embora ainda ache que foi justo: intempestivo, talvez, mas verdadeiro. É certo que mesmo um garoto deve entender que uma fruta é uma fruta e que ela não alcança a plenitude do seu ser até estar madura; de modo que maltratá-la enquanto está verde é pior do que simplesmente roubar o homem que cuidou dela: é roubar do mundo, impedir que algo bom se realize. Os que o fazem unem forças com tudo o que é impróprio, com as pragas, e os cancros, e os maus ventos. E era assim que os Orques faziam."

"E é assim que os Homens fazem também", disse Saelon. "Não! Não me refiro apenas aos homens selvagens, ou aos que cresceram 'sob a Sombra', como dizem. Refiro-me a todos os Homens. Eu não maltrataria o fruto verde agora, mas só porque não preciso mais de maçãs verdes e não por causa das tuas elevadas razões, Mestre Borlas. De fato, acho tuas razões tão malsãs quanto um pomo que ficou guardado por tempo demais. Para as árvores, todos os Homens são Orques. Será que os Homens pensam no cumprimento da história de vida de uma árvore antes de a derrubarem? Para qualquer propósito: abrir espaço para a lavoura, usar sua madeira para construção ou combustível, ou simplesmente para liberar a vista? Se as árvores fossem as juízas, será que colocariam os Homens acima dos Orques, ou mesmo acima dos cancros e pragas? Por que os Homens teriam mais direito do que as pragas, elas poderiam perguntar, de se valerem da sua seiva?"

"Um homem", disse Borlas, "que cuida de uma árvore e a guarda de pragas e muitos outros inimigos não age como um Orque ou um cancro. Se ele come sua fruta, não lhe causa injúria. Ela produz frutos mais abundantemente do que precisa para seu próprio propósito: a continuidade da sua espécie."

"Então que coma a fruta ou brinque com ela", disse Saelon. "Mas eu falei de matar: cortar e queimar; e com que direito os homens fazem tais coisas às árvores."

"Não falaste disso. Falaste do julgamento das árvores em tais matérias. Mas árvores não são juízas. Os filhos do Uno são os mestres. Meu julgamento, sendo um deles, tu já sabes. Os males do mundo não estavam inicialmente no grande Tema, mas entraram com os desacordos de Melkor. Os Homens não chegaram com esses desacordos; entraram depois, como algo novo diretamente de Eru, o Uno, e são, portanto, chamados de Seus filhos, e tudo o que estava no Tema eles têm, para seu próprio bem, o direito de usar — racionalmente, sem soberba ou excesso, mas com reverência.[10]

"Se o menor dos filhos de um lenhador sente o frio do inverno, a mais soberba das árvores não é injustiçada se lhe pedem que ceda sua madeira para aquecer a criança com fogo. Mas a criança não deve macular a árvore por brincadeira ou malícia, quebrar sua casca ou partir seus galhos. E o bom lavrador usará primeiro, se puder, lenha morta ou uma árvore velha; não derrubará uma árvore jovem, deixando-a apodrecer, sem melhor motivo do que o prazer em se divertir com o machado. Isso é órquico.

"Mas é como eu disse: as raízes do Mal são profundas e de longe vem o veneno que opera em nós, de modo que muitos fazem tais coisas, às vezes, e tornam-se então, de fato, como os serviçais de Melkor. Mas os Orques realmente faziam isso a todo tempo; com deleite causavam o mal a todas as coisas que o poderiam suportar e só eram refreados por falta de força, não por prudência ou misericórdia. Mas já falamos o bastante desse assunto."

"Ora!", disse Saelon. "Mal começamos. Não era em seu pomar, nem em suas maçãs, nem em mim que pensavas quando falaste do ressurgimento da árvore sombria. Apesar disso, Mestre Borlas, consigo adivinhar no que estavas pensando. Tenho olhos e ouvidos, e outros sentidos, Mestre." Sua voz abaixou e mal se podia ouvi-la frente ao murmúrio de um súbito vento gélido nas folhas, conforme o sol afundava por detrás do Mindolluin. "Já ouviste, então, o nome?" Com pouco mais que um sussurro ele o pronunciou. "De Herumor?"[11]

Borlas o fitou com espanto e medo. Seus lábios tremularam à guisa de fala, mas nenhum som saiu.

"Vejo que sim", disse Saelon. "E tu pareces atônito ao descobrir que também ouvi. Mas não mais atônito do que eu ao descobrir que esse nome te alcançou. Pois, como disse, tenho olhos e ouvidos apurados, mas os teus estão turvados até mesmo para o uso diário e o assunto foi mantido tão em segredo quanto permitiu a astúcia."

"Astúcia de quem?", disse Borlas, súbita e ferozmente. A sua vista podia estar turvada, mas seus olhos estavam agora abrasados de fúria.

"Ora, daqueles que ouviram o chamado do nome, é claro", respondeu Saelon impassível. "Não são muitos ainda para fazer frente a todo o povo de Gondor, mas estão crescendo em número. Nem todos estão contentes desde que o Grande Rei morreu e são menos os que agora têm medo."

"Assim suspeitei", disse Borlas, "e é esse o pensamento que gela o calor do estio no meu coração. Pois um homem pode ter um jardim com muros fortes, Saelon, e mesmo assim não encontrar ali paz ou contentamento. Há alguns inimigos que tais muros não mantêm afastados; pois o jardim, afinal, é só parte de um reino guardado. É nos muros do reino que ele deve buscar sua real defesa. Mas o que é o chamado? O que estariam dispostos a fazer?", exclamou ele, pousando a mão no joelho do jovem.

"Farei uma pergunta antes de responder à tua", disse Saelon; e agora ele fitava o velho com atenção. "Como é que tu, que tens morada aqui nas Emyn Arnen e raramente vais agora até a Cidade — como ouviste os rumores desse nome?"

Borlas baixou os olhos para o chão e prendeu as mãos entre os joelhos. Por um tempo, ficou sem responder. Afinal, ergueu novamente os olhos; seu semblante se havia enrijecido e os olhos estavam mais cautelosos. "Não vou responder, Saelon", disse. "Não até que eu te tenha feito ainda outra pergunta. Primeiro, conta-me", falou devagar, "és um dos que deram ouvidos ao chamado?"

Um sorriso estranho tremulou nos lábios do jovem. "O ataque é a melhor defesa", respondeu, "ou pelo menos é o que nos dizem os Capitães; mas, quando ambos os lados seguem esse conselho, há um conflito em batalha. Oponho-me a ti, então. Não te responderei, Mestre Borlas, até que me digas: és um dos que deram ouvidos ao chamado ou não?"

"Como podes pensar isso?", exclamou Borlas.

"E como *tu* podes pensar isso?", perguntou Saelon.

"Quanto a mim", disse Borlas, "será que todas as minhas palavras já não te dão a resposta?"

"Mas quanto a mim, tu dirias", falou Saelon, "minhas palavras talvez me tornem suspeito? Porque impedi um garotinho que atirou maçãs verdes em seus amigos de ser chamado de Orque? Ou porque falei do sofrimento de árvores nas mãos dos homens? Mestre Borlas, não é sábio julgar o coração de um homem a partir de palavras ditas em uma altercação que não tem relação com tuas opiniões. Elas talvez sejam ditas para te incomodar. Petulantes, talvez, mas possivelmente melhores do que um mero eco.[12] Não duvido que muitos desses de quem falamos usariam palavras tão solenes quanto as tuas, falando com reverência do Grande Tema e coisas assim — na tua presença. Bem, quem de nós responderá primeiro?""O mais jovem, assim teria sido no modo cortês de outrora", disse Borlas; "ou, entre homens considerados iguais, o que foi questionado primeiro. Tu és as duas coisas."

Saelon sorriu. "Muito bem", disse. "Deixa-me ver: a primeira questão sem resposta que perguntaste foi: *o que é o chamado, o que estariam dispostos a fazer?* Com toda tua idade e saber, não consegues encontrar resposta no passado? Sou jovem e menos sábio. Ainda assim, se desejas mesmo saber, talvez pudesse tornar os rumores mais claros para ti."

Levantou-se. O sol se pusera atrás das montanhas; sombras se aprofundavam. A parede oeste da casa de Borlas na encosta da colina estava amarela na luz do crepúsculo, mas o rio embaixo estava escuro. Ele olhou para o céu e depois para o Anduin. "Ainda assim é um belo anoitecer", disse, "mas o vento virou para o leste. Haverá nuvens cobrindo a lua hoje à noite."

"Bem, e o que tem isso?", disse Borlas, tremendo um pouco à medida que o tempo esfriava. "A menos que queiras apenas admoestar um velho a se apressar a entrar para que não lhe doam os ossos." Ele se levantou e se voltou para o caminho que levava à sua casa, pensando que o jovem não pretendia dizer mais nada; mas Saelon foi até o lado dele e pousou uma mão em seu braço.

"Admoesto-te apenas a vestir algo quente após o cair da noite", disse ele. "Isto é, caso queiras saber mais; pois se quiseres, partirás comigo numa jornada hoje à noite. Encontrar-te-ei no portão leste atrás da tua casa; ou ao menos passarei por ali tão logo esteja completamente escuro, e tu hás de vir ou não conforme quiseres. Estarei vestido de preto e qualquer um que vier comigo deve estar vestido de modo semelhante. Adeus agora, Mestre Borlas! Aconselha-te contigo mesmo enquanto a luz perdura."

Com isso, Saelon inclinou-se e virou-se, seguindo por outro caminho que corria junto à beira da margem íngreme, rumo ao norte, para a casa de seu pai.[13] Ele desapareceu numa curva enquanto suas últimas palavras ainda ecoavam nos ouvidos de Borlas.

Por um tempo após Saelon ter ido embora, Borlas ficou parado, cobrindo os olhos e repousando a fronte na casca fria de uma árvore na beira do caminho. Enquanto estava ali, vasculhou a mente para descobrir como essa estranha e alarmante conversa começara. O que faria após o cair da noite ele ainda não havia ponderado.

Não estivera muito animado desde a primavera, embora o corpo estivesse bem o bastante para sua idade, que o sobrecarregava menos do que a solidão.[14] Desde que seu filho Berelach[15] partira novamente em abril — ele estava nas Naus, e agora vivia a maior parte do tempo próximo a Pelargir, onde exercia sua função — Saelon fora muitíssimo atencioso sempre que estava em casa. Vinha percorrendo bastante as terras ultimamente. Borlas não tinha certeza de sua ocupação, embora entendesse que, entre outros interesses, comercializava madeira. Trazia notícias de todo o reino a seu velho amigo. Ou melhor, ao velho pai de seu amigo; pois Berelach fora, certa vez, seu companheiro constante, embora aparentemente fosse raro se encontrarem nesses dias.

"Sim, foi isso", disse Borlas a si mesmo. "Falei a Saelon de Pelargir, citando Berelach. Houve uma pequena inquietação lá embaixo nas Ethir: alguns marinheiros desapareceram e também uma pequena embarcação da Frota. Nada de mais, segundo Berelach.

"'A paz torna as coisas indolentes', disse ele, eu me lembro, na voz de um suboficial. 'Bom, suponho que tenham partido numa expedição própria — amigos em um dos portos ocidentais, talvez — sem permissão e sem timoneiro, e se afogaram. Bem feito para eles. Temos pouquíssimos marinheiros de verdade hoje em dia. A pesca é mais vantajosa. Mas, no mínimo, todos sabem que as costas ocidentais não são seguras para os inábeis.'

"Isso é tudo. Mas falei disso a Saelon e perguntei se ele ouvira algo sobre o assunto no sul. 'Sim', ele disse, 'ouvi. Poucos estavam satisfeitos com a opinião oficial. Os homens não eram inábeis; eram filhos de pescadores. E há muito tempo não há tempestades longe das costas.'"

Ao ouvir Saelon falando isso, Borlas subitamente se lembrara dos outros rumores, os rumores de que Othrondir[16] falara. Foi ele quem usou a palavra "cancro". E depois, meio que para si mesmo, Borlas falou em voz alta sobre a Árvore Sombria.

Descobriu os olhos e afagou o formoso tronco da árvore na qual se recostara, olhando para as folhas ensombradas contra o céu limpo que escurecia. Uma estrela cintilava através dos galhos. Falou suavemente de novo, como se fosse para a árvore.

"Bem, o que se há de fazer agora? Claramente Saelon tem envolvimento nisso. Mas será que está claro? Havia um tom de zombaria nas suas palavras e desdém pela vida ordenada dos Homens. Não se dispôs a responder uma pergunta direta. As vestes pretas! E ainda assim — por que convidar a mim para ir junto com ele? Não para converter o velho Borlas! Inútil. Inútil tentar: ninguém esperaria convencer um homem que se lembra do Mal de outrora, conquanto distante. Inútil se conseguisse: o velho Borlas não serve mais como instrumento em qualquer mão. Saelon deve estar tentando bancar o espião, querendo descobrir o que está por trás dos rumores. O preto pode ser um disfarce, ou um auxílio para a furtividade à noite. Mas, de novo, o que eu poderia fazer para ajudar em qualquer missão secreta ou perigosa? Melhor que eu fique fora do caminho."

Com isso, um pensamento gélido tocou o coração de Borlas. Tirá-lo do caminho — seria isso? Ele seria atraído para algum lugar onde poderia desaparecer, como os Marinheiros? O convite para ir com Saelon fora feito somente após ele ter ficado perplexo, revelando que sabia dos rumores — que inclusive ouvira o nome. E havia declarado sua hostilidade.

Esse pensamento convenceu Borlas e ele soube que estava decidido agora a se postar vestido de preto junto ao portão no escurecer da noite. Fora desafiado e aceitaria o desafio. Bateu a palma da mão na árvore. "Não sou um caduco ainda, Neldor", disse; "mas a morte não está tão longe a ponto de eu perder muitos bons anos, caso perca o jogo."

Aprumou as costas e ergueu a cabeça, e subiu pelo caminho, devagar, mas com firmeza. O pensamento lhe passou pela cabeça ao atravessar a soleira: "Talvez eu tenha vivido tanto tempo para este propósito: para que alguém de mente sã ainda vivesse para lembrar do que se passou antes da Grande Paz. O olfato tem memória longa. Acho que ainda conseguiria sentir o cheiro do antigo Mal e reconhecê-lo pelo que ele é."

A porta sob o alpendre estava aberta; mas o interior da casa estava sombrio. Não parecia haver nenhum dos sons noturnos habituais, somente um silêncio suave, um silêncio morto. Ele entrou com certa dúvida. Chamou, mas não houve resposta. Parou na passagem estreita que atravessava a casa e parecia que estava envolto em escuridão: não havia ali nenhuma luz débil do crepúsculo do mundo de fora. De súbito, sentiu o cheiro, ou assim lhe pareceu, embora chegasse ao seu sentido de dentro para fora, por assim dizer: ele sentiu o cheiro do antigo Mal e o reconheceu pelo que ele era.

Aqui, tanto em A quanto em B, *A Nova Sombra* termina e jamais saberemos o que Borlas encontrou na sua casa sombria e silenciosa, e nem que papel Saelon estava desempenhando, ou quais eram suas intenções. Não haveria contos que valessem a pena contar dos dias da Paz do Rei, meu pai disse; e ele fez pouco da história que havia começado: "Eu poderia ter escrito um 'thriller' sobre a conspiração e sua descoberta e destruição — mas seria apenas isso. Não valeria a pena fazer". Contudo, teria sido um "thriller" bastante notável, e pode-se lamentar o fato de ter sido abandonado tão cedo. Mas talvez a sua razão para abandoná-lo não tenha sido apenas isso — ou, antes, talvez ao dizer isso ele estivesse expressando uma convicção mais profunda: que a vasta estrutura da história que ele construíra em diversas formas tinha chegado ao seu final verdadeiro com a Queda de Sauron. Como ele escreveu (*O Anel de Morgoth*, p. 404): "Sauron, entretanto, era um problema que, no fim das contas, os Homens tinham de resolver: a primeira das muitas concentrações do Mal em pontos de poder definidos que eles teriam de combater, *tal como era também a última das que tinham uma forma 'mitológica' personalizada (mas não humana)*".

NOTAS

1 Foi também lida publicamente por mim mesmo (Sheldonian Theatre, Oxford, 18 de agosto de 1992). Àquela época, sem ter estudado os papéis com o devido cuidado, tive a impressão de que o texto B era o mais recente e foi esse que eu li — o nome do jovem era, portanto, Arthael.

2 No rascunho original da abertura da história (antes de A), o nome foi inicialmente escrito *Almoth*, mas trocado imediatamente por Egalmoth. O *Egalmoth* original era o senhor do povo do Arco Celestial em Gondolin; era também o nome do décimo oitavo Regente Governante de Gondor.

3 *Borlas* era o nome do primogênito de Bór, o Lestense, depois alterado para *Borlad* (XI. 294); foi morto na Batalha das Lágrimas Inumeráveis, fiel aos Eldar.

4 A primeira página dele foi datilografada na máquina que meu pai usou pela primeira vez em fins de 1958 (X. 363-4) e o restante, na máquina anterior (que usou para o texto B).

5 O nome *Saelon* se encontra em rascunhos do *Athrabeth Finrod ah Andreth* como sendo o nome da mulher-sábia Andreth dos Edain, que debateu com Finrod; no texto final, o nome se torna *Saelind*, traduzido como "Coração--sábio" (X. 370, 423-4).

6 Essa é a máquina na qual os muito tardios ensaios "histórico-etimológicos" foram datilografados e aquela uso até hoje.

7 Uma questão confusa surge dessa datação no que diz respeito ao período histórico em que o conto se passa. O parágrafo de abertura do rascunho original (antes de A) diz:

> Foi nos dias de Eldarion, filho do Elessar de quem antigas histórias têm muito a contar, que esse estranho acontecimento ocorreu. De fato, havia se passado menos do que cento e vinte anos desde a queda da Torre Sombria ...

O primeiro texto completo, o manuscrito A, diz: "Quase cento e dez anos se passaram desde a queda da Torre Sombria" e isso é repetido em B. meu pai datilografou a página de abertura do texto tardio C em duas versões muito similares e, na primeira delas, manteve o texto de A e B, mas na segunda (publicada aqui), ele escreveu "Cento e cinco anos". Na carta de 1964 citada na p. 480, ele disse "cerca de 100 anos após a Queda" e, na carta de 1972 (*ibid.*), "cerca de 100 anos após a morte de Aragorn." Temos, portanto, em ordem cronológica de aparição, as seguintes datas após a queda da Torre Sombria:

menos de 120 anos (abertura original da história);
quase 110 anos (A e B);
cerca de 100 anos (carta de 1964);
quase 110 anos (primeira cópia da página de abertura do C, c.1968);
105 anos (segunda cópia da página de abertura do C).

A queda da Torre Sombria se deu no ano 3019 da Terceira Era e considerava-se que aquela Era havia terminado no fim de 3021; assim, as datas a partir da queda da Torre (na mesma ordem e, por concisão, precisas em vez de aproximadas) são 118, 108, 98, 108 e 103 da Quarta Era. Portanto, todas as datas fornecidas nos textos (e também na carta de 1964) fazem com que a história se passe *antes* da morte de Aragorn — que se deu no ano 120 da Quarta Era = 1541 no Registro do Condado (Apêndice B, ao fim); no entanto, cada um dos textos faz referência aos dias de seu filho, Eldarion.

A solução deve estar no fato de que, na Primeira Edição de *O Senhor dos Anéis* (*ibid.*), a morte de Aragorn foi colocada vinte anos antes, em 1521 pelo Registro do Condado, isto é, ano 100 da Quarta Era. A data fornecida na carta de 1964 ("cerca de 100 anos após a Queda") é, na verdade, cedo demais mesmo de acordo com a datação na Primeira Edição, mas isso se explica prontamente como sendo uma aproximação grosseira, apropriada ao contexto. Mais surpreendentes são as datas fornecidas nas duas versões da primeira página do texto tardio C, que não estão em conformidade com a data da morte de Aragorn na Segunda Edição (1966). A primeira delas ("quase 110 anos") pode ser explicada como sendo uma mera repetição do texto em B, o qual meu pai estava seguindo; mas ele evidentemente ponderou sobre a data na segunda versão, pois a alterou para "105 anos": isto é, ano 103 da Quarta Era. Não consigo explicar isso.

Na carta de 1972, ele forneceu uma data muito posterior, colocando a história mais ou menos no ano 220 da Quarta Era (e dando a Eldarion um reinado de pelo menos 100 anos).

8 Ver *O Retorno do Rei* (capítulo *O Regente e o Rei*), p. 1384.

9 Tanto o texto A quanto o B possuem "filhos" em vez de "filho" e não possuem as palavras "em sua solidão". Compare essa última diferença com a frase final do texto C e como ela difere do B (nota 14).

10 Esse trecho da discussão foi expresso de maneira bem diferente n B (que estava seguindo A quase com exatidão):

> "Um homem", disse Borlas, "que cuida de uma árvore e a guarda de pragas, e come suas frutas — as quais ela produz mais abundantemente do que precisa para sua vida; não que comer a fruta necessite destruir a semente — não age como um cancro, nem como um Orque.
>
> "Mas quanto aos cancros, fico a me perguntar. Pode-se dizer que vivem e, no entanto, a vida deles significa morte. Não creio que fossem parte da Música dos Ainur, exceto nos desacordos de Melkor. E também os Orques."
>
> "E os Homens?", disse Arthael.
>
> "Por que perguntas?", disse Borlas. "Sabes, decerto, o que se ensina? Eles não estavam inicialmente na Grande Música, mas não entraram com os desacordos de Melkor: vieram do próprio Ilúvatar e, portanto, são chamados de Filhos de Deus. E tudo o que está na Música eles têm direito de usar — racionalmente: que é com reverência, não com soberba ou excesso."

11 O nome *Herumor* se encontra em *Dos Anéis de Poder e da Terceira Era* (*O Silmarillion*, p. 383) como sendo o de um Númenóreano renegado que se tornou poderoso entre os Haradrim antes da guerra da Última Aliança.

12 O B (repetindo A com exatidão) diz aqui: "Não, Mestre Borlas, em tal matéria não se pode julgar palavras pela forma em que são ditas".

13 Neste ponto, o texto A diz "seu pai Duilin". Este, assim como Egalmoth, é outro nome da história de Gondolin: Duilin era o líder do povo da Andorinha, que caiu das ameias quando foi "atingido por uma seta de fogo dos Balrogs" (II. 216). Também era o nome original do pai de Flinding, posteriormente Gwindor, de Nargothrond (II. 101 etc.): Duilin > Fuilin > Guilin.

14 Neste ponto, o texto C acaba no pé de uma página. O texto B diz aqui: "Não estava em boa saúde desde a primavera; a velhice o estava sujeitando" (ver nota 9). Daqui em diante, como observado anteriormente, eu incluo o texto B, alterando o nome Arthael para Saelon. — O trecho escrito em um envelope com selo postal de 8 de janeiro de 1968, já mencionado (pp. 479–80, retomaria o texto C a partir deste ponto; ele diz (as últimas frases são muito difíceis de decifrar):

> Pois ele vivia agora com apenas dois serviçais, aposentados da guarda do Príncipe, na qual ele mesmo certa vez tivera um cargo. Havia

muito tempo sua filha se casara e agora vivia em regiões distantes do reino, e há dez anos sua esposa morrera. O tempo amainara sua tristeza enquanto Berelach [seu filho] ainda estava perto de casa. Era o mais novo e único filho homem, e servia na esquadra do Rei; por muitos anos ficara estacionado em Harlond, com acesso fácil por água, e passava muito tempo com o pai. Mas três anos já se haviam passado desde que lhe concederam um alto comando e ele com frequência ficava muito tempo no mar e, quando em terra, o dever ainda o mantinha longe, em Pelargir. Suas visitas foram poucas e curtas. Saelon, que antes só vinha quando Berelach [? … fora seu velho amigo], estava com Borlas, mas fora muitíssimo atencioso quando estava em Emyn Arnen. Sempre disposto a conversar ou trazer novas, ou [?fazer] qualquer serviço que pudesse

Quanto ao local dos "cais e atracadouros de Harlond", ver *O Retorno do Rei* (capítulo *Minas Tirith*), p. 1093.

15 Borlas é descrito no início da história como sendo o filho mais novo de Beregond e, portanto, era irmão de Bergil, filho de Beregond, companheiro de Pippin em Minas Tirith. No texto A, Borlas deu o nome *Bergil* ao próprio filho (precedido por *Berthil*).

16 No A, *Othrondir* é *Othrondor*.

17

Tal-elmar

O conto de Tal-Elmar, até o ponto que alcança, está acondicionado em uma folha de papel dobrada, com datas do ano de 1968, na qual meu pai escreveu a seguinte nota apressada:

> Tal-Elmar
>
> Inícios de um conto que olha para os Númenóreanos do ponto de vista dos Homens Selvagens. Começou sem muita reflexão sobre a geografia (ou sobre a situação conforme concebida em O Senhor dos Anéis). Mas ou ele deve permanecer como um conto separado, apenas vagamente ligado à história desenvolvida de O Senhor dos Anéis, ou — e eu penso que seja o caso — deve falar sobre a vinda dos Númenóreanos (Amigos-dos-Elfos) *antes da Queda*, e representar a escolha deles por portos permanentes. Assim, a geografia precisa ser feita de modo a se adequar às fozes do Anduin e à Praia-comprida.

Mas isso foi escrito treze anos após ele ter abandonado a história e não há sinal de que tenha retornado a ela em seus últimos anos. Por mais breve que seja e (ao que parece) com uma direção incerta, tal desvio de todos os outros temas narrativos dentro do escopo da Terra-média talvez perfaça uma conclusão adequada para esta História.

O texto existe em duas partes. A primeira é um texto datilografado em seis lados que é interrompido no meio de uma frase (p. 505); mas a primeira parte dele também sobrevive em uma página rejeitada — parcialmente datilografada, parcialmente manuscrita (ver nota 5). Além desse ponto, a história inteira encontra-se no primeiro estágio da composição. A segunda parte é um manuscrito no qual meu pai escreveu "Continuação de Tal-Elmar" e a data "janeiro de 1955"; não há indicação de quanto tempo se passou entre as duas partes, mas eu acredito que o texto datilografado também remonte aos anos de 1950. É notável que ele estivesse trabalhando no conto durante o período de extrema pressão entre a publicação de *As Duas Torres* e *O Retorno do Rei*. Esse manuscrito retoma a história do ponto em que fora deixada no texto datilografado, mas não completa a frase inacabada; torna-se progressivamente mais difícil e, em uma seção, está no limiar da legibilidade, com algumas palavras indecifráveis. Mais para o fim, a narrativa se desintegra em trechos experimentais e questionamentos. Com algumas exceções, não registro as correções ao texto e incluo apenas a versão mais recente; e em um ou dois casos alterei usos inconsistentes de "thou" [tu] e "you" [vós].

Nos dias dos Reis Sombrios, quando um homem ainda podia andar sem molhar os sapatos desde o Levantar do Sol até o Mar onde ele se punha, vivia — na cidade cercada de seu povo nas colinas verdes de Agar — um velho homem de nome Hazad Barba-longa.[1] De duas coisas se orgulhava: do número de filhos (dezessete ao todo) e do comprimento de sua barba (1,5 metro sem esticar); mas a alegria por sua barba era a maior. Pois ela permanecia com ele, e era macia, e bem-arranjada em suas mãos, ao passo que a maioria dos seus filhos tinha ido embora e os que ficaram, ou os que ainda se achegavam, não eram nem gentis e nem bem-arranjados. Eram de fato bem parecidos com o próprio Hazad nos dias de sua juventude: robustos, tisnados, baixos, resistentes, de linguajar rude e mãos pesadas, e tornavam-se violentos com facilidade.

Salvo apenas um, o mais novo. Seu pai Hazad deu-lhe o nome de Tal-elmar. Ainda não tinha mais que dezoito anos de idade, e morava com seu pai e os dois irmãos imediatamente mais velhos. Era alto, de pele branca, e havia uma luz em seus olhos cinzentos que incandescia como fogo quando ele se irava; e, ainda que isso raramente acontecesse, e nunca sem grande motivo, era algo a se lembrar e se acautelar. Os que haviam visto aquele fogo chamavam-no de Olho-de-pederneira e o respeitavam, quer o amassem ou não. Pois Tal-elmar poderia parecer, entre aquele povo tisnado e robusto, de compleição esguia e sem a força de perna e pescoço que apreciavam, mas um homem que rixasse com ele logo descobria que era forte além do esperado, e repentino e ágil, difícil de se agarrar e mais ainda de eludir.

Uma bela voz ele tinha, que tornava até mesmo o rude idioma daquele povo mais doce de se escutar, mas não falava muito; e amiúde mantinha-se indiferente enquanto outros tagarelavam, com um olhar no rosto que os homens corretamente interpretavam como orgulho, mas não era o orgulho de um senhor e, sim, o de alguém de raça estranha a quem o destino lançara no meio de um povo sem nobreza e lá o aprisionara em servidão. Pois Tal-elmar de fato labutava muito e em tarefas servis, não sendo nada além do filho mais novo de um homem velho, a quem sobrava pouca riqueza além da barba e uma reputação de sábio. Mas estranhamente (naquela cidade), servia seu pai de boa vontade e o amava, mais que todos os seus irmãos juntos e mais do que era normal para quaisquer filhos naquela terra. De fato, com maior frequência era por causa de seu pai que se via aquele brilho de fagulha nos olhos.

Pois Tal-elmar tinha uma estranha crença (de onde vinha era um mistério) de que os idosos deveriam ser tratados gentilmente e com cortesia, e que se devia deixá-los viver o resto dos seus dias tão à vontade quanto podiam. "Se tiverdes de se opor a eles", dizia, "fazei-o com respeito; pois viveram muitos anos e talvez muitas vezes tenham enfrentado os males com que nos deparamos sem experiência. E não reluteis em lhes dar comida e cômodo, pois eles laboraram mais do que vós e agora apenas recebem, com atraso, parte do pagamento que lhes é devido." Tal tolice manifesta não tinha efeito nos modos do seu povo, mas era lei na sua casa; e se passara dois anos desde que algum dos irmãos ousara quebrá-la.[2]

Hazad amava muito o seu filho mais novo, por causa do próprio amor que recebia, mas ainda mais por outro motivo que guardava no coração: que seu semblante e sua voz o lembravam de alguém de quem há tempos sentia muita falta. Pois Hazad também fora o filho mais novo de sua mãe e ela morreu quando era criança; e ela não era do povo deles. Tal era o conto que entreouvira, não se falava abertamente, é claro, pois nele não se acreditava naquela casa: ela tinha vindo do estranho povo, odioso e soberbo — do qual havia rumores nas terras do oeste —, que chegara do Leste, dizia-se. Eram louros, altos e de olhos faiscantes, com armas brilhantes feitas por demônios nas colinas de fogo. Lentamente estavam se encaminhando para as praias do Mar, expulsando diante de si os antigos habitantes das terras.

Não sem resistência. Houve guerras nas marcas orientais e, visto que o povo mais antigo ainda era numeroso, os vindiços às vezes sofriam grandes baixas e eram repelidos. De fato, pouco se ouvira falar deles nas Colinas de Agar, no oeste distante, durante mais do que uma vida humana, desde aquela grande batalha da qual ainda se cantava canções. No vale de Ishmalog ela fora lutada, contavam os sábios, e lá uma grande hoste do povo Cruel fora emboscada em um local estreito e morta aos montes. E, naquele dia, muitos foram feitos cativos; pois não havia sido uma contenda nas fronteiras ou uma luta com vanguardas: uma multidão inteira do Povo Cruel estava se movendo, com suas carroças, e seu gado, e suas mulheres.

Ora, Buldar, pai de Hazad, estivera no exército do Rei do Norte[3] que atendeu à convocação em Ishmalog,[4] e ele trouxe da guerra como butim um ferimento, e uma espada, e uma mulher. E ela era afortunada; pois o fado dos cativos era curto e cruel, mas Buldar a tomou como esposa. Pois era bela e, após vê-la, não desejava mais mulher alguma de seu próprio povo. Era um homem de riqueza e poder naqueles dias e fazia como bem entendia, desprezando o desprezo de seus avizinhados. Mas quando sua esposa, Elmar, havia afinal aprendido o bastante da fala de sua nova gente, disse a Buldar certo dia: "Tenho muito a agradecer-te, senhor; mas não penses que jamais conquistarás meu amor assim. Pois me apartaste de meu próprio povo e daquele que eu amava e do filho que lhe dei. Por eles sempre hei de ansiar e chorar, e não hei de dar amor a ninguém mais. Nunca mais hei de alegrar-me enquanto for cativa em meio a um povo estranho que me parece rasteiro e desagradável."

"Que seja", disse Buldar. "Mas que não se pense que te deixarei partir livremente. Pois és preciosa aos meus olhos. E pensa bem: é vão tentar escapar de mim. Longo é o caminho até o restante da tua gente, se é que alguém ainda vive; e não irias muito longe nas Colinas de Agar até encontrares a morte ou uma vida muito pior do que terás em minha casa. Rasteiro e desagradável nos chamas. Verdade, talvez. Mas também é verdade que teu povo é cruel, e sem lei, e amigos de demônios. São ladrões. Pois nossas terras são nossas desde outrora, essas que nos queriam usurpar com suas lâminas cruéis. Peles brancas e olhos brilhantes não são justificativas para tais feitos."

"Não são?" disse ela. "Então também não o são pernas grossas e ombros largos. Ou de que maneira conquistastes essas terras de que vos gabais? Não há, como ouço os homens dizendo, um povo selvagem nas cavernas das montanhas que certa vez caminhou livre por aqui, antes que vós, povo tisnado, chegastes até aqui e os caçastes como lobos? Mas não falei de direitos, e sim de tristeza e amor. Se é aqui que hei de viver, então hei de viver como uma mulher cujo corpo está neste lugar por tua vontade, mas meu pensamento, longe alhures. E esta vingança eu hei de ter: enquanto meu corpo for mantido aqui em exílio, todo esse povo há de declinar e principalmente o teu; mas quando meu corpo for para a terra estranha e meu pensamento estiver livre dele, aí em tua gente há de surgir um que é só meu. E com a ascensão dele há de vir o fim do teu povo e a queda de vosso rei."

Após isso, Elmar nada mais disse sobre esse assunto; e, de fato, foi uma mulher de poucas palavras enquanto durou sua vida, salvo apenas com seus filhos. Falava-lhes muito quando não havia ninguém por perto e cantava-lhes muitas canções em um belo e estranho idioma; mas eles não davam atenção a ela ou logo se esqueciam. Exceto apenas Hazad, o mais novo; e embora ele fosse, como todos os filhos, dessemelhante a ela em corpo, era-lhe mais próximo em coração. Das canções e do idioma estranho ele também se esqueceu quando cresceu, mas de sua mãe, nunca; e casou-se tarde, pois nenhuma mulher de seu próprio povo parecia desejável a ele que sabia como a beleza em uma mulher poderia ser.[5]

Não que houvesse muitas para cortejar, pois, como falara Elmar, o povo de Agar declinara com o passar dos anos, devido a maus tempos e pestilências, e Buldar e seus filhos foram os mais atingidos; e haviam empobrecido e outros clãs lhes tomaram o poder. Mas Hazad nada sabia do presságio de sua mãe, e em memória dela amava Tal-elmar, e assim o nomeou ao nascer.

E, em uma manhã de primavera, aconteceu que, quando seus outros filhos saíram para trabalhar, Hazad estava com Tal-elmar ao seu lado e se puseram a caminhar juntos e sentaram-se no teso verde acima da cidade de seu povo; e voltaram o olhar para o sul e para o oeste, onde podiam ver ao longe a grande baía do Mar que entrava na terra, e ela tremeluzia como cristal cinzento. E os olhos de Hazad estavam ficando turvos com a idade, mas os de Tal-elmar eram aguçados e ele viu o que pensou serem três estranhos pássaros sobre a água, alvos ao sol, e deslizavam com o vento oeste rumo à terra; e espantou-se que se assentavam sobre o mar e não voavam.

"Vejo três pássaros estranhos sobre a água, pai", disse ele. "São diferentes de todos os que já vi antes."

"Aguçados teus olhos podem ser na juventude, meu filho", disse Hazad, "mas pássaros na água não conseguirias ver. A cerca de dezessete quilômetros estão as praias do Mar mais próximas de onde estamos sentados. Ou o sol te ofusca, ou estás sonhando."

"Não, o sol está atrás de mim", disse Tal-elmar. "Vejo o que vejo. E, se não são pássaros, o que são? Muito grandes devem ser, maiores que os Cisnes de Gorbelgod[6] dos quais falam as lendas. E eis que vejo agora outro que vem atrás, mas menos claramente pois suas asas são negras."

Hazad então atribulou-se. "Estás sonhando, como eu disse, meu filho", respondeu; "mas é um mau sonho. A vida já não é dura o bastante sem que — quando chega a primavera e o inverno finalmente acaba — tragas uma visão do passado sombrio?"

"Tu te esqueces, pai," disse Tal-elmar, "de que sou teu filho mais novo e, embora ensinaste muito saber aos ouvidos moucos de meus irmãos, a mim passaste menos do teu cabedal. Nada sei do que tens na mente."

"Não sabes?", perguntou Hazad, pondo a mão na fronte ao olhar para o Mar. "Sim, deve fazer muito tempo que não falo disso; não passa da sombra de um sonho no fundo do meu pensamento. Três povos consideramos inimigos. Os homens selvagens das montanhas e matas; mas estes apenas os que vagam sozinhos precisam temer. O Povo Cruel do Leste; mas eles ainda estão muito longe e são o povo de minha mãe, embora eu não duvide de que não honrariam esse parentesco caso chegassem aqui com suas espadas. E os Altos Homens do Mar. Estes de fato podemos temer como à Morte. Pois a Morte eles cultuam e assassinam homens cruelmente em honra à Morte. Desde o Mar eles vieram e, se é que tinham quaisquer terras próprias antes de darem com os costados nas praias ocidentais, não sabemos onde elas poderiam estar. Contos sombrios nos chegam das terras costeiras, de norte a sul, onde eles agora têm há muito tempo suas fortalezas sombrias e suas tumbas. Mas para cá não vêm desde os dias de meu pai, e mesmo então vinham apenas para assaltar, apanhar homens e partir. Ora, esta era a maneira com que chegavam. Vinham em barcos, mas não como os que usam alguns do nosso povo que habitam próximo aos grandes rios ou lagos, para travessia ou pesca. Maiores do que casarões são os barcos dos Go-hilleg e são carregados de homens e provisões, mas, ainda assim, são levados pelos ventos; pois os Homens-do-mar estendem grandes panos como asas para apanhar os ares e os prendem em altas hastes como árvores da floresta. Assim vêm à praia, onde há abrigo, ou tão perto quanto podem; e depois enviam barcos menores repletos de provisões, e objetos estranhos, belos e úteis, que nosso povo cobiça. Estes eles nos vendem por bagatelas, ou nos dão de presente, fingindo amizade e pena por nossa carência; e fazem morada por um tempo, e espionam a terra e os números do povo, e depois partem. E os homens devem ser gratos se eles não retornarem. Porque se vêm de novo, é doutra forma. Aí vêm em maior número: dois navios juntos ou mais, repletos de homens, mas não de provisões, e sempre um dos malditos navios tem asas negras. Pois esta é a Nau do Escuro e nela eles levam embora butim maligno, cativos amontoados como animais, as mais belas mulheres e crianças, ou jovens homens inocentes, e esse é seu fim. Alguns dizem que são devorados como carne; outros, que são mortos em tormento nas aras negras do culto ao Escuro. Ambos talvez sejam verdade. As asas malignas dos Homens-do-mar não são vistas nestas águas há muitos anos; mas, lembrando-me da sombra de medo no passado eu clamei, e clamo novamente: será que a nossa vida não é dura o bastante sem a visão de uma asa negra sobre mar reluzente?"

"Dura o bastante, deveras", disse Tal-elmar, "mas não tão dura a ponto de eu querer deixá-la ainda. Vem! Se o que dizes é verdade, devemos correr à cidade e avisar os homens, e nos preparar para fugir ou para nos defender."

"Eu vou", disse Hazad. "Mas não te espantes se os homens rirem de mim, julgando-me caduco. Eles acreditam em pouca coisa que não tenha acontecido em seus próprios dias. E toma cuidado, filho querido! Eu corro pouco perigo além de passar fome em uma cidade sem ninguém exceto os loucos e os idosos. Mas a ti a Nau Escura levaria entre os primeiros. Não te precipites por conselhos imprudentes de batalha."

"Veremos", respondeu Tal-elmar. "Mas tu és minha principal preocupação nesta cidade, onde recebo e dou pouco amor. Não sairei do teu lado de bom grado. Ainda assim, esta é a cidade do meu povo e nosso lar, e os que puderem hão de defendê-la, imagino."

Assim, Hazad e seu filho desceram pela encosta da colina e era meio-dia; e na cidade havia poucas pessoas além das velhas e das crianças, pois todos os de corpo são estavam longe nos campos, ocupados com a pesada labuta de primavera. Não havia vigia, pois as Colinas de Agar ficavam longe de fronteiras hostis onde o poder do Quarto Rei[7] terminava. O mestre-da-cidade estava sentado à porta de sua casa, no sol, dormitando ou observando indolentemente os passarinhos que ajuntavam restos de comida da lama seca e repisada na praça aberta no meio das casas.

"Salve! Mestre de Agar!", disse Hazad, inclinando-se profundamente; mas o mestre, um homem gordo com olhos como os de um lagarto, piscou para ele e não retribuiu o cumprimento.

"Saúde, Mestre! E que a tenhais por muito tempo!", disse Tal-elmar e havia uma centelha em seu olho. "Não haveríamos de perturbar vossas reflexões ou vosso sono, mas há notícias que porventura devêsseis escutar. Não há guarda montada, mas por acaso estávamos sobre o teso e olhamos para o mar distante, e lá — aves de mau agouro na água."

"Naus dos Go-hilleg", disse Hazad, "com grandes panos-de-vento. Três brancas — e uma negra."

O mestre bocejou. "Quanto a ti, rústico pitosga", disse, "não conseguirias distinguir o próprio mar de uma nuvem. E quanto a este rapazola indolente, o que ele sabe de barcos, ou de panos-de-vento, ou de todo o resto, senão o que aprendeu com teus ensinamentos insanos? Vai contar teus contos de velhas sobre os Go-hilleg aos talhadores[8] itinerantes e não me importunes com tais tolices. Tenho outros assuntos de maior importância para ponderar."

Hazad engoliu a ira, pois o Mestre era poderoso e não o amava; mas a fúria de Tal-elmar era fria. "As ponderações de alguém tão magnânimo devem ser mesmo importantes", disse suavemente, "mas não sei que ponderação de maior importância poderia interromper seu repouso que não seja salvar sua própria carcaça. Será um mestre sem povo, ou um saco de ossos na encosta da colina, aquele que desprezar a sabedoria de Hazad, filho de Buldar. Olhos pitosgas enxergam mais do que olhos cerrados de sono."

O rosto gordo de Mogru, o Mestre, ficou carrancudo e seus olhos se injetaram de fúria. Ele odiava Tal-elmar, mas nunca o jovem lhe tinha dado motivo, exceto por não demonstrar temor em sua presença. Agora ele haveria de pagar por isso e por sua insolência recém demonstrada. Mogru bateu palmas, mas, assim que o fez, lembrou-se de que não havia ninguém por perto que ousaria se engalfinhar com o jovem, não, nem mesmo três juntos; e, ao mesmo tempo, ele notou o reluzir dos olhos de Tal-elmar. Ficou lívido e as palavras que estava prestes a falar — "Filho de escrava e seu fedelho" — morreram-lhe nos lábios. "Hazad uBuldar, Tal--elmar uHazad, desta cidade, não faleis assim com o mestre do vosso povo", disse. "Há uma guarda montada, embora vós que não detendes o comando da cidade nas mãos talvez não saibais. Preferiria esperar até que chegue notícia das sentinelas, em quem confio, de que alguma coisa agourenta foi avistada. Mas se estiverdes apreensivos, então ide e convocai os homens nos campos."

Tal-elmar o observou com atenção enquanto falava e leu claramente os pensamentos dele. "Agora devo esperar que meu pai não esteja errado", disse em seu coração, "pois a batalha há de me trazer menos perigo do que o ódio de Mogru deste dia em diante. Uma guarda! Sim, mas apenas para espionar as idas e vindas dos citadinos. E, assim que eu for para o campo, um emissário vai buscar seus serviçais e porta-clavas. Que desserviço prestei a meu pai nesta hora. Bem! Quem começa com o sacho deve empunhá-lo até o fim do canteiro." Falou, portanto, ainda com fúria e desprezo. "Ide vós aos talhadores", disse, "pois costumais usar essa gente ardilosa e dar ouvidos aos seus contos quando eles vos convêm. Mas de meu pai não haveis de zombar enquanto eu estiver por perto. Pode bem ser que estejamos em perigo. Portanto, haveis de vir agora conosco ao cimo da colina e ver com vossos próprios olhos. E se virdes ali algo que o justifique, convocareis os homens ao Teso-do-encontro. Serei vosso emissário."

E Mogru pelas fendas de suas pálpebras fitou o rosto de Tal--elmar conforme ele falava e adivinhou que não correria risco de violência caso cedesse dessa vez. Mas seu coração estava cheio de peçonha; e não pouco o aborrecia arrastar-se colina acima. Lentamente se levantou.

"Eu vou", disse. "Mas se meu tempo e esforço forem desperdiçados, não perdoarei. Ajuda-me a andar, jovem; pois meus serviçais estão nos campos." E tomou o braço de Tal-elmar, apoiando-se pesadamente nele.

"Meu pai é o mais velho", disse Tal-elmar; "e o caminho é curto. Que o Mestre vá na frente, nós seguiremos. Eis vosso bordão!" E desvencilhou-se de Mogru e lhe deu o bordão que estava junto à porta da casa; e, tomando o braço de seu pai, esperou até que o Mestre começasse a andar. A mirada dos olhos lacertílios era atravessada e sombria, mas o brilho dos olhos de Tal-elmar que os encontrava ferroava como um aguilhão. Há muito tempo as pernas gorduchas de Mogru não iam tão rápido da casa até o portão; e há ainda mais tempo ele não subia a pança pelo relvado escorregadio da colina além do fosso. Estava sem fôlego e arfando como um cão velho quando chegaram ao cimo.

E de novo Tal-elmar olhou para longe; mas o mar alto e distante estava agora vazio e ele emudeceu. Mogru enxugou o suor dos olhos e acompanhou sua mirada.

"Por qual razão, pergunto, tirastes à força o Mestre da cidade de sua casa e o trouxestes até aqui?", rosnou. "O mar está onde sempre esteve e vazio. O que quereis dizer?"

"Tende paciência e olhai com mais atenção", disse Tal-elmar. Terras altas no oeste bloqueavam a visão de tudo exceto o alto-mar; mas, subindo até o amplo cimo do Teso Dourado, elas se despenhavam abruptamente e, num desfiladeiro profundo, era possível vislumbrar a grande baía e as águas próximas à praia do norte. "Passou-se um tempo desde que estivemos aqui antes e o vento está forte", disse Tal-elmar. "Eles já se aproximaram." Apontou. "Ali vereis suas asas, ou seus panos-de-vento, chamai-os como quiserdes. Mas qual é vosso conselho? E não foi mesmo algo que o Mestre deveria ter visto com seus próprios olhos?"

Mogru observou e ofegou, agora tanto por medo quanto pelo esforço de subir colina acima, pois, apesar de bradar com altivez, ouvira das velhas muitos contos sombrios sobre os Go-hilleg em sua juventude. Mas seu coração era ardiloso e negro de raiva. Olhou de soslaio primeiro para Hazad e depois para o filho; e lambeu os lábios, mas não deixou que seu sorriso fosse visto.

"Imploraste para ser meu emissário", disse, "e hás de ser. Vai rapidamente agora e convoca os homens ao Teso-do-encontro! Mas tua incumbência não termina aí", acrescentou assim que Tal-elmar se preparou para correr. "Diretamente dos campos tu irás com máxima velocidade à Praia. Pois é lá que as naus, se forem naus, muito provavelmente atracarão e enviarão homens à terra. Novas deves conseguir ali, e espionar bem o que se passa. Não voltes de jeito nenhum, a menos que seja com novas que auxiliem nossos conselhos. Vai e não te poupes! Eu te ordeno. É um momento de perigo para a cidade."

Hazad parecia prestes a protestar; mas baixou a cabeça e nada disse, sabendo que seria em vão. Tal-elmar parou um momento, fitando Mogru como quem fita uma serpente no caminho. Mas percebeu bem que a astúcia do Mestre fora maior que a sua. Construíra sua própria armadilha e Mogru fizera uso dela. Declarou estado de perigo para a cidade e tinha o direito de ordenar qualquer serviço. Desobedecê-lo significava morte. E, mesmo que Tal-elmar não tivesse se voluntariado como emissário (desejando evitar que qualquer palavra secreta fosse passada aos serviçais do Mestre), todos diriam que a escolha era justa. Um batedor precisaria ser enviado e quem melhor do que um jovem forte e intrépido de céleres pés? Mas, no entanto, havia malícia, sombria malícia, na incumbência. O defensor de Hazad estaria longe. Não havia esperança nos seus irmãos: imbecis fortes, mas sem coragem para embates, salvo com seu velho pai. E era bem provável que ele não voltaria. Era grande o perigo.

Uma vez mais Tal-elmar olhou para o Mestre, e depois para o pai, e seu olhar recaiu sobre o bordão de Mogru. O brilho de fagulha estava em seus olhos e, em seu coração, o desejo de matar. Mogru o percebeu e titubeou.

"Vai, vai!", exclamou. "Eu te ordenei. Tu gritas 'lobo!' com mais rapidez do que sais à caça. Vai de uma vez!"

"Vai, meu filho!", disse Hazad. "Não desafies o Mestre. Não quando ele tem o direito. Pois aí tu desafias a cidade toda, além do teu poder. E, se eu fosse o mestre, escolher-te-ia, por caro que me sejas; pois tens mais coragem e sorte que qualquer um deste povo. Mas volta e não deixes a Nau Escura capturar-te. Não sejas demasiado temerário! Pois é melhor que tragas más notícias vivo do que os Homens-do-mar sem arauto."

Tal-elmar inclinou-se e fez o sinal de submissão ao seu pai, e não ao mestre, e deu dois passos. Então se virou. "Ouve, Mogru, a quem um povo rasteiro em sua tolice nomeou seu mestre", exclamou. "Talvez eu haja de retornar, contrariando tua expectativa. Meu pai eu deixo a teus cuidados. Se eu voltar, quer seja com palavra de paz, quer com um inimigo no encalço, aí teu domínio estará no fim, e também tua vida, se eu descobrir que ele sofreu qualquer mal ou desonra que pudesses prevenir. Teus faquistas e porta-clavas não te ajudarão. Estrangularei teu pescoço gordo com minhas mãos nuas se for preciso; ou caçar-te-ei desde os ermos até os lagos negros." Então um novo pensamento lhe ocorreu e ele caminhou de volta ao Mestre e pôs as mãos no bordão.

Mogru se encolheu e ergueu um braço gorducho como que se defendendo de um golpe. "Estás louco hoje", crocitou. "Não me ataques, ou vais pagar por isso com a morte. Não ouviste as palavras do teu pai?"

"Ouvi e obedeço", disse Tal-elmar. "Mas a primeira missão é ir aos homens e a pressa se faz mister agora. Pouca honra tenho entre eles, pois sabem bem de teu desprezo por nós. Que importância darão se os bastardos da Escrava, como nos chamas quando não estou por perto, chegar[9] conclamando ao Teso-do-encontro em teu nome sem uma garantia? Teu bordão servirá. É bem conhecido. Não, não te darei uma surra com ele ainda!"

Com isso, puxou o bordão da mão de Mogru e correu colina abaixo, o coração ainda demasiado ardente de fúria para pensar no que havia adiante. Mas quando anunciou a convocação aos atônitos homens nos agros das encostas meridionais e atirou o bordão em meio a eles, pedindo-lhes que se apressassem, correu para o pé da colina e por sobre os extensos prados e assim chegou à primeira vegetação esparsa das matas. A escuridão jazia diante dele no vale entre Agar e as colinas junto à praia.

Ainda era manhã e faltava mais de uma hora para o meio-dia, mas, quando passou para debaixo das árvores, parou e refletiu, e percebeu que tremia de medo. De raro vagara longe das colinas de seu lar e nunca sozinho nem muito fundo na mata. Pois todo o seu povo tinha pavor da floresta[10]

> Aqui o texto datilografado é interrompido, antes do pé da página, e o manuscrito "Continuação de Tal-Elmar" (o nome está escrito assim agora) começa (ver p. 494).

Alcançar a praia era rápido para os olhos, mas moroso para os pés; e a distância era maior do que parecia. A mata era escura e doentia, pois havia águas estagnadas entre as colinas de Agar e as colinas costeiras; e muitas serpentes viviam ali. Era silencioso também, pois, apesar de ser primavera, poucos pássaros faziam ninhos ali ou mesmo pousavam ao se apressarem rumo às terras menos polutas perto do mar. Na mata habitavam também espíritos sombrios que odiavam homens, ou assim contavam os contos do povo. Sobre cobra, e charco, e demônio-da-mata Tal-Elmar refletia enquanto permanecia na sombra; mas precisou pensar pouco para chegar à conclusão de que todos os três eram menos perigosos do que voltar — com uma desculpa esfarrapada ou nenhuma — à cidade e seu mestre.

Assim, talvez um pouco impelido por seu orgulho, ele prosseguiu. E sob a sombra chegou-lhe esta ideia, conforme procurava uma trilha por charco e matagal: O que sei eu, ou qualquer uma dessas pessoas, mesmo meu pai, sobre esses Go-hilleg dos barcos alados? Pode bem ser que eu, um estranho entre meu próprio povo, os ache mais aprazíveis do que Mogru e todos os outros como ele.

Com esse pensamento crescendo dentro de si, até afinal sentir-se mais como um homem indo ao encontro de amigos e parentes do que um que vai na surdina espionar inimigos perigosos, passou ileso pela mata sombria e chegou às colinas costeiras, e começou a subir. Escolheu uma determinada colina porque arbustos subiam pela encosta e era encimada por um denso aglomerado de árvores baixas. A essa cobertura ele chegou e, rastejando para a beira oposta, olhou para baixo. Tomara-lhe muito tempo, pois o caminho fora moroso, e agora o sol já não estava a pino, mas descendo à sua direita em direção ao Mar. Estava faminto, mas mal reparava nisso, pois estava habituado à fome e, quando necessário, conseguia suportar trabalho pesado o dia todo sem comer. A colina era baixa, mas descia íngreme para a água. Diante dos sopés havia terras verdejantes que terminavam em cascalho, para além do qual as águas do estuário brilhavam sob o sol poente. No meio do canal além dos baixios, três grandes naus — embora Tal-Elmar não tivesse tal palavra em sua língua para nomeá-las — jaziam imóveis. Estavam ancoradas e as velas, amainadas. Da quarta, a nau negra, não havia sinal. Mas na vegetação próxima ao seixal havia tendas e barquinhos trazidos para perto. Homens altos estavam parados ou andando entre eles. Lá nas "barcaças", Tal-Elmar conseguia ver [?outros] vigiando; ocasionalmente vislumbrava um clarão quando algum armamento se movia ao sol. Ele estremeceu, pois os contos sobre as "lâminas" dos Homens Cruéis eram-lhe familiares na infância.

Tal-Elmar olhou por muito tempo e lentamente percebeu quão desesperançada era sua missão. Ele poderia ficar olhando até a luz do dia faltar, mas não conseguiria contar o número de homens que havia com precisão o suficiente para qualquer propósito; nem descobrir o seu objetivo ou os seus planos. Mesmo que tivesse a coragem ou a sorte de passar por seus guardas, não poderia fazer nada de útil, pois não compreenderia palavra da língua deles.

Lembrou-se de súbito — outro dos esquemas de Mogru para se livrar dele, como percebia agora, embora à época tivesse achado uma honra — como, havia apenas um ano, quando a decadente cidade de Agar era ameaçada por saqueadores do vilarejo de Udul, muito no interior,[11] todos os homens temiam um assalto, pois Agar era um local mais seco, mais salubre e mais defensável (ou assim acreditavam os citadinos). Tal-Elmar então fora escolhido para espionar a terra de Udul, pois "era jovem, intrépido e melhor conhecedor da terra no entorno". Assim falou Mogru, o que era bem verdade, pois o povo de Agar era retraído e raramente ia para muito longe, sem que jamais ousassem estar fora de suas casas no cair do escuro. Por outro lado, quando tinha oportunidade e o dever não o chamava (ou, se chamava, às vezes), Tal-Elmar frequentemente caminhava para longe e, embora temesse o escuro (pois assim fora ensinado desde bebê), mais de uma vez vira cair a noite longe da cidade e era até mesmo conhecido por ir sozinho ao teso-da-vigia sob as estrelas.

No entanto, entrar furtivamente nos campos hostis de Udul à noite era algo diferente e muito pior. Mas ele ousou fazê-lo. E chegou tão perto de uma das cabanas das sentinelas que conseguiu ouvir os homens lá dentro conversando — em vão. Não conseguiu compreender o sentido de sua fala. A entonação parecia pesarosa e cheia de medo[12] (como as vozes dos homens eram à noite no mundo que ele conhecia) e algumas palavras pareciam-lhe familiares, mas não o bastante para compreender. E, ainda assim, a gente de Udul era avizinhada deles — de fato, embora Tal-Elmar e seu povo tivessem esquecido, como haviam se esquecido de muita coisa, eram seus parentes próximos, parte do mesmo povo em anos passados e mais benfazejos. Que esperança havia, então, de reconhecer uma palavra que fosse, ou mesmo de interpretar corretamente a entonação do idioma de homens estranhos ao seu próprio povo desde o começo do mundo? Estranhos ao seu próprio povo? Meu próprio povo? Mas eles não são meu povo. Só meu pai. E novamente ele teve aquela estranha sensação, vinda não sabia de onde a esse jovem, nascido e criado em meio a um povo decadente e meio selvagem: a sensação de que não encontraria estranhos, mas parentes de longe e amigos.

E, no entanto, era também um garoto de seu vilarejo. Estava com medo e passou muito tempo até que se movesse. Afinal, olhou para cima. O sol à sua direita estava se pondo agora. Entre dois troncos de árvore, vislumbrou o mar conforme o grande disco de fogo, vermelho com a diáfana névoa marinha, chegava-lhe à altura dos olhos, e a água se iluminou de dourado incandescente.

Ele vira o sol afundar no mar antes, mas jamais o tinha visto dessa maneira. Soube num lampejo (como se viesse daquele mesmo fogo) que o vira dessa maneira, [? era chamado,][13] que significava algo maior do que a aproximação do "tempo do Rei", o escuro.[14] Ergueu-se e, como se guiado ou impelido, abertamente desceu a colina e atravessou o longo relvado em direção ao seixal e às tendas.

Se pudesse ter visto a si mesmo, teria se espantado não menos do que aqueles que agora o observavam desde a praia. Sua pele nua — pois vestia apenas um encacho e um pequeno manto de … pele jogado para trás e preso por uma tira ao ombro — brilhava dourada na luz do [? ocaso], seu cabelo louro também estava iluminado e seu caminhar era suave e desembaraçado.

"Vede!", exclamou uma das sentinelas ao companheiro. "Estais a ver o que eu vejo? Não seria um dos Eldar das florestas que vem falar conosco?"

"Vejo, de fato", disse o outro, "mas se não for algum fantasma das beiras do [? adventício] escuro [? nesta terra maldita] não pode ser um dos Belos. Estamos muito ao sul e nenhum deles habita aqui. De fato, gostaria que estivéssemos [? no norte próximo a(os) Portos]."

"Quem é que conhece todos os caminhos dos Eldar?", disse a sentinela. "Silêncio agora! Ele se aproxima. Deixai-o falar primeiro."

Permaneceram imóveis e não fizeram sinal à aproximação de Tal-Elmar. Quando estava a uns vinte passos de distância, seu temor retornou e ele parou, deixando os braços caírem diante de si e voltando as palmas das mãos abertas para os forasteiros num gesto que todos os homens conseguiriam entender.

Então, como não se movessem, nem colocassem a mão em arma alguma até onde podia ver, tomou coragem novamente e lhes falou, dizendo: "Salve, Homens do mar e das asas! Por que vindes até aqui? É em paz? Sou Tal-Elmar uHazad do povo de Agar. E vós, quem sois?"

Sua voz era límpida e bela, mas a língua que usava não era nada além de uma forma da língua meio selvagem dos Homens do Escuro, como os Marinheiros os chamavam. A sentinela se agitou. "Elda!", disse. "Os Eldar não usam tal idioma." Chamou em voz alta e homens prontamente saíram das tendas. Ele mesmo desembainhou uma espada, enquanto seu companheiro meteu uma flecha no arco. Antes mesmo que Tal-Elmar tivesse tempo de se apavorar, quanto mais de se virar e correr — felizmente, pois não sabia nada de arcos e teria caído muito antes de estar fora do alcance —, foi cercado por homens armados. Eles o agarraram, mas não com brutalidade, quando viram que estava desarmado e submisso, e o levaram a uma tenda onde havia alguém de autoridade.

Tal-Elmar sente que a língua é *conhecida* e apenas velada para ele.

O capitão diz que Tal-Elmar deve ser da raça númenóreana ou dos povos aparentados deles. Deve ser tratado com gentileza. Suspeita que deve ter sido feito cativo quando bebê ou que era filho de cativos. "Está tentando fugir para nós", diz.

"Uma pena que não se lembra de nada da língua." "Ele vai aprender." "Talvez, mas só depois de um longo tempo. Se a falasse agora, poderia nos contar muita coisa que aceleraria nossa missão e diminuiria o perigo."

Afinal fazem Tal-Elmar compreender o desejo de descobrir quantos homens moram nas cercanias; são amigáveis, são como ele?

O objetivo dos Númenóreanos é ocupar essa terra e, aliados aos "Cruéis" do Norte, expulsar o Povo Sombrio e construir um assentamento para fazer frente ao Rei. (Ou isso acontece enquanto Sauron está ausente, em Númenor?)

O local é no estuário do Isen? ou Morthond.

Tal-Elmar sabia contar e compreender números altos, embora sua língua fosse imperfeita.

Ou será que ele entende númenóreano? [*Acrescentado subsequentemente:* Eldarin — estes eram Amigos-dos-Elfos.] Ele falou quando ouviu os homens conversando entre si: "É estranho, pois falais a língua de meus longos sonhos. Decerto, porém, estou em minha própria terra e não dormindo?" Eles então se espantaram e disseram: "Por que não falastes assim conosco antes? Falastes como o povo do Escuro que são nossos inimigos, sendo serviçais de nosso Inimigo." E Tal-Elmar respondeu: "Porque este idioma só me voltou à mente quando vos escutei falando; e, ademais, com poderia saber que vós entenderíeis a linguagem de meus sonhos? Não sois parecidos com aqueles que falavam em meus sonhos. Não, um pouco parecidos; mas eles eram mais radiantes e mais belos."

Tanto mais espantados ficaram os homens, e disseram: "Parece que vós falastes com os Eldar, seja em vigília ou em visão."

"Quem são os Eldar?", disse Tal-Elmar. "Este nome não escutei em meu sonho."

"Se vierdes conosco talvez os vejais."

Então, de súbito, o medo e a memória dos velhos contos voltaram a Tal-Elmar e ele vacilou. "O que faríeis comigo?", exclamou. "Atrair-me-íeis ao barco de asas negras e entregar-me-íeis ao Escuro?"

"Vós, ou ao menos a vossa gente, já pertenceis ao Escuro", responderam. "Mas por que falais assim das velas negras? As velas negras são para nós um sinal de honra, pois são a bela noite antes da chegada do Inimigo, e sobre o negrume estão cravadas as estrelas prateadas de Elbereth. As velas negras de nosso capitão já subiram o rio."

No entanto, Tal-Elmar temia porque ainda não conseguia imaginar a cor negra como qualquer coisa além do símbolo da noite e do medo. Mas olhou tão intrepidamente quanto conseguiu e respondeu: "Não toda a minha gente. Tememos o Escuro, não o amamos e não o servimos. Pelo menos alguns de nós. Assim é com meu pai. E eu o amo. Não me separaria dele nem mesmo para ver os Eldar."

"Ai de vós!", disseram. "Vosso tempo de morar nestas colinas chegou ao fim. Aqui os homens do Oeste resolveram fazer seus lares e o povo do escuro deve partir — ou ser morto."

Tal-Elmar se oferece como refém.

> Não há mais nada. Ao pé da página, meu pai escreveu "Tal-Elmar" duas vezes, e seu próprio nome duas vezes; e também "Tal-Elmar em Rhovannion", "Terras-selváticas", "Anduin o Grande Rio", "Mar de Rhûn" e "Charneca Etten".

NOTAS

1 Na versão rejeitada da seção de abertura do texto, a história começa assim: "Nos dias dos Grandes Reis, quando um homem ainda podia andar sem molhar os sapatos desde Roma até Iorque (não que essas cidades já tivessem

sido construídas ou planejadas) vivia — na cidade cercada de seu povo nas colinas de Agar — um velho homem de nome *Tal-argan* Barba-longa", e Tal-argan permaneceu sem correção na página rejeitada. A segunda versão manteve os "Grandes Reis" e a alteração para os "Reis Sombrios" foi feita posteriormente.

2 Esse parágrafo foi posteriormente colocado entre colchetes.

3 Ambas as versões tinham "o Quarto Rei", alterado na segunda para "o Rei do Norte" ao mesmo tempo em que "Grandes Reis" foi alterado para "Reis Sombrios" (nota 1).

4 Na versão rejeitada, o pai de Tal-argan (Hazad) era chamado *Tal-Bulda* e o local da batalha era o vale de *Rishmalog*.

5 Nesse ponto termina a primeira página rejeitada e o texto se torna uma composição em estágio inicial. Uma observação a lápis no alto da página substitutiva propõe que Buldar, pai de Hazad, deveria ser eliminado e que deveria ser o próprio Hazad a se casar com a mulher estrangeira, Elmar (que não tem nome na versão rejeitada).

6 O nome datilografado era *Dur nor-Belgoth*, corrigido para *Gorbelgod*.

7 "Quarto Rei" não foi corrigido aqui: ver nota 3.

8 *knappers* [talhadores]: um "*knapper*" era alguém que talhava pedras ou sílice. Essa palavra substituiu "*tinkers*" [latoeiros] aqui e na ocorrência mais adiante.

9 Deixei o texto aqui como ele está.

10 Uma nota marginal aqui diz que Tal-elmar "não tinha armas, a não ser uma pedra-de-atirar em uma bolsa".

11 Conforme escrito, o texto dizia "muito no interior, e todos os homens temiam", o que foi corrigido para "muito no interior. Todos os homens temiam". Eu alterei o texto para dar uma frase completa, mas meu pai (que estava aqui escrevendo muito rapidamente) sem dúvida não tinha essa intenção e teria reescrito o trecho se um dia tivesse voltado a ele.

12 Na margem, meu pai escreveu que o vilarejo de Udul estava morrendo com uma peste e os saqueadores estavam, na verdade, desesperadamente procurando por comida.

13 Em alguns pontos, a conclusão do texto se encontra numa escrita excruciantemente difícil e as palavras que interpretei como "era chamado" são incertas: mas não consigo interpretá-las de nenhuma outra forma.

14 Ao lado das palavras na p. 507 "sem que jamais ousassem estar fora de suas casas ao cair do escuro", meu pai escreveu: "Escuro é 'o tempo do Rei'". Como se vê por um trecho na p. 509, o Rei é Sauron.

Índice remissivo

O grande número de nomes que ocorrem neste livro e a frequência de menções em muitos casos exigiriam um índice remissivo muito maior do que o dos volumes anteriores, caso o mesmo padrão fosse seguido; portanto, eu o reduzi omitindo três categorias de nomes. Cada uma delas está concentrada em uma parte pequena do livro e, no caso da segunda e da terceira, parece-me que, mesmo sem levar em conta as considerações sobre o comprimento geral do índice, é muito duvidosa a utilidade de detalhar alfabeticamente um material de tal complexidade.

(1) *Nomes de Hobbits.* A quantidade de nomes de Hobbits individuais, incluindo todas as alterações registradas, é tão grande (cerca de 370) que restringi as referências ao verbete *Famílias hobbits.* Aqui, todos os sobrenomes estão listados, com referências para todas as páginas (incluindo todas as tabelas genealógicas) em que ocorre o nome da família ou de qualquer membro da família. Exceções a essa regra são Bilbo e Frodo Bolseiro, Sam Gamgi, Meriadoc Brandebuque e Peregrin Tûk, que têm verbetes separados no índice devido ao grande número de referências a eles.

(2) *Os Calendários.* Todas as páginas em que há menção aos *meses* e *dias da semana* em diferentes línguas estão coligidas nesses verbetes. Em *Calendários* estão listados os verbetes no índice remissivo a respeito do assunto do Capítulo IV, e referências aos nomes e termos élficos encontram-se em *Calendários* e *Estações.*

(3) *A fala comum.* Em *Fala comum* e *Famílias hobbits* são fornecidas referências a todas as páginas onde aparecem nomes "verdadeiros" (que supostamente subjazem aos nomes "traduzidos"), sendo eles apenas excepcionalmente incluídos no índice remissivo.

Os verbetes *Segunda Era*, *Terceira Era*, *Quarta Era* e *Registro-do-Condado* não incluem simples referências a datas. Alguns nomes grafados com *C* em *O Senhor dos Anéis* serão encontrados sob a letra *K*: *Calimehtar, Calimmacil, Calmacil, Castamir, Cemendur, Cirith Ungol, Ciryaher (Ciryahir), Ciryandil.*

Este livro foi impresso em 2025, pela Ipsis, para a HarperCollins Brasil.
A fonte usada no miolo é Garamond corpo 10. O papel do miolo é
pólen natural 70 g/m^2 e o da capa é couchê 150 g/m^2.

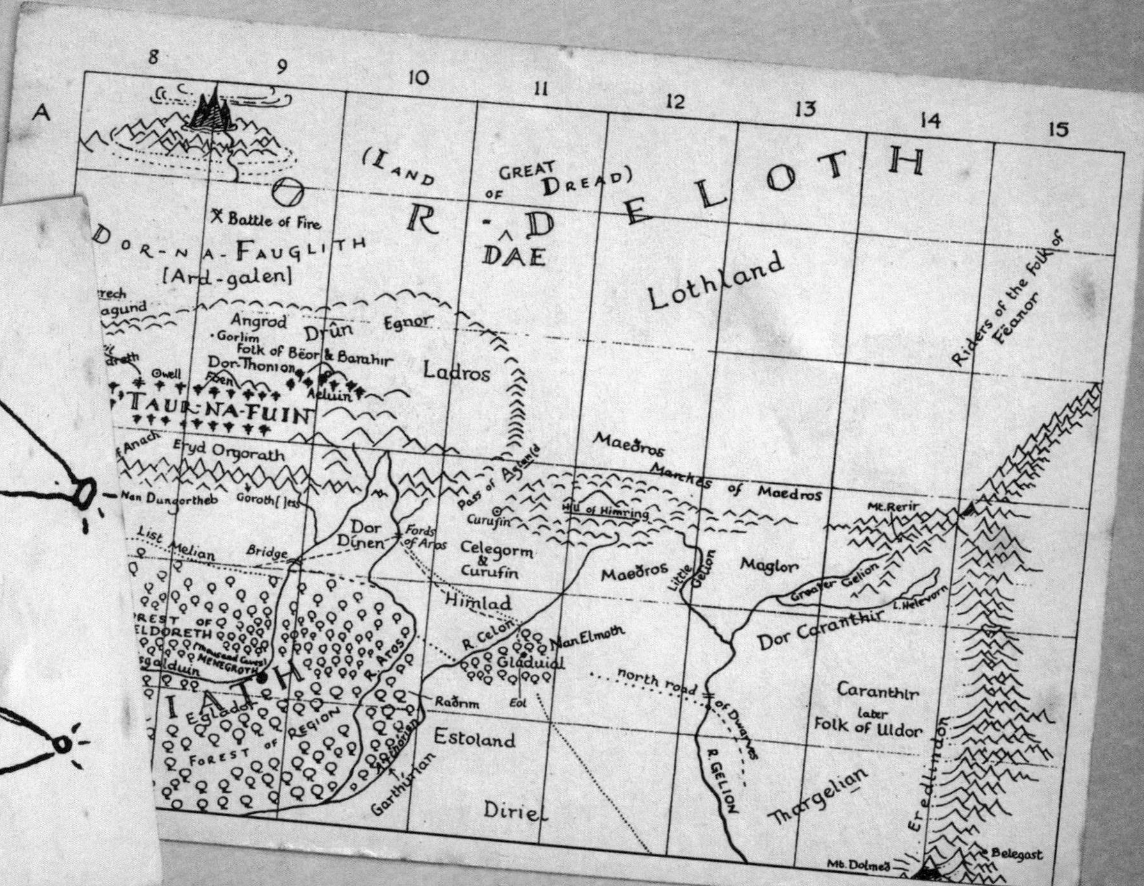

A
8
9
10
11
12
13
14
15
OR-DELOTH
(LAND OF GREAT DREAD)
DAE
Lothland
Battle of Fire
DOR-NA-FAUGLITH
[Ard-galen]
Angrod
Gorlim
Drûn
Egnor
Folk of Bëor & Barahir
Dor-Thonion
Ladros
Aeluin
Owell
TAUR-NA-FUIN
Eryd Orgorath
Nan Dungortheb
Maedros
Marches of Maedros
Pass of Aglond
Curufin
Hill of Himring
Riders of the Folk of Fëanor
Mt. Rerir
Dor Dínen
Fords of Aros
Celegorm & Curufin
List Melian
Bridge
Maedros
Little Gelion
Maglor
Greater Gelion
L. Helevorn
Himlad
FOREST OF ELDORETH
MENEGROTH
Thousand Caves
R. Aros
R. Celon
Nan Elmoth
Gladuial
Dor Caranthir
north road of Dwarves
Radrim
Eol
Caranthir later Folk of Uldor
IATH
Eglador
FOREST OF REGION
Estoland
Garthurian
R. GELION
Thargelian
Eredlindon
Diriel
Mt. Dolmed
Belegast

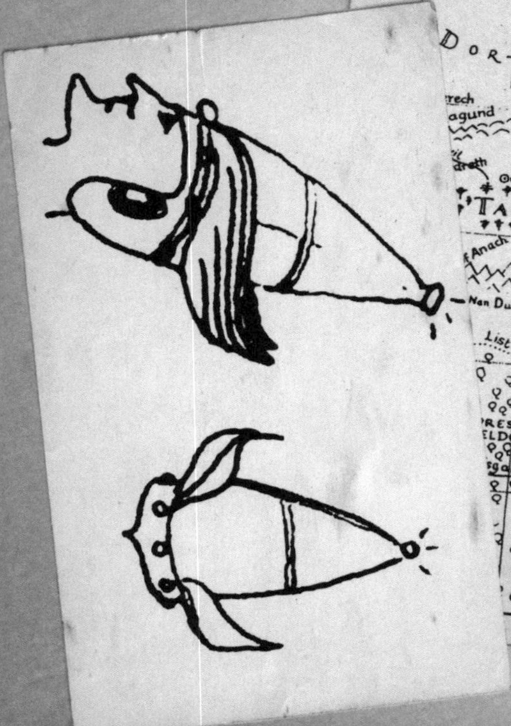

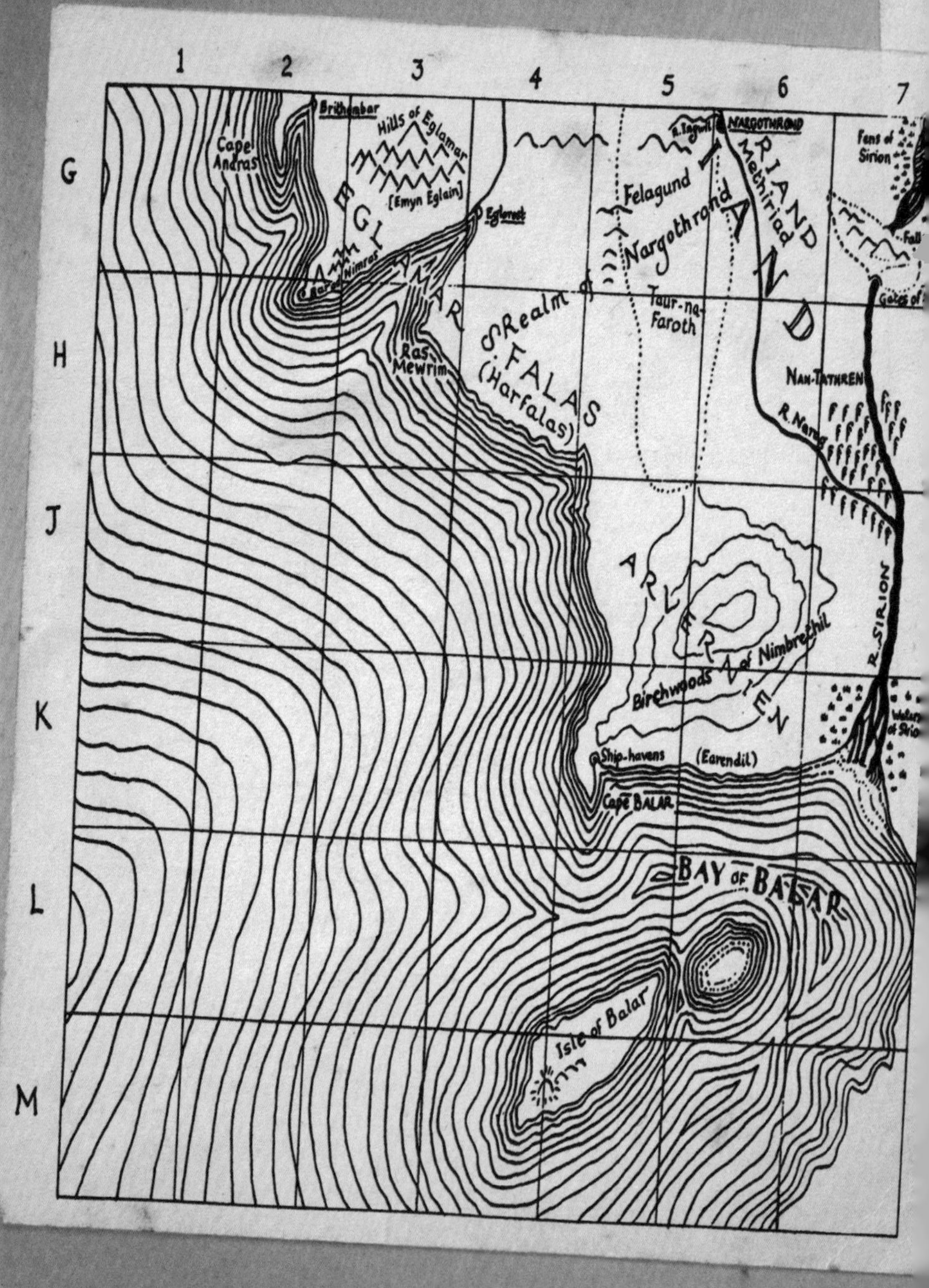
1
2
3
4
5
6
7
G
H
J
K
L
M
Brithombar
Hills of Eglamar
[Emyn Eglain]
Cape Andras
Eglarest
Barad Nimras
EGLARENT
R. Ingwil
NARGOTHROND
Felagund
Nargothrond
BELERIAND
Fens of Sirion
Realm of FALAS
(Harfalas)
Ras Mewrim
Taur-na-Faroth
NAN-TATHREN
R. Narog
R. SIRION
ARVERNIEN
Birchwoods of Nimbrethil
Ship-havens
(Earendil)
Cape BALAR
BAY OF BALAR
Isle of Balar